KB019163

자동차차체수리

이론과 실무

The Theory and Practice of Body Repair

박상윤 오상기 이승호 共著

www.gbbook.co.kr

머리말...

현재 경제여건의 변화와 시장 경쟁체제의 강화로 많은 시간동안 세계 자동차 산업은 많은 변화를 맞이하고 있다. 정보통신 기술 등 괄목한 만한 기술 발전과 신소재 개발에 따라 자동차의 구조 및 시스템도 엄청난 변화를 겪고 있으며, 현재에도 지속적으로 개발되어 적용을 준비 중에 있다.

시간이 흐르면 흐를수록 차량 내 · 외부는 고급화 되어 갈 것이고, 자동차의 시스템은 인간과 친밀한 관계의 안락하고 편안한 시스템을 추구하게 될 것이다.

자동차의 구조물을 복원하는 차체수리 작업 또한 마찬가지로 현재 진행되고 있는 작업의 틀을 벗어나 조금 더 정확하고 완벽하게 복원하기 위해서는 차체수리 작업의 기초부터 응용까지 잘 학습되어져서 이론에 그치지 않고 실습에 임함에 있어서도 자신감 있게 작업할 수 있도록 이 책을 통해 길을 만들어가기를 바란다.

자동차 차체수리 기술은 실제 작업이 자동차의 차체 노후에 따른 보수 작업이기보다는 차량의 추돌, 충돌에 따른 차체 변형 수정 작업이 대부분이기 때문에 차체의 구조와 부위별 특성, 강판의 성질 등을 충분히 파악하고, 차체 보수 작업용 공구, 장비의 사용법 등에 대한 충분한 지식 또한 필요하다.

충돌 및 추돌에 의한 차체 변형의 수정 작업은 작업의 방법과 기술의 정도에 따라 외관으로 나타나는 차체 품질은 물론, 자동차의 안전도에도 엄청난 영향을 미친다는 점을 감안할 때 차체수리 작업을 임함에 있어서 정확한 지식과 경험의 축적은 대단히 중요하다고 할 수 있다.

이 책을 통해 차체수리 작업이 어떤 작업이며, 차체수리 작업이 어떻게 이루어지는지에 대해서 정확하게 알 수 있게 되기를 바라며, 이론적인 지식뿐만 아니라 실무 작업에 있어서도 기술의 향상에 도움이 되기를 바란다.

PREFACE

현재와 미래에는 각 분야에 전문가를 많이 요구하게 될 것이다. 전문가란 이론에만 또는 실무에만 능한 사람이 아니라 이론과 실무를 고루 갖춘 사람을 말한다.

이 책을 통해 모든 사람들이 전문가가 되는 지름길에 접어들기 바란다.

부족한 점이 많이 있겠지만 이론을 비롯해서 실무까지 현재 작업현장에서 이루어지고 있는 작업의 총체적인 부분을 기록하였다.

끝으로 이 책이 나오기 까지 많은 도움을 주신 모든 분들께 진심으로 감사드린다.

2008년 1월
저자 씀

차 례...

1. 차체수리 일반

chapter 1 차체수리 일반

chapter 2 자동차 차체재료

2. 차체손상진단 및 수리

chapter 1 차체손상진단 및 수리

chapter 2 수공구의 훈련

chapter 3 보디 수정

chapter 7 알루미늄 패널 일반

chapter 8 알루미늄 패널 수정

chapter 9 덴트 리페어

3. 차체 용접

chapter 1 MAG-CO_2 용접

chapter 2 스폿 용접

PART 1

차체수리 일반

1 차체수리 일반

1 차체수리와 판금의 비교

❶ 차체수리

차체수리란 그림에서 보는 바와 같이 차량의 추돌 및 충돌로 인해 손상된 차체를 원래의 형상(모습)으로 복원(되돌리는)하는 작업을 말한다. 선진국에서는 도장 작업 공정의 하나인 퍼티작업까지 포함된 작업을 차체수리 작업이라 한다.

차체수리 작업

차체수리 작업에는 보디 수정작업과 프레임 수정작업, 패널 수정작업으로 크게 분류할 수 있다. 좌측 그림에서 보는 것은 용접된 패널을 복원하는 보디 수정을 말하며, 우측의 그림에서 보는 것은 외판패널 복원 작업인 패널 수정작업을 말한다.

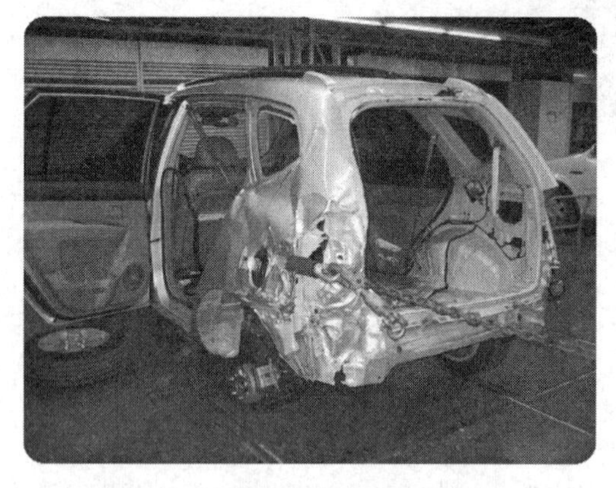

보디 수정

패널 수정작업

2 판금

판금 작업은 현재처럼 부품이 원활하게 공급되지 못할 당시인 70년대와 80년대 현장 작업에서 가장 많이 이루어지던 작업이다. 판금 작업은 금속 성형법의 일종으로 주로 얇은 판재를 굽히거나 절단하여 여러 가지 형상으로 만드는 정밀한 금속 가공법의 총칭이라 할 수 있다.

현재 차체수리 작업과는 많은 차이점을 보이고 있으나 아직도 많은 부분에서 판금이란 용어를 사용하고 있는 이유는 판금작업을 할 때 해머와 돌리를 사용 할뿐 아니라 가스 용접기를 사용했듯이 현재 차제수리 작업에서도 해머와 돌리를 사용하고 있으며 가스 용접기를 사용하고 있기 때문에 그 용어는 쉽게 바뀌지 않을 것 같다.

하지만, 이젠 판금작업으로 이루어지던 시대는 지나갔다고 해도 과언은 아니다. 많은 현장에서 패널을 예전처럼 만들어 붙이기보다는 생산된 차량의 부품을 교환하는 위주의 작업이 진행되고 있기 때문에 수정이라는 개념은 같을지 모르나 복원 및 교환 작업 방법이 많이 달라졌기 때문에 이제는 차체수리 작업으로의 전환이 필요한 때인 것 같다.

물론 아직도 환경이 많이 열악한 가운데서 작업을 하고 계신 분들은 판금작업을 더 선호할 수 도 있다. 그만큼 몸에 익숙해져 있어서 일 것이다. 새롭게 바뀌어가는 장비나 공구에 쉽게 익숙해지지 못할 뿐만 아니라 예전의 작업 방식으로 작업을 해도 아무런 문제가 없기 때문이라고 생각하기 때문일 수도 있다.

이제는 판금작업의 개념을 버리고 차체수리 작업에 익숙해져야 할 시기이다.

2 차체 수리 작업의 표준 순서

차체수리 작업은 손상된 차량이 입고되어서 출고되기까지의 전 과정을 차체수리 작업 공정이라 해도 무리가 없다. 왜냐하면, 차체수리 작업이 마쳐지면 이어서 도장 작업이 진행된다. 도장작업이 마무리 되어 나오면 다시 차체수리 작업의 마무리 작업인 조립 작업을 하게 된다. 조립작업이 완료되어야지만 모든 작업 공정은 끝이 난다. 즉, 고객에게 차량이 인도될 수 있다는 것이다.

예를 들어서 조립 작업 중 부품 하나가 없다고 가정해 보자.

결품 된 부품 하나 때문에 차량을 그대로 현장에 세워두어야 한다. 부품이 올 때 까지 수리된 차량은 출고되지 못하고 현장에 그대로 세워두게 될 뿐 아니라 기다리는 고객 또한 마음이 조급해 질 것이다.

자동차 수리를 의뢰한 고객은 아주 작은 부품하나라도 빠져있다면 차를 인도해 가지 않으려고 할 것이다. 그렇기 때문에 아주 작은 부품 하나라도 정확하게 조립된 상태에서 차량이 출고된 원래의 신차와 동일한 형태로 고객에게 차량이 인도되어야 하는 기나긴 시간이 차체수리의 작업 공정이다.

차체수리 작업은 결코 쉽게 이루어지지 않는다. 아마도 차량을 정비하는 작업 중 가장 오랜 시간 작업을 해야 하는 작업이기 때문에 많은 부분에서 어렵다고 생각할 지도 모르겠다.

차체수리 작업을 입고에서 출고까지의 작업이라고 총칭했지만 도장 작업으로 연계되기까지의 작업이 사실 가장 중요한 작업이기 때문에 다음과 같이 5단계의 작업 순서에 따른 표준 작업을 실시함으로써 차체수리 작업이 가능하게 된다.

제 1단계로서 **차체손상 진단 및 분석 작업**, 제 2단계 **차체 고정 작업**, 제 3단계 **차체 인장 작업**, 제 4단계 **패널 절단 및 탈거 작업**, 제 5단계 **패널 부착 및 용접 작업**으로 작업이 진행된다.

물론 중간 작업과정에 대해서 설명하자면 더 많은 작업공정이 있겠지만 작업 공정을 크게 분류하면 5단계로 나눌 수 있다.

3 보디의 구조

1 승용차 차체구조의 조건

승용차 발달 역사의 과정에서 차체에 대한 강도상의 기대가 크게 변천하고 있다. 현재 생산되는 승용차와 RV차종의 대부분은 모노코크 보디가 적용되고 있다. 모노코크 보디가 양산되기 전의 차체는 구조상의 강도나 강성을 고려하여 설계되었기 때문에 견고한 프레임 위에 차체를 설치하는 타입이 주로 양산되었다.

시간의 흐름에 따라 여러 고객층이 다양하게 변화하면서 차체는 중량경감, 경제성, 차량설계의 유용한 이용 등의 요구 때문에 프레임과 차체를 일체로 한 모노코크 보디가 개발되면서부터 차체는 승용차의 구조체로서 요구되는 강도, 강성의 대부분을 담당하게 되어 설계상 많은 제약을 받게 되었다.

차체는 승용차를 구성하는 골격이기에 차체 구조는 다음과 같은 목적을 가지고 있다.

(1) 차체 형상의 유지

각종 사용 조건하에 차체의 각 부분, 또는 차체에 붙는 부품간의 상대 위치관계 변화를 적당한 한도 이하로 제한하여, 각종 기능에 부적합함이 발생되지 않게 한다.

(2) 차체의 수명은 차량의 수명 이상이 되어야 한다

일반적인 사용조건 하에서는 차체의 어셈블리(Assy)교환은 거의 생각하지도 않기 때문에 차체는 차량의 수명 이상이 되어야 함이 필요하다.

(3) 부적합한 진동, 소음을 발생시키지 않는다

차체는 주행 중 넓은 범위에서 각각의 부분에서 충격을 받지만 승객이 느끼기에 불쾌한 진동, 소음을 발생시키는 것은 좋지 않다. 차체 자체가 탄성체이기 때문에 특정한 진동특성을 가지는 것은 당연하지만 부적절한 진동, 소음을 줄이기 위해 구조체 전체 또는 국부적으로 강도의 조정이 행해진다.

(4) 승객의 보호

만일의 충돌이나 전복사고에 있어서 차체는 승객을 보호하는 역할을 하지 않으면 안

된다. 사고 시에는 객실의 손상을 가능한 한 적게 하기 위해 차체 앞, 뒤 부분의 충격 흡수 능력을 확실히 가지도록 해야 하며, 상부구조의 강도를 충분히 유지하는 등의 기능을 가져야 한다.

② 보디 구조의 기초

(1) 강판의 가공법에 의한 강도변화

강판의 가공에 의한 강도변화는 1장의 종이에 비유하여 각종의 형태를 만들어 보면 강도의 차이를 이해할 수 있다. 주변에 있는 A4용지를 사용해 간단히 실험해 보면 알 수 있다. 종이를 손에 쥐고 옆으로 하면, 종이는 얇고 중간 허리 부분이 약하기 때문에 그냥 휘어지며 또한, 간단하게 찢어지기도 하고 형태를 자유롭게 구길 수도 있다. 이처럼 약한 종이라 할지라도 가공법의 차이에 의해 다음과 같이 변화한다.

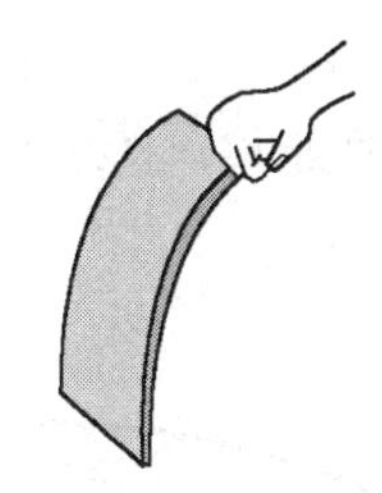

간단하게 휘어짐

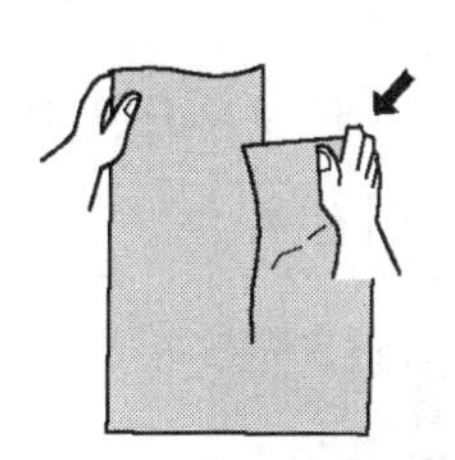

간단하게 찢어짐

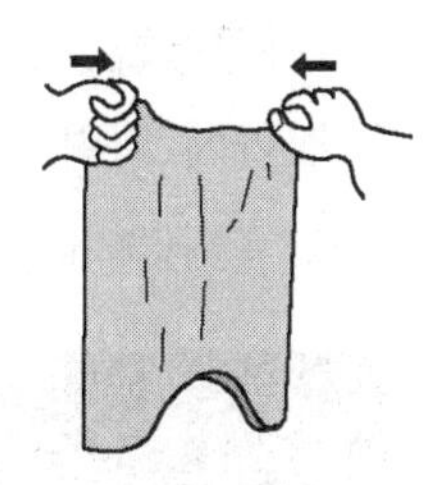

간단하게 구겨짐

① 반으로 접어서 「ㄱ」자 단면을 만든다

곧게 서지 못했던 종이가 서게 되나 세워진 상태에서 어떠한 물체를 얹게 되면 형태가 무너져 넘어질 수 있다.

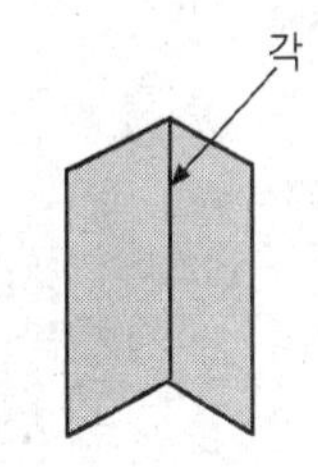

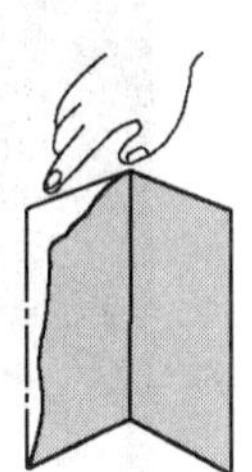

② 3등분으로 접어서 「ㄷ」자 단면을 만든다

3등분을 한 상태에서 종이를 세워보면 ㄱ 자 단면의 것보다 안전성이 증가해 어떤 물체를 올려놓아도 잘 넘어지지 않는다. 이와 같이 접는 선을 한 번 더 늘리는 것만으로도 강도가 증가되는 것을 알 수 있다.

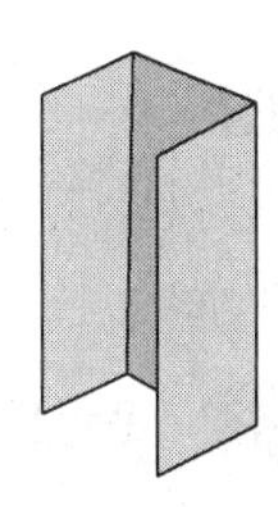

③ **4등분으로 접어서 「ㅁ」자 단면을 만든다**

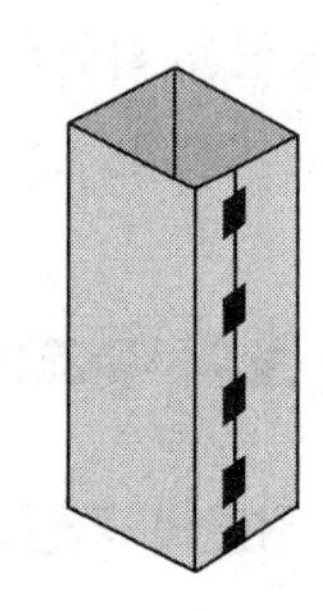

접는 선을 한 번 더 늘려 4등분한 후에 종이 끝을 테이프로 붙이면 중간에 축이 생긴다. 이 축은 어떤 물체를 그 위에 올려놓는다 해도 괜찮을 정도로 강해져있음을 알 수 있을 것이다. 이와 같이 얇고 힘없는 종이라 할지라도 접는 선을 늘린다든지 면을 붙여 축으로 만드는 방법에 의해 그냥 종이일 때의 약한 종이라고 생각지도 못할 정도로 강하게 변하는 것이다.

이와 같은 원리와 비슷하게 보디에 사용되고 있는 강판 또한 시트 상태의 것을 프레스 성형해서 접는 선(프레스 라인)과 곡면을 만들 때 발생하는 가공경화를 이용해서 강도를 높이는 것이다.

(2) 모노코크 보디의 프레스 가공

① **가공경화**

강판에 외력을 가하여 구부린 경우 구부러진 부위는 가공 전의 상태보다 더욱 강하고 단단하게 되어 연신율이 떨어진다.

▲ 가공경화

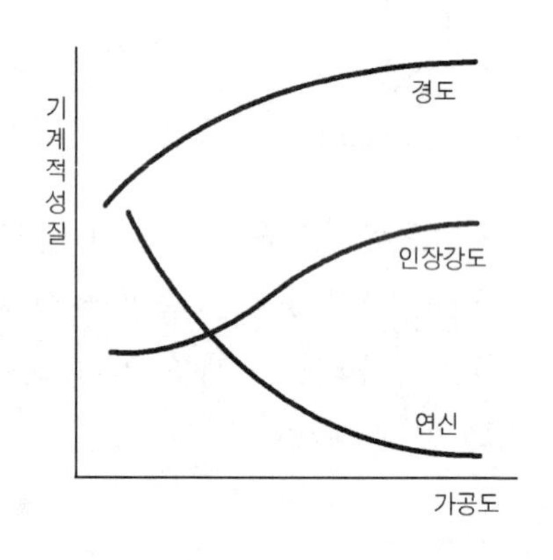

▲ 가공경화와 기계적 성질의 관계

② **플랜징**

평판을 거의 직각으로 구부리는 가공법으로서, 구부러진 부분은 다른 부분보다 더욱 강도가 높아진다.

적용예 프런트 펜더의 휠 아치, 사이드 멤버 등

③ 비이딩

성형되어 있는 재료의 일부에 보강과 장식의 목적으로 돌기 또는 요철을 추가하는 프레스 가공법이다.

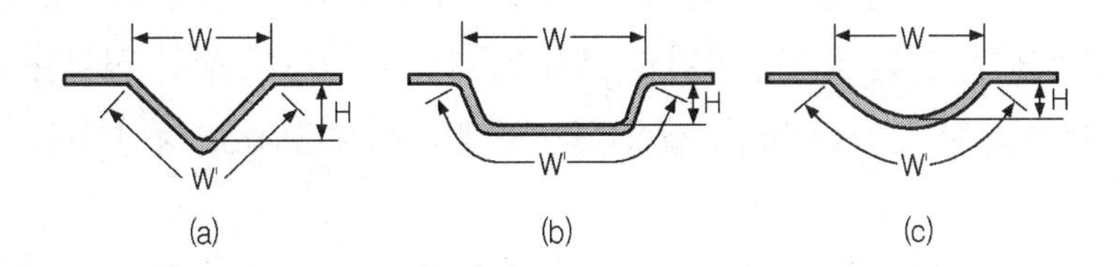

④ 바아링

도어패널, 물 빼기 홀 등의 주위에 적용되는 프레스 가공법으로서 홀 주위가 길게 빠져 나오는 모양으로 성형하면 이 부분의 강도가 증가하게 된다.

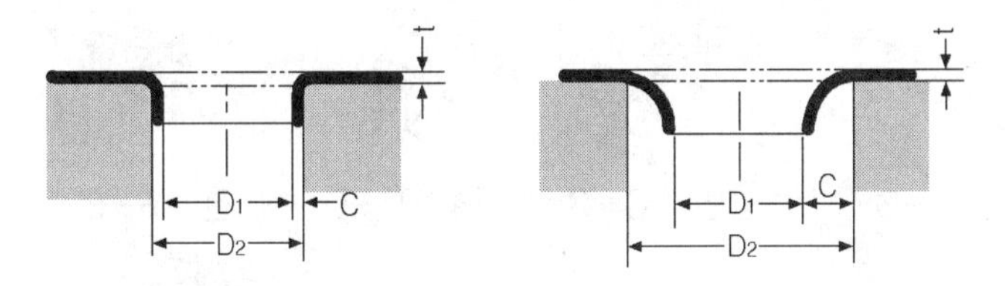

⑤ 헤밍

도어 및 후드 등의 아우터 패널과 인너 패널을 조합하기 위한 프레스 가공법이다.

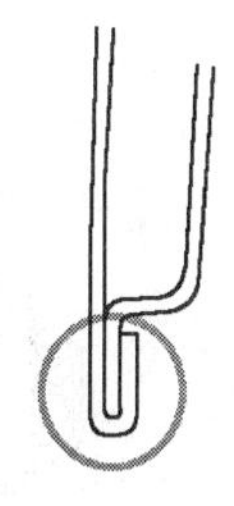

⑥ 크라운

패널 등의 곡률을 의미하는 것으로서 완만한 곡면이나 급격한 곡면을 만들어 전체적인 강성을 유지하는 프레스 가공법으로서 크라운의 종류에는 고크라운, 저크라운, 콤비네이션 크라운, 역크라운 등이 있다.

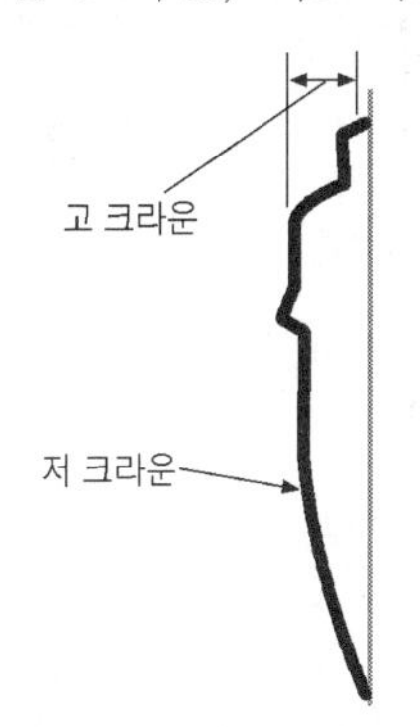

4 보디 패널의 응력

자동차 보디에 사용되는 강판은 판 두께가 0.8~1.0mm의 얇은 강판이다. 이 얇은 강판도 종이로 실험해 본 결과와 마찬가지로 프레스 가공에 의하여 접힌 선이나 곡면을 가진 부품을 만들어 이러한 부품을 조립, 결합하는 것에 의해 견고하고 강성이 높은 보디를 만들 수 있다.

아래의 그림은 일체 결합된 모노코크 보디의 형상으로 각 단면을 보면 패널에는 프레스 라인(각)이 있고, 곡면도 있고, 중간에 기둥이나 축 상태를 한 부품을 상호 용접, 결합한 견고한 보디의 모습을 볼 수 있다.

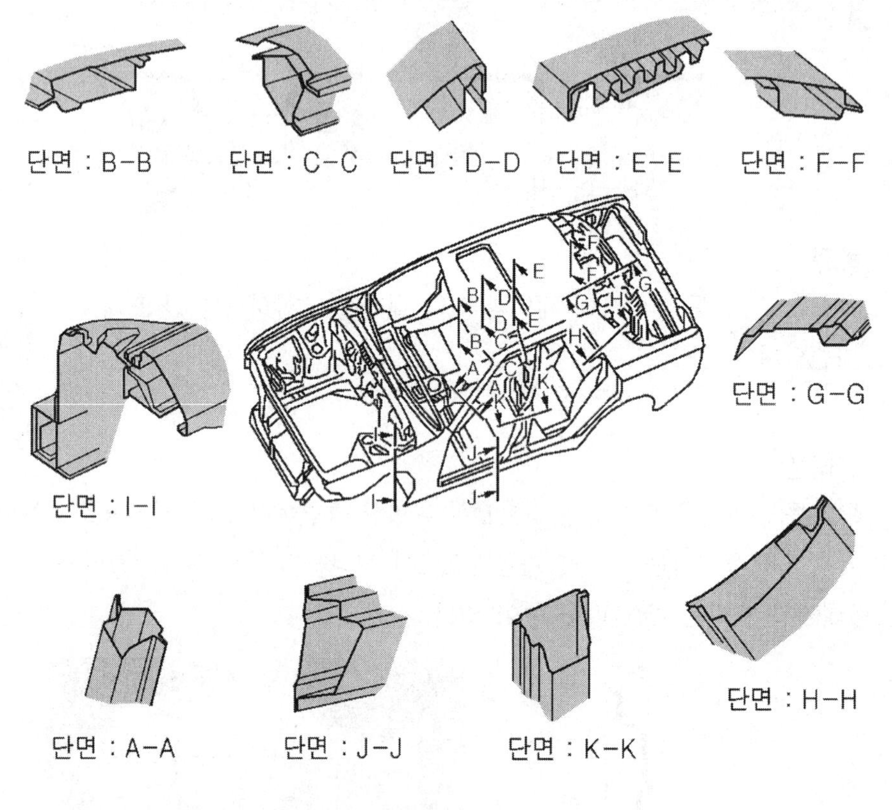

모노코크 보디의 단면 형상

5 모노코크 보디의 구조

① 모노코크 보디 일반

모노코크 보디는 독립된 프레임이 없고 박강판으로 제작된 멤버류를 보디의 일부로 하여 조립한 것으로서 여기에 엔진, 서스펜션, 조향장치 및 제동장치 등을 직접 부착한 구조로 일체형 또는 단체형구조라고 하며, 현재 승용차 및 RV 차종의 보디에 주류를 형성하고 있다.

모노코크 보디의 대표적인 구조 3가지는 **계란 껍질 구조**, **라멘 구조**, **충격 흡수형 구조**로 나뉘어 질수 있다.

계란의 껍질은 그 껍질 자체는 얇아도 이를 손가락으로 눌러도 간단히 갈라지거나 깨어지지 않는다. 이것은 누르는 힘이 껍질 전체에 골고루 퍼져 부분적으로는 작은 힘으로만 작용하기 때문이다. 이와 같은 구조를 「외피구조」라고 말하며 비행기의 구조가 이것에 가깝다고 볼 수 있다.

즉, 모노코크의 원래 의미는 「계란」 등의 모양을 한 껍질 구조를 가리키며, 멤버 등의 보강재를 필요로 하지 않는「응력외피구조」를 의미한다. 그렇지만 실제의 자동차 보디에는 승객의 탑승을 위한 도어 부위, 시계확보를 위한 윈도우 부위, 엔진 룸, 트렁크 룸 등의 큰 개구부가 필요한 것 외에도 엔진이나 섀시를 부착하기 위해 이들의 주위에는 적당한 멤버나 보강재를 용접하여 구조상 필요한 강도를 갖추고 있다. 따라서 순수한 의미로서는「응력외피구조」라고 칭할 수 없기 때문에 세미 모노코크 보디라든가 단일 구조물이라 칭하는 경우가 있다.

▲ 충격흡수 부위

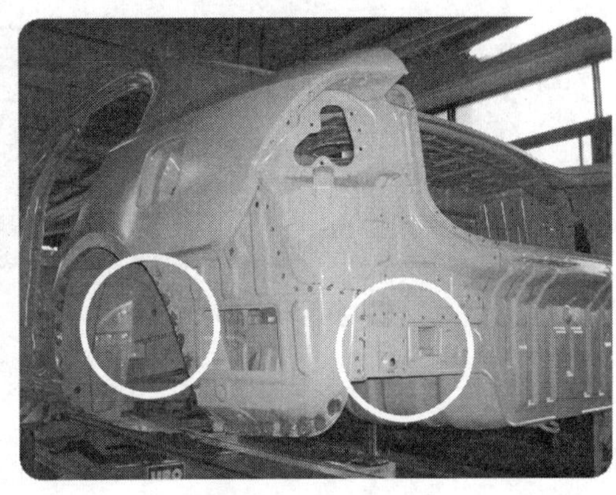

▲ 충격흡수 부위

자동차의 보디는 엔진 룸, 객실 룸, 트렁크 룸 등 개구부가 많아 이러한 개구부의 보강을 위해 강성을 필요로 하는 주위에는 골격부품(레인포스먼트 : 보강판)을 가지고 있다. 따라서 자동차의 모노코크 보디는 실 구조와 골격부품을 상호 결합한 형태라 할 수 있다. 이러한 모노코크 보디는 차량의 일부에 가해진 충격이나 하중을 보디 전체에 분산시키며, 또한 충격을 받았을 때의 객실 부의 안전성을 확보하기 위하여 충격 흡수 부위(크러쉬 존 : 손상되기 쉬운 장소)를 각각 임의의 장소에 설치한 충격흡수 구조로 되어있다.

① **계란 껍질 구조** : 외력의 분산 및 강도 유지

② **라멘 구조** : 상자 모양의 구조물을 상호 용접한 라멘 구조 형태

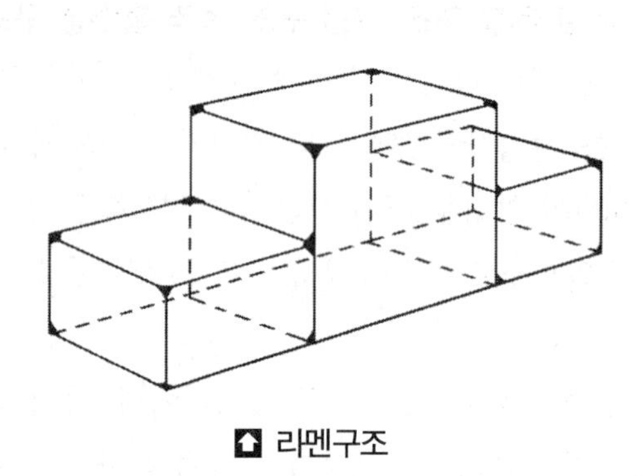

라멘구조

라멘구조

③ **충격 흡수 구조** : 보디 각 부에 가해진 외력은 크러쉬 포인트에서 흡수되면서 순차적으로 전달된다.

손상되기 쉬운 장소

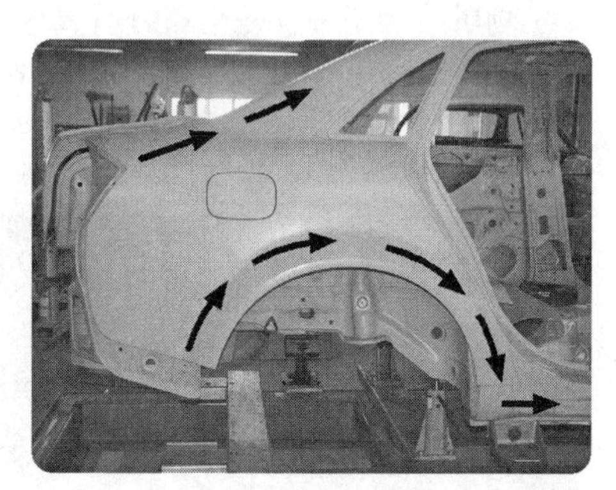

힘의 전달 및 분산

※ 충격 에너지 분산 경로

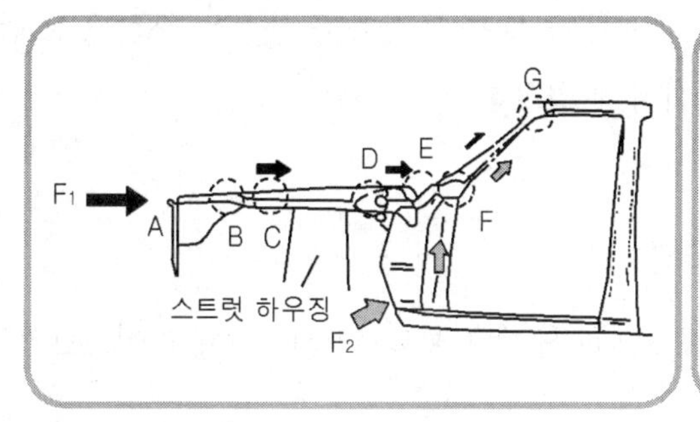

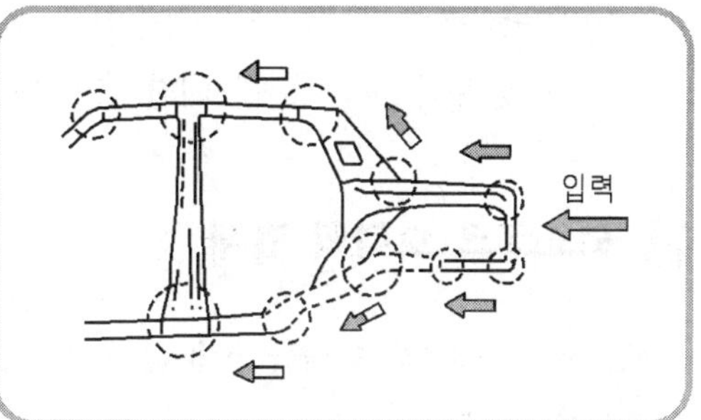

② 모노코크 보디의 특징

(1) 장 점

① 차체 중량이 가볍고 강성이 높다. 박강판을 여러 가지 형상으로 프레스 성형하여 전지저항 스폿 용접에 의해 일체화 시키면 차체를 경량화 하면서 큰 강성을 얻을 수 있다.

② 정밀도가 높고 생산성이 좋다. 프레임과 같은 후판의 프레스나 용접 가공이 필요 없어 대부분 작업성이 좋은 박판가공과 열 변형이 거의 없는 스폿 용접으로 가공이 가능함으로 자동차 생산 라인에서는 멀티 풀 스폿 용접(자동 동시 용접)을 많이 사용하여 생산성을 현저히 향상 시킬 수 있다.

③ 단독 프레임이 없기 때문에 차고를 낮게 하고, 차량의 무게 중심을 낮출 수 있다. 모노코크 보디는 독립된 프레임이 아니기 때문에 바닥을 낮게 하여 객실 공간을 넓게 할 수 있고, 또한 차량의 무게중심이 낮아짐으로써 주행 안전성이 좋다.

④ 충돌 시 충격에너지 흡수 효율이 좋고 안전성이 높다. 모노코크 보디는 박판으로 조립되어 있기 때문에 충돌 시와 같이 큰 외력이 가해진 경우 국부적인 변형이 크고, 객실 부위에는 영향을 적게 미친다.

(2) 단 점

① 소음이나 진동의 영향을 받기 쉽다. 엔진이나 서스펜션 등이 직접적으로 차체에 부착되어 진동, 소음이 직접 보디에 전달되기 쉽기 때문에 방진, 방음의 설비적 대책이 필요하다.

② 일체구조이기 때문에 충돌에 의한 손상의 영향이 복잡하여, 복원수리가 비교적

까다롭다.

③ 박판(얇은 판) 강판을 사용하고 있기 때문에 노면에 가까운 부품은 부식으로 인한 강도의 저하 등에 대한 충분한 대책이 필요하다.

3 모노코크 보디의 형태

모노코크 보디의 형태를 구분하면 프런트 보디, 사이드 보디, 언더 보디, 리어 보디로 구분되어 진다.

(1) 프런트 보디의 형태

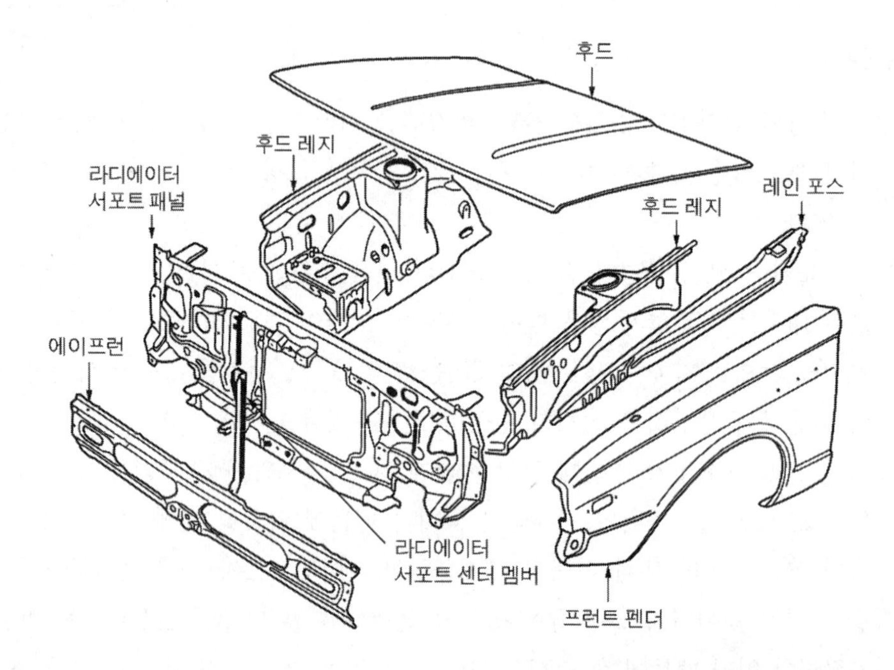

프런트 보디는 라디에이터 코어 서포트 패널, 서스펜션 크로스 멤버, 프런트 사이드 멤버, 펜더 에이프런, 대시 패널, 카울 패널 등을 상호 용접 접합한 구조로서, 보디에 장착되는 부품 중에서 가장 무거운 엔진이나 주행성능에 필요한 서스펜션, 조향 장치 등을 장착하는 중요한 부위이기 때문에 충분한 강도와 강성

프런트 보디

을 갖고 정밀도와 내구성을 가지고 조립되어 있다.

또한, 충돌 시의 충격에너지는 프런트 보디의 변형에 의해서 효율적으로 잘 흡수되어 승객의 안전을 높이는 구조로 되어 있다.

① 사이드 멤버는 단면 형태를 크게 또는 강판을 두껍게 하거나 보강재를 추가해서 강도를 확보한다.

② 펜더 에이프런은 휠 하우스의 역할을 하면서 서스펜션의 스트러트를 지지한다. 이를 위해 스트러트의 설치부분은 두꺼운 패널로 보강하고 사이드 멤버나 대시패널에 결합시켜 서스펜션으로부터 받은 힘을 분산하고 있다.

프런트 사이드 멤버

펜더 에이프런

③ 대시패널은 엔진 룸과 객실 룸을 구분하는 패널로서 엔진이나 서스펜션 등의 중량물을 지탱하는 중요한 부품이며, 사이드 멤버, 펜더 에이프런과 상부에 위치한 카울 패널, 프런트 필러 및 플로어 패널과 각각 용접으로 결합해서 객실 부분의 강성을 확보하고 있다.

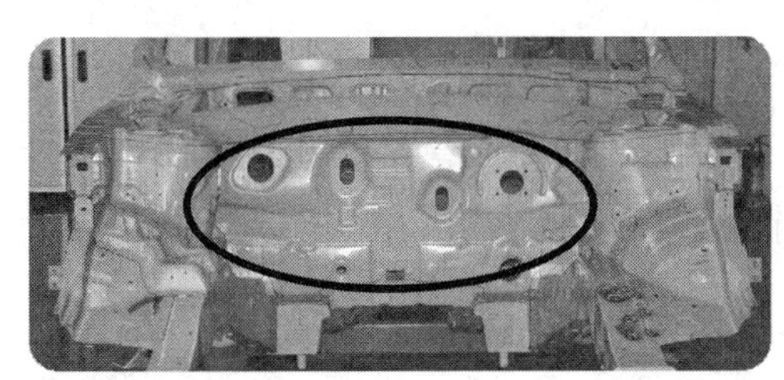

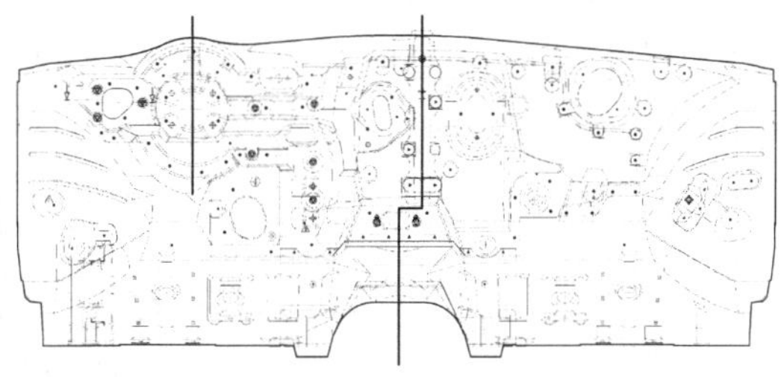

대시 패널

대시 패널 내부에는 진동방지 및 방음, 강성의 목적으로 2중 구조로 되어있으며, 아스팔트 시트 또는 플라스틱이 내장되어 있다.

카울 패널은 프런트 보디의 상부에 위치하고 있으며 좌, 우에 프런트 필러와 펜더 에이프런이 접합되어있다. 프런트 보디의 상부 구조와 객실의 크로스 멤버 역할을 담당하며, 사각 단면으로 구성되어 보디의 굽힘과 비틀림에 대한 저항을 가지며 외기를 객실로 유입하고 와이퍼 링크가 내장되어 있다.

대시패널 내부 구조

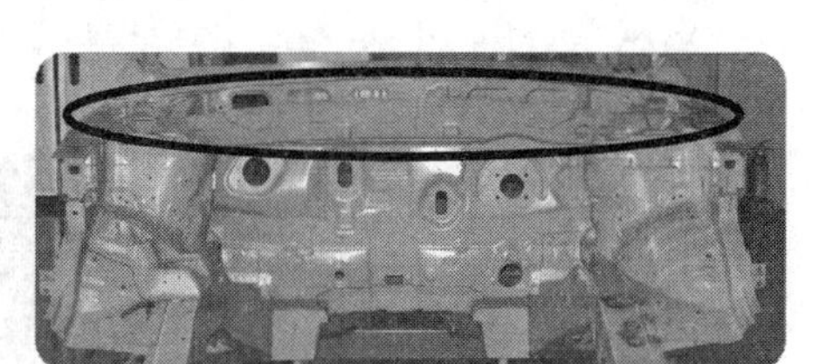

카울 패널

(2) FF 차량의 프런트 보디 구조

FF차량의 프런트 보디는 엔진, 서스펜션, 조향 장치 등이 탑재되기 때문에 여러 가지의 하중에 견딜 강도 높은 재료나, 접합방법, 보강재를 추가하고, FR차량에 없는 강도 및 강성을 확보하는 구조로 되어 있다. 엔진이 횡(橫)으로 놓인 FF차량의 경우 대시패널이나 사이드 멤버는 FR차량과 비교해 다음과 같은 차이가 있다.

대시패널 로워 부분에 대시 로워 크로스 멤버가 부착 용접되어 엔진이나 스티어링 기어를 설치한다. 사이드 멤버의 경우 뒷부분에 스티어링 링게이지를 탑재할 수 있는 큰 구멍이 있고, 하부에 서스펜션 암을 설치하는 서스펜션 마운팅 멤버가 용접되어 있다.

① 프런트 서스펜션 크로스멤버 방식

이 방식은 대시 로어 크로스 멤버를 없앤 형태로서, 프런트 사이드 멤버를 대시 로워 패널의 보강한 부분에 부착되어 있다. 프런트 사이드 멤버 뒤쪽의 아래 부분에 프런트 사이드 멤버 익스텐션을 새로 설치하여, 센터 사이드 멤버와 함께 결합시킴으로서 강도를 확보하고 있다. 그 프런트 사이드 멤버 사이에 프런트 서스펜션 크로스 멤버를 새로이 설치하여, 엔진 및 서스펜션 기구를 프런트 사이드 멤버와 프런트 서스펜션 크로스 멤버 및 센터멤버에 함께 부착하여 서스펜션 계통의 강성을 높일 수 있다.

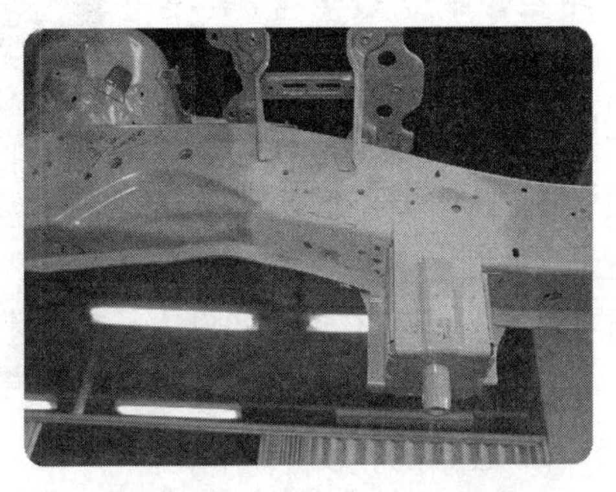

프런트 서스펜션 크로스멤버

대시 로어 패널의 보강부분에 부착

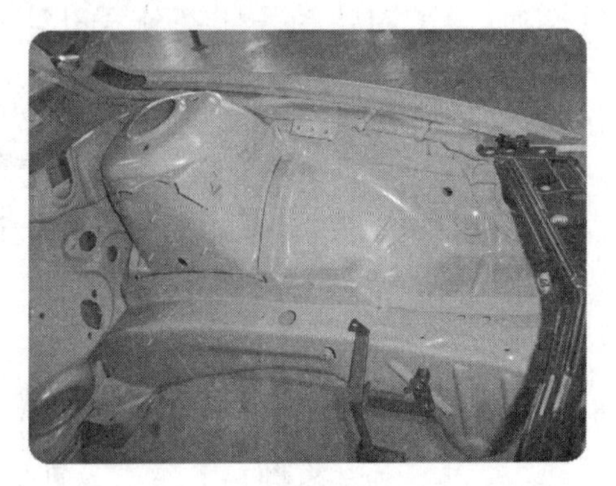

프런트 사이드 멤버 사이에 설치

이 방식은 프런트 서스펜션 크로스 멤버가 좌우의 프런트 사이드 멤버 및 프런트 사이드 멤버 익스텐션의 4부분에 고정 볼트로 고정되어 있으며, 고정 볼트까지의 기준 치수, 볼트 사이의 치수, 각 볼트의 위치 및 부착면의 높이 등이 서스펜션의 성능을 좌우하는 매우 중요한 요소이다.

응력을 프런트 사이드 멤버와 대시 로어 패널에서 흡수하기 위해 프런트 사이드 멤버의 면적의 대형화 및 직선화하여 강성을 높이고 있으며, 가벼운 충돌의 경우는 사이드멤버의 라디에이터코어 서포트 측에 별도로 손상되기 쉬운 장소를 두어 응력을 집중시킴으로써 충격력을 흡수토록 하고 있다.

(3) 사이드 보디의 구조

◘ 사이드 보디의 구조

사이드 보디의 거의 대부분은 개구부로 구성되어 프런트 보디, 루프 등과 결합해 각 실의 측면을 형성한다. 구성된 주요부품은 프런트 필러(A 필러), 센터 필러(B 필러), 리어 필러(C 필러)와 휠 하우스를 포함한 쿼터패널(리어 펜더)이며, 이들 부품의 위쪽으로는 사이드 루프 레일 및 루프 패널, 아래쪽에는 사이드 실(로커패널) 및 플로어 패널(바닥부분)에 결합되어 있기 때문에 주행 중 언더 보디에서 받은 하중을 보디의 상부로 분산함과 동시에 전/후, 좌/우 방향의 구부러짐이나 비틀림을 방지하는 역할을 한다, 또한 도어의 지지, 객실 내외의 밀폐, 충돌 시와 추돌시 객실 공간의 안전성 확보 등이 요구되는 중요한 부위이다.

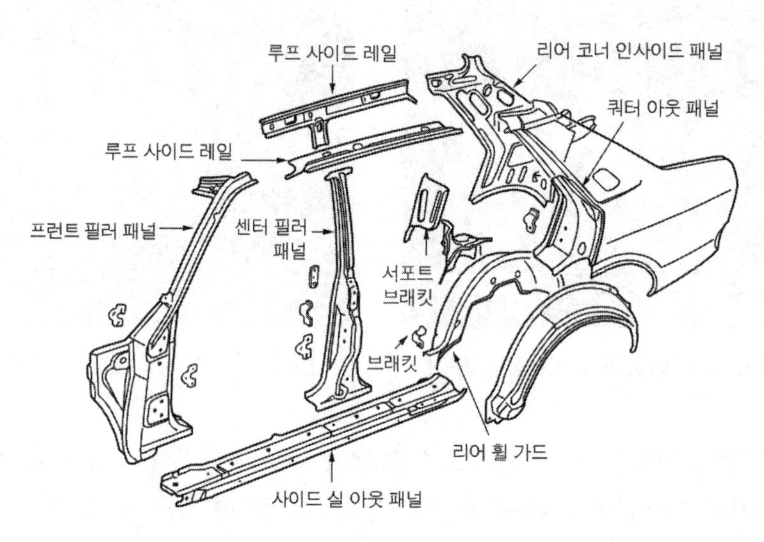

하드톱은 각 필러에 두터운 보강재로 보강을 하거나, 보디 실이나 필러 부위에 보강재를 설치해서 충분한 강도를 확보했다. 센터필러가 없는 하드톱이 주류를 이루고 있었지만 현재는 필러를 설치해서 더욱 강성을 높여 강도를 확보한 것이 일반적이다.

객실과 트렁크 공간이 일체로 된 해치백 차량이나 왜건에 대해서도 리어 필러부에는 후륜에서 받은 외력을 차체에 잘 분산하기위해 하드톱과 같은 모양으로 리어 필러와 휠 하우스를 연결하는 보강재가 설치되고, 백 필러는 강화된 폐단 면 구조로 되어 있다.

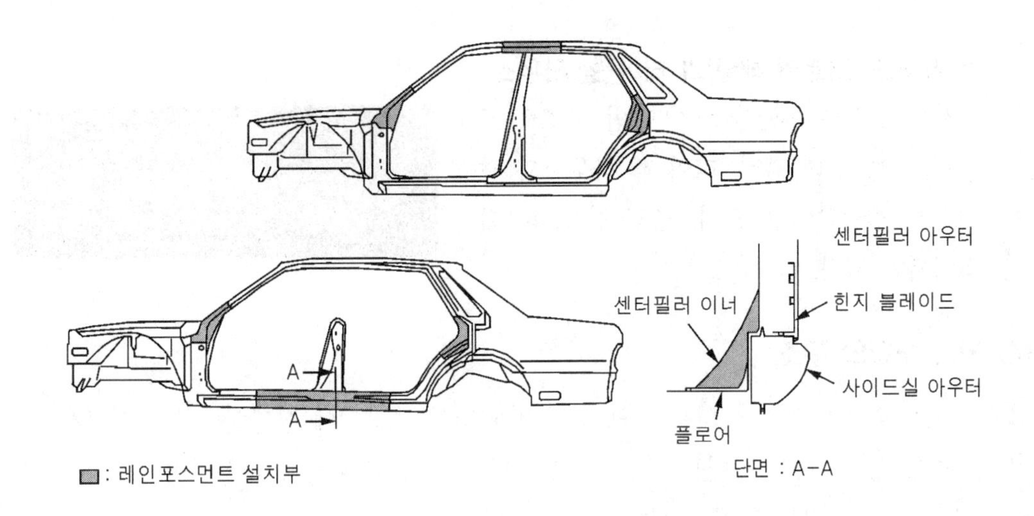

하드톱 전용 보디는 아래의 그림에서와 같이 사이드 실 아우터 레인포스먼트 및 사이드 실 아우터 블레이드 등으로 보강하여 차체의 강성을 확보하고 있다.

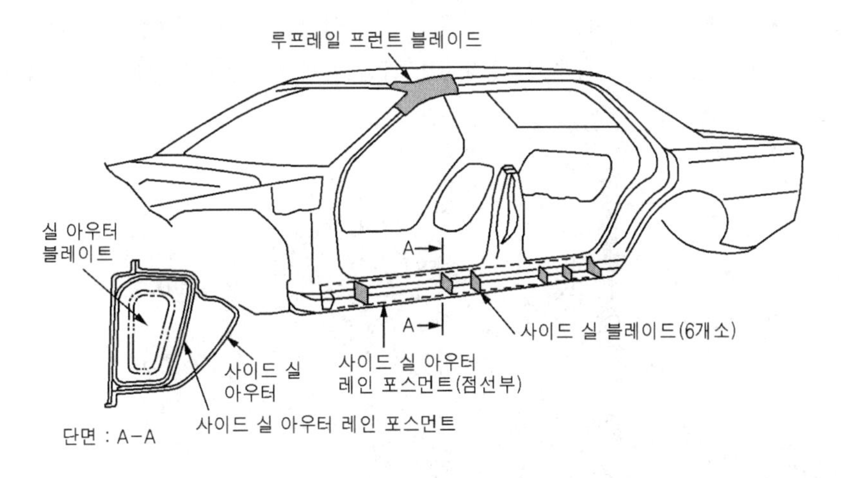

① 프런트 필러와 센터 필러

하단 부는 도어를 지지하는 역할을 하며, 사각 단면구조로서 하단 부는 단면을 크게 하여 강성을 높이고 상단 부는 시야를 확보하기 위해 가늘게 되어 있다. 루프 레일과 3점 교차형 또는 T자형의 보강재가 삽입되어 있다.

② **사이드 실(로커 패널)과 리어 휠 하우스**

사이드 실은 튼튼한 사각 단면 구조로 프런트 필러, 센터 필러, 리어 휠 하우스와 견고하게 접합되어 있으며, 중간에 보강판이 삽입되어 있다.

(4) 언더 보디의 구조

모노코크 보디의 언더 보디는 프레임 부착 차량의 프레임에 상당하는 부분으로서, 프런트 사이드 멤버, 리어 사이드 멤버, 크로스 멤버, 플로어 패널로 구성되어 있으며 엔진 및 서스펜션, 구동장치를 지지하는 역할을 한다.

멤버에 받는 외력은 언더 보디에서 보디사이드에, 필러부에서 받은 외력은 루프 등에 응력이 분산되는 것이므로 이러한 멤버류는 모노코크 보디에 있어서 강도유지를 위한 대단히 중요한 재료이다. 따라서 사용되는 패널의 두께는 외판에 비해서 두꺼운(1.4mm전후) 고장력 강판을 사용하는 경우가 많다. 각 멤버의 배치는 차의 크기, 서스펜션의 형식 등에 따라서 약간 달리하고 있다.

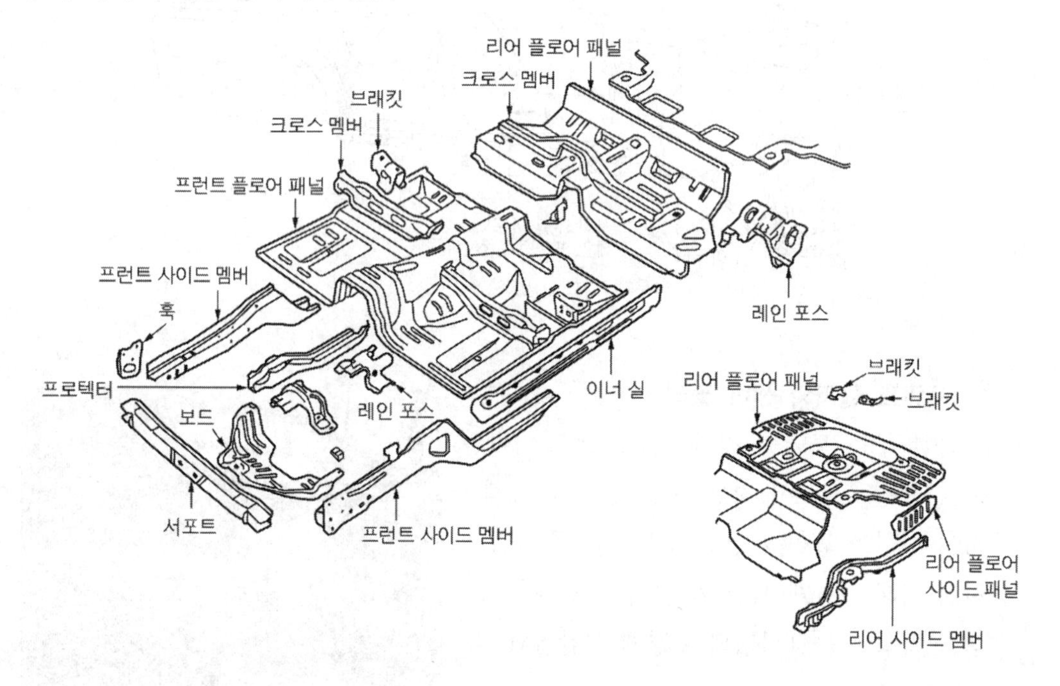

① **리어 플로어 패널**

스페어 타이어를 설치할 수 있도록 프레스 작업으로 깊은 형상의 모양으로 되어 있어 강성이 향상되어 있으며, 아래에 리어 사이드 멤버, 좌우에 휠 하우스, 뒤쪽에 앤드 패널(백 패널)이 설치되어 화물실을 형성하고 아래에 연료탱크가 설치되어 있다.

② **리어 플로어 사이드 멤버**

후면 충돌 시의 에너지 흡수구조로 되어 있으며, 리어 현가장치가 설치되어 있다.

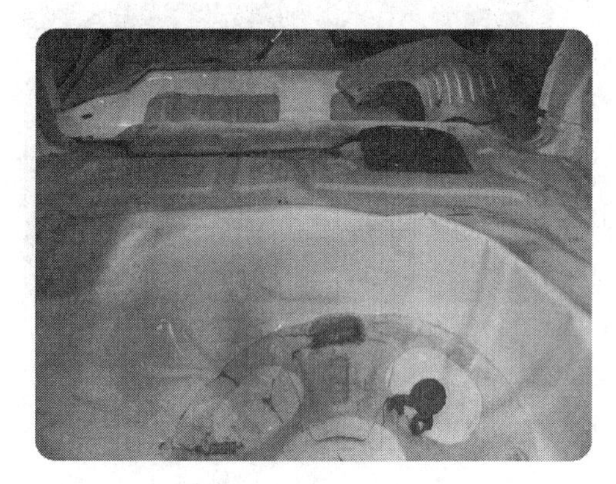

리어 플로어 패널

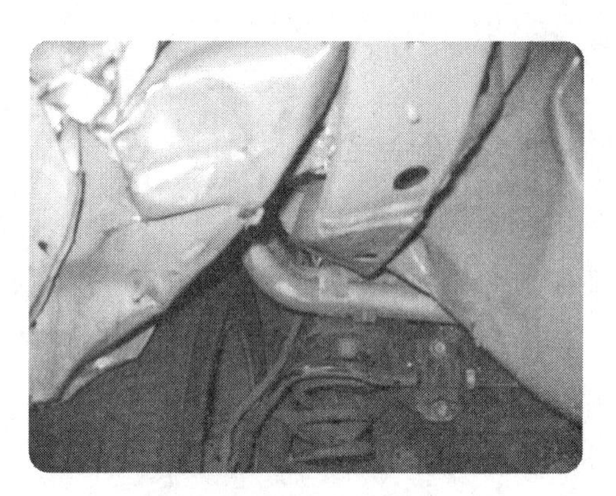

리어 플로어 사이드멤버

(5) 리어 보디의 구조

리어보디는 구조상 객실과 트렁크 룸이 구분되어져 있는 세단과 구분이 없는 밴, 왜건, 해치백으로 나눌 수 있다. 세단의 리어 펜더, 리어 패키지 패널, 백 패널은 루프, 사이드 보디, 플로어와 결합되어 보디의 비틀림을 방지하는 중요한 역할을 한다. 또한 왜건, 해치백은 백 도어가 달린 큰 개구부가 있는 구조를 위해, 리어필러 인너의 대형화, 크로스 멤버의 추가, 백 필러, 루프레일 단면부의 대형화나 두꺼운 판을 추가하여 강성을 높이고 있다.

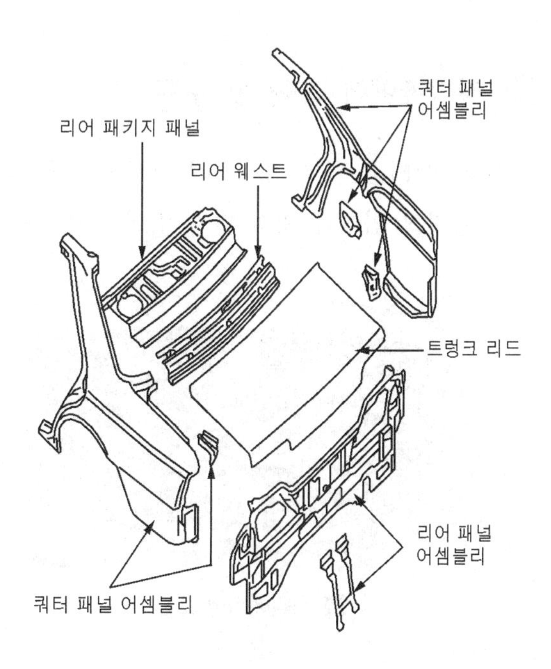

6 차체 외장 부품

① 범 퍼

차체가 다른 물체 또는 차량과 충돌될 경우, 그 주변의 차체를 보호하고 디자인 적인 역할을 한다.

범퍼

(1) 에너지 흡수 범퍼

충돌 손상 시 차체 손상 경감의 목적으로 개발 되었으며, 범퍼 자체 흡수방식과 액체 댐퍼 흡수방식, 금속 스프링 흡수방식이 있다. 에너지 흡수 범퍼의 특징은 다음과 같다.

① 타 방식보다 가볍다.
② 범퍼 자체에서 충격 에너지가 흡수될 때 이동이 없다.
③ 가벼운 충돌 시 보디 외장품의 손상을 방지한다.
④ 차체의 칼라와 동일한 칼라 사용이 가능하다.

② 라디에이터 그릴 및 몰딩

라디에이터 그릴은 라디에이터의 공기의 통로이며, 몰딩은 주행 중 비석 등의 이물질 충돌 방지의 역할과 외적 디자인 적인 역할을 가진다.

라디에이터 그릴

몰딩

③ 엔진 후드

① 엔진룸의 덮개의 역할로 내부 부품 보호

② 엔진 소음의 감소 기능(박강판을 프레스 성형한 아우터 패널과 후드의 골격이 되는 인너 패널을 접착제나 충진제로 도포하고 헤밍 가공하여 강성을 유지한다.)

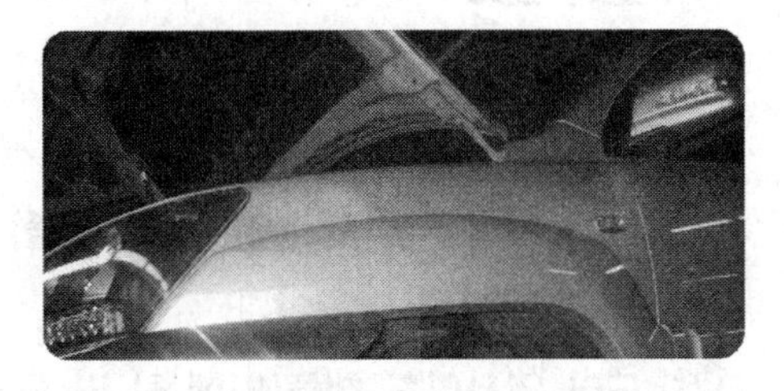

엔진 후드

③ 충돌 사고시의 안전성 확보

④ 내부에 방음 방열용 우레탄 커버 사용(고급차량)

⑤ 후드 패널 인너에 구부러지기 쉬운 구조(홀, 크라운 등)

⑥ 후드 래치 및 스트라이커에 안전고리 설치

④ 프런트 펜더

차체의 전륜을 덮고 있는 형태로 부착되어 있는 패널로서 의장과 보강의 의미로 플랜징, 비이딩, 크라운 등의 프레스 가공으로 구성되어 있다.

프런트 펜더

⑤ 도 어

도어는 프런트 도어와 리어 도어로 구분되며, 도어 본체와 힌지, 도어 로커, 도어 윈도우 레귤레이터, 도어 밀러 등으로 구분된다.

① **도어 본체** : 골격이 되는 인너 패널에 강성을 높이기 위해 레인포스먼트를 보강하여 헤밍 가공으로 접합한 구조로 되어 있다.

② **도어 힌지** : 도어와 본체의 개폐지점이 되는 부품, 도어 측과 보디 측에 볼트로 체결되는 것이 기본형이지만 용접으로 체결되는 경우도 있다.

도어

③ **도어 체크** : 도어의 열림량을 제어하는 기능을 한다.

④ **도어 로크** : 주행 중 도어가 열리지 않도록 하는 잠금장치이며, 외부 및 실내에서 개폐가 가능하다.

⑤ **스트라이커** : 보디 측 필러에 설치되어 도어 래치와 연결되어 있다.

⑥ **도어 아웃 사이드 핸들(아웃 핸들)** : 도어를 바깥쪽에서 열 수 있도록 되어 있으며, 손잡이의 역할이다.

⑦ **도어 인사이드 핸들(인핸들) 및 노브** : 도어를 안쪽에서 열 수 있도록 되어 있다.

⑧ **도어 윈도우 레귤레이터** : 도어 윈도우 글래스는 보통 4 ~ 5㎜의 강화유리를 사용하고 이것을 글래스 홀더에 부착하여 윈도우 레귤레이터에 연결된다. 윈도우 레귤레이터는 글래스를 승강하는 장치로서 도어 인너 패널에 부착되어 있다. 레귤레이터 핸들이나 파워 윈도우의 모터 조작에 의해서 글래스 런 찬넬을 따라 글래스가 상, 하로 작동된다.

⑨ **도어 미러** : 도어 미러는 전동식과 수동식이 있으며, 측면 및 후방의 시계확보에 영향을 미친다.

6 트렁크 리드

구조적으로는 엔진 후드와 거의 같다. 트렁크 내의 화물을 물, 먼지, 도난으로부터 보호하는 기능을 가지며, 와이어식 또는 전동식에 의해 개폐가 이루어진다. 화물실의 출입을 용이하게 하기 위해 토숀바 스프링을 장착했으며, 힌지와 스트라이커의 상하, 좌우 이동에 의해 조정된다.

트렁크 리드

7 글라스(glass)

자동차의 시계 향상과 햇빛을 받아들이기 위해 부착되고, 외형을 구성하는 부품에 의한 디자인 역할과 충돌 시 승객 안전 확보 등의 제 조건으로부터 종류, 크기, 형상, 부착 방법 등의 여러 종류가 있다.

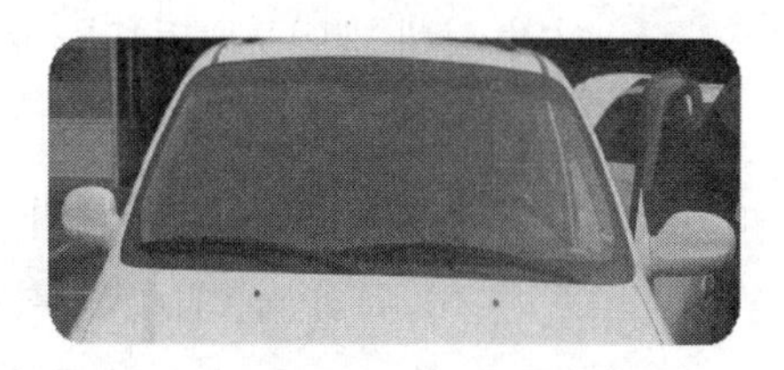

윈드 실드 글라스

① **강화 유리** : 판유리를 열처리하여 외력의 작용 및 온도 변화에 대한 강도를 증가시켜 파손 시에는 미세한 조각으로 되는 유리를 말하며, 주로 프런트 윈드 실드 이외의 부분에 사용된다. 유리의 연화 온도 근처에서 급랭 처리하여 기계적 강도 및 충격 강도는 보통 판유리의 3 ~ 5배 정도의 강도를 가진다. 일단 파손되면 파편에 의해서 부서지는 성질을 가지고 있다.

② **부분 강화유리** : 파손 시 운전시야를 확보하기 위해 파편의 일부가 약간 거친 조각이 되는 유리로 프런트 윈드 실드에 사용되고 있다. 파손 시 운전석 앞부분의 파편을 크게 하기 위해 급랭시의 냉각온도를 조정하여 제작한다.

③ **이중 접합유리** : 2매의 판유리 사이에 플라스틱 등을 중간에 삽입하여 접착한 유리로서 파손의 경우에 파편의 대부분이 비산되지 않는 유리로 프런트 윈드 실드에 채용이 되고 있다. 3층 접착에 의해 강화유리 보다 머리 손상의 위험이 적다.

7 힘의 성질

❶ 힘의 성질 이해

충격 등에 의하여 손상된 보디 및 프레임의 수리에 있어서 힘의 성질을 이해하여 두는 것이 차체 정렬의 가장 기본적인 핵심이다. 손상된 차체를 원래의 상태로 복원하기 위해서는 힘이 어떻게 전달(충격의 전달경로)되는가를 알면 아무리 복잡한 손상이라도 쉽게 수정, 복원할 수 있다.

따라서 충격에 의해 변형된 차체는 최초의 충격지점에서부터 시작하여 충격력이 복합적으로 작용하여 힘의 분산 또는 합성을 이루게 된다. 여기에 관계되는 힘의 성질 즉, 힘의 3요소는 **힘의 크기**, **힘의 방향**, **힘의 작용점**이 된다.

❷ 힘의 크기와 방향

어떤 힘과 다른 힘을 구별하려고 하는 경우에 크기만의 표시는 불충분하고 방향도 생각 하여야 한다. 이러한 힘의 방향을 오른쪽이나 왼쪽이라고 말하지 않기 때문에 그림으로 나타낼 때에는 보통 화살표로 표시한다.

즉, 화살표가 향하고 있는 쪽이 힘의 방향을 표시하고 화살의 길이가 힘의 크기를 나타낸다. 이렇게 표시함으로써 눈에 보이지 않는 힘을 그림으로 나타내어 두개 이상의 힘이 관계하는 경우에 전체적으로는 어떤 힘이 작용 하는가를 알 수 있다.

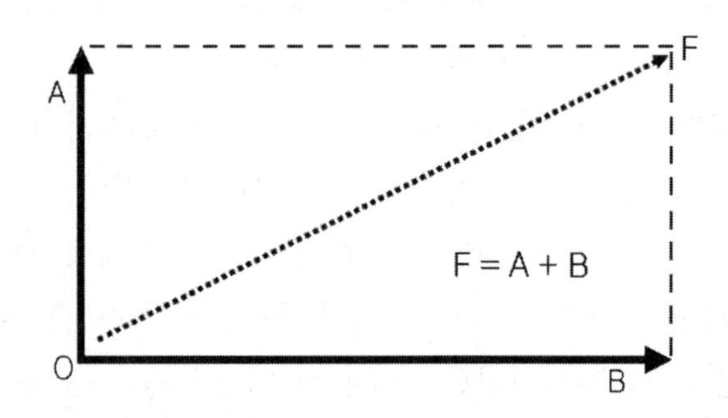

이러한 힘의 성질에 대해 좀 더 이해를 돕기 위한 설명을 하면, 어느 방향으로부터 어느 정도크기의 힘이 가해졌는가(힘의 크기), 어느 정도의 힘으로 어느 부분을 어느 방향으로 인장작업을 실시하면 복원되겠는가(힘의 방향), 손상이나 복원을 막론하고 가해진 힘이 어떤 식으로 전달되는가(힘의 전달, 작용점)

이러한 3가지만 명확히 이해할 수 있으면, 복잡하게 손상된 차체의 수정작업이라고 하더라도 쉽게 해결할 수 있을 것이다. 따라서 차체(body)수정의 원리는 힘의 성질 그 자체라 할 수 있다.

③ 힘의 전달

어떤 한 점(힘의 시작점)에 가해진 힘은 최초의 충격 점에서 사라지는 것이 아니고, 물체의 가운데를 통하여 전달되고, 연결되어 있는 물체가 있으면 그 쪽으로 계속 전달된다. 그러나 최초의 충격 점에서 물체가 부서지면서 힘을 흡수하게 되면, 더 이상의 힘의 전달은 이루어지지 않는다.

차량의 구조에서 이러한 힘의 흡수를 이용한 것이 있는데 예를 들면, 범퍼나 보디(특히 전면보디)가 너무 튼튼하면 부딪친 힘(충격력)은 그대로 차체에 전달된다. 이렇게 전달된 힘은 객실(실내)로 전달되어 운전자나 승객의 생명을 위협하는 경우가 발생할 수 있다.

따라서 이러한 힘의 전달을 최소화하기 위하여 우레탄 범퍼를 사용하여 힘을 흡수(구부러지든가 부서져서 힘을 흡수함)하게 되고, 모노코크 보디의 특성으로 객실 내에 까지는 힘(충격력)이 전달되지 않도록 하기 위하여 계속적인 연구와 노력이 진행되고 있다.

이와 같이 보디가 너무 강하면 충돌한 힘이 그대로 차체에 전달되어 운전자나 승객이 손상을 입게 된다. 이때에 보디가 적당히 부드러워 큰 힘을 흡수하는 것이 승객에게 있어서는 안전한 것이다. 이것이 모노코크 보디에 있어서 충격흡수 보디의 발상인 것이다.

❹ 입체변형의 수정원리

힘의 성질을 이해하지 않은 상태에서의 보디수리 작업은, 시간과 힘의 손실뿐만 아니라 작업 과정에서 보디의 손상을 더욱 가중시키는 2차적인 손상을 가져올 수 있는 위험성을 포함하고 있다. 왜냐하면, 손상된 방향의 반대방향으로 단순히 잡아당기기만 하면 원래의 형상으로 되돌아가는 것은 아니다. 힘의 작용점, 방향, 크기, 힘의 합성 및 분해의 원리를 확실하게 이해하고 차체수리 작업을 시작, 진행하면 시간과 경비의 절감은 물론 차체수리의 품질을 더 한층 높일 수 있게 된다.

8 충격의 전달

자동차의 보디는 일반적인 운행 시 강성과 내구성을 유지하게끔 설계되어 있다. 만일의 충돌 사고 시에는, 차체가 변형되어 차체 자체가 충격을 흡수함으로써 차체에 가해진 충격으로부터 안전성을 확보하고 있다. 즉, 보디의 앞부분과 뒤 부분은 격심한 충돌에서도 승객에 대한 피해를 최소화하기 위해서 최대량의 충격을 흡수해야 하며, 객실부위는 승객에 안전을 제공하기 위해 쉽게 변형되지 않는 구조로 되어 있어야 한다.

❶ 힘의 5요소

힘의 요소에는 일반적으로 방향, 크기 그리고 작용점이라는 힘의 3요소가 있으나, 보디수리 작업에 있어서는 다음 5가지 요소들이 고려되어야 한다.

① 힘의 방향　　② 힘의 크기

③ 힘의 작용점　　④ 가해진 힘의 수

⑤ 가해진 힘의 순서

❷ 충격력의 방향

사고에 의한 충격력(입력)의 방향은 차량에 대하여 각도를 가지고 가해진 충격 방향을 전, 후, 좌우의 세 가지로 힘을 분류할 수 있다. 즉, 충돌 시 충격력은 3가지 요소로 구성되어 있다. 힘의 전달경로는 이러한 요소들에 대한 주의 깊은 조사로 분석되어질 수 있다.

아래의 그림은 전면부에서 A'-A방향으로 α각을 가지고 보디에 가해진 충격력을 표시한다.

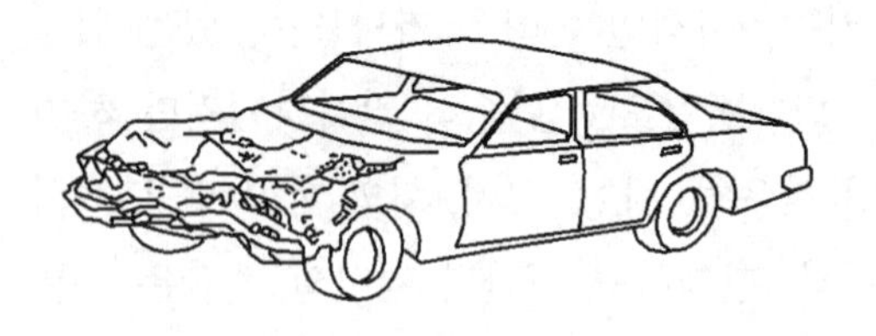

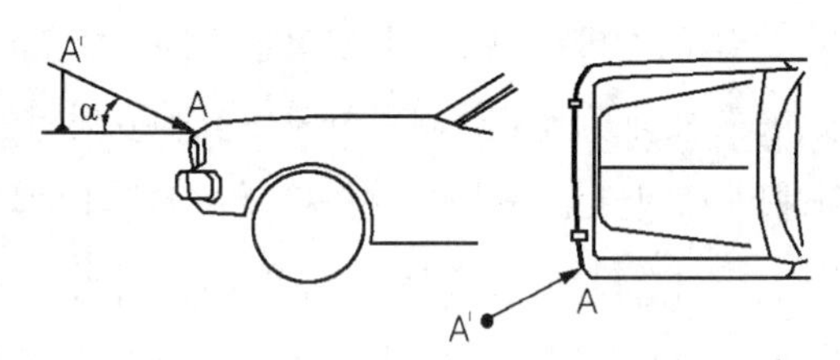

이 힘은 앞에서 다룬 바와 같이 3요소로 분해되며, 프런트 펜더의 좌측 A-G가 크며, 각각 입력된 힘은 수직방향 A-E, 수평방향 A-B, A-D로 분류 된다. 이러한 각각의 힘은 대응하는 패널에 손상을 입힌다.

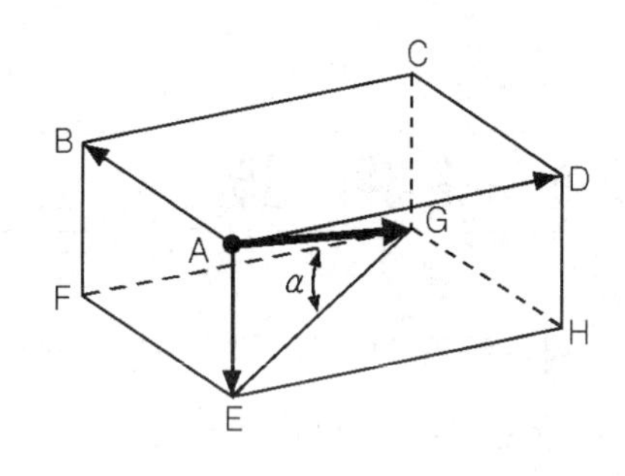

다음 그림에서와 같이 충격력이 차체의 중심을 벗어나 가해지면, 충격력을 흡수하는 회전 모멘트가 발생한다. 그러나 충격력이 중심을 향한다면, 회전 모멘트는 발생하지 않는다. 그렇지만 결과적으로 차체가 입는 손상은 더욱 커진다.

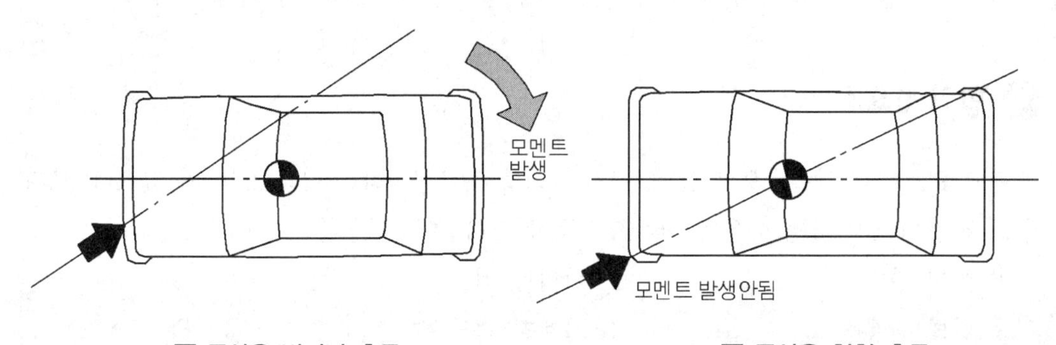

⬆ 중심을 벗어난 충돌 ⬆ 중심을 향한 충돌

3 충격력과 충돌 면적

정면충돌 시 단위면적당 충돌력 $f = \frac{F}{A}$

F : 충격력(입력)　　A : 충돌 부분

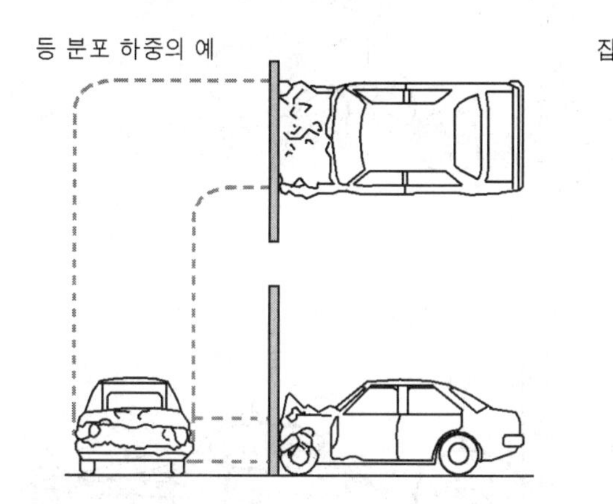

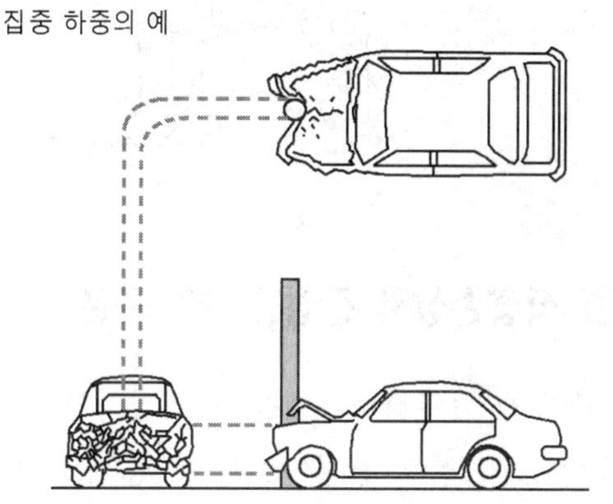

4 응력의 집중

패널 부분의 홀이나 단면적이 적은 부분은 힘의 분배가 일정치 않으므로, 아래 보기와 같이 힘은 부분적인 형태가 변하는 곳에 집중한다. 따라서 이러한 부분에 힘(외력)이 가해지면 이 부분에서 변형이 쉽게 일어나며, 이러한 원리를 이용하여 차체 패널 등의 디자인을 하게 된다.

즉, 응력이 집중되기 쉬운 장소를 임의로 만들어 외부의 충격력을 흡수하도록 설계하였으며, 따라서 외부의 충격 발생 시 이러한 부분이 먼저 손상을 받아 충격을 흡수함으로써 충격력의 전파를 막는다.

① 홀(구멍)이 있는 부분
② 패널과 패널이 겹쳐진 부분
③ 단면적이 적은 부분
④ 곡면이 있는 부분(코너 부분)

5 충격의 전달경로

충격력이 어느 정도 충격 흡수부분에 흡수되어지지만, 각각의 강체 접촉 포인트를 지나면서 다양한 부분으로 전파된다.

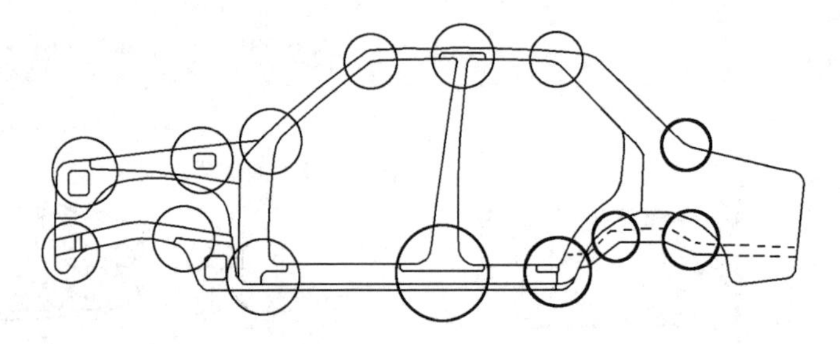

6 직접손상과 간접손상의 구분

다음의 그림에서 A부분은 직접적인 손상이고, B부분은 간접손상의 한 형태를 보여준다. 보디 패널은 관성에 의해 간접적인 손상을 입게 된다.

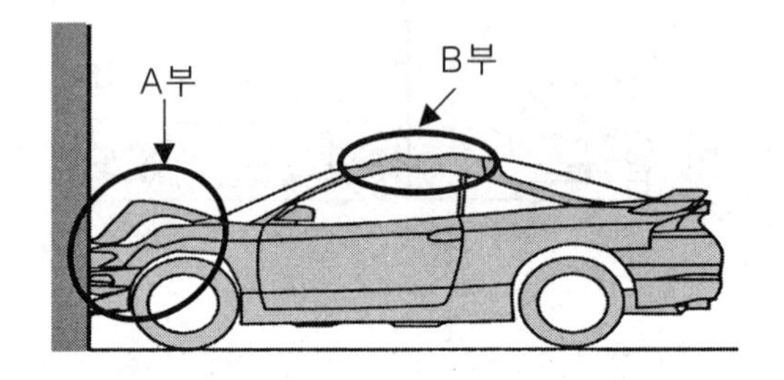

7 보디의 각 부분의 충격특성

(1) 보디 전면부에서의 충격과 손상

아래의 그림은 충격 흡수 부분을 표시한 것이며, 만약 이 부분에서 충격이 완전히 흡수되지 않는다면 대시패널로 전달될 수 있다.

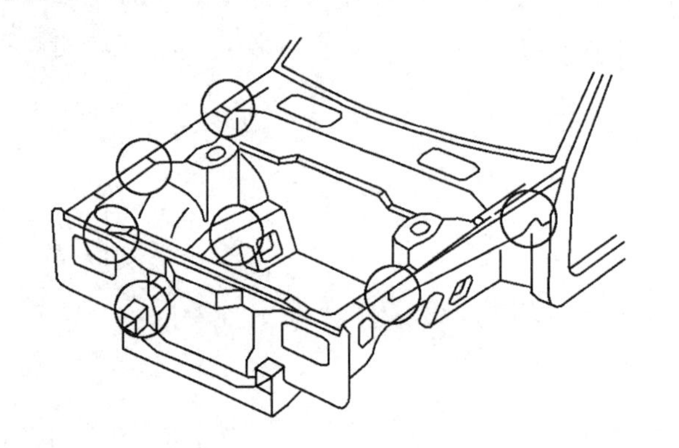

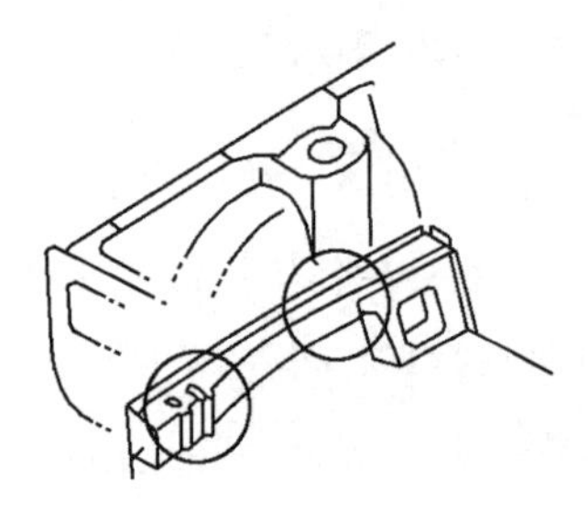

(2) 측면에서의 충돌과 손상

충돌 물체, 충돌 면적에 따라 충격 흡수도가 다르지만, 보디의 형상에 따라서도 다르다. 충격이 상당히 큰 경우에는 도어, 센터필러가 변형되며, 플로어도 변형된다. 만약 충격이 실내의 중앙에 가해져 손상되면, 축거 등 휠 얼라인먼트에 영향을 주므로 면밀한 점검이 필요하다.

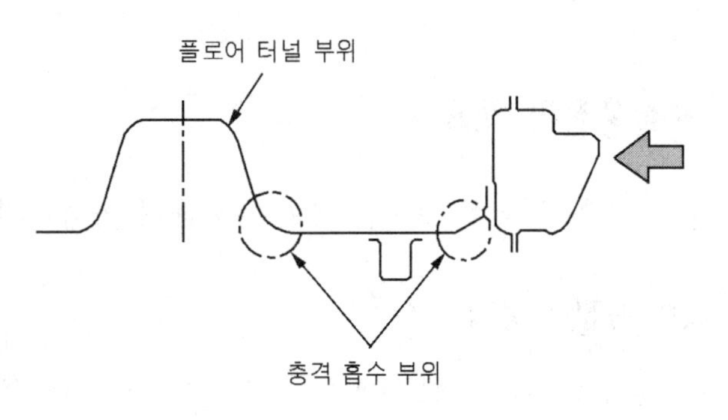

(3) 보디 후면부의 충돌과 손상

충격은 아래 그림의 충격 흡수부분에서 흡수되며, 패널은 충격력의 크기에 따라 다양한 형태로 손상을 입을 수 있다.

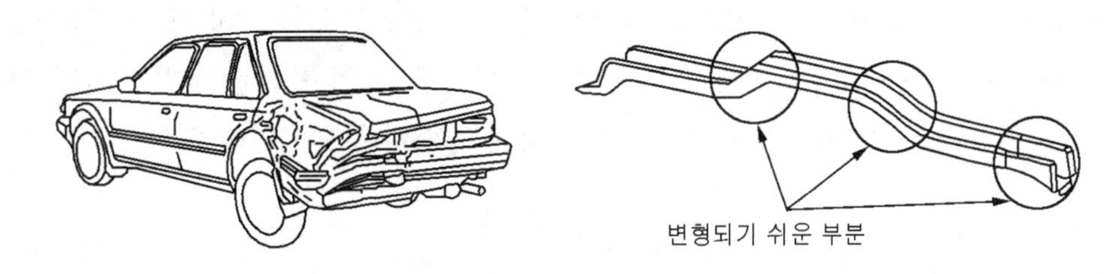

(4) 루프(지붕)로 부터의 손상

작은 충격은 루프 패널에서 흡수되나, 만약 충격이 크다면 필러에 까지 전달되어 흡수된다. 또한 유리가 깨어지거나 센터필러가 변형되는 결과를 가져올 수 있다.

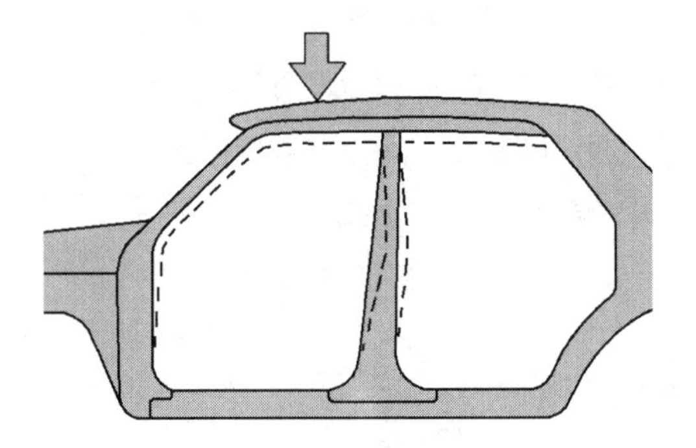

9 용 접

❶ 용접의 개요

용접은, 접합할 부분을 녹여 융합해서 목적한 형태로 접합하는 패널 가공 방법이다.

(1) 용접의 종류

용접의 종류는, 다음의 3종류로 크게 나눈다.

① **압접** : 금속을 가열하여 연화시키고, 압력을 가하여 접합하는 방법으로 자동차 메이커에서 제조하는 자동차 부품의 조립은 이 용접을 사용한 스폿 용접(전기 저항 용접)이 가장 많이 사용 되고 있다.

② **융접** : 접합할 부분의 금속을 가열하여 용융시켜 압력을 가하지 않고 융합하는 방법으로 아크 용접과 가스 용접으로 구분한다.

③ **납접** : 금속을 용융하여 접합하는 방법에서, 접합할 금속 사이에 접합할 금속보다 용융점이 낮은 금속을 녹여 붙이는 용접이다. 납접은 용융되는 온도에 따라 연납접과 경납접으로 분류하고, 용융온도가 450℃ 이하를 연납이라 하고 450℃ 이상일 때 경납이라고 한다.

(2) 차체부품의 용접

자동차의 차체부품은, 차의 크기에 따라 다소 다르지만, 대체로 600~800개의 부품으로 구성 되며, 이 부품 대부분이 용접되어 조립된다. 용접방법은, 차체부품이 가지는 사용 목적, 사용 부위, 부품의 형태, 판원에 따라 부품에 적당한 방법이 사용 된다. 따라서 사고차를 수리할 때도 차체가 요구하는 강도와 내구성 등의 성능을 저하시키지 않게 하기위하여 적절한 용접방법을 선택하여 작업하지 않으면 안 된다.

① 용접은 스폿 용접 또는 탄산가스 아크 용접이 있다.

② 가스 용접(산소-아세틸렌 용접)은 하지 않는다.

③ 용접은 자동차 메이커에서 지시한 곳에 행한다.

(3) 용접의 특징

금속 용접의 특징은 아래와 같다.

① **장점**

- 용접부분의 형태가 비교적 자유롭다.
- 강도가 높고, 용접 후 일체성이 있다.
- 기밀, 수밀성이 우수하다.
- 중량이 가볍다.

② **단점**

- 작업자의 능력에 따라 강도가 좌우될 수 있다.
- 열에 의한 변형이 생기기 쉽다.

(4) 용접 후의 방청

차체수리에서 용접작업을 한 경우, 패널 내측의 방청성이 크게 저하되는 것을 막기 위해 폐단부에는 방청왁스를 해당부의 휠 아치 부에는 언더코트를 충분히 도포하고 용접부로부터 부식을 방지한다. 그리고 패널의 접합부는 확실하게 실런트를 도포하여 내부로 물의 침투 및 부식방지를 도모한다.

10 동 용접

1 원리와 특성

동용접이라는 용어는 베이스 메탈보다 더 낮은 온도에서 녹는점을 가져서 동을 녹여 주입하는 방법을 사용하는 것에 대해 언급한다. 모세관 인력 현상에 의해서 베이스 메탈까지 붙어 있는 좁은 공간 안으로 동이 녹아서 스며드는 용접을 말한다. 두 가지 유형의 동 용접이 있다. 부드러운 동 용접(솔드링)과 딱딱한 동 용접(브레이징 용접, 니켈용접)의 두 종류가 있다. 일반적으로 동용접이라는 용어는 딱딱한 용접(브레이징 용접, 니켈용접)을 말한다.

(1) 특징

① 베이스 메탈 간에 서로가 비교적 낮은 온도에서 결합되어 있기 때문에 베이스 메탈은 녹지 않고 압박 및 뒤틀림의 위험 부담이 덜한 편이다.

② 동 용접은 뛰어난 흐름의 특징이 있다. 즉, 좁은 틈 안으로 잘 침투한다든지 그리고 보디 이음새에 있는 틈새를 채워 넣는데 편리하다.

③ 베이스메탈은 녹지 않기 때문에 따라서, 서로 정반대의 금속종류끼리도 결합이 가능하다.

④ 메탈 안으로의 침투가 없기 때문에 메탈 표면에서만 결합이 되고 충격이나 부하가 반복되는 저항체일 경우에는 강도가 매우 낮다.

⑤ 동 용접은 비교적 기술을 숙련하기에는 쉽다.

자동차 조립 공장에서는 루프와 쿼터 패널을 서로 연결시키기 위해서 동 용접을 한다. 아크 – 동 용접은 MIG 용접과 원리가 같다. 그렇지만 용접 와이어 대신에 동 용접봉을 가지고 사용한다.

아르곤 동 용접으로 베이스 메탈에 가해진 열의 양은 적고 과열은 최소한이다. 베이스 메탈의 휘어짐이나 뒤틀림은 거의 없으며, 베이스 메탈 간에 서로 동 용접을 사용했다. 동 용접은 마무리 시간이 짧고 또한 위험하지도 않다.

TIP

참고적으로 현재 생산되어 지고 있는 차량에는 동 용접이 거의 적용되어지지 않고 있다.

2 동 용접 유형과 특징

강도, 베이스 메탈로서의 적합성, 녹는 온도흐름특성과 같은 양질의 동 용접용 재질을 가지기 위해서 2개 또는 2이상의 합금 금속으로 만들어진다. 사용용도에 따라 동 용접용 재료로서의 여러 가지 유형이 있다. 그러나 일반적으로 브래스 동 용접법이 자동차용으로 사용된다. 동과 아연은 자동차에 쓰이는 동 용접용 재료의 주요 성분이다.

❸ The Interaction of Flux and Brazing Materials

만약 열이 가해질 경우 대기에 노출된 금속 표면은 일반적으로 산화피막으로 덮어 두꺼워진다. 플럭스는 이산화 피막을 제거할 뿐만 아니라, 금속표면에 재산화처리가 되는 것을 방지한다. 베이스 메탈과 동 용접용 재료와의 결속이 증가한다.

동 용접용 재료가 표면 위에서 녹으면 산화피막을 가지고 서로 다른 성질의 물질이 산화피막에 접착할 경우 동 용접용 재료가 베이스 메탈을 적합하게 결합시킬 수 없고 그리고 표면 장력은 동 용접용 재료가 뒤범벅이 되어 섞이지만 베이스 메탈에 달라붙지 않는다.

베이스 메탈의 표면에 있는 플럭스가 산화피막을 제거하고 플럭스가 액체 상태가 될 때까지 열을 가하며, 산화피막이 제거된 후에는 동 용접용 재료가 베이스 메탈에 접착이 되고 플럭스는 더 빨리 산화되는 것을 막는다.

❹ 동 용접 접합 강도

동 용접의 재료의 강도는 베이스메탈의 강도보다 훨씬 낮기 때문에 접합모양, 접합의 깨끗함 등이 지극히 중요하다. 접합 강도는 접합된 베이스메탈의 표면 영역에 의존한다. 따라서 가능한 한 넓게 겹쳐서 접합하도록 한다. 접합되어 있는 재질이 동일 재질일지라도 동으로 용접된 표면 면적은 일반 용접으로 접합된 표면 면적보다 훨씬 더 넓다. 일반적으로 겹쳐지는 부위는 패널 두께보다 3배 또는 그 이상 넓게 되어야 한다.

❺ 동 용접 작용

① **베이스 메탈의 청소** : 베이스 메탈 표면에 먼지, 페인트, 기름, 산화피막이 있다면 동 용접 재료가 베이스 메탈 위에 적절하게 흐르지 못한다. 이런 오염 물질이 표면에 그대로 남아 있다면 결국에는 접합이 되지 않을 것이다. 플럭스가 산화피막과 대부분의 오염물질을 제거하는 역할을 한다할지라도 모든 것을 완전히 제거할 수 있을 정도로 강하지 않다면 와이어 브러시로 표면을 깨끗하게 청소해준다.

② **플럭스 응용** : 베이스 메탈을 철저하게 깨끗이 한 후 동 용접 표면에 일정하게 플럭스를 도포한다.(플럭스를 가진 동 용접봉을 사용한다면, 이 작업은 필요 없다)

③ **베이스 메탈의 열처리** : 동 용접 재료를 받아들일 수 있도록 베이스 메탈의 접합 영역에 일정한 온도를 가하도록 한다.

약간 탄화불꽃이 되도록 용접 토치의 가스 불꽃을 조절한다. 플럭스의 녹는 조건에 따라 동 용접 재료가 녹는 적절한 온도를 예상해야 한다.

④ **베이스 메탈의 동 용접 작업** : 베이스 메탈이 적절한 온도에 도달했을 때 동 용접 재료가 녹아서 자연스럽게 베이스 메탈 사이로 흘러들어간다. 동 용접 재료가 베이스 메탈의 틈새로 흘러 들어갔을 때 그 영역의 열처리를 중단해야 한다.

★ 동 용접 재료가 열처리된 표면위로 쉽게 흘러 들어가기 때문에 일정한 온도로 전체 접합 영역을 열처리하는 것은 중요한 것이다. 베이스 메탈보다 먼저 동 용접 재료를 열처리하여 녹이면 안 된다.(동 용접재료는 베이스 메탈에 접착하지 않는다)

★ 베이스 메탈의 표면온도가 너무 높게 되면 플럭스는 베이스 메탈을 깨끗하게 하지 못하고 동 용접 접합도 보잘 것 없고 접합 부분에서는 강도가 떨어질 수도 있다.

⑤ **동 용접 후 처리** : 동 용접된 부위를 충분히 식힌 다음에 물로 남아있는 플럭스의 산화된 면을 씻어낸다. 와이어 브러시로 표면을 깨끗이 청소해준다. 태워지고, 그을린 플럭스는 사포 또는 날카로운 도구를 사용해서 제거해준다.

플럭스의 산화된 면이 깨끗하게 제거되지 않고 남아 있다면 페인트 접착이 적절하게 되지 않을 것이고 부식 및 틈이 갈라지는 현상이 접합부에서 생길 수도 있다.

2 자동차 차체재료

자동차의 차체는 생산성이나 외관, 안전성, 가격 등의 시장성 등 여러 가지 조건을 만족시키는 여러 종류의 재료로 구성되어 있다.

1 금속재료의 일반적 성질

자동차 차체의 재료 중에서 금속재료의 금속의 일반적인 성질은 상온에서 고체이며 결정체이고, 금속 특유의 광택을 가지고 있고, 연성, 전성이 커 가공이 쉽고, 열 및 전기의 양도체이며 비중이 큰 특성을 가지고 있다.

금속의 원자가 규칙적으로 배열되어 있는 것을 **결정체**(結晶體)라고 하며, 그 하나하나의 결정체를 **결정격자**라고 한다. 이 결정격자의 종류에는 체심입방격자, 면심입방격자, 조밀육방격자가 있다.

2 금속 재료의 변태

변태(變態)란 금속이 온도나 압력의 변화에 의하여 결정격자의 구조가 변화하는 것을 말하며 그 변화하는 온도를 **변태점**이라고 한다.

금속의 변태에는 자기변태와 동소변태가 있다. 자기변태(磁氣變態)란 원자배열의 변화 없이 자기의 크기만 변화하는 것으로 **큐리점**(curie point)이라고도 하며 순철의 경우에는 768℃ 부근에서 발생한다.

동소변태(同素變態)란 고체내의 원자 배열이 변화하는 것으로 순철의 경우 910℃이하에서는 체심입방격자로 910℃에서 1,400℃사이에서는 면심입방격자로 1,400℃에서 1,538℃이상에서는 다시 체심입방격자로 바뀌게 된다.

3 합금의 특성 및 종류

합금(合金)은 한 종류의 금속에 다른 종류의 금속이나 비금속(C, Si, P, S) 등을 고온 상태에서 용융혼합한 것을 말하며, 합금의 성질로는 강도와 경도가 증가하며, 내열, 내산성이 증가하고, 전기 저항이 증가하며, 융점이 낮아지며, 주조성이 향상되고, 열처리가 가능하며, 색이 아름다워지는 성질들이 있다.

다음으로 합금의 상태도를 살펴보면 그 종류로는 공정, 고용체, 공석반응 등이 있으며 각각의 그 뜻을 알아보면 공정은 2개의 성분금속이 용융되어 있는 상태에서는 서로 융합되어 균일한 액체로 형성되어 있으나 응고된 후에는 성분금속이 각각 결정으로 되어 분리되는데 2개의 성분금속이 기계적으로 혼합된 조직을 형성할 때 이를 **공정**이라고 한다.

고용체(solid solution)는 한 금속 성분 중에 다른 성분 금속이 혼합되어 용융 상태에서 합금이 되었을 경우 또는 고체 상태에서 균일한 융합상태로 되어 각 성분 금속을 기계적으로 구분할 수 없는 상태를 **고용체**라 하며 고용체를 형성하는 결정 격자에는 침입형 고용체, 치환형 고용체 및 규칙격자형 고용체가 있다.

공석(eutectoid)**반응**이란 하나의 고용체로부터 일정한 온도에서 2개의 고체가 일정한 비율로 동시에 석출한 혼합물을 공석이라고 하며 이 반응이 생기는 점을 **공석점**이라고 한다.

4 금속 재료의 성질

금속재료에서 가장 중요하게 취급 되는 기계적 성질에 대해서 알아본다.

기계적 성질에는 강도, 경도, 연성, 전성, 인성, 취성, 가단성, 가주성, 피로, 항복점 등이 있다.

① **강도**(强度) : 재료가 외력에 대한 저항력이며 인장강도, 압축강도, 전단강도 등이 있다.

② **경도**(硬度) : 금속표면이 외력에 저항하는 단단한 정도를 말한다.

③ **연성**(延性) : 금속이 탄성한계를 초과하는 힘을 받고도 파괴되지 않고 늘어나서 소성 변형이 되는 성질을 말하는데 쉽게 풀이한다면 늘어나는 성질을 연성이라 할 수가 있다.

④ **전성**(展成) : 타격이나 압연 작업에 의해 얇은 판으로 넓게 펴지는 성질을 말한다.

⑤ **인성**(靭性) : 금속이 굽힘, 비틀림, 충격 등에 대한 재료의 저항 즉, 질긴 성질을 말한다.

⑥ **취성**(脆性) : 여림 또는 메짐이라고도 하며 금속이 잘 부스러지고, 깨지는 성질을 말한다.

⑦ **가단성**(可鍛性) : 재료를 가열하여 외력을 가할 때 외력에 의해 변형되는 성질을 말한다.

⑧ **가주성**(可鑄性) : 금속을 가열하면 유동성이 향상되어 주조 작업이 가능한 성질을 말한다.

⑨ **피로**(疲勞) : 금속이 외력에 대응하는 응력이 재료의 강도보다 작을 경우에 연속적으로 오랜 시간 반복될 때 파괴되는 성질을 말한다.

⑩ **항복점**(降伏点) : 금속이 탄성한계를 지나 하중의 증가 없이 연신이 생기기 시작하는 처음의 최대하중을 단면적으로 나눈 값을 말하며, 연강에는 항복점이 있으나 경강이나 주철에는 거의 없다.

금속재료의 물리적 성질 중 용융점(鎔融点)이란 고체가 액체로 변화하는 온도를 말하며 텅스텐이 3,400℃로 가장 높고, 수은이 −38.3℃로 가장 낮다.

5 자동차 강판

일반 승용차 차체에 사용되는 강판은 주로 0.6~2.5㎜ 정도의 얇은 박강판이다.

자동차용 강판은 일반적으로 냉간압연 강판과 열간압연 강판, 고장력 강판, 표면처리 강판 등으로 나눌 수 있다.

① 냉간 압연 강판

냉간 압연 강판은 열간 압연 강판을 산세처리 후 상온상태에서 롤러로 다시 냉간 압연을 시킨 강판으로 판 두께의 정밀도가 좋을 뿐만 아니라 표면이 매끄럽고 프레스 가공성 및 용접성이 우수하기 때문에 0.6~1.2㎜ 정도의 보디 부품에 대부분 사용되고 있다.

② 열간 압연 강판

열간 압연 강판은 탄소함유량 0.05%이하의 저탄소강 강괴를 재결정온도 이상(800~900℃)에서 열간 압연 가공한 것으로 판의 두께가 1.6~6㎜ 정도로 표면이 거칠다. 가공하기가 쉽기 때문에 승용차와 경트럭의 프레임 및 멤버 등 비교적 두꺼운 부품에 사용되고 있다.

③ 고장력 강판

고장력 강판은 보통강판과 비교해 볼 때 인장강도가 크고 항복점이 높다는 특징을 가지고 있다. 따라서 박강판이면서도 같은 정도의 강도를 얻을 수 있고 패널 두께를 얇게 할 수 도 있다. 차량 중량의 경감을 목적으로 개발된 강판이다.

(1) 고장력 강판의 장점

① 소석 등에 부딪쳐도 국부적인 패임이 없는 저 항력을 가지고 있다.
② 충돌 시 변형저항에 의한 에너지 흡수성이 우수하다.
③ 성형성이나 용접성을 저하시키지 않는다.
④ 가공경화 특성이 높다.

(2) 고장력 강판의 사용 목적

① 경량화의 목적이 있다

고장력 강판의 사용목적의 최대목적은 경량화에 있다. 강판이 같은 강도를 필요로 한다면 사용하는 강판을 얇게 할 수 있고 얇게 한 만큼 차체는 가벼워지기 때문이다.

② 내구 강도의 확보에 있다

장기적인 사용에도 견딜 수 있는 자동차를 만들기 위해 항상 힘을 받기 쉬운 부분에 사용한다.

③ 큰 충격강도의 확보에 있다

사고가 발생한 경우 승객을 보호하기 위해 차체의 골격으로 된 부분에 사용한다.

④ 외부패널의 국부변형방지에 있다

외부패널과 같이 외부에서 힘을 받고 변형되기 쉬운 장소에 사용되며, 국부적인 외부의 힘에 대해서 소성변형의 발생을 방지한다.

(3) 고장력 강판의 종류

고장력 강판의 종류에는 석출 강화형 강판과 고용체 강화형 강판, 복합조직 강화형 강판으로 나눌 수 있다.

① **석출 강화형 강판** : 티탄(Ti), 니오븀(Nb), 바나듐(V) 등의 금속을 탄소(C)나 질소(N)와 결합시켜 첨가하고 강의 내부 구조를 변화시킨 것으로서 가공성이 그리 좋지 않기 때문에 범퍼의 보강재나 빔등 평면적인 부재에 사용되고 있다.

② **고용체 강화형 강판** : 탄소함유량이 적은 강에 인(P), 규소(Si), 망간(Mn) 등을 첨가한 것으로 가공성이 좋으며, 값도 싸기 때문에 내 · 외판 패널에 사용되고 있다.

③ **복합조직 강화형 강판** : 생산 시 열처리 방식의 변경으로 1장의 강판에 경성과 유연성을 모두 가지고 있고, 생산 시에 가공성이 좋으며, 전체의 강도가 높은 강판으로 내외 패널에 사용되고 있다.

(4) 표면 처리 강판

표면처리 강판은 내식성을 향상시키기 위해서 강판의 표면에 아연, 주석, 알루미늄 등의 금속 도금을 한 것과 아연분말 도료를 강판의 표면에 도장한 것 두 가지가 있다.

자동차 보디에는 내식성이 요구되는 부분에 주로 사용되고 있다. 아연도금의 방식성에 대해서 알아본다.

아연 층은 강판 녹의 원인이 되는 수분과 공기 중의 산소를 막으면서 강판대신에 부식이 된다. 아연의 부식은 철에서의 부식과는 달리 표면만 녹이 슬고 내부는 보호하는 특징을 가지고 있다.

아연은 내식성은 뛰어나나 용접성, 도장성에 약간의 문제가 있으며, 문제점을 개선하기 위해 다른 금속과 합금화 한 것이 사용되고 있다. 따라서 아연도금 강판의 보수에 있어서는 스폿 용접 시 전류를 10~20% 정도 높여 주어야 하고, 구 도막 제거를 위해서 샌더를 사용할 때 아연 층도 떨어져 나갈 우려가 있기 때문에 도장면의 표면처리에 더욱 주의가 필요하다

① 방청처리 강판

방청처리강판에는 양면처리 강판과 제진강판이 있다. 양면처리 강판은 단면처리 강판의 외 표면에 아연·니켈합금 도금을 입히고, 외판의 도막이 손상을 입더라도 내부의 패널에 녹 진행을 억제하고, 높은 방청효과를 얻을 수가 있으며. 방청처리 방법에 따라 3가지의 종류로 나눌 수가 있다.

그 종류로는 **양면처리 강판, 단면처리 강판, 양면도금 강판**이 있다.

② 표면 처리 강판의 수정 작업시 주의사항

첫째, 표면처리 강판과 방청처리 강판을 구별할 필요는 없지만 수정 후 수정된 뒷부분에도 손상이 있다는 것을 명심해 반드시 방청왁스 등의 도포로 **방청처리 작업**을 실시해야 할 필요성이 있다.

둘째, 양면처리 강판의 외 표면을 강판 면까지 연마할 경우 **퍼티와 강판과의 밀착성**을 확보할 필요가 있다는 것을 주의하기 바란다.

③ 제진 강판

차체의 경량화와 함께 주행 시의 소음 저감으로 승차감을 향상시키고 쾌적성의 향상을 목적으로 한 많은 적층강판이 개발되어 주로 차체에 사용되고 있다. 제진 강판을 또 다른 명칭으로는 샌드위치 강판 또는 라미네이트 강판이라고도 칭하고 있는데, 그 구조는 2매의 얇은 강판사이에 진동이나 음을 흡수하기 위한 수지나 기타 비금속 재료를 삽입한 샌드위치 구조로 되어 있다.

6 탄소강

철강 재료를 나누어 보면 크게 순철, 강, 주철로 나눌 수가 있다.

순철은 탄소의 함유량이 0.03%이하의 철을 말하고, **강**은 탄소강과 합금(특수)강으로 분류된다. 탄소강은 탄소의 함유량이 0,035%~1.7%의 철과 탄소의 합금을 말하고, 합금강이란 탄소강에 1종이상의 금속을 포함 한 강을 말한다. **주철** 또는 **선철**은 탄소의 함유량이 1.7~6.67%의 철과 탄소의 합금을 말한다.

① 탄소강의 성질

A_2 변태는 순철의 자기 변태이며, 변태온도는 768℃이며 강자성체에서 상자성체로 변화한다. A_3 변태는 순철의 동소변태이며, 변태온도는 910℃이며 체심입방격자인 α철이 면심입방격자인 γ철로 바뀐다. A_4 변태는 순철의 동소변태이며, 변태온도는 1390℃이며 면심입방격자인 γ철이 체심입방격자인 δ철로 바뀌는 것을 말한다.

② 탄소강의 기계적 성질

탄소강에서 불순물의 함유량이 황 < 0.05%, 인 < 0.04%, 규소 < 0.5%, 망간 < 0.2%이면 탄소강에 미치는 영향을 무시할 수 있다. 탄소량이 증가하면 강도 및 경도가 증가되며 연신율, 충격치의 감소, 가공성 등을 감소시키며, 온도가 상승하면 강도 및 경도가 감소하고 전성 및 연성이 증가하고 가공성을 향상시켜 준다.

③ 강에서 발생되는 취성

탄소강의 취성에는 청열취성, 적열취성, 상온취성, 저온취성이 있는데 청열취성은 강이 200~300℃에서 상온에서 보다 취성이 커지는 성질을 말하며, 인(P)이 원인이며, 적열취성은 강이 900~950℃에서 유화철(FeS)이 되어 취성을 지니며 고온 가공성을 해치며, 황(S)이 원인이며, 상온취성은 강중의 인(P)이 Fe_3P로 되어 상온에서 연신율, 충격치 등이 감소되며, 저온취성은 강이 상온보다 낮아지면 연신율, 충격치 등이 급격히 감소되며 취성을 갖고, 몰리브덴(Mo)이 저온 취성을 감소시킨다.

7 차체 강판의 성질

차체 강판은 소량의 탄소를 함유하며, 충격에 대한 저항력을 갖게 하고, 여러 가지 형태로 가공되어 조립을 용이하게 할 수 있도록 가공성을 가진 강판이다.

패널 수정작업에 있어서 강판이 어떠한 성질을 가지고 있는가를 이해하는 것은 여러 가지 형태의 작업에 많은 도움이 되고 기능향상에도 도움을 줄 것이다.

자동차에 사용되는 강판은 성형상의 조건과 자동차로서의 가혹한 사용 조건에 견디어야 할 필요성 때문에 보통의 강판과는 다른 탄소강(주로 저탄소강)이 사용되고 있다.

탄소 함유량이 많은 고탄소강을 사용하면 강판은 아주 높은 내충격성을 발휘할 수 있으나 보디 강판의 성형을 할 때에 애로사항이 많이 발생한다. 자동차 메이커에서 PR 용이나 연구용의 차로서 실제와 다른 재질의 차체가 만들어지는 경우는 있지만 일반적으로는 중(中)정도의 탄소함유량[0.1 ~ 0.4%]을 가진 강판이 보디 강판으로서 가장 많이 사용되고 있다. 또한 보디 강판으로서 필요한 조건을 부여하기 위해 중급의 탄소 강판에 특별한 보강을 하거나 두께를 두껍게 하거나, 강성을 증가시키기 위한 형상으로 설계를 하고 있다.

1 자동차용 강판의 크라운

강판의 곡면이 아주 완만한 것은 **저 크라운**(저 곡률), 급격한 곡면을 가진 것은 **고 크라운**(고 곡률), 1매의 강판에 곡면이 저 크라운과 고 크라운을 합친 것으로 **콤비네이션크라운**, 강판(펜더, 후드 등)의 안쪽에 심한 곡면을 가진 **역 크라운** 등이 있다.

저크라운 강판은 곡률이 작기 때문에 하중력이 작고, 루프 패널은 저 크라운의 좋은 예인데 이 루프 패널에는 가장 자리에 약간 곡면이 있으며 중앙 부분은 거의 평평하다. 그러나 드립 몰딩 부근의 즉 루프 패널의 선단부는 급격한 곡면으로 되어 있으며, 고 크라운 강판으로 이루어져 있다. 이것은 파손된 차량을 수정할 때 손상을 받은 강판의 변형에 대해 어느 정도의 저항력을 갖고 있는 것으로 확인할 수가 있다.

이와 같이 고 크라운의 패널은 펜더의 윗면 및 앞쪽부분, 윗면 뒷부분의 보디 패널 등에 사용되고 있다. 현재의 차는 저크라운 강판으로 만들어져 있으나 과거 20년까지는 지금처럼 곡면이 심한 프레스 성형은 하지 않았다.

고크라운 강판을 사용한 경우에는 그 부분 자체가 아주 강인해서 저크라운 강판처럼 보강을 필요로 하지 않습니다. 현대의 자동차에는 매우 일반적인 고저의 콤비네이션 강판(펜더와 도어 패널)을사용하고 있으며 이것은 차체자체에 강인한 구조를 갖게 할 수 있다. 후드 패널과 펜더에서 볼 수 있는 것과 같이 안쪽으로 심한 커브가 진 것의 역 크라운은 설계가 복잡한 부분에 사용이 되며, 이들 부분에는 매우 강도가 집중되어 있다.

❷ 탄 성

탄성은 도어나 펜더의 표면을 손으로 가볍게 누르면 변형되어 약간 들어가는 현상이 나타나지만 손을 떼어 가하던 힘을 제거하면 변형되었던 부분이 원래의 형태로 되돌아오는 것을 알 수 있다. 이 같은 변형을 **탄성변형**이라고 말하며, 이때 되돌아오려고 하는 성질을 **탄성**이라고 한다.

예를 들어 강판이 약간 우그러졌을 때에도 억누르는 힘이 제거되면 원래의 강판이 단단할 때는 단단한 만큼 탄성은 더 커진다. 이와 같은 현상은 탄성의 본질이 경화작용의 증대에 따라 더욱 커지는 것을 의미한다. 금속이 원래의 형상으로 완전히 되돌아가지 않는 상태까지 구부러져 있는 경우에는 이것을 탄성한계(또는 굴복점)에 이르렀다고 한다.

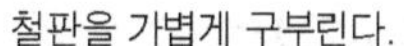
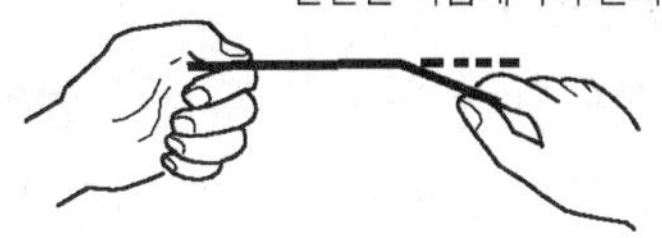

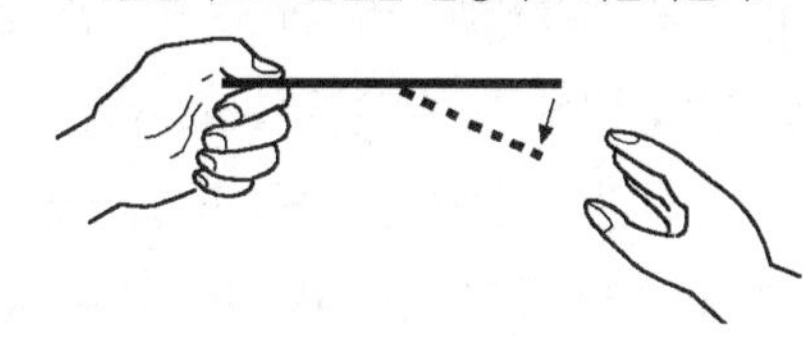

손상된 펜더를 차체에서 떼어내면 펜더 및 머드가드는 어느 것이라도 원래의 형태로 조금씩은 튕겨 되돌아가려고 하는 경향이 생긴다. 왜냐하면 몹시 우그러진 강판이라도 1개소의 단순한 변형을 제거해주면 정상적인 제 모양으로 돌아가는 것도 있기 때문이다.

다시 말해서 단순한 변형은 강판이 변형되었기 때문에 생기는 것이다. 보디 강판이 프레스나 금형으로 성형되면 여분의 압력이 강판에 남는 경우가 있다. 즉 이것을 강판에 남은 응력 부분이라고 한다.

예를 들어 후드 패널의 가장자리 부분을 절단하면 절단된 2개의 단면은 아주 약간 찢어진 것 같이 되며, 이것은 최초에 프레스 하였을 때 가해진 힘의 잔여응력이 원인으로 되어있는 것이다.

3 소 성

소성은 도어나 펜더의 표면을 손으로 가볍게 눌렀다 떼면 원래의 상태로 되돌아오지만 더욱 힘을 가해 강하게 누르면 패널이 변형되어 손을 떼어도 원래의 상태로 되돌아오지 않고 변형이 남아있게 된다. 이것을 **소성변형**이라고 하고 변형된 채 원래의 상태로 되돌아오지 않는 성질을 **소성**이라고 한다.

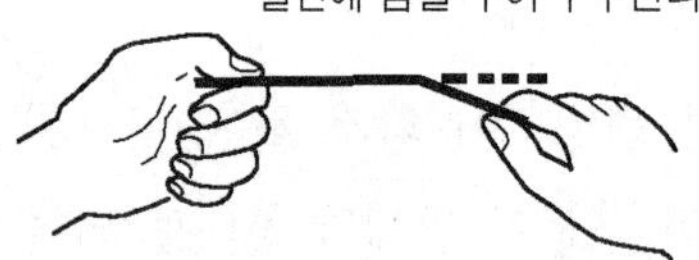

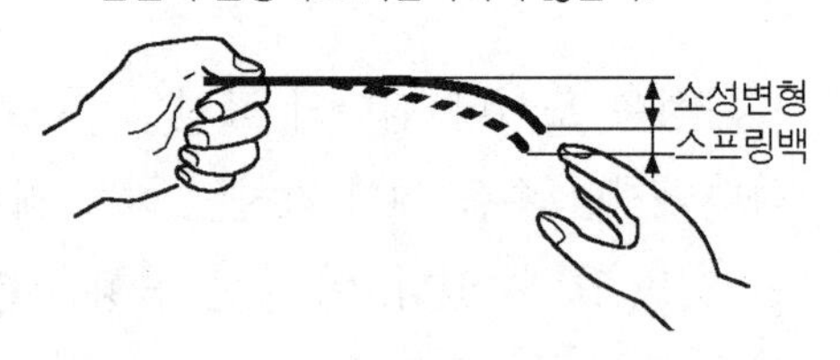

이때 강판을 구부려 손을 떼는 순간 되돌아오는 현상을 스프링 백 현상이라고 한다. 제조공장에서는 커다랗고 평평한 철판으로부터 펜더, 후드, 루프 패널 등이 프레스 성형으로 만들어지는데, 프레스 함으로써 강판의 형상이 변화하는 것을 가소성(유연하게 변형하는 것)이라고 한다.

힘을 가해도 (강판의 구부리기 등) 파손되지 않고 변형되는 정도는 금속의 경도(주로 탄소함유량)에 관계가 되며, 또 변형은 장력(당기는 힘)을 작용하거나 압력을 걸게 되면 장력이나 연성, 압력에 의한 변형을 **가단성**(可鍛性)이라고 한다.

그리고 장력 변형의 최종적인 결과를 **신장**(伸張)이라 하며 압력 변형의 결과를 **압축**이라 한다. 이 신장과 압축은 자동차 패널의 수정 작업 중에 여러분이 반드시 당면하게 되는 것으로서 패널 수정 뿐 아니라 차체 수정의 기본적인 원칙이라고 할 수 있다.

4 가공 경화

가공경화는 강판을 늘리거나 줄이는 가공을 하면 소성변형을 일으켜 재질이 단단해지기 시작한다. 그러한 현상을 **가공경화**라 하고 소성 변형시 반드시 발생하는 것을 말한다.

8 응력 변형 선도

응력변형 선도는 규정의 규격으로 가공한 재료(시편)를 인장 시험기에서 잡아당겨 파단 되기까지의 과정을 도표화한 것이다.

그림에서 보듯이 0 ~a′부분은 탄성변형으로 하중을 제거해 응력과 변형이 소멸되는 부분을 가리키며, a′ ~ b′부분은 소성(영구)변형으로 하중을 제거해도 변형이 영구히 남는 부분을 가리킨다. a′ ~ b′ 부분은 프레스나 수정작업에 의해서 성형이 가능한 부분이다.

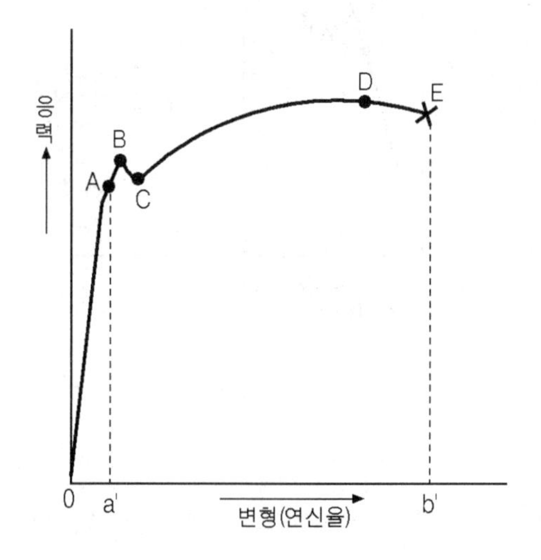

❶ 고장력 강판과 일반강판과의 강도 비교

A점은 보통강판에 있어서 탄성한계에서 힘을 제거하면 원래의 상태로 되돌아오는 기점을 가리키고 있다. A점을 초과하여 하중을 가하면 변형이 잘되기 시작하고 B점에서 급격히 변형량이 가하여 D점에 달하고, 그 상태에서 하중을 제거하면 변형량은 0 - F의 영구변형이 어 소성변형으로 남으며, 탄성변형은 스프링 백 현상으로 복원되는 것을 알 수가 있다.

항복점은 다시 강판의 내부조직이 무너져 내리는 현상이 발생하기 직전의 최대 하중점을 상항복점, 급격한 변형량이 증가하는 개시 점을 하항복점으로 구분하여 설명할 수 있다.

① **탄성한계** : 응력에 대하여 탄성이 유지되는 한계점.
② **상항복점** : 응력이 감소하면서 변형이 불규칙적으로 진행하기 시작하는 점
③ **하항복점** : 응력과 변형이 증가하기 시작하는 점
④ **최대응력점** : 응력이 최대치에 도달한 점
⑤ **파단점** : 재료가 절단되는 지점.

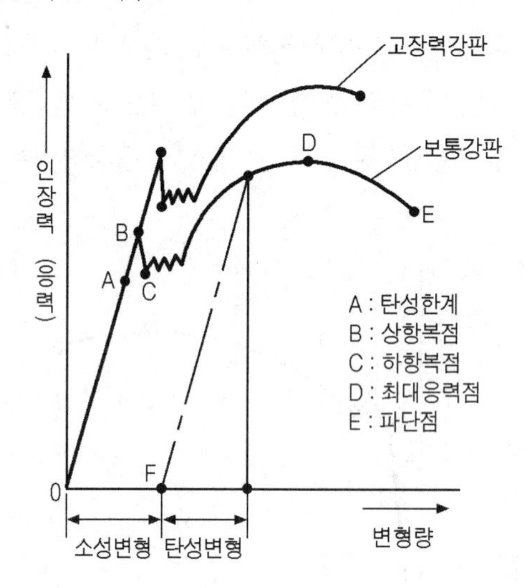

② 최대 인장 강도

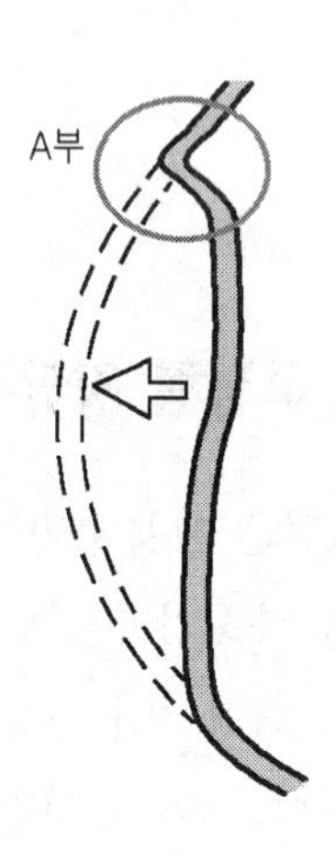

최대 인장강도란 재료가 파단 되기까지의 과정 중에 나타나는 최대 하중을 말한다.

그림과 같이 크게 凹된 패널은 A부의 소성변형을 제거해 주면 다른 부분의 크게 변형된 부분은 강판의 자체 탄성으로 원래대로 되돌아온다. 따라서 패널의 수정에 있어서는 강판의 성질 중 가장 중요한 탄성의 성질을 유용하게 이용하는 것이 가장 중요하다.

9 강판의 열 변형

강판은 열의 영향으로 팽창, 수축, 연화, 경화 등의 현상이 발생된다. 이러한 현상을 효과적으로 이용함으로써 빠른 복원이 가능하고 작업시간을 줄일 수 있다.

1 팽창과 수축

강판은 가열하면 늘어나고 냉각하면 수축 된다. 가열에 의한 패널의 수축작업은 이러한 현상을 이용한 것이다. 그림에서 보는 바와 같이 충돌에 의해 변형된 부분(늘어난 부분)의 패널을 국부적으로 고온가열 팽창시킨 후 급랭하면 가열전의 상태보다 수축된다.

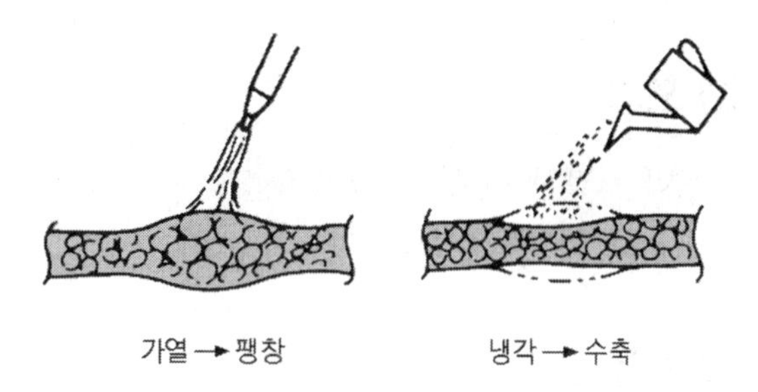

2 가공경화 제거

패널의 가공경화는 열처리에 의해 제거할 수 있으며, 변형으로 가공 경화된 부분을 가열하는 경우에 연화 및 연화 시키는 것에 의해 감소되었던 탄성력을 회복시켜 원래의 상태로 되돌리는 방법이 있다. 즉, 강판은 가열하면 팽창함과 동시에 연화되며 가공경화된 부분의 제거법은 이 성질을 이용한 것으로서 가열 후 천천히 식히는 것을 **서냉**이라고 한다.

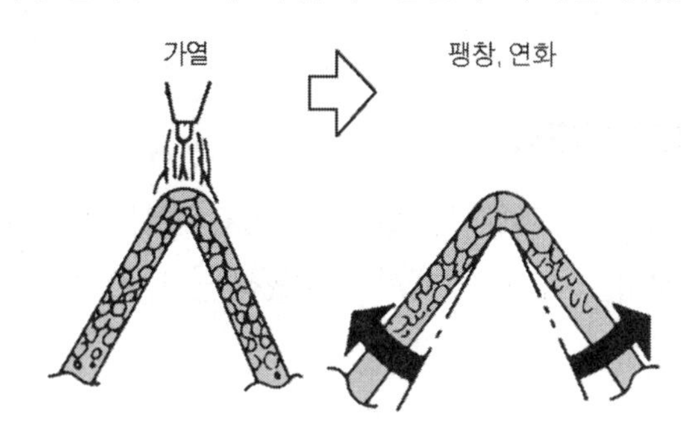

10 열처리 작업

열처리 작업에는 담금질, 뜨임, 풀림, 불림 등으로 나눌 수가 있다.

(1) 담금질

담금질은 강판을 약 800℃ 전후로 가열하여 물이나 기름에 급랭하는 방법으로 금속의 경도를 높이는 작업이다.

(2) 뜨임

뜨임은 강판 내부의 불안정한 조직을 600℃ 전후의 온도로 가열한 후 서냉하여 강판에 질긴 성질(인성)을 부여하는 작업이다.

(3) 풀림

풀림은 소성가공으로 인하여 가공 경화된 강판을 연화시켜 원래의 상태로 되돌리기 위해 어느 일정온도 이상으로 가열(약 700 ~ 800℃)해 서서히 냉각함으로써 가공경화 현상의 내부 응력을 제거하는 작업이다.

(4) 불림

불림은 단조 등에 의해 가공된 것이 강판의 조직이 일정치 못하고 거칠어져 있으므로, 풀림 온도 보다 조금 높게 가열(약 800 ~ 900℃)한 후 서냉하여 조직을 표준화 하는 작업이다.

(5) 강재의 가열에 따른 색변화

600℃에서는 **암적색**을, 700℃에서는 **적색**을, 800℃에서는 **담적색**을, 900℃에서는 **황적색**을, 1,000℃에서는 **황색**을, 1,100℃에서는 **담황색**을, 1,200℃에서는 **백색**을, 1M300℃에서는 **휘백색**을 나타낸다.

11 알루미늄 합금

알루미늄은 현재 부분적으로 차체에 적용되고 있지만 자동차의 미래 산업에 있어 가장 주목받고 있는 소재이기도 하다.

알루미늄 합금은 자동차의 구성 재료 중에서 철강재료 다음으로 많이 사용되는 재료로 경량, 내식성 우수 등의 특성에 의해 승용차, 트럭, 버스, 2륜차 등에 많이 사용되고 있다.

특히 자동차의 중량 저감, 승차감 향상, 고성능화를 위해 보디에 붙는 엔진, 서스펜션 등 열을 잘 전달하는 특성을 라디에이터, 콘덴서, 이배퍼레이터 등의 이용한 열 교환기에 많이 사용되고 있다.

알루미늄 합금은 최근 차량의 대폭적인 경량화를 위해 연구개발 되어 차체 부품(후드, 펜더, 트렁크 리드 등)에 사용되고 있으며, 향후 더욱 많은 양이 차체에 적용될 추세이다.

알루미늄 손상 부품의 복원수리는 알루미늄 합금의 특성을 잘 이해하고 적절한 수리기법을 적용해야만 가능하다.

❶ 알루미늄 합금의 특성

① 가볍다

알루미늄의 비중은 강판의 1/3정도 이지만 강판과 동등한 강성을 확보하려면 판의 두께를 1.4배로 할 필요가 있고, 중량은 약 1/2 정도로 동일 강도의 유지가 가능하다.

② 가공성이 좋다

용융된 상태에서 유동성이 높아 복잡한 형상의 주형이 자유롭고 용융온도가 약 600℃ 전후로 철의 약 2.5배이다.(철의 용융온도는 약 1,500℃ 이상임)

③ 강하다

④ 내식성이 양호하다

알루미늄은 공기와 접촉되어도 산화피막을 생성해, 이 피막이 부식을 방지하므로 내식성의 효과가 높다.

⑤ 열전달이 쉽다

철에 비하여 열전도율이 약 2배에 달하며 재료를 가열했을 때 가열도 빠르지만 냉각되는 속도 또한 빠르다.

⑥ **전기가 잘 통한다**

전기전도율 또한 철의 약 2배이다.

⑦ **자기를 띠지 않는다**

비자성체로서 자석에 달라붙지 않는다.

기타 특징으로는 도장을 하지 않아도 외관이 아름답지만 용접 작업이 비교적 어려운 단점이 있다.

② 철과 알루미늄의 성질 비교

철과 알루미늄의 성질의 차이를 살펴보면 철을1로 하였을 때 비교한 것으로 알루미늄은 용융온도가 0.4로 적열 없이 용융되고 같은 체적의 무게는 0.34로 약 1/3정도 이다. 열전달 율은 1.75로 2배 가까이 열전달이 쉽다. 또한 도전율은 1.9로 2배 가까이 전기가 통하기 쉽다는 것을 알 수가 있다.

③ 알루미늄 종류별 특징

알루미늄의 종류별 특징에 대해 계열별로 살펴보면 1,000~7,000계로 나눌 수 있다.

① **1000계**는 순도 90%이상으로서 순 알루미늄이라 칭하며 강도는 약하지만 도전성, 성형성, 내 부식성이 우수하여 전기 기구 및 각종 용기재료에 사용되고 있다.

② **2000계**는 동 3.5% ~ 5% 소량의 유황, 망간, 마그네슘 등을 함유한 것으로 두랄루민이라 칭하며, 강도가 대단히 높고, 항공기의 재료나 각종 구조재, 단조재 등에 사용되고 있다.

③ **3000계**는 망간 0.5% ~ 1.5% 유황이나 마그네슘을 단독 또는 혼합하여 1.5%정도 함유 한 것으로 강도는 1000계보다 강하고 용접성 및 내 부식성이 양호하며, 칼라 알루미늄 지붕재료 등 건축용재, 식기류에 사용되고 있다.

④ **4000계**는 유황을 5% 정도 함유한 것이며, **5000계**는 마그네슘 0.5% ~ 5% 납이나 유황 크롬 등을 소량 함유한 것으로 같은 계열에서도 변칙적인 것이 많다. 전반적으로 강도가 높고 가공성이 양호하며 선박, 탱크류 구조재, 자동차 휠, 차체 보디에 많이 사용되어지고 있다.

⑤ **6000계**는 마그네슘과 유황을 0.5 % ~ 5%함유 한 것으로 내 부식성, 용접성이

좋고 강도는 중간정도로서 건축용 부재 등에 사용되고 있다.

⑥ **7000계**는 아연 5% ~ 6% 마그네슘이나 동 1 ~ 3%, 크롬, 유황을 소량 함유한 것으로 최고의 강도를 지니며 용접성 내 부식성이 양호하고 항공기, 스포츠용품, 자동차 휠 등에 사용되어 지고 있다.

❹ 알루미늄 패널 수리

알루미늄 합금은 패널 수리에 있어서 철에 비교하여 신축성이 좋기 때문에 작업에 주의해야 하고 연마지는 거칠지 않아야 한다. 도막을 벗길 때는 #100이상을 사용하며 해머링은 플라스틱이나 나무 해머를 사용하고 인장력을 유지하고 있는 상태에서의 균열, 재질 약화의 우려가 있기 때문에 가열에 주의해야 한다. 가열온도는 250℃전후로 해야 하는데 고온으로 되어도 적열되지 않으므로 가열에 특히 주의를 해야 한다.

❺ 가열 온도 확인 방법

가열온도의 확인 방법은 교환할 대상이 되는 패널의 뒤쪽에 목장갑을 대고 열이 전달되는 감도로 감지하면 좋으며, 가스 용접기를 사용 시에는 반드시 탄화불꽃으로 해야 한다. 용접작업에 있어서는 열전달 율이 철의 2배이며 열에 의한 팽창 및 수축 또한 철의 2배로 비틀림 변형이 쉬우므로 대량의 열로 신속한 작업이 필요하다. 알루미늄은 열에 의한 색의 변화가 없기 때문에 가열 시 온도관리에 특히 주의가 필요하며 온도 측면의 방법으로는 온도 지시도료 및 서모 페인트 , 적외선 온도 측정기 등을 사용하는 방법이 있다.

❻ 알루미늄 합금 보수 작업

알루미늄 합금의 보수상의 작업에 대한 요점을 간추려 보면 연마작업은 디스크 샌더 #100~#200, 더블 액션 샌더 #150~#180을 사용하며, 사용 용도를 살펴보면 구 도막 박리, 소지면 연마, 단 낮추기, 퍼티연마 등이 있다. 해머링 작업은 나무 해머 또는 플라스틱 해머를 사용하고 내측에 목장갑을 손으로 바치고 열 감각이 있을 때까지 패널을 가열하고 나서 수정작업을 하는데, 이때는 과열되지 않도록 주의해야 한다.

수축작업에 있어서 토치를 사용한 수축작업은 가열하여도 적색으로 되지 않기 때문에 과열되지 않도록 폐자재 등으로 연습을 해보는 것이 좋다. 온도는 250도 전후로 곧 가열이 되지만 냉각 또한 빠르다. 전기수축작업으로는 표면에 스파크 흔적이나 카본부착, 산화막이 발생하기 쉽기 때문에 작업 후에는 스테인리스 브러시로 표면을 청소해주어야 한다.

용접작업에 있어서 산소 아세틸렌 용접에서는 알루미늄 플럭스로서 표면의 산화막을 제거하고, 화염은 중성 또는 약간 탄화 염을 사용한다. 용접봉은 알루미늄 5183 또는 5356 등을 사용하는데 작업 후에는 80℃ 이상의 뜨거운 물로 플럭스를 세척해 준다.

미그 용접에서는 실드가스로는 아르곤 가스를 사용하고 전류 45V, 전압 12V, 실드가스 흐름은 13/min, 용접속도는 600㎜/min으로 작업이 이루어진다.

스폿 용접은 절대 사용해서는 안 된다. 또한 강판에 함께 조립될 경우 강판에 직접 접촉시키면 전위차에 의한 부식이 발생하므로 플라스틱 와셔 등을 사용해서 직접 접촉되지 않도록 해야 한다.

12 합성수지

자동차 부품의 수지화가 진행되고 있는 것은 수지가 금속에 비해 가볍고 가공성이 용이하고 내구성이 높기 때문이다. 또한 녹이 발생하지 않는 등의 많은 이점을 가지고 있기 때문에 앞으로의 차체 동향에 관심을 보이고 있는 것 중에 하나일 수 있다.

여기에서 **수지**란 따뜻하게 하면 부드러워지고 형틀에 넣어 원하는 모양을 만들기가 쉬우며 또한 힘을 가하면 형태가 변하고 그렇게 변한 형태 그대로를 유지하는 것을 말하며 전문적인 용어로 표현을 하면 가소성을 가진 물질을 일반적으로 수지라 한다.

① 수지의 분류

수지를 크게 나누면 합성수지와 천연수지로 나눌 수가 있는데 **합성수지**란 각종의 화합물질로부터 화학반응에 의해서 합성된 고분자의 유기화합물질로서 가소성을 가진 재료의 총칭으로 플라스틱을 말하며, 천연식물 등에서 석출한 것을 **천연수지**라 한다.

자동차의 외장 부품에는 주로 합성수지가 많이 채용되고 있다. 합성수지에는 열가소성수지와 열경화성수지로 분류할 수 있다. 열가소성 수지는 열을 가하면 부드러워지고 더욱 가열하면 용해가 된다. 차갑게 하면 굳는데 이와 같은 상태의 변화를 몇 번이고 되풀이 할 수 있는 수지를 말한다. 다시 말해 상온에서는 가소성을 나타내지 않고 적당히 열을 가하면 가소성이 나타나는 수지를 말한다.

② 열경화성 수지

열경화성 수지는 가열하면 화학변화를 일으켜 굳어지는 수지로 굳어진 수지를 재가열(일반적으로 80℃ 이하)해도 녹지 않게 되며, 이와 같이 열을 가하면 굳어져 경화해 버리는 수지를 말한다.

③ 열가소성 수지

열가소성 수지의 종류로는 폴리 프로필렌, 아크릴 부타젠 스틸렌, 폴리 아미드, 폴리 아세텔, 폴리 염화비닐, 폴리 에틸렌, 폴리 카보네이트, 폴리 스틸렌, 아크릴로이드 스틸렌,폴리메탈산 메틸, 아크릴 로이드 스틸렌 프로필스틸렌, 폴리 퍼보렌 산화물 등이 있으며, 열경화성 수지의 종류로는 페놀, 폴리에스텔, 폴리우레탄, 에폭시, 유리섬유강화 플라스틱 등이 있다.

④ 합성수지의 특성

① 비중이 0.9 ~ 1.3으로 가볍다
② 내식성, 방습성이 우수하다.
③ 방진, 방음, 절연, 단열성을 갖고 있다.
④ 착색, 엠보싱, 광택처리, 도장 등의 2차 가공에 의해 의장성의 향상을 도모한다.
⑤ 유연성이 있어 복잡한 형상의 성형이 우수하다.
⑥ 저온에서 단단하고, 고온에서는 열 변형을 일으키지 않는다.
⑦ 약품이나 용제에 내식성을 갖지만, 유기용제에는 침식되거나 부풀어 오르는 경우가 있다.
⑧ 충격에 강하다.

⑤ 합성수지의 문제점

합성수지의 가장 큰 문제점은 합성수지가 사용 이후에 산업 폐기물로서 환경오염의 원인이 된다는 것이다. 이외에도 보수 기법의 미흡으로 경제적 자원의 손실을 가지고 온다는 단점도 있다.

자동차용 수지와 사용재료를 살펴보면 자동차에 사용되고 있는 수지는 폴리프로필렌, 폴리 카보네이트, 폴리우레탄, 폴리 염화비닐, ABS수지 등으로 이 5가지 종류가 자동차에 주로 사용되며, 사용되는 수지의 80% 이상을 차지하고 있다.

6 플라스틱의 명칭 및 사용 부품

① **폴리에틸렌** : 기호가 PE이며 내열온도가 40~82℃로 히타덕트, 윈도우 와셔 액 탱크,팬더 프로텍터, 에어덕트, 엔진 커버 등에 사용된다.

② **폴리 프로필렌** : 기호가 PP이며, 내열온도가 55~110℃이며, 냉각팬, 팬시라우드. 베터리케이스, 와이어 하네스 커넥터, 스티어링휠, 범퍼, 범퍼가드, 가니쉬 류, 히타 팬, 디스트리뷰터 캡, 글로브 박스, 언더 그릴 등에 사용된다.

③ **폴리염화비닐** : 기호가 PVC이며, 내열온도가 55~75℃이며, 시트 표피, 루프 헤드라이닝, 도어트림, 휠 하우스커버, 인스트루먼트 패드 커버, 매트류에 사용되며 **ABS수지**는 내열온도가 70 ~ 107℃이며, 라디에이터 그릴, 인스트루먼트 패널, 콘솔 박스, 가니쉬 류, 램프 하우징 등에 사용된다.

④ **아크릴 수지** : 기호가 PMMA이며, 내열온도가 70~98℃이며, 램프 및 렌즈류에 사용되며 **폴리 우레탄**은 기호가 PUR, TPUR이며, 내열온도가 80℃이며 범퍼 페이스, 시트 쿠션, 트림 류, 스포일러 등에 사용된다.

⑤ **나이론 수지(폴리 아미드)** : 기호가 PA이며, 내열온도가 126~182℃이고 라디에이터 탱크, 하니스 커넥터, 냉각팬, 비닐 스트레이너, 클립류에 사용되며, **폴리 카보네이트 수지**는 기호가 PC이며 내열온도가 140℃이고, 범퍼, 계기판의 문자판, 히타 플로워 등에 사용된다.

⑥ **폴리에스텔 수지** : 기호가 UP이며, 내열온도가 60~205℃이고, 펜더 가니쉬, 휠 캡, 히터 유닛, 인스트루먼트 패널 등에 사용된다.

⑦ **열가소성 합성고무** : 기호가 TPR이며, 내열온도가 60℃이고, 엔진 마운트, 호스류, 벨트류, 범퍼 필러 등에 사용된다.

⑧ **유리섬유 강화 플라스틱**은 기호가 FRP이며, 내열온도가 200~280℃이며, 후드, 헤드램프 하우징, 에어 스포일러, 프런트 에이프런, 펜더, 휠 캡 등에 사용된다.

7 합성수지 보수 용구 및 재료

보수용구로는 샌더 , 열풍기, 히터 건, 스프레이건 등을 들 수가 있다. 먼저 샌더는 플라스틱 재질과 특성, 부품 형태의 특징에 따라서 적합한 형상과 회전수를 가진 샌더가 필요하며, 열풍기는 찌그러짐과 요철 부분을 원래의 형태로 복구시키기 위해 사용하는 것으로 50 ~ 250℃까지 가열이 가능하며, 토치램프도 대용이 가능하다.

히터 건은 약 350℃의 열을 발산하는 공구, 용접봉과 범퍼접착 및 Downy hair제거용으로 사용되며. 스프레이건 및 플라스틱 주걱과 고무주걱도 사용되어 지고 있다.

보수재료로는 용접봉과 알루미늄 테이프, 플라스틱 접착 프라이머 순간 접착제, 유리섬유, 플렉스(연화제 : 유연제) 유연성이 있는 수지퍼티, 프라이머 스페이서 이형제 및 유분제거제 그리고 기타 1회용 종이타월, 연마지, 페인트 등이 있다.

용접봉으로는 PP, ABS, PU재질에 동일 용접봉 소재를 선택하여 사용하고, 알루미늄 테이프는 플라스틱 뒷면에 붙여서 임시고정 시키는 재료로 사용되며, 순간접착제는 손상된 플라스틱과 유리섬유를 수초 내에 접착하며, 유리섬유는 플라스틱 수리부분의 뒷면에 접착 시켜 접착력을 보강하고 퍼티의 강도를 높여주는 역할을 하며, 플렉스는 페인트에 첨가하여 유연성을 높이고, 크랙 발생을 방지하며. 프라이머 서페이스는 하도에 용제 침투 방지 및 상도와 하도간의 부착력을 향상시키기 위함이며, 이형제 및 유분제거제는 제품 성형 시나 이동 시에 오염된 이물질을 제거하는 제거제로 사용된다.

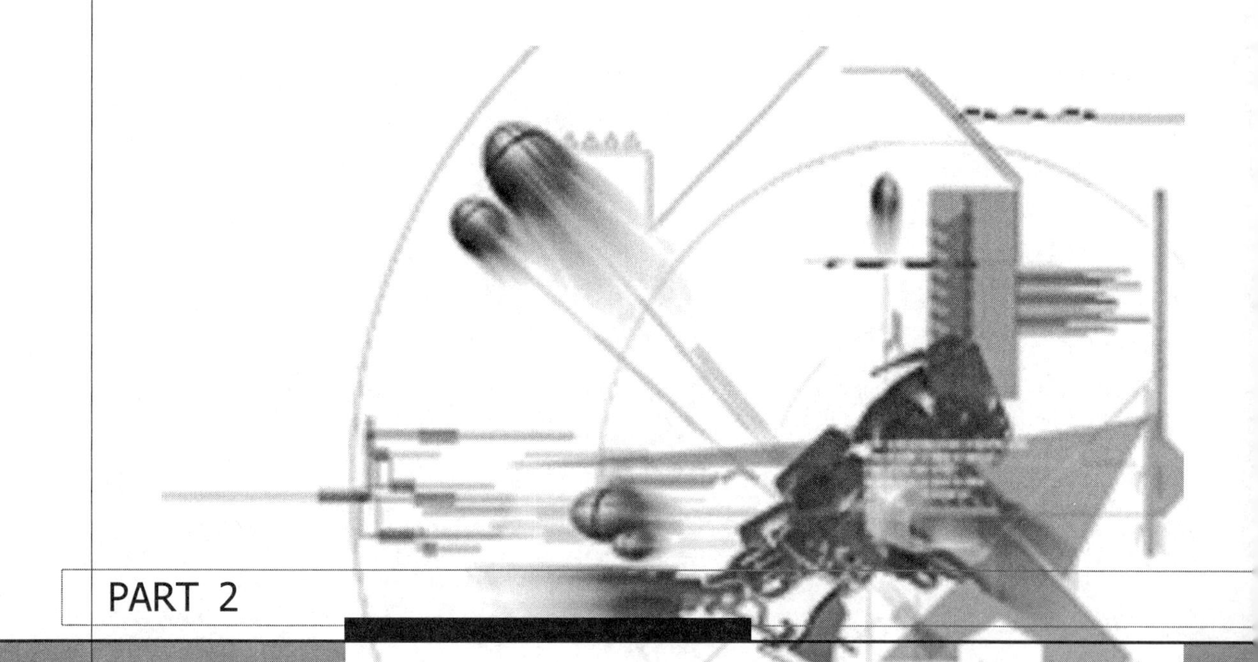

PART 2

차체손상진단 및 수리

1

차체손상진단 및 수리

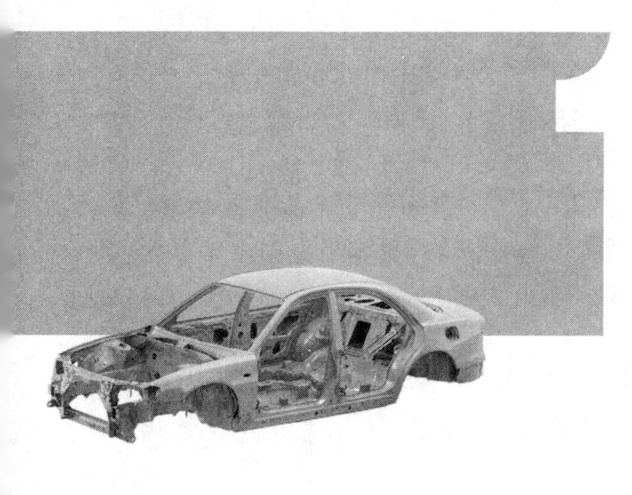

1 차체 손상 진단의 목적

차체 손상 진단의 목적은 사고에 의한 손상 발생이 상대 물체의 종류, 충돌속도, 충돌각도, 충돌부위 등에 의해서 손상 범위가 다양하므로 이를 정확하게 진단하려함에 있다.

차체 손상 진단

2 차체 손상의 발생

차체 손상의 발생은 가해진 외력의 크기, 방향, 힘이 와서 닿는 부분 및 그 분포상태가 집중적인 경우와 분산된 경우 등에 의해 그 상태가 달라진다. 또한, 차체에 사용된 부재의 성질, 판 두께, 생김새, 조립상태 등에 의하여 손상 발생의 경향도 틀려지며, 모노코크 보디의 경우는 충격을 받아들이는 효과가 뛰어나 보디 심부까지의 손상은 비교적 적은 편에 속한다.

일반적으로 충격력은 프레임 즉, 보를 통해 전해지며 충격력이 전달되는 보에 충격을 흡수하는 부분이 있으면 그 충격력은 손상을 주기는 하지만, 손상은 급격히 감소된다.

정확한 차체수리 작업을 위해서는 차체수리 작업이 이루어지기 이전에 모든 파손은 구분되어져야 한다. 제대로 구분이 되지 않은 상태에서 차체수리 복원 작업을 하게 되면 완벽한 조정이 이루어지지 않으므로 차체 복원 작업에 크나 큰 영향을 미치게 된다.

차량 구조의 충돌 파손의 분석은 반드시 충돌 지점에서 시작을 해야 하고 충돌 지점은 파손 변형에 직접적인 영향을 미친다는 것을 명심해야 할 것이다.

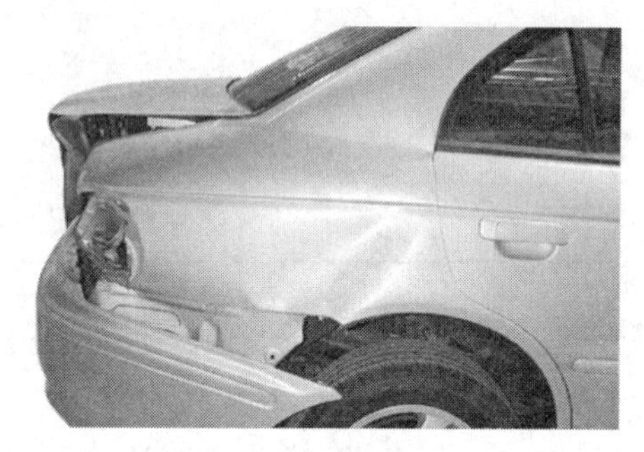
차체 손상 발생

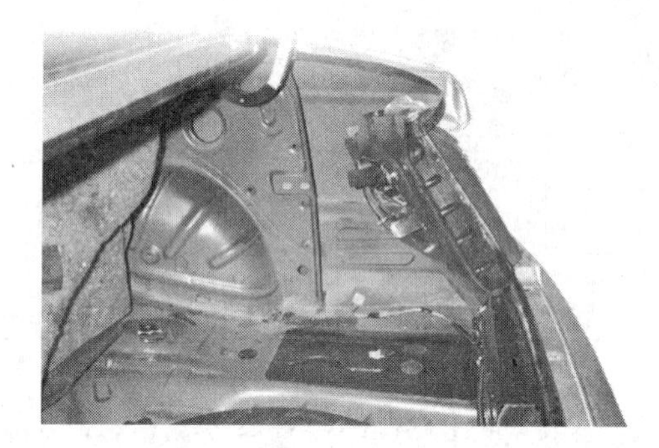
충돌 지점

3 파손 분석

파손분석의 원리는 사고가 처음이냐 재발이냐의 판정에 의해 파손을 구분 지을 수 있다. 반드시 어떤 수리를 할 것인가 결정하기 이전에 파손지점에서 차량 전반의 힘의 확산을 파악해야 한다. 파손을 분석하는데 있어 충돌 점에서 그 힘이 퍼져나가는 파손 형태인 **외부파손**과 현저한 파손의 내면에는 잘 보이지 않는 변형으로 또 다른 파손을 초래하는 **내부파손**이 있다.

1 외부파손의 분석 영역

충돌의 흡수는 차체로부터 큰 비율로 흡수가 되는 1차원 파손과 직접 충돌로 인한 힘의 전달이 계속되어 또 다른 파손을 초래하는 2차원 파손, 엔진 및 서스펜션 부품들의 파손인 3차원파손, 전기장치 및 실내장식 부품들의 파손인 4차원 파손, 외관상 부품의 파손인 5차원 파손으로 구분되어 진다.

(1) 1차원 파손

1차원 파손은 직접적인 충돌에 의한 파손의 형태로 범퍼나 패널의 변형, 후드, 도어, 트렁크 리드 등의 변형과 프레임의 변형 등을 들 수 있다.

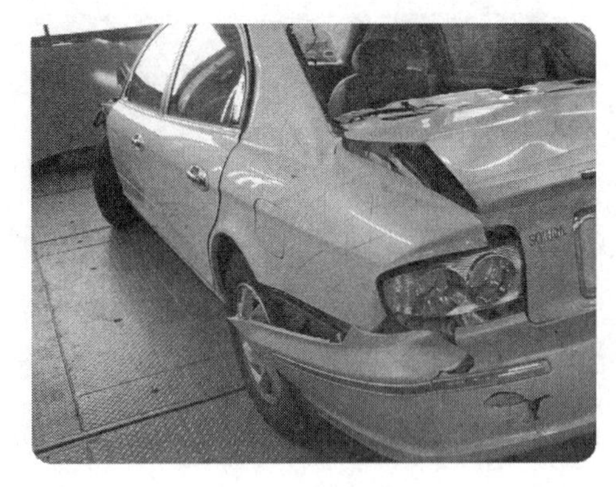

1차원 파손

(2) 2차원 파손

2차원 파손은 직접적인 충돌영향을 받은 부분의 힘의 전달로 간접적인 충돌 변형 형태로 변형된 패널이나 루프, 금이 간 유리, 비틀어진 도어 등이 이에 해당한다.

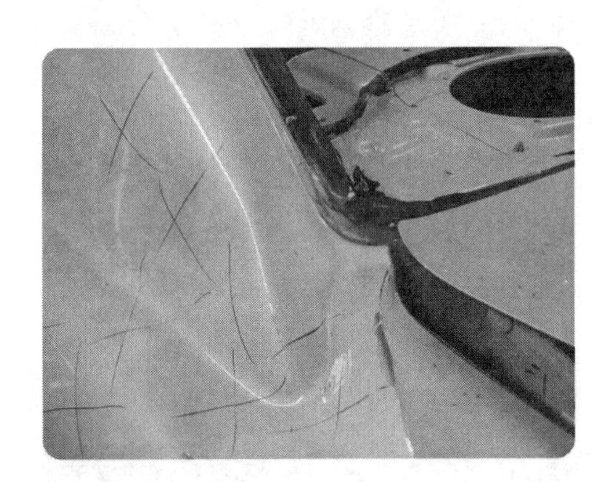

2차원 파손

(3) 3차원 파손

3차원 파손은 엔진 및 하체 부품들의 기계적인 파손 형태로 엔진 블록, 트랜스 액슬 케이스, 드라이브 샤프트 등의 변형 등을 들 수 있다.

(4) 4차원 파손

4차원 파손은 차량 인테리어의 파손 형태로 전기장치의 파손 및 인스트루먼트 패널 파손 및 변형 등을 들 수 있다.

3차원 파손

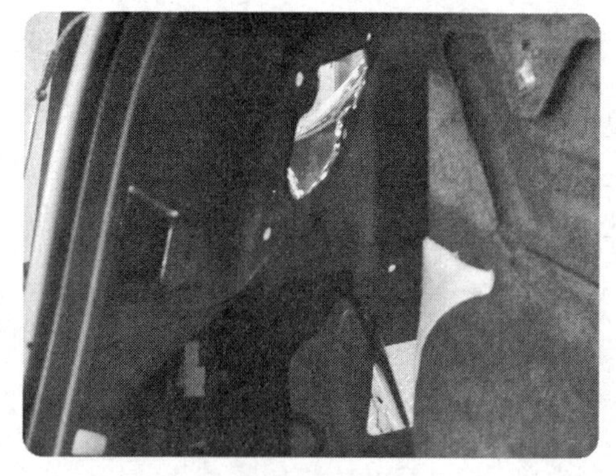

4차원 파손

(5) 5차원 파손

5차원 파손은 외관상 부품의 파손으로 몰딩의 파손, 벗겨진 페인트 등의 손상 등을 들 수 있다.

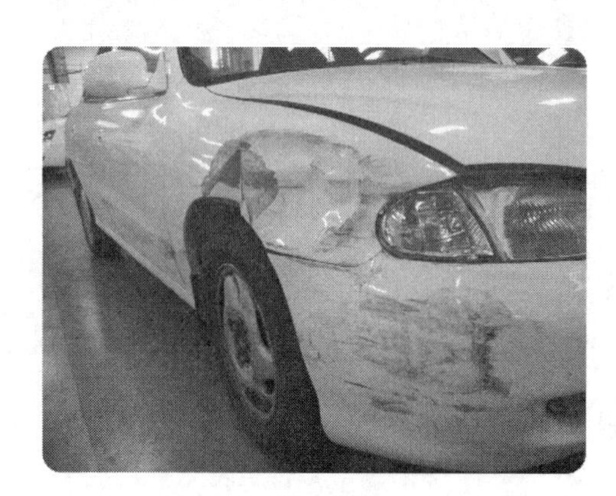

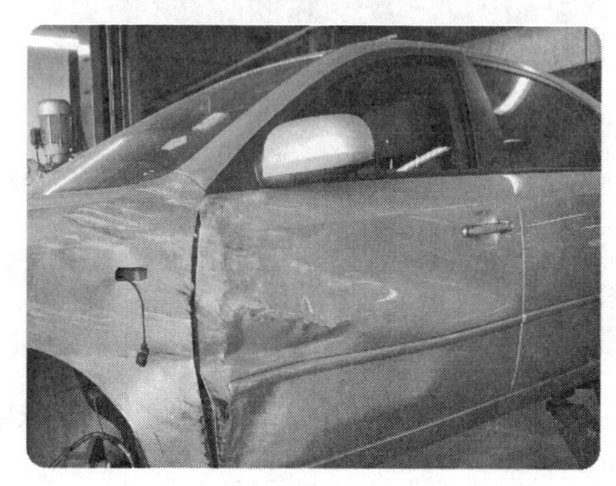

5차원 파손

❷ 내부 파손 분석

외형적인 파손의 형태를 분석 하는 데는 그렇게 오랜 시간이 걸리지 않는다. 전면부의 손상과 후면부위, 측면부위의 손상 형태와 함께 어느 정도의 파손이 진행되었는지 파악하는 데는 그렇게 어려운 일이 아니지만 가장 중요한 것은 파손된 범위가 어디까지이며, 힘이 전달된 경로가 어디까지인지 파악하는 것이 무엇보다 중요하다. 외형적으로 보이는 파손으로 어느 정도의 파손이 이루어졌는지 이야기하는 것은 대단히 큰 오류를 범할 수 있다.

차체수리 작업을 시작하기에 앞서 파손의 분석은 내부파손까지의 분석이 끝이 난 다음 분석 작업의 종료와 함께 어떤 방법으로 복원작업을 진행해야 할지 생각해야 할 것이다.

◘ 복원작업의 진행 계획

그렇다면 내부파손의 종류에는 어떤 것들이 있으며, 내부 파손의 분석은 어떻게 이루어지는지 살펴보자.

(1) 내부 파손의 형태

내부파손의 대표적인 변형 형태에는 스웨이(Sway)변형, 새그(Sag)변형, 붕괴(Collapse)변형, 꼬임(Twist)변형, 다이아몬드(Diamond)변형의 5가지 변형 형태로 구분할 수 있다.

파손된 차체에는 각 부품마다 변형이 있으며, 파손 부위를 포함해서 다른 곳에도 영향을 미치므로 길이, 높이, 넓이 등 많은 상황에서 동시 다발적으로 일어나는 변형에 대한 작업을 생각하는 것이 중요하다.

① **스웨이(Sway) 변형**

스웨이 변형은 센터라인을 중심으로 좌측 또는 우측으로의 변형을 말한다.

② **새그(Sag) 변형**

새그 변형은 프런트 사이드 멤버의 변형에서 흔히 볼 수 있는 변형 형태로 사이드 멤버에 현저히 나타나는 휨의 상태를 표현한 것이다. 새그는 데이텀 라인 차원에서 수직적으로 정렬이 되지 않고 휘어진 것이다.

사이드 멤버의 두면이 그림과 같이 똑 같이 위로 휘어진 상태를 **킥 업**(Kick-up) **변형**이라 하고, 똑같이 아래로 휘어진 상태를 **킥 다운**(Kick-down)**변형**이라고 한다.

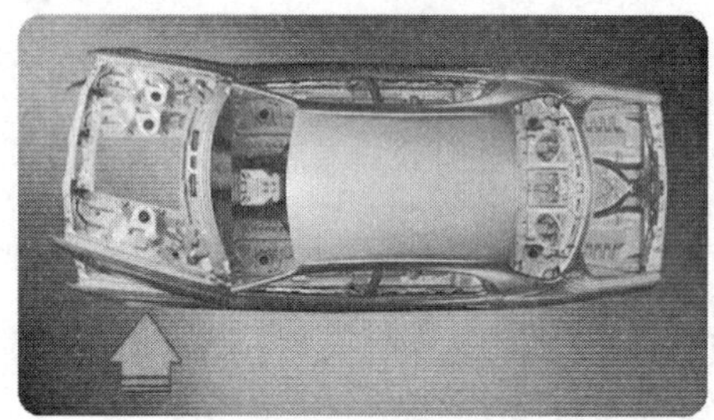

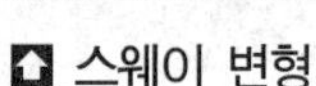
스웨이 변형

새그 변형

③ **꼬임(Twist) 변형**

꼬임 변형은 데이텀 라인에서 평행하지 않은 상태를 말한다. 그림에서 보듯이 프런트 사이드멤버의 변형이 한쪽은 내려가고, 한쪽은 올라가는 변형으로 서로 엇갈린 변형 형태를 말한다.

④ **붕괴(Collapse) 변형**

붕괴변형은 건물이 붕괴될 때의 형태 변화로 그림과 같이 사이드 멤버 한쪽 면 또는 전체 면이 붕괴된 형태의 변형으로 한쪽 면 또는 전체 면의 길이가 짧아진 형태의 변형을 말한다.

꼬임 변형

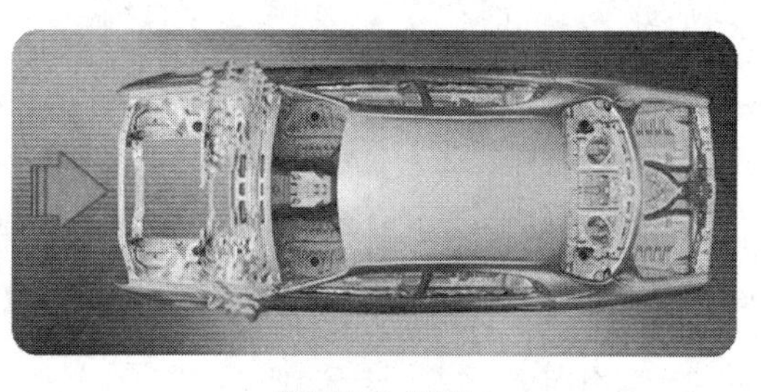

붕괴 변형

⑤ 다이아몬드(Diamond) 변형

다이아몬드 변형은 차체의 한쪽 면이 전면이나 후면 쪽으로 밀려난 형태를 말하는 것으로 사각형의 구조물이 다이아몬드 형태로 변형을 일으킨 것이라 보면 이해가 쉽게 될 것이다. 이러한 현상은 차체 전체를 통해서 일어난다. 다이아몬드 상태는 차량의 한 코너에 충격이 가해짐으로써 파생되는데 이 현상은 비교적 심각한 파손 변형 형태라 할 수 있다.

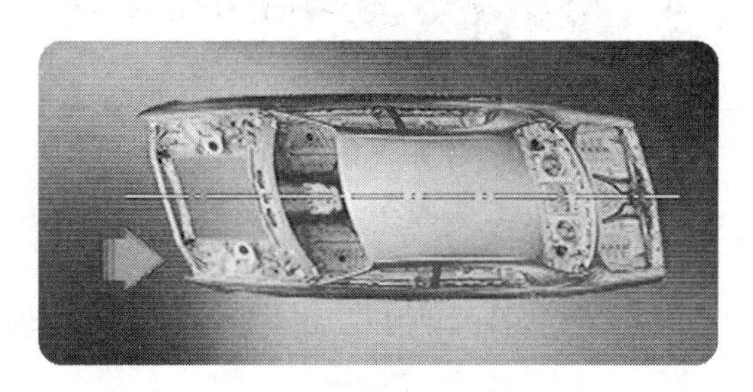

다이아몬드 변형

③ 측정 포인트

차량 파손의 연장 여부를 결정하는데 있어서 측정은 빼놓을 수 없는 중요한 일이며, 필히 모든 파손 차량에 있어 측정은 정확한 차체수리 작업을 진행하기 앞서 반드시 선행되어야 할 작업이다.

여기에서의 측정 포인트란 그림에서 보듯이 차체치수도에서 지정한 치수 및 측정 지점을 말한다.

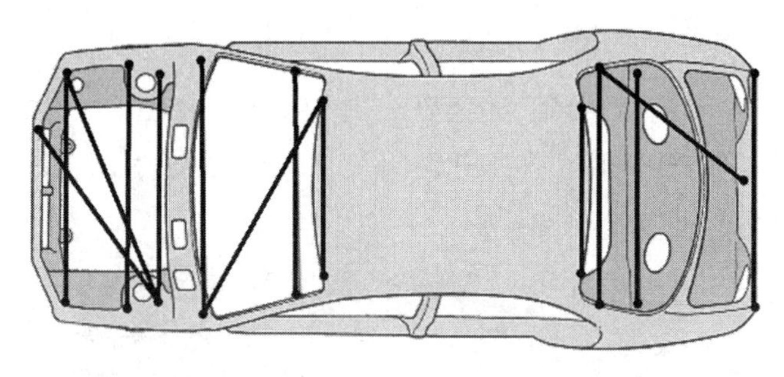

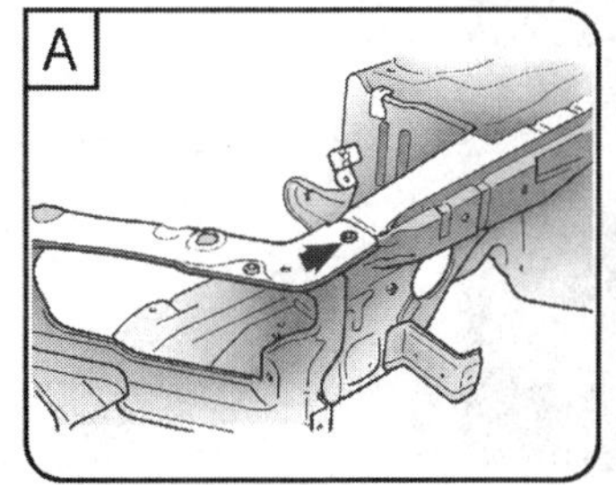

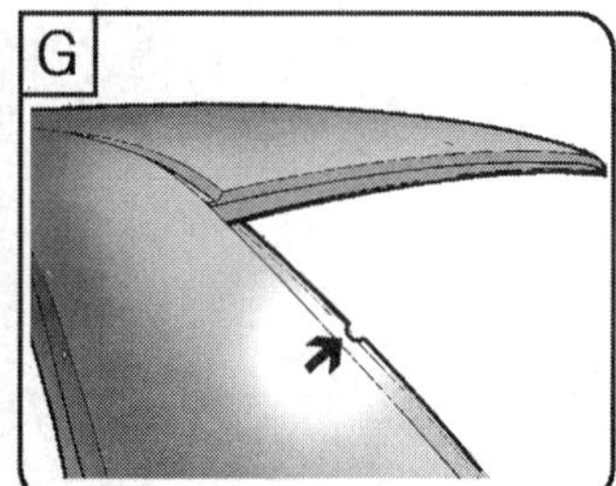

측정 포인트

4 충돌 손상 분석의 4개 요소

파손 분석 및 측정 포인트 못지않게 중요한 것이 충돌 손상 분석의 4개 요소이다. 게이지 판독과 파손 분석의 모든 관점은 이 4개의 기본적인 중요 요소에 기초를 두고 있다.

충돌 손상 분석의 4개 요소는 **센터라인**, **데이텀 라인**, **레벨**, **치수**로 분류된다.

(1) 센터라인(Center Line)

센터라인은 그림에서 보듯이 차량 전후 방향 면에서 그 가상 중심축을 말하는 것으로 차량의 중심을 가로지르는 데이텀의 길이에 해당하는 것이다.

센터 라인

언더 보디의 평형 정렬 상태 즉, 센터 핀의 일치여부를 확인하여 차체 중심선의 변형을 판독하는 것이다. 센터라인에서 변형된 파손을 분석할 수 있는 대표적인 것은 스웨이 변형이다.

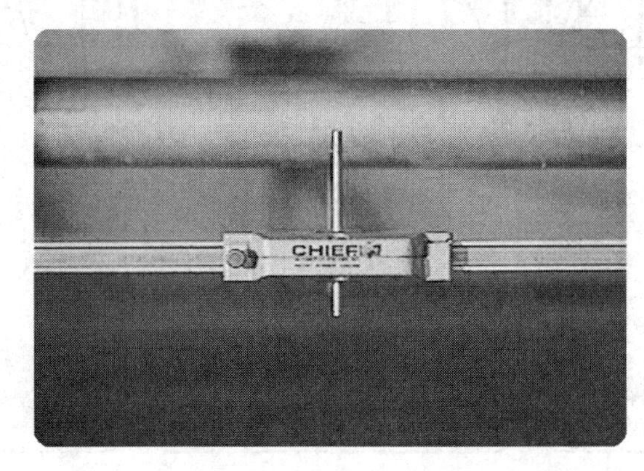

센터 핀의 일치 확인

(2) 데이텀 라인(Datum Line)

데이텀은 센터링 게이지 수평바의 높낮이를 비교 측정하여 언더보디의 상하 변형을 판독하는 것으로서 높이의 치수를 결정할 수 있는 가상 기준선(면)을 말한다.

데이텀 라인은 상황에 따라 조절이 가능하며, 데이텀 라인이 정해지면 그에 따라 더하거나 감할 수가 있다는 것이다.

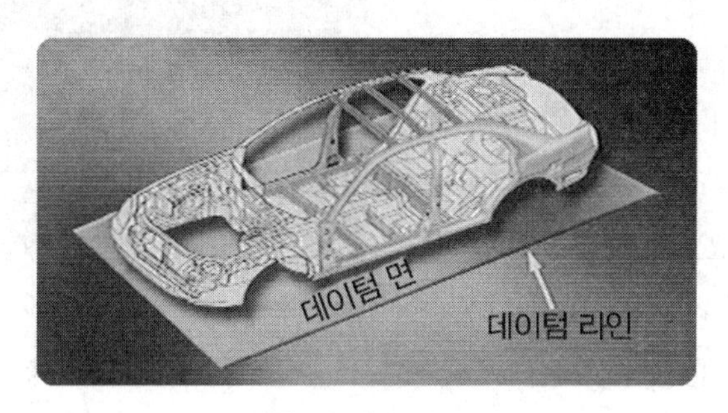

데이텀 라인

(3) 레벨(Level)

레벨은 센터링 게이지 수평바의 관찰에 의해 언더 보디의 수평상태를 판독하는 것으로 차량의 모든 부분들이 서로 서로 평행한 상태에 있는가를 고려하는 높이 측면의 가상 기준축이다. 레벨은 단지 수평인가, 아닌가 그리고 앞, 뒤로 평행인가, 아닌가만 고려하면 된다. 레벨로 측정이 가능한 변형은 꼬임(Twist)변형, 새그(Sag)변형이다.

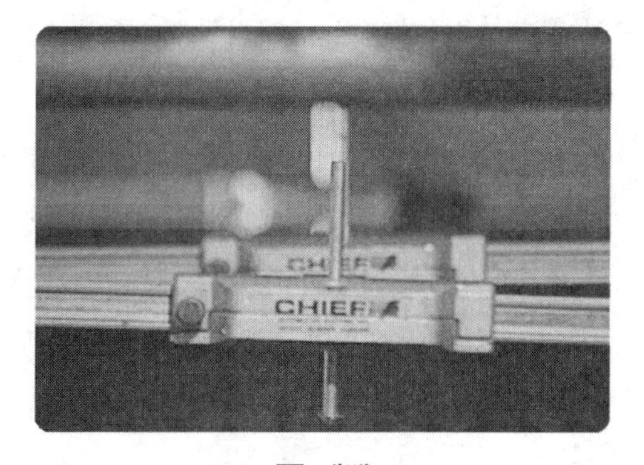

레벨

(4) 치수

치수는 차량이 제작되어 나올 때 제작사에서 만든 차체 치수도를 말한다.

5 계측작업

손상된 차체의 점검은 육안 점검과 계측기에 의한 점검으로 나눌 수 있다. 계측기에 의한 점검이 육안 점검보다는 더욱 정밀성을 띄게 된다. 차체의 손상은 외부적으로 보이는 외형적인 파손의 형태로도 판단이 가능하지만 내부적으로 손상된 모습은 육안으로 점검하기가 어렵다. 그래서 반드시 계측장비를 사용한 계측이 동시에 이루어져야 한다.

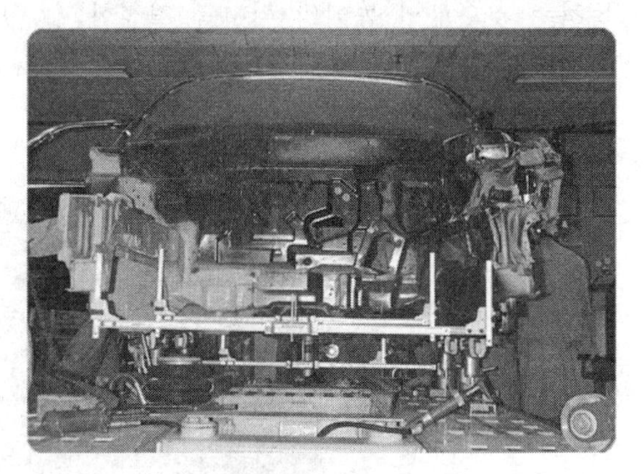

계측 작업

① 육안 점검의 오류

그림에서 보여 지는 것처럼 육안 점검 시 나타나는 착시현상 때문이다. 예를 들면 같은 길이의 봉이 다르게 보인다든지, 똑바르게 곧은 선이 비뚤어져 보이는 경우가 있다는 것이다. 육안 점검만으로도 충분히 작업이 이루어 질 수 있지만 보다 정확한 작업을 하기 위해서는 계측작업이 동시에 이루어져야 한다는 것이다.

계측기기에 의해 측정하게 되면 선의 길이도, 굽음도 곧바로 판단할 수 있기 때문에 계측기기에 의한 측정이 얼마나 중요한가를 인식할 필요성이 있다.

각종 보디는 단순한 선이 아니라 입체물이기 때문에 줄자를 이용하여 길이를 측정하는 것은 '그리 적합하지 않다' 라고 말할 수 있다.

착시 현상

❷ 계측기에 의한 측정

계측기에 의한 계측에는 트램 트래킹 게이지에 의한 측정과 센터링 게이지에 의한 계측 방법이 주로 많이 사용된다.

(1) 트램 트래킹 게이지에 의한 측정

보디의 대각선이나 특정 부위의 길이를 측정하는데 사용 되며,보디의 변형 부위 즉, 엔진룸이나 윈도우 개구부의 측정에 사용된다.

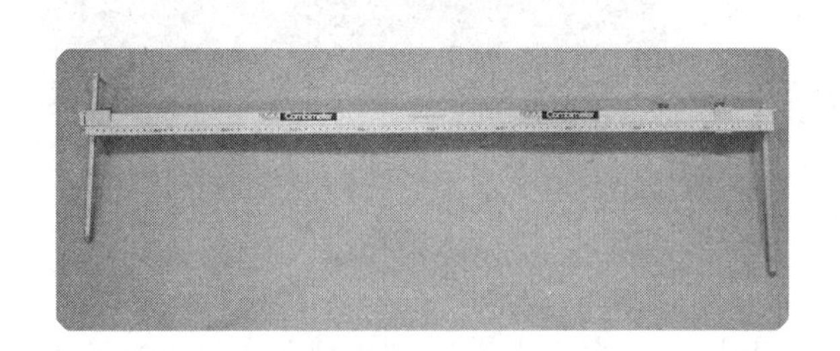

트램 트래킹 게이지에 의한 측정

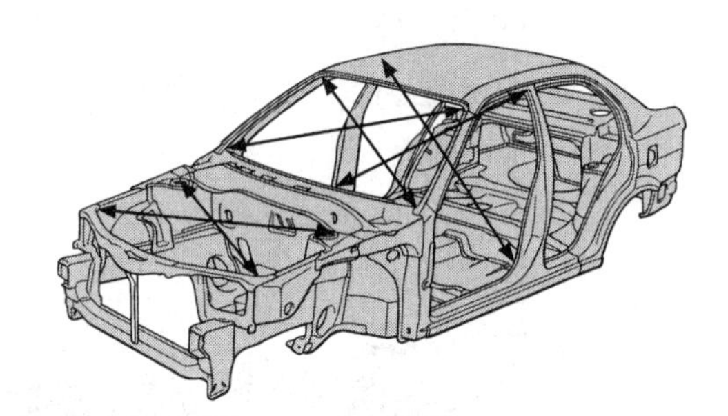

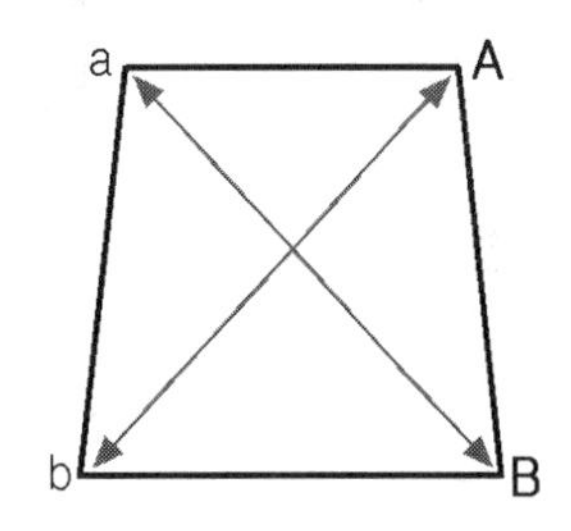

엔진 룸 및 윈도우 개구부 측정

(2) 센터링 게이지에 의한 측정

언더 보디의 중심부를 측정하여 프레임의 이상 상태를 측정한다. 센터링 게이지로 측정할 수 있는 변형은 상하, 좌우, 비틀림 변형을 측정할 수 있다.

센터링 게이지의 구조는 좌우의 폭을 조절할

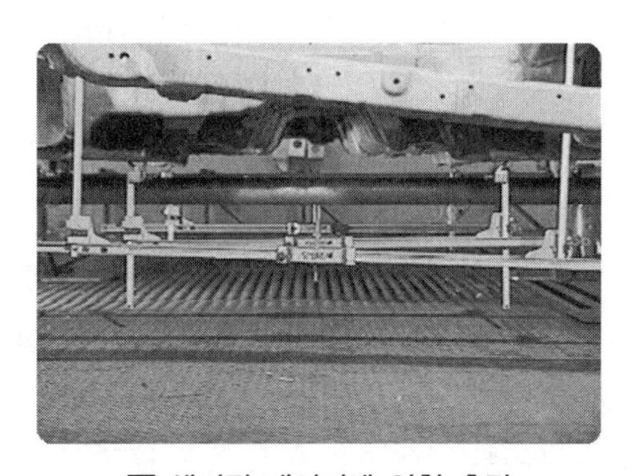

센터링 게이지에 의한 측정

수 있는 수평바의 중심에 센터핀이 있고 신축성이 있는 수평바의 끝에는 차체 언더보디 및 사이드 멤버에 부착시키는 행거로드로 구성되어 있다.

다음 그림에서 보여 지는 것은 현재 현장 작업에서 많이 사용되는 것으로 센터링 게이지 라기 보다는 수평을 측정할 수 있는 수평 수포게이지이다. 수평 수포게이지의 센터 핀을 보고도 변형여부를 확인할 수도 있지만 센터에 있는 물방울 형성의 수포를 통해 수평을 확인할 수 있고 가격 면에서 센터링 게이지에 비해 훨씬 저렴하기 때문에 현장 작업에 많이 공급되며 활용되어지고 있다.

수평 수포게이지

(3) 센터링 게이지의 점검 요령

센터링 게이지의 점검 요령은 양쪽 수직바를 두 손으로 잡고 가운데로 이동하여 수직바 하단부가 중앙부에 일치하는 가를 점검하고 점검이 끝나면 행거로드를 센터 사이드 핀과 좌우로 똑같은 거리에 놓이게 한다. 좌우로 마주 보이는 8개소의 측정 기준점에 부착시켜 센터 사이드 핀을 겨냥함으로써 언더보디(프레임)의 중심선을 확인하게 된다.

(4) 변형 측정

센터링 게이지를 언더보디(프레임)의 측정 기준점에 부착시키고 수평 바의 높이가 가지런하지 않은 것이 관찰되면 프레임이 상하로 굽은 상태를 확인할 수 있으며, 수평바가 어느 쪽으로든 기울어진 현상을 나타낼 경우에도 프레임에 상하 굽음이 있음을 알 수 있다.

변형 측정

센터 핀을 중심으로 좌우 쌍방으로 교차할 때에는 프레임에 비틀린 변형이 있음을 알 수 있고, 센터 핀이 일직선상에 놓이지 않을 경우에는 프레임은 좌우로 굽어 있음을 알 수가 있다.

(5) 계측 작업 시 주의사항

계측작업을 정밀하게 하기 위해서는 다음의 사항들을 주의할 필요가 있다.

① 수평으로 확실하게 고정을 해야 한다. 수평으로 확실히 고정되어 있지 않고 움직이게 되면 정확한 측정을 할 수 없다.

② 계측기기에 손상이 없어야 한다. 트램게이지의 측정 눈금이나 센터링 게이지의 센터 핀과 수직 바 및 센터링 게이지 본체가 비뚤어져 있다든지 하면 정확한 측정 결과를 기대할 수 없게 된다.

③ 계측기기와 함께 차체 치수도를 함께 활용해야 한다. 프레임 수정에 있어 가장 중요한 자료는 차체치수도이다. 차체 치수도를 잘 활용해서 계측기기와 함께 활용해야 할 것이다.

6 차체수리 작업 순서

그림과 같이 손상된 차량이 입고되었다. 가장 먼저 선행되어야 하는 작업은 무엇일까?

손상된 차량의 모습

손상된 차체를 원래의 상태 즉, 신차 출고시의 상태와 동일한 기능과 성능, 외관을 복원시키기 위해서는 다음과 같은 5단계의 작업 순서에 따른 표준 작업을 실시함으로써 복원 수리가 가능하게 된다.

제 1 단계 : **차체 손상 진단 및 분석**

제 2 단계 : **차체 고정**

제 3 단계 : **차체 인장**

제 4 단계 : **패널 절단 및 탈거**

제 5 단계 : **패널 부착 및 용접**의 순서로 복원작업을 진행하게 된다.

이렇게 이루어지는 차체수리 작업의 순서를 차례로 살펴보도록 하자.

1 차체 손상 진단 및 분석

차체 손상 진단 및 분석 작업은 손상된 차체를 어떤 종류의 차체 수리 장비와 공구를 사용하여 어떠한 순서와 방법으로 수리 할 것인가에 대한 계획을 수립하는 사항이 되기 때문에 정확한 진단과 분석 작업은 차체 수리 작업의 성패를 결정하는 중요한 요소가 된다.

손상 진단의 방법에는 크게 나누어 **육안 검사**와 **계측 장비에 의한 검사** 두 가지 방법이 일반적으로 많이 사용되고 있다.

(1) 육안 검사

육안 검사란 차체수리 작업을 시작하기에 앞서 차체의 손상을 직접 눈으로 확인하여 손상 정도와 변형 여부를 검사하는 방법이다.

육안 점검의 순서로는 첫째, **최초의 충격 지점을 확인**하고 둘째, **힘의 전달 경로를 확인**하며 셋째, **최종 손상 부위를 확인**한다.

최초의 충격지점으로 확인하는 가장 일반적인 방법은 손상이 제일 큰 부위, 패널 및 관련 부품들이 파손되어 있는 부위 등으로 외관으로 쉽게 확인이 가능하다.

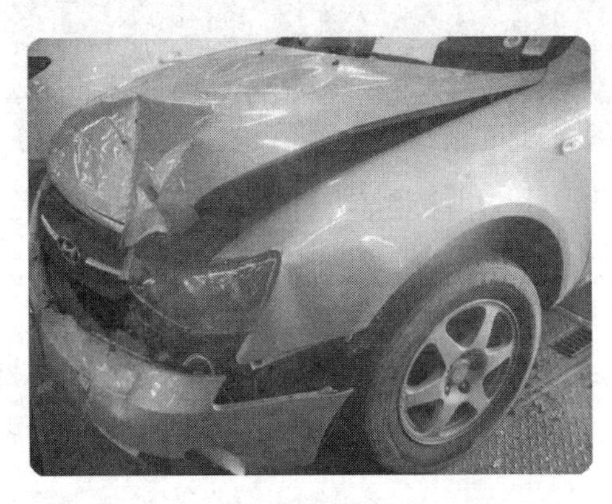

육안 검사

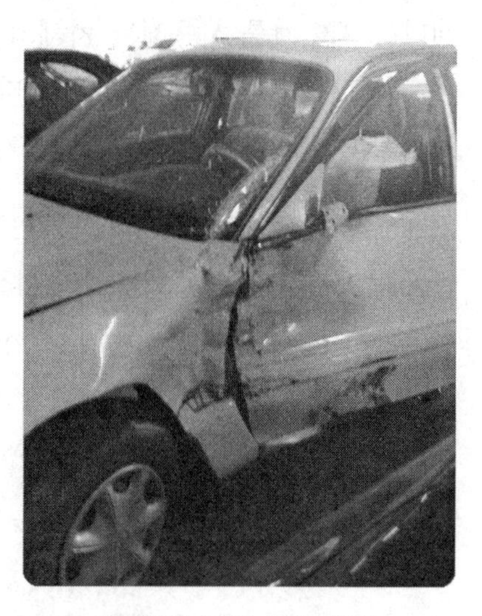

힘의 진행 방향 확인

최초로 가해진 충격력은 일반적으로 차체에 대응하여 똑바른 방향으로 힘이 전달되면서 손상이 진행되기 때문에 패널과 패널 사이의 틈새 간극, 단차, 구부러짐, 주름 현상 등을 파악함으로써 손상 진행 방향의 추적이 가능하게 된다. 이와 같이 손상을 파악하여 더 이상 손상의 진행이 없고, 힘의 진행 방향으로부터 마지막으로 발생한 손상을 확인한다.

따라서 **차체 수정의 순서와 인장(당김) 방향**은 힘이 전달되어간 방향의 **역방향**으로 수정해 주는 것이 가장 효과적인 수정 방법이라 할 수 있다.

또한, 모노코크 차체의 구조에는 승객의 안전을 위해 충격 흡수 지점(크러쉬 존)이 되는 손상되기가 쉬운 장소가 설계되어 있어서 육안 검사로 변형 판단을 쉽게 하는 장소가 있다. 이러한 장소는 곡면이 있는 부위, 단면적이 적은 부위, 구멍(홀)이 있는 부위, 패널과 패널이 겹쳐져 있는 부위 등이 여기에 해당한다.

손상되기 쉬운 장소

(2) 계측 장비에 의한 검사

손상된 차체를 완벽하게 수리하기 위해서는 보다 정밀한 진단과 분석을 해야 하며, 반드시 계측 장비에 의한 계측 작업으로 차체 품질에 대한 신뢰성을 회복해야 한다.

계측 장비에는 앞서 살펴 본 센터링 게이지와 트램 게이지가 가장 많이 사용되고 있다.

센터링 게이지를 사용해서 차체의 베이스 부분에 해당하는 언더보디 즉 객실룸의 전후 두 곳에 센터링 게이지를 설치한다. 설치 위치는 플로어 패널(객실룸)의 앞쪽과 뒤쪽에 좌우 대칭이 되도록 하여 수직스케일을 설치한다.

센터링 게이지를 설치할 때 주의할 사항은 **게이지 설치 지점이 되는 홀이나 패널 멤버 표면이 손상되지 않은 곳을 선택**하여 설치해야만 한다.

손상이 있는 곳에 게이지를 설치하게 되면 정확한 손상 진단 및 측정이 불가능하기 때문이다.

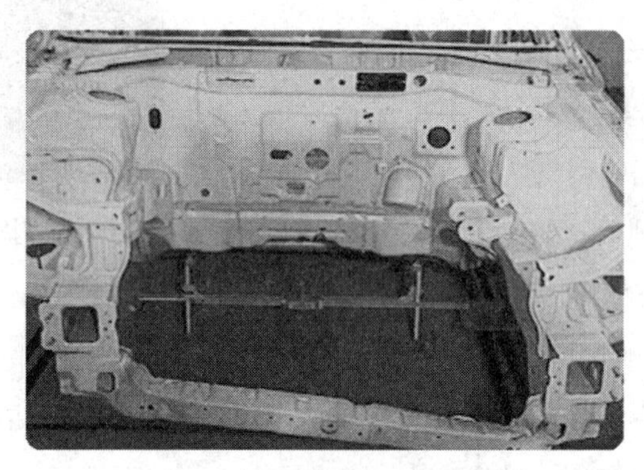

센터링 게이지의 설치

차체 베이스 부분의 비틀림 변형을 판독하기 위해서는 차체의 앞쪽 또는 뒤쪽에서 눈의 위치와 전후 센터링 게이지의 수평 바의 중심이 지면과 수평이 되는 지점에서 전후 수평 바의 어긋남을 관찰하여 어느 방향으로 어떤 변형이 발생하였는지의 변형 여부를 판독한다.

특히 관찰하는 작업자의 시야에 따라 서로 다른 변형으로 판독이 된다는 것을 주의하기 바란다.

육안점검 만으로는 차체에 발생된 비틀림 변형의 확인이 어렵기 때문에 반드시 게이지를 사용해서 변형을 함께 판독하여야 한다. 이러한 변형이 조금이라도 남아있는 상태에서 신품 패널의 교환 작업을 실시하게 되면 아무리 해도 잘 맞추어 지지가 않는다. 가령 어떻게 하여 패널의 틈새와 단차를 잘 맞추었다고 해도 차량이 출고된 후에 주행 중 핸들의 떨림, 타이어의 편 마모, 롤링 등의 이상 증상이 나타나는 경우가 대부분이다. 따라서 계측기에 의한 언더보디의 정밀한 측정은 차체 수리 작업에 있어서 가장 중요한 부분에 해당하기 때문에 수리 시간 단축은 물론 차체 품질, 주행 안전성을 좌우하는 중요한 부분이 되는 것이다.

(3) 패널과 패널의 단차 및 틈새 점검

그림과 같이 도어 부분의 변형 상태를 보고 어떤 변형이 발생되었는지 살펴보자. 도어의 상단 부분은 좁아져 있으며, 도어의 하단 부위는 넓어져 있다.

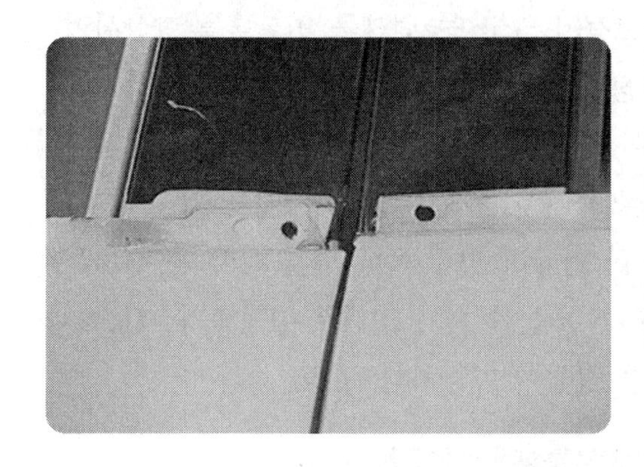

패널과 패널의 단차

어떤 변형이 발생 되었는가? 리어 도어와 쿼터 패널 사이의 틈새 간극과 단차는 정상이고 프런트 도어와 리어 도어 사이의 틈새 및 간극은 위 부분이 좁고, 아래 부분이 넓은 것으로 봐서 좌측 프런트 필러의 상부가 뒤쪽으로 이동되었음을 짐작할 수 있다. 이처럼 차체 측면의 변형 여부를 패널과 패널의 단차와 틈새 점검으로도 변형 상태를 확인할 수 있다.

2 차체 고정

손상된 차체에 대해 손상 진단 및 분석이 완료되면 차체를 어떻게 수리 할 것인가에 대한 작업 진행을 구상하여야 한다.

손상 차체의 정확한 현상 파악과 작업 진행 계획의 결정은 작업 요소 시간 및 작업 품질에 대하여 50% 이상의 비중을 차지한다고 해도 과언은 아니다.

차체 고정

그러므로 차체 수리 작업의 제 2 단계에 해당하는 차체 고정은 인장(당김) 작업 시

패널에 최소한의 인장력으로 최대한의 효과를 발휘할 수 있는 고정 작업만이 작업 시간의 단축은 물론 차체 인장 작업 시 패널에 손상을 방지할 수 있는 지름길이 된다.

차체를 고정하는 방법을 분류하여 보면 2가지로 나눌 수 있다. 첫 번째는 차체 수리 작업 시 항상 기본적으로 설치해야 하는 **기본고정**이 있고 두 번째는 인장력을 향상시키기 위해서 추가적으로 고정 시켜 주는 **추가 고정**이 있다.

엔진룸이나 트렁크 룸이 충격 손상을 받아 변형된 차체를 원래의 상태로 복원시키기 위해 실시하는 기본 고정의 설치 위치는 객실 룸이 되는 언더 보디 사이드 실 플랜지 부위의 좌우 4 곳에 수정 작업에 방해가 없는 한 가급적 양끝 쪽에 연결 시켜 줌으로써 객실 룸의 언더보디와 차체 수정 장비인 지그레일 또는 벤치가 일체로 고정되기 때문에 차체의 전후, 좌우, 상하 어느 방향으로도 인장 작업이 가능하다.

기본 고정 위치

(1) 기본 고정의 효과

전면의 엔진룸이나 트렁크 룸에 충격 손상이 발생한 모노코크의 경우에는 기본 고정만으로도 인장력에 대한 차체 수정 효과는 다음과 같다.

① 차체의 미끌림을 방지한다.

② 차체의 무게 중심점을 기준으로 하여 차체가 회전하려고 하는 모멘트 발생을 억제시킨다.

③ 힘의 작용 범위를 최소화 시킴으로써 인장력의 분산을 방지하여 인장 효율을 극대화 시킬 수 있다.

④ 손상되지 않은 패널에 대한 비틀림 변형을 방지한다.

⑤ 차체의 전후, 좌우, 상하 어느 방향에서도 자유롭게 인장 작업이 가능한 이점을 가지고 있다.

(2) 추가 고정

추가 고정은 인장 작업과 같은 것으로 체인과 클램프, 체인 블록이나 유압램을 이용해서 사고 유형에 따라서 힘의 범위를 제한 할 수 있는 곳에 고정한다.

수정 작업에서 큰 힘을 필요로 할 때 기본 고정 외에도 추가 고정은 반드시 필요하다.

추가 고정의 효과를 살펴보면 다음과 같다.

① **기본 고정의 보강**
② **모멘트 발생 제거**
③ **지나친 인장 방지**
④ **용접 부 보호**
⑤ **힘의 범위를 제한**

추가 고정

3 차체 인장 작업

인장 작업은 힘이 전달된 방향이 확인되고 나면 인장 방향과 지점을 결정한다. 안전 인장 방향의 원칙은 힘이 전달되어진 방향의 반대방향(역방향)으로 인장하는 것이 원칙이다. 즉, 원래의 패널 위치에서 보디에 대응하여 똑바르게 역방향으로 인장 하는 것이다.

인장 작업

인장 작업 시 반드시 선행 되어야 하는 작업은 클램프의 미끄러짐이나 체인의 파손 등으로 인해 발생할 수 있는 사고를 미연에 방지하고 작업자를 안전하게 보호하기 위해 안전 고리를 설치한다. 또한 인장 작업 중 체인의 파손을 방지하기 위해서 체인의 꼬임 현상 등이 없어야 한다.

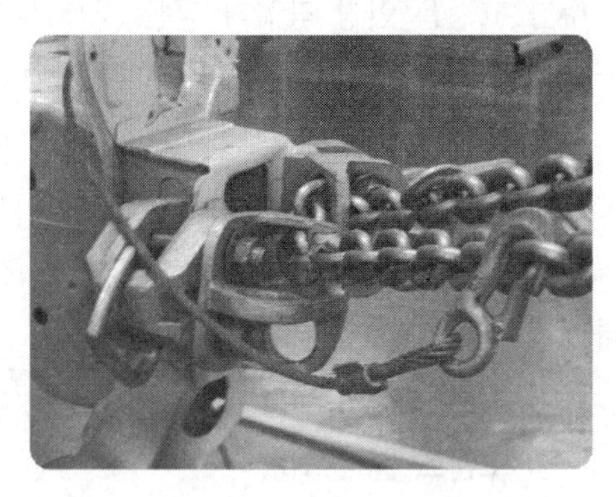

안전 고리 설치

변형된 차체 패널을 원래의 위치로 인장하였다 하여도 인장력을 해제시키면 변형되어진 부분에 발생한 잔여 응력에 의하여 변형되어 있던 원래의 상태로 되돌아가려고 한다. 따라서 인장 작업 시에는 규정의 위치보다 조금 더 당겨주는 것이 좋다. 인장력을 유지한 상태에서 변형되어진 부위를 가볍게 해머링 하여 줌으로써 강판 내부에 남아 있던 응력이 제거된다.

응력 제거 작업

4 절단 및 탈거 작업

절단 작업을 쉽게 하기 위해서는 먼저 교체 대상이 되는 패널에 대충 절단 표시를 해주는 것이 효과적이다. 대충 절단 위치는 패널의 접합 이음부위에서 30 ~ 50㎜정도의 여유를 두고 절단한다. 30 ~ 50㎜정도의 여유를 두고 절단하는 이유는 차체에 남아 있는 잔여 응력을 제거하기 위한 2차적인 인장 작업을 위한 것이다.

절단 작업에서는 플라즈마 절단기, 에어 톱, 산소-아세틸렌가스를 이용한 절단작업이 있다. **플라즈마 절단 작업**은 작업의 효율성은 우수하지만 화재의 위험과 인너 패널의 절단 손상 등이 발생하기가 쉬우므로 신중히 작업을 해야 한다.

산소-아세틸렌가스 용접기를 이용한 절단 작업은 차체에 전달되는 많은 열의 영향으로 부식현상을 현저하게 발생할 수 있으므로 사용을 자재해야 한다.

에어 톱을 이용한 절단 작업은 작업의 효율성이 상당히 우수하며, 열을 발생하지 않으므로 절단 작업에서 가장 많이 활용되고 있다.

에어 톱을 이용한 절단 작업

절단 작업 시 주의해야 할 사항은 교환되는 부품이라 해서 그냥 절단하는 것이 아니라 신품 패널의 부착 시를 고려하여 사전에 교환되는 **부품의 위치를 표시**해 두면 신품 패널의 맞춤 작업이 편리해진다.

스폿 용접 너겟의 위치를 정확하게 찾아서 스폿 드릴 커터를 이용하여 남아 있는 기존의 패널에 손상이 없도록 하면서 너겟을 절삭 한 후 남아 있는 패널 조각을 탈거한다.

스폿 드릴 커터를 이용한 탈거작업

그림과 같이 스폿 용접점 위로 실러가 도포되어 있어서 스폿 용접 너겟의 위치를 파악하기 힘든 경우에는 도포된 실러를 일정 부분을 회전 와이어 브러시를 이용해서 제거해 준 후 드릴 작업을 하여 남아 있는 잔여 패널을 모두 탈거해 준다.

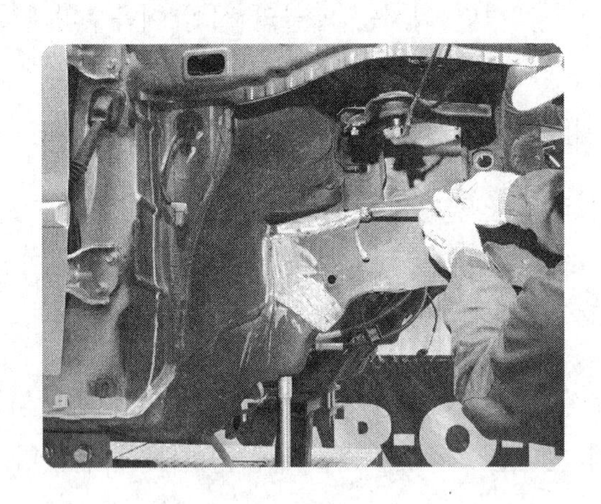

⇧ 용접 점 확인작업

5 패널 부착 및 용접

탈거 작업이 완료되면 이제 차체수리의 마지막 공정으로 패널 부착 및 용접 작업을 실시한다. 패널을 부착하기 이전에 반드시 패널과 패널 부위의 접착 면에 부식 발생 방지를 위해 용접용 방청제를 도포해 준다.

⇧ 신품 부착 위치에 방청제 도포 작업

신품 패널 부분에도 방청제를 도포해 주기 위해 신품패널의 구 도막을 제거해 준다.

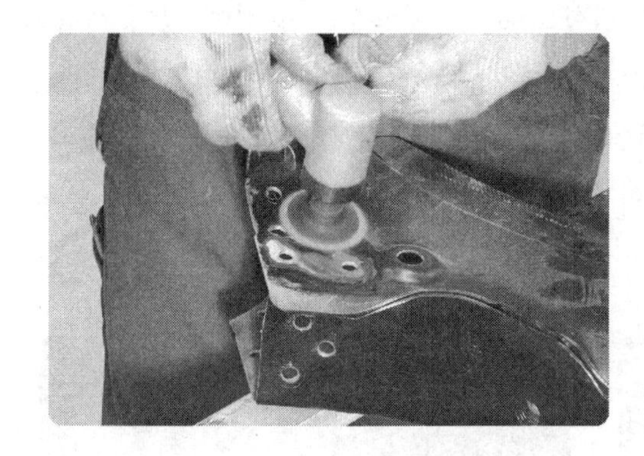

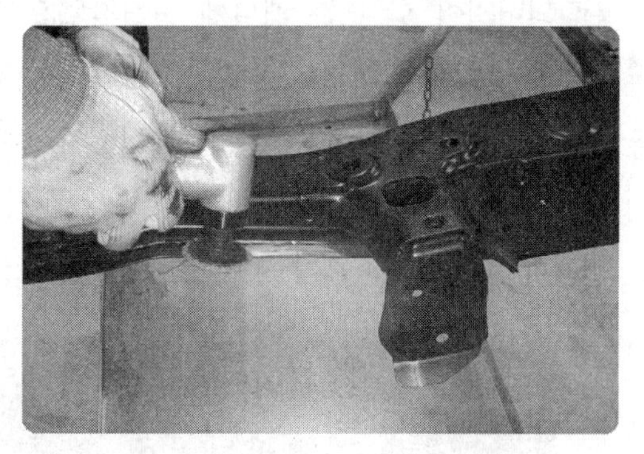

신품 패널 구도막 제거작업

사이드 멤버 부분의 신품 패널에도 구 도막을 제거하고 드릴링 작업으로 홀을 뚫어 준 후 방청제를 도포해 준다.

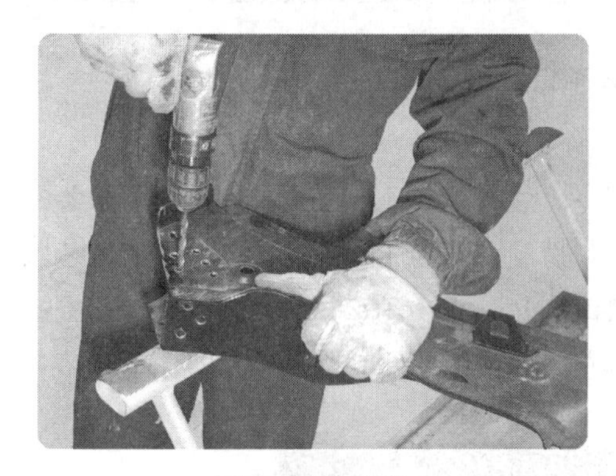

드릴링 작업

방청제 도포

방청제를 도포한 후 새로운 부품을 원래의 위치에 맞추어서 임시 고정을 해 준다. 임시 고정 후 교환 작업의 관련된 부품들을 차체에 조합하여 패널과 패널의 간격과 길이, 높낮이의 이상 유무 등을 파악한다.

관련된 부품들의 위치 확인

임시적으로 고정된 패널들의 단차 및 틈새 유무를 파악한 후 원래의 위치와 동일할 때 용접되어져야 할 모든 패널에 용접작업으로 접합해 준다. 차체수리 용접에 많이 사용되고 있는 것은 MIG/MAG용접과 SPOT용접이다.

용접 작업이 완료된 후 용접 비드를 그라인더를 사용해서 깨끗하게 연마해 준다.

모든 연마 작업이 끝이 나면 패널과 패널의 부착된 부위에 수분이나 습기의 침투를 막기 위한 작업으로 실러를 도포해 준다.

실러 도포 작업

실러를 도포한 후 패널 내부의 습기 침투로 인한 부식 방지를 위해 인너 왁스를 도포해 준다. 실러 및 왁스의 도포가 끝이 난 후 다시 금 관련된 부품들을 차체에 장착하고 용접 및 연마에 의한 패널의 변형이 없는지를 확인한다. 확인 작업이 완료되면 이제 도장 작업으로 넘어가기 전 차체수리의 모든 작업은 완료가 된 것이다.

작업이 완료된 모습

2 수공구의 훈련

1 해 머(bumping hammer)

① **고르기 해머** : 고르기 해머는 한쪽은 4각이며, 반대쪽을 둥근 양두용 해머와 한쪽만 사용하는 2가지가 있다. 중량은 300~450g 정도이며, 자루는 균형을 이루기 위해 자루의 머리 부분이 약간 가늘게 되어 있다.

② **표준 해머**(standard hammer) : 표준 해머는 맨 처음 거친 부분에서부터 마지막 고르기까지 사용한다.

③ **딘킹 패머**(dinking hammer) : 딘킹 해머는 자루 목이 길며, 정밀 고르기 용으로 사용한다.

(a) 드로잉 해머

(b) 밤핑 해머

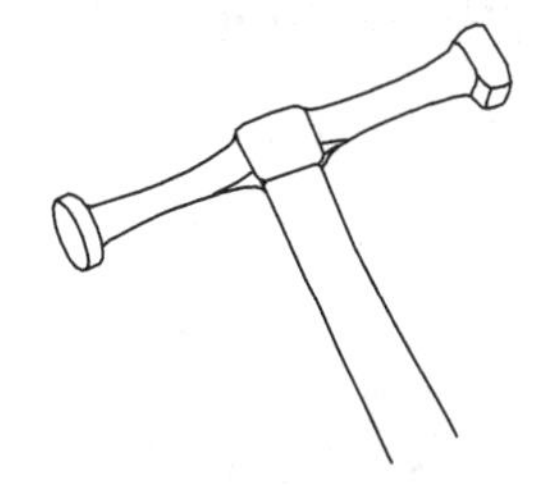

(c) 딘킹 해머

판금 해머(1)

④ **픽 해머**(pick hammer) : 픽 해머는 움푹 들어간 곳을 펴는데 사용한다.

⑤ **크로스 페인 해머**(cross pein hammer) : 크로스 페인 해머는 픽 해머와 동일한 목적으로 사용되며, 해머 머리 반대쪽은 고르기 용으로 사용할 수 있도록 되어 있다.

⑥ **조르기 해머** : 조르기 해머는 머리에 꺼칠꺼칠한 이가 붙어 있으며, 늘어지거나 늘어난 철판을 수축(오므리는 작업)시키는데 사용한다.

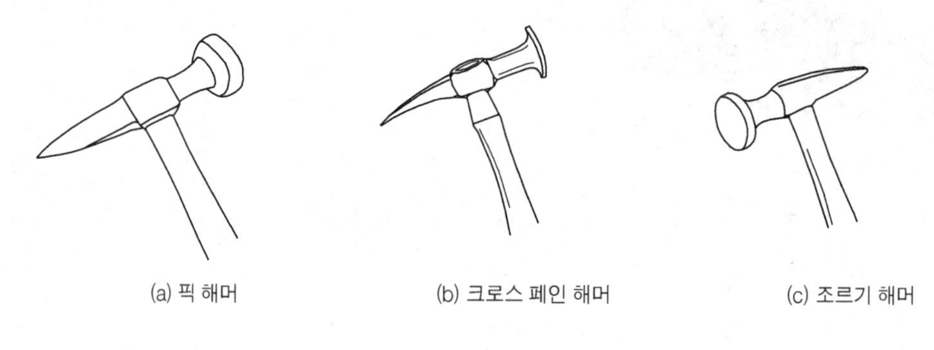

(a) 픽 해머 (b) 크로스 페인 해머 (c) 조르기 해머

판금 해머(2)

⑦ **펜더 범핑 해머**(fender bumping hammer) : 펜더 범핑 해머는 길게 휘어진 모양이며, 머리가 둥글게 되어 있어 거친 부분 작업용으로 깊은 부분의 작업에 적합하다.

⑧ **리버스 커브 해머**(reverse curve hammer) : 리버스 커브 해머는 특수 고르기 용이다.

펜더 범핑 해머

⑨ **나무 해머** : 나무 해머는 머리 면이 60~70mm이며, 패널의 거친 고르기와 위치 잡는 작업에 사용되는데 나무이므로 패널에 상처나 흔적이 생기지 않고 철판이 늘어나는 경우가 없다. 보디의 정형 작업에 알맞다.

⑩ **고무 해머**(rubber hammer) : 고무 해머는 나무 해머보다 무거워 알루미늄 패널 등의 작업에 알맞다.

2 돌리 블록(dolly block)

돌리 블록은 각종 해머의 밑받침 역할을 하는 것이며, 패널 표면을 편평하고 매끄럽게 하는데 사용한다.

① **양두 돌리** : 양두 돌리는 양면으로 된 돌리이며. 한쪽은 로 크라운(low crown), 다른 한쪽은 하이 크라운으로 되어 있어 두드려 펴거나 고르기 작업에 사용된다.

② **만능 돌리** : 만능 돌리는 가장 널리 사용되는 돌리이며, 하이 크라운, 로 크라운, 오목 면이나 각 내기, 에지(edge) 등에서 사용하며, 소형물이나 좁은 곳에서 사용할 수 있는 장점이 있다.

③ **범용 돌리** : 범용 돌리는 레일을 절단하여 놓은 형상이며, 가늘고 긴 면과 4각 베드면의 로 크라운 양면을 갖춘 넓은 평면 패널의 정형 작업에 적합하다.

(a) 양두 돌리 (b) 만능 돌리 (c) 범용 돌리

돌리 블록(1)

④ **힐 돌리**(heel dolly) : 힐 돌리는 낮은 평면과 둥근형의 각을 지닌 것이며, 모서리와 각 작업에 적당하다.

⑤ **레드우스 돌리 및 신트 돌리** : 편평하고 매끄러운 면과 로 크라운 면을 가진 얇은 형의 돌리이며, 좁은 곳이나 창의 내부 작업에 사용된다.

⑥ **조르기 돌리** : 조르기 돌리는 늘어난 철판의 냉간 조르기나 용접 부위를 편평하고 매끄럽게 하는 등의 성형에서 사용한다.

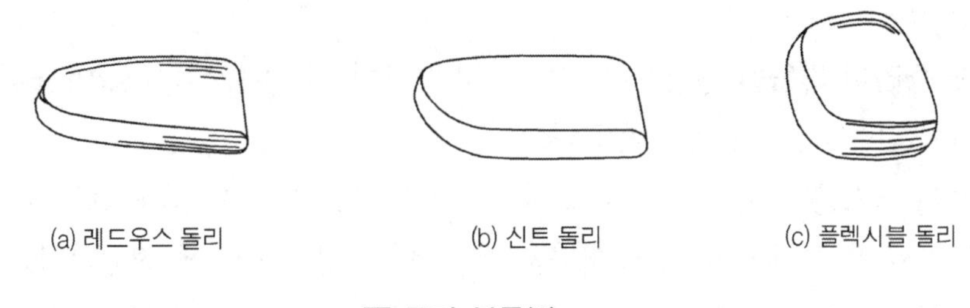

(a) 레드우스 돌리 (b) 신트 돌리 (c) 플렉시블 돌리

돌리 블록(2)

⑦ **곡면 돌리**(cure dolly) : 곡면 돌리는 긴 곡면과 하이 크라운 및 로 크라운의 양면을 조합하여 전체가 테이퍼 되어 있어 보디의 곡면 및 좁은 부분의 정형 작업에 사용한다.

⑧ **라운드 돌리**(round dolly) : 라운드 돌리는 하이 크라운과 로 크라운의 둥근 헤드 면을 가진 장구 모양의 소형 돌리로서 좁은 곳의 작업에 사용한다.

⑨ **앤빌 돌리 및 돔 돌리**(anvil dolly & dome dolly) : 넓은 로 크라운 면을 가진 자루가 달린 돌리이며, 가열 철물 작업시 손을 뜨겁게 하지 않아 작업이 편리하다.

⑩ **그리드 돌리**(grid dolly) : 그리드 돌리는 냉간 조르기 작업의 전용으로 사용한다.

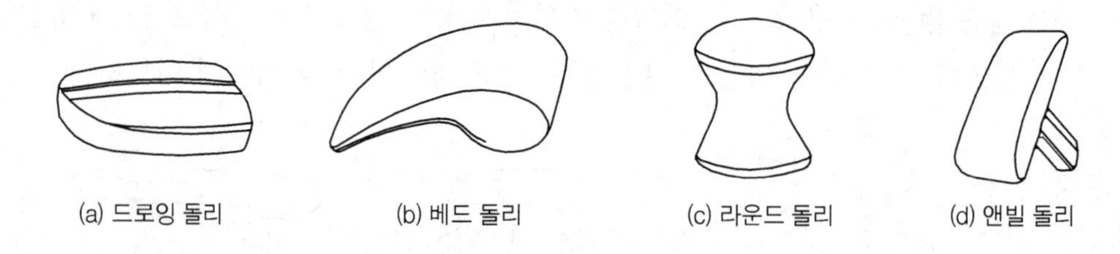

(a) 드로잉 돌리 (b) 베드 돌리 (c) 라운드 돌리 (d) 앤빌 돌리

돌리 블록(3)

3 보디 스푼(body spoon)

보디 스푼은 돌리 만으로는 작업이 곤란해지므로 손이 들어가지 않는 좁은 곳에서 돌리의 대용으로 사용된다.

① **범퍼용 스푼** : 날카로운 양 끝으로 되어 있어 로 크라운과 하이 크라운을 적당히 선택해서 작업을 할 수 있다.

② **중(重) 작업용 플라이 스푼** : 길이가 길고 튼튼해 힘이 많이 드는 거친 작업에 적합하다.

③ **숏 플라이 다듬질 스푼** : 자루가 짧으며, 보디 내부의 부품에 틈이나 패널 에지 등의 좁은 곳의 작업에 적합하다.

④ **하이 크라운 스푼** : 폭이 넓고 바짝 구부러진 스푼이며, 루프 레일과 패널 사이에 끼워서 루프 패널의 하이 크라운 부분 등의 정형 작업에 적합하다.

⑤ **낫형 다듬질 스푼** : 낫 모양으로 된 스푼이며, 길고 오목한 곳의 고르기 작업에 적합하다.

⑥ **드립 몰딩 스푼** : 스푼의 끝이 약간 우그러져 물받이 밑 부분과 같이 좁은 곳의 작업에 적합하다.

⑦ **초박형 스푼** : 끝이 얇으며, 패널 등의 이중벽 부분 등 일반적인 스푼이 들어가지

못하는 좁은 곳의 작업에 적합하다.

⑧ **스프링 해머 스푼** : 얇은 강판을 프레스 성형하여 제작한 것이며, 스프링 해머 작업의 전용 스푼이다.

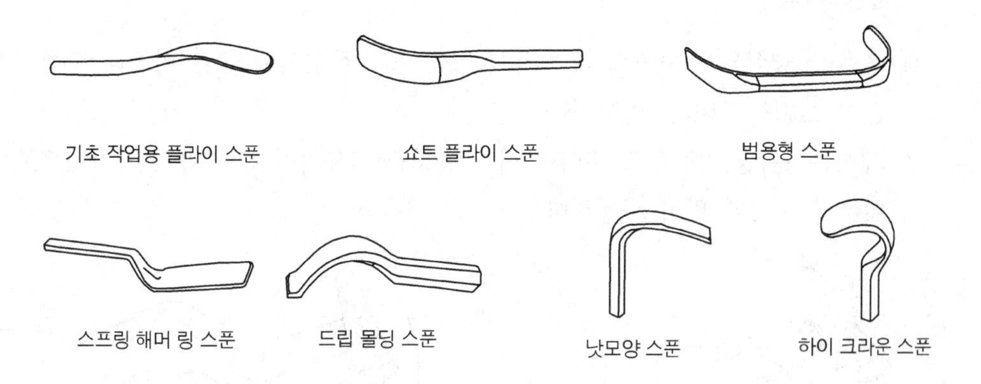

◘ 보디 스푼

4 해머 잡는 방법

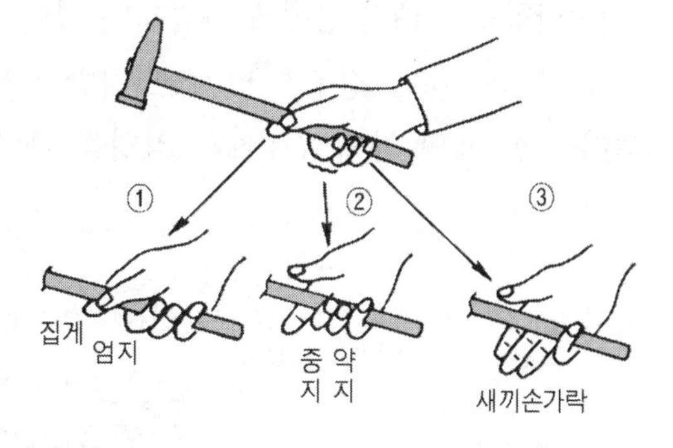

① 해머의 손잡이를 새끼손가락에 힘을 주어 쥔다.

② 중지와 약지는 보조적인 역할로 가볍게 원을 그리는 것 같이 쥔다.

③ 첫 번째와 두 번째 손가락은 해머의 흔들림을 막는 역할로 손잡이의 측면에 가볍게 밀어 맞춘다.

④ 손잡이의 어깨의 각도는 160° 가 바람직하다.

⑤ 바른 자세는 좌, 우의 손 모양이 [八]자가 되는 상태로 한다.

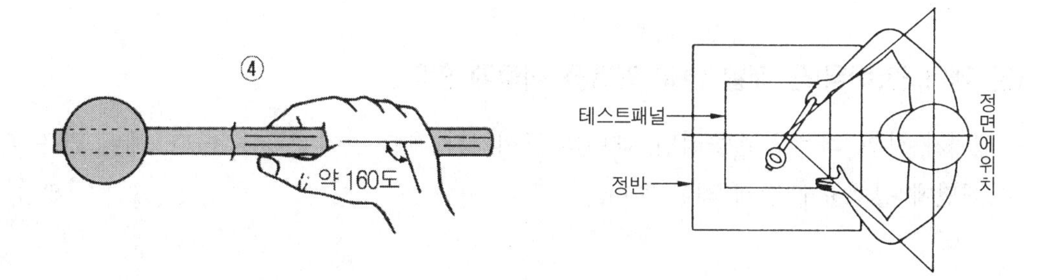

5 해머링 방법

(1) 해머링 기법

① 손목을 중심으로 해머링 하는 방법으로 초기 작업이나 중간 마무리 수정 작업에 많이 쓰이는 해머링 방법이다.

② 새끼손가락을 지점으로 해머링 시의 반동을 이용하여 해머링 하는 방법으로 최종 마무리 수정에 많이 사용한다.

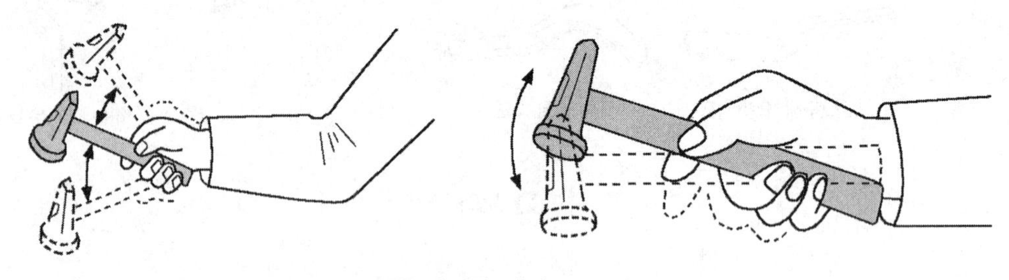

해머링 방법

(2) 많은 힘을 들이지 않는다

큰 변형을 원래의 상태에 가깝게 수정할 경우에는 의식적으로 팔에 힘을 주어 강한 힘으로 해머링 하는 경우가 있지만, 일반적으로 해머를 쥐는 손가락의 힘, 손목의 힘으로 해머링 할 때의 힘을 조정해서 작업을 한다.

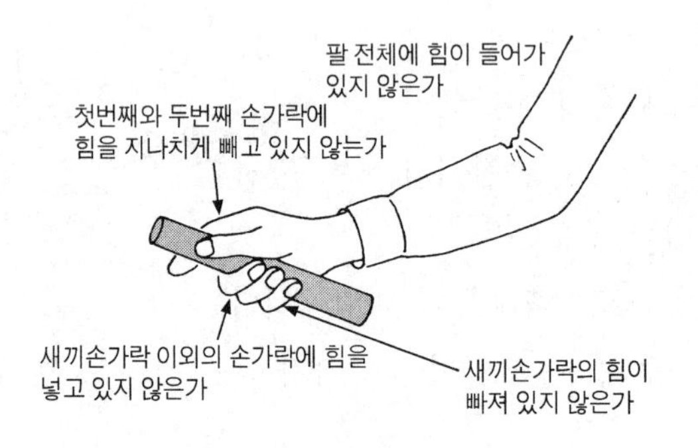

(3) 해머 면(바닥)은 패널 면과 평행을 이루게 한다

해머가 전후, 좌우로 흔들리면, 해머의 모서리가 패널 면에 손상을 준다. 해머 면은 패널 표면에 평행하게 닿게 해야 한다.

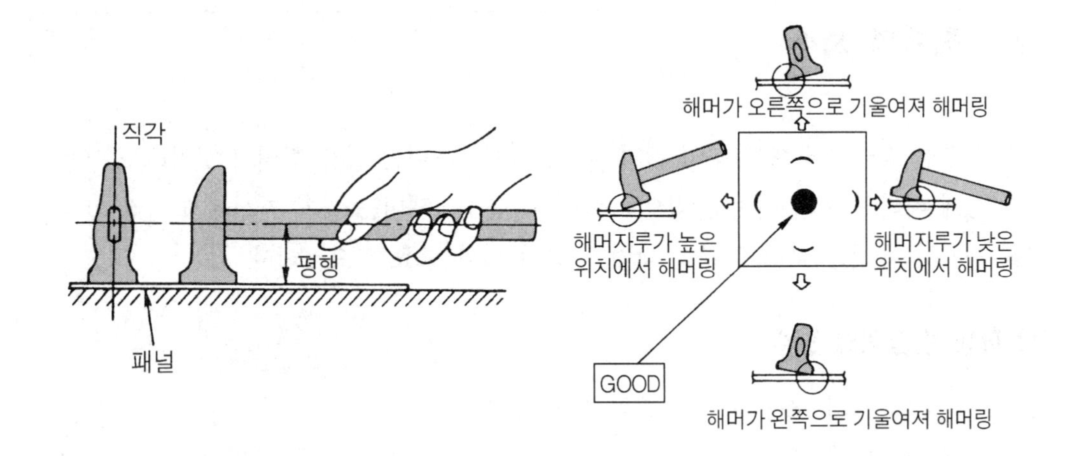

(4) 일정한 리듬으로 해머링한다

해머링 작업은 일정시간 계속하는 것이 보통이다. 해머링 작업을 불규칙적인 간격으로 할 경우 해머링의 힘이 타격할 때 마다 다르기 때문에 완전한 패널 수정이 어려워진다. 동일한 리듬과 동일한 힘으로 일정시간 지속할 수 있는 것이 보다 빠르고 정확하게 수정하는 방법이 된다. 빠른 리듬으로 치게 되면 강한 힘이 발생되며, 느린 리듬으로 치게 되면 치는 힘이 약해진다.

(5) 같은 부분을 해머링 하지 않는다

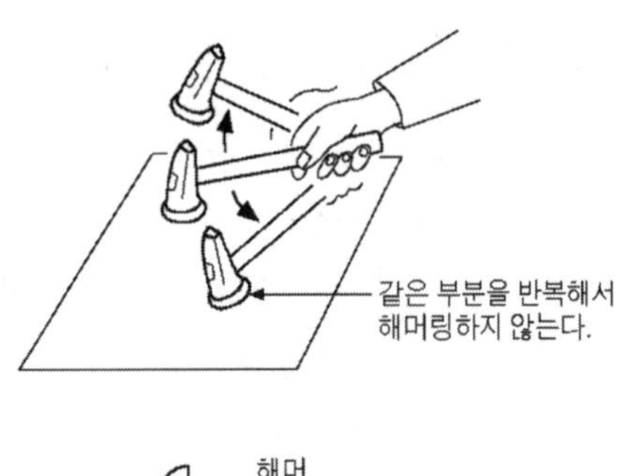

강판을 두드리면 단단해지지만, 변형된 패널은 변형의 정도에 따라 다소 차이가 있으나, 주름이나 패널의 늘어남 현상이 발생해 있으므로 결국은 이러한 주름이나 늘어난 현상을 제거해 주어야 한다.

수정 작업 시 필요 이상 지나치게 해머링하면 패널이 늘어날 수 있기 때문에 같은 곳을 지나치게 해머링 하지 않도록 하는 주의가 필요하다.

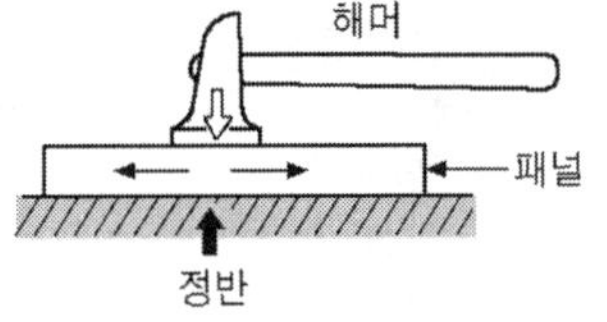

(6) 해머링의 훈련

정반 위에 테스트용 시편(예 : 300㎜ × 300㎜ × 0.7~0.8t)을 두고 마킹 펜으로 여러 가지 모양을 그려 목적했던 부분에 정확히 해머로 두드릴 수 있도록 연습한다.

6 해머의 보수

차체 수정 작업이나 패널 수정 작업 시 사용되는 해머는 같은 형태의 것이라도 사용하는 사람에 따라서 여러 가지 방법으로 사용되어진다. 해머는 자기 자신에게 가장 알맞은 것을 사용하는 것은 보다 정확한 작업을 하기 위한 중요한 요소이다.

(1) 해머 손잡이의 보수

① 손잡이 끝의 모서리 면에 중심선을 그린다.

② 모서리 면에 해머 홀의 형태를 그린다.

③ 손잡이 부분에서 ②의 형태로 향해서 매끄럽고 완만하게 깎아 낸다. 최종단계는 해머의 홀에 맞추어서 조정하고, 전체가 균형을 이루도록 만든다.

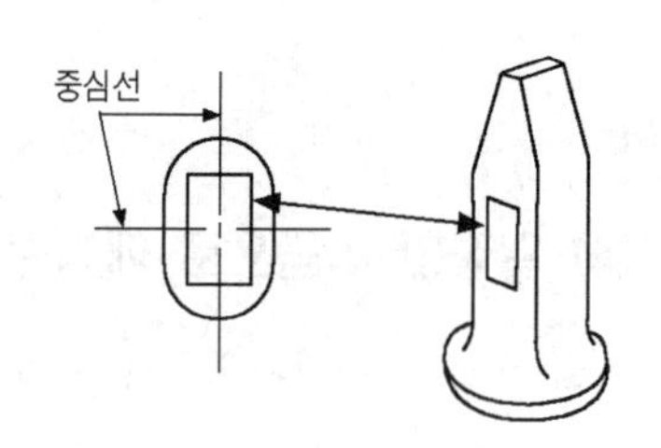

④ 끝단의 중심에 쐐기를 박아 넣을 홈을 만든다.

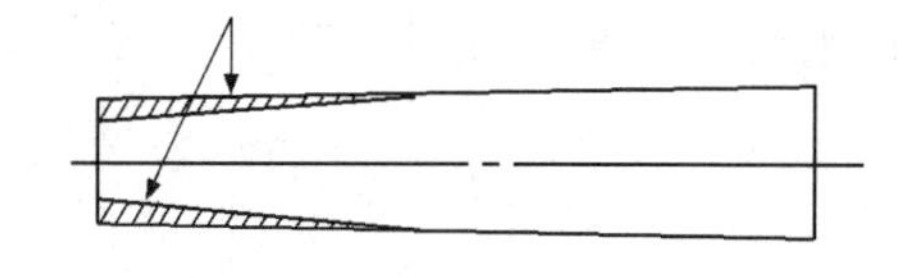

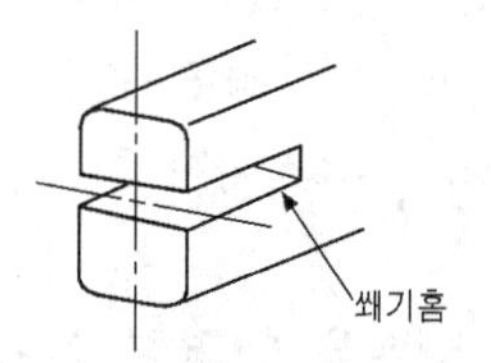

⑤ 해머의 홀에 손잡이를 박아 넣는다. 해머는 정반과 같이 평편하고 딱딱한 면에 고정한 후 정반과 손잡이가 직각이 되도록 한다. 작업 시 수시로 해머의 면을 정반에 대어 자루와 해머의 직각도와 평행도를 체크한다.

⑥ 해머 손잡이 끝에 쐐기를 박아 넣는다. 그런 다음 나머지 끝에 튀어나온 쐐기의 끝부분은 제거해준다.

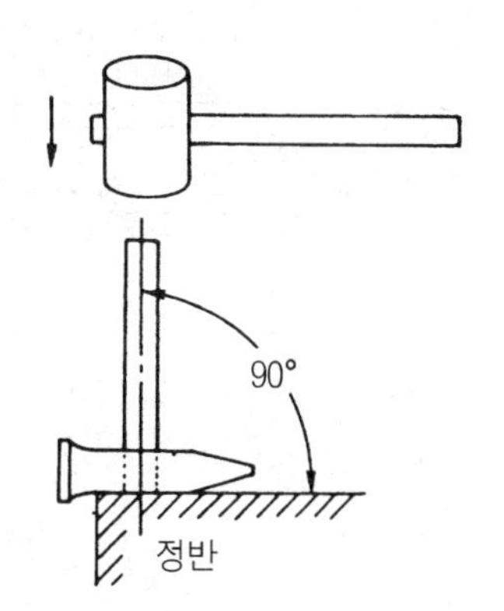

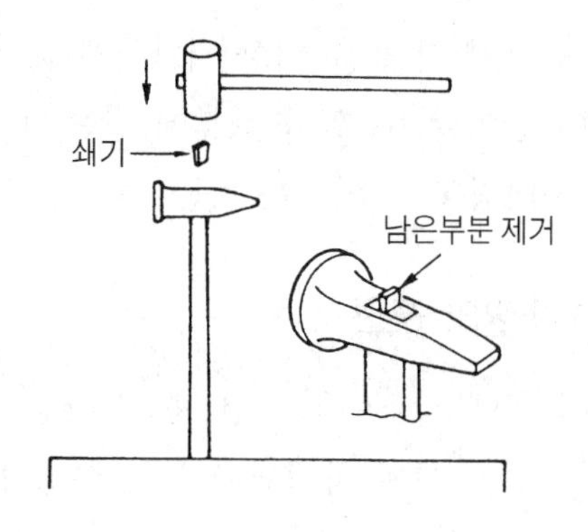

(2) 해머의 면 가공 순서

① 벤치 바이스로 해머의 면이 수평이 되도록 고정한다.

② 해머 면의 거친 부분을 평줄로 연마하여 평편하고 매끄럽게 한다. 연마 방향은 한 쪽 방향으로만 연마하지 않는다.

③ 해머면의 모서리를 가공하여 해머의 모서리로 인한 패널 손상을 방지한다.

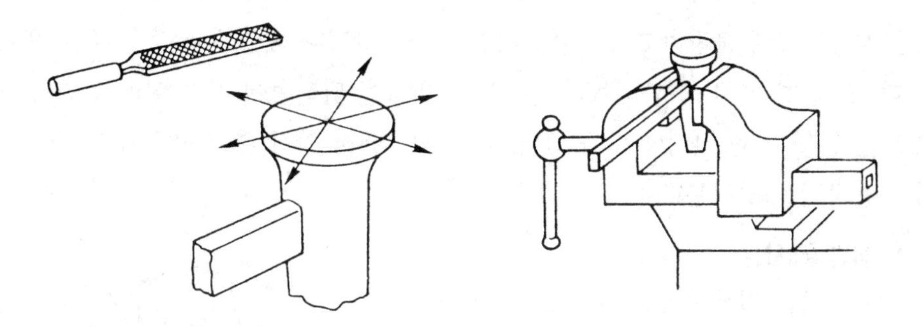

④ 평편하고 매끄럽게 가공된 표면을 숫돌이나 샌드페이퍼로 최종마무리 연마한다.

⑤ 해머 면의 가공이 잘 되었는지의 여부는 타격면에 색을 칠하고 평편한 정반 위를 해머링 하여 검사한다. 타격면 중앙의 색이 벗겨지면 양호한 편이며, 중앙에서 벗어난 위치의 색이 벗겨지는 경우에는 불량이다. 이 경우에는 다시 연마작업을 해서 수정해 주어야 한다.

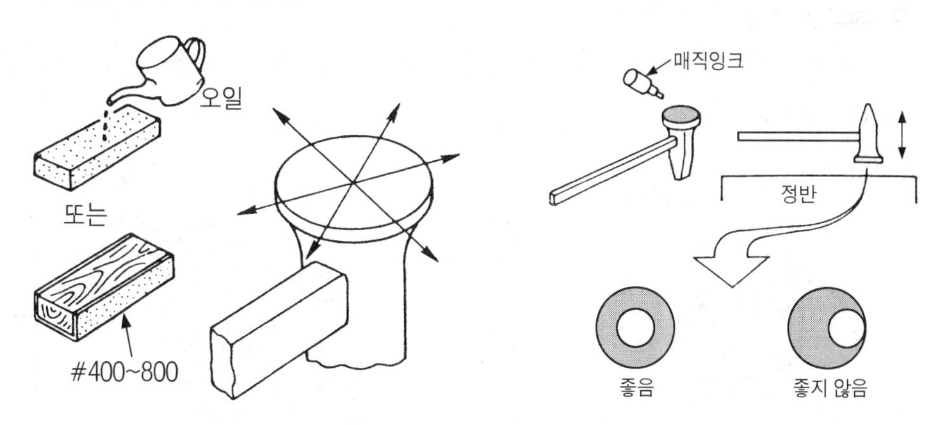

7 돌리(dolly)

(1) 돌리의 잡는 방법과 패널에 대는 방법

해머와 마찬가지로 돌리의 종류 또한 목적에 따라 그 형태도 다양하다. 돌리의 사용에 있어서 가장 중요한 것은 패널의 형태에 맞는 돌리를 선택하는 것으로서, 잘못된 돌리의 선택은 사용하기에 불편하고 긴 작업 시간을 소비하거나 패널에 손상을 주는 원인이 될 수 있다. 또한 한 가지 종류의 돌리라도 잡는 방법을 달리함에 따라 여러 종류의 패널 형태에 맞는 돌리 면을 선택할 수가 있다. 현장 작업에서 가장 많이 활용되고 있는 범용 돌리의 사용방법을 알아본다.

① **상면을 사용**

이 방법은 기본적으로 가장 많이 사용하는 방법으로 손바닥의 중심에 돌리를 얹고 돌리 전체를 가볍게 쥔 후 상면의 완만한 면을 패널의 곡면에 대어 사용한다.

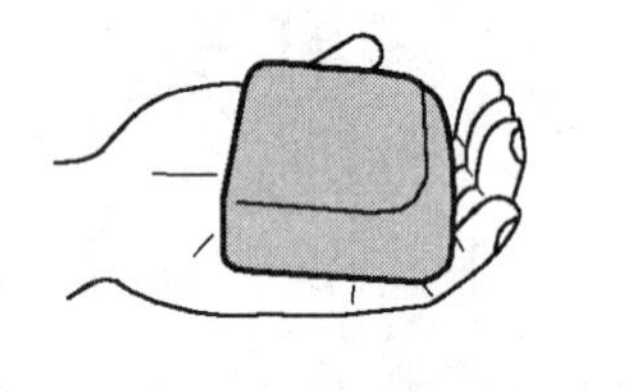
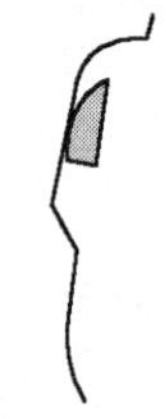

상면을 사용

② **상면의 코너를 사용**

손바닥 중앙에 돌리의 끝부분을 대고 돌리의 완만한 곡면이 위로 가도록 쥐고 코너부를 패널의 곡면에 대어 준다.]

③ **예각을 사용**

돌리 측면의 예각부가 상면이 되도록 돌리를 쥐고 패널 프레스 라인 등의 접힌 선에 대어 사용한다.

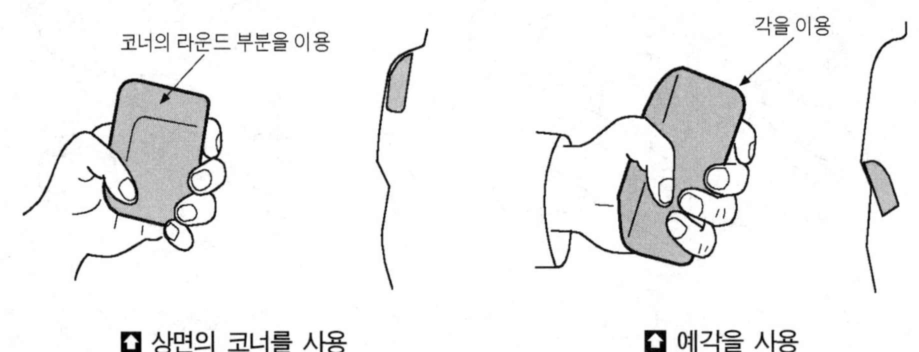

상면의 코너를 사용

예각을 사용

④ **각이나 평면을 사용**

돌리 측면의 평면부가 상면이 되도록 쥐고 직선 부분이나 평면 부를 패널의 면에 대고 사용한다.

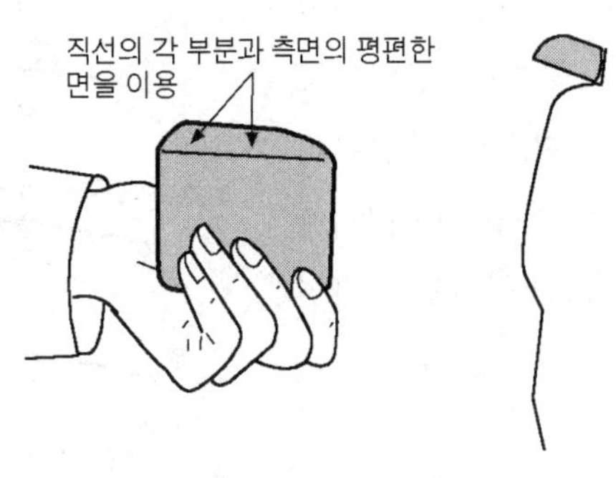

각이나 평면 사용

(2) 해머와 돌리의 사용방법

일반적으로 패널 수정 작업은 해머와 돌리를 사용하여 작업하는 경우가 많다. 요즘은 패널을 일반적으로 교환하는 작업이 늘어남에 따라서 해머와 돌리를 사용한 수정 방법을 많이 활용하지 않고는 있지만 가장 기본적으로 사용되는 부분이 해머와 돌리의 사용방법이다. 이러한 간단한 공구를 사용하여 패널을 구부리거나 요철(凹凸)부의 다듬질, 패널을 늘리거나 해서 완전히 다른 형태의 것으로 만들 수도 있다. 따라서 해머와 돌리의 사용을 자유자재로 구사하는 것은 차체수리 업무를 담당하는 사람으로서는 기본이 될 뿐만 아니라 어떻게 사용하는가에 따라 작업의 효율을 크게 좌우하게 되므로 해머와 돌리를 사용한 수정 방법에 익숙해질 필요가 있다.

1) 해머 온 돌리

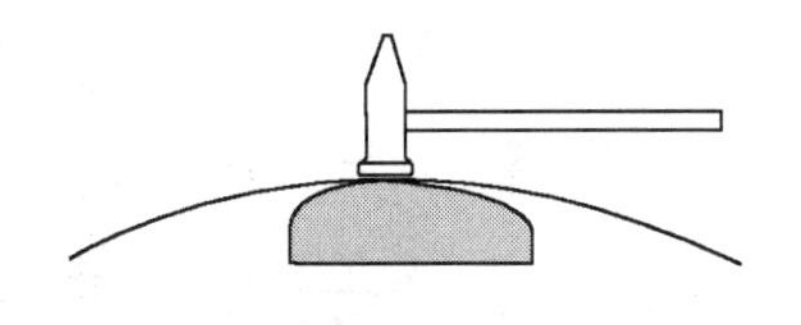

해머 온 돌리는 돌리의 닿는 장소를 해머로 두들기기 때문에 패널이 늘어난다. 그러므로 지나치게 사용하면 불필요하게 패널이 늘어날 우려가 있기 때문에 주의를 요하는 부분이다. 패널 수정 작업 중에 패널이 어느 정도로 펴져 있는가가 판단이 되지 않는 경우에는 사용을 중지하는 것이 좋다.

해머 온 돌리는 미세하게 돌출된 부분의 수정에 특히 효과가 있다. 우측의 그림에서 설명하면 돌리를 돌출된 바로 아래에 대고 해머링 하는 것에 의해(ⓐ) 돌리와 해머가 서로 맞닿아 그 부분이 평면으로 펴지고 변형은 해머의 주변으로 분산된다(ⓑ). 다음 돌리를 패널의 면을 따라서 움직여 해머로 凸부위를 해머링 해 나가면(ⓒ) 서서히 펴져 원래의 상태로 되돌아온다(ⓓ).

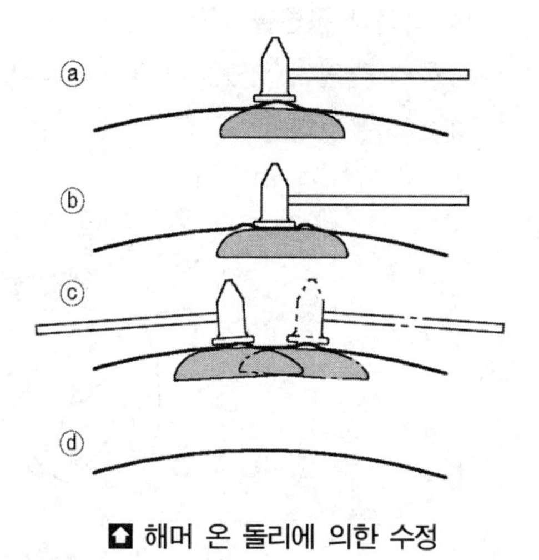

해머 온 돌리에 의한 수정

2) **해머 오프 돌리**

해머 오프 돌리는 돌리의 바로 윗면을 해머링 하는 것이 아니라 돌리에서 조금 떨어진 곳을 해머링 하는 것이다. 즉, 해머의 중심선과 돌리의 중심선이 일치되지 않게 해머링 하는 것이다.

해머 오프 돌리로 수정하는 경우 해머의 타점 위치는 손상된 패널의 요철 부 중에서 凹부에 돌리를 위치시켜야 한다.

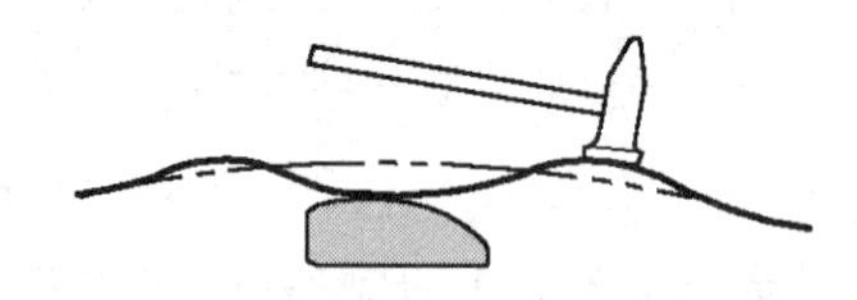

해머 오프 돌리의 작업 시 패널의 움직임을 표현하면 다음과 같다.

① 패널 뒤쪽의 가장 낮은 凹부분에 돌리를 대고 바깥쪽의 가장 높은 부분을 해머링 한다.

② 해머링에 의해 패널 바깥쪽의 솟아 오른 부분이 움푹 들어간다.

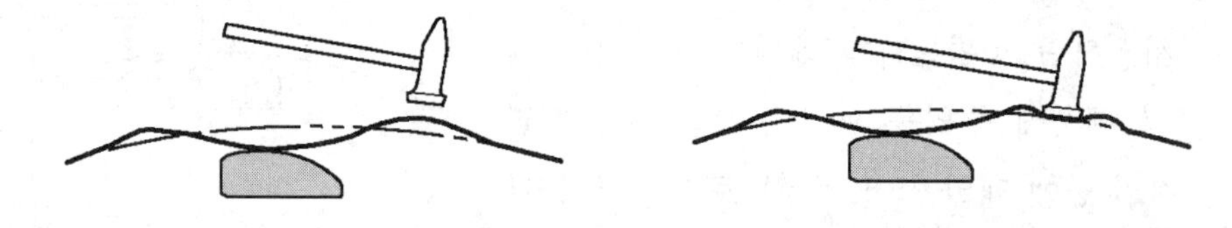

③ 해머링으로 인한 충격의 반발력으로 돌리가 패널에서 떨어진다.

④ 떨어진 돌리는 해머링 전에 패널을 밀어 올리던 힘이 남아있기 때문에 다시 패널에 닿는다. 이 닿는 힘이 낮은 부분을 밀어 올리는 효과를 얻는다.

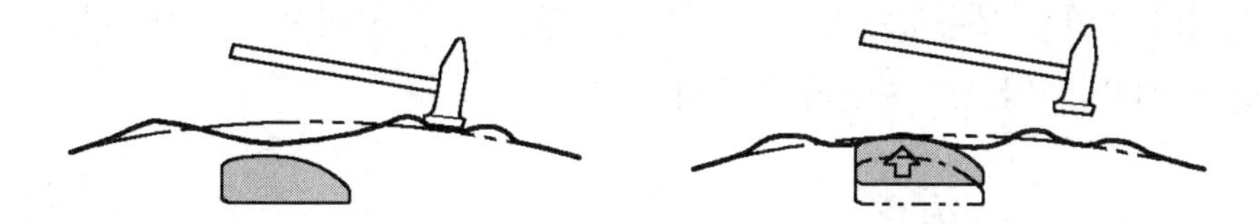

⑤ 같은 모양으로 ① ~ ④의 작업을 반복, 패널 면을 완만하게 한다.

3) 보이지 않는 돌리를 해머링 하는 방법

처음 해머와 돌리를 가지고 「해머 온 돌리」로 해머링 하려 해도 정확히 해머링 할 수 없기 때문에 많은 경험이 필요하다.

다음의 그림은 훈련의 한 방법을 설명한 것으로서, 패널의 뒤쪽에 손바닥을 대고, 전후, 좌우로 손바닥을 움직이면서 손바닥 중심을 해머링 하는 방법이다.

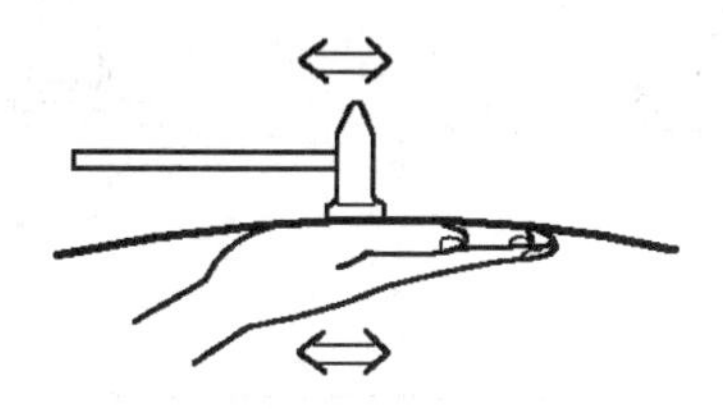

손바닥 중심에 정확히 해머링 할 수 있게 되면 돌리를 손에 들고 돌리의 바로 위를 해머링 하면 금속음이 들리므로 돌리의 위치 확인이 쉬워 이해하기 쉽다.

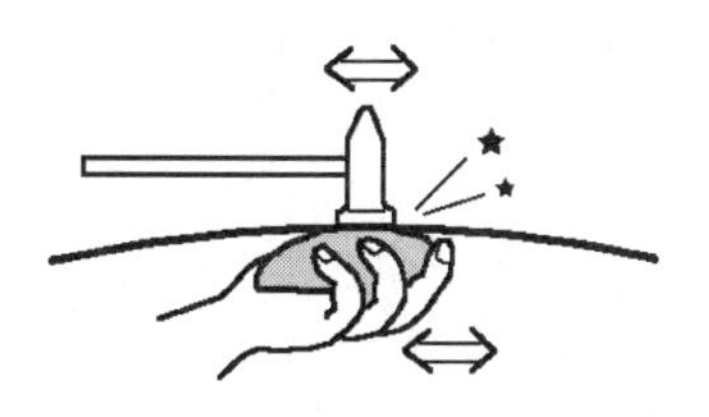

4) 해머 온 돌리, 해머 오프 돌리의 훈련

평탄한 패널(시편)에 우측의 그림과 같이 마킹을 하고 마킹부 중심을 칠 수 있는 해머 온 돌리 및 해머 오프 돌리의 훈련을 한다.

시편의 중앙을 볼록하게 만들고 중앙에서부터 해머링 하여 평면을 만든다. 凸의 부분을 시각, 촉각으로 확인하여 해머링한다.

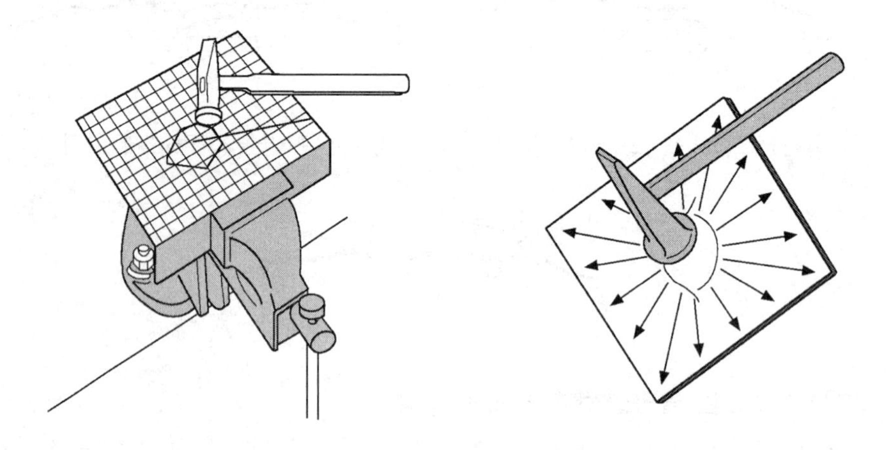

다음 그림은 해머 온 돌리로 수정하는 방법이다.

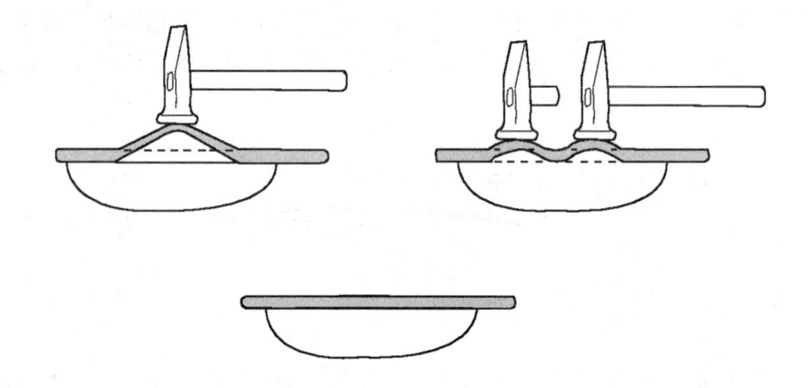

5) 온 돌리, 오프 돌리의 작업순서

최초에는 凹부분의 중심을 돌리로 쳐내고, 점차 오프 돌리, 온 돌리로서 수정해 나간다.

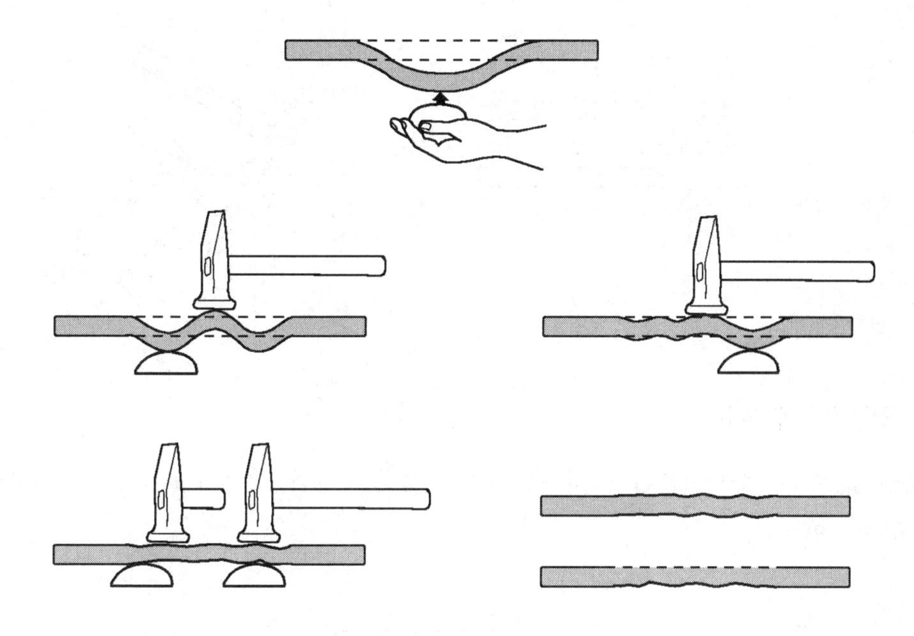

8 프레스 라인 및 곡면의 수정

(1) 라인 만들기

① TEST 시편(패널)에 선을 설정하여 바이스에 고정한 후, 마무리 해머를 이용하여 선을 따라서 30° 정도의 경사로 만든다.

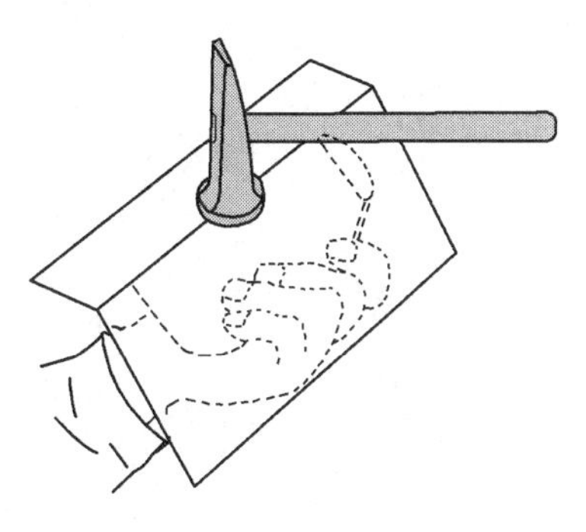

② 돌리의 날카로운 부분을 시편의 프레스 라인을 만들고자 하는 곳에 대고, 돌리의 양측을 두드린다.

③ 해머와 돌리의 양측을 골고루 해머링 하면서 서서히 경사를 크게 한다.

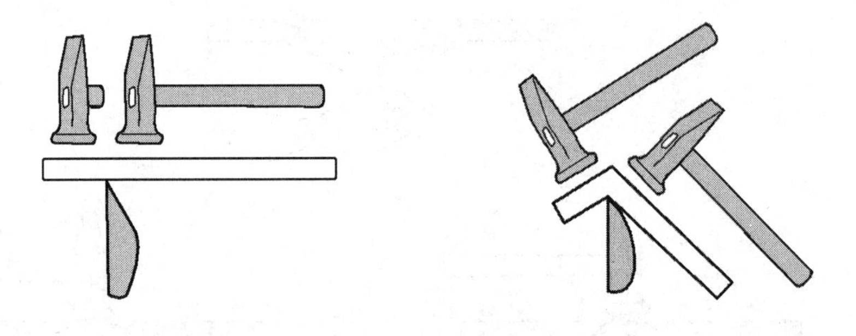

(2) 곡면 (R) 만들기

라인 만들기와 같이 TEST용 시편을 바이스에 고정하여, 마무리 해머를 이용하여 일정한 곡면을 만든다.

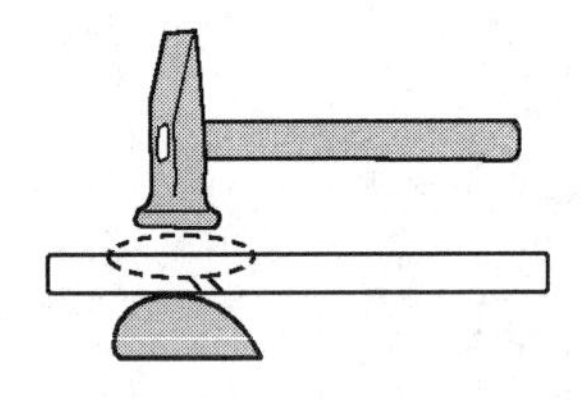

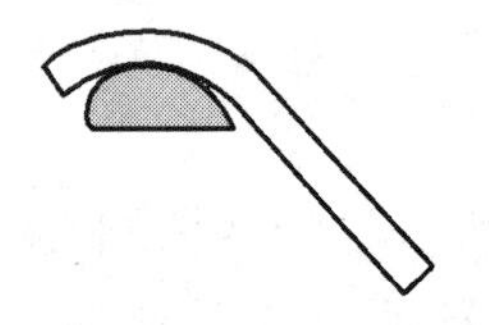

3 보디 수정

1 보디 수정의 기본

❶ 보디 수정과 패널 수정

① **보디 수정** : 넓은 의미의 보디 변형을 원래의 상태로 복원하는 작업.

② **패널 수정** : 각각의 패널에 대한 요철이나 비틀림 변형을 수정하는 작업.

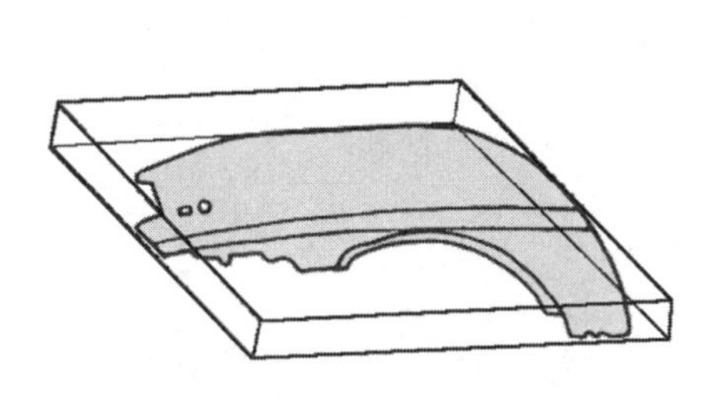

패널 수정은 평면적으로 생각

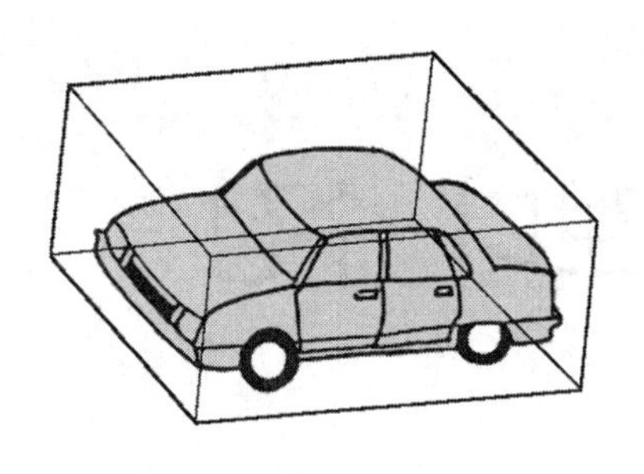

보디 수정은 입체적인 감각으로 생각

어느 쪽도 강판에 힘을 가하여 당겨서 늘리거나, 밀어서 강판에 변형을 주어 수정하는 것은 공통적인 작업사항이지만, 패널 수정은 평면상으로 생각하여 수정하는 것에 비하여 보디 수정은 입체적인 관점에서 생각하고 수정하는 데에 큰 차이점이 있다.

이러한 차이점을 생각하지 않고 패널 수정과 같은 감각으로 보디 수정작업을 하게 되면 수정 작업이 잘 되지 않는다든지, 경우에 따라서는 정상적인 패널을 변형시켜 더 많은 작업 시간을 초래할 수 도 있다.

모노코크 보디는 충격흡수형 구조로 되어 있는 상자 모양의 구조물을 상호 용접한 구조로 되어 있기 때문에, 보디 일부에 가해진 힘은 넓은 범위로 퍼져 나가면서 힘의 전달이 이루어지게 된다. 이러한 일은 충격을 받을 때나, 수정 작업을 할 때에도 같다. 그렇기 때문에 필요한 부분에 필요한 정도의 힘만 가하는 동시에, 불필요한 부분에는 힘을 가하지 않아야 한다는 생각을 항상 가지고 있어야 한다.

2 손상 보디의 현상 파악

만약 자동차의 보디가 어느 부분이라도 같은 강도라면, 손상은 힘이 가해진 부분이 제일 심하게 손상되고, 여기에서부터 떨어진 곳은 천천히 느리게 손상이 진행된다. 그러나 실제의 자동차 보디 구조는 부위에 따라 강도나 강성에 차이가 있기 때문에 그렇게 단순하지 만은 않다.

힘이 어떤 장소에서 어떻게 가해지는가? (최초 힘의 충격지점) 에 따라서 손상을 받는 쪽도 아주 많이 변하게 된다. 따라서 최초에 힘을 받은 곳이 어디인가? 그리고 그 힘이 어떤 모양으로 전달되고, 어느 부분이 변형되어 있는가? 이와 같은 사항에 대해서는 작업을 시작하기 전에 실차를 충분히 바라보고 검토하는 것이 필요하다.

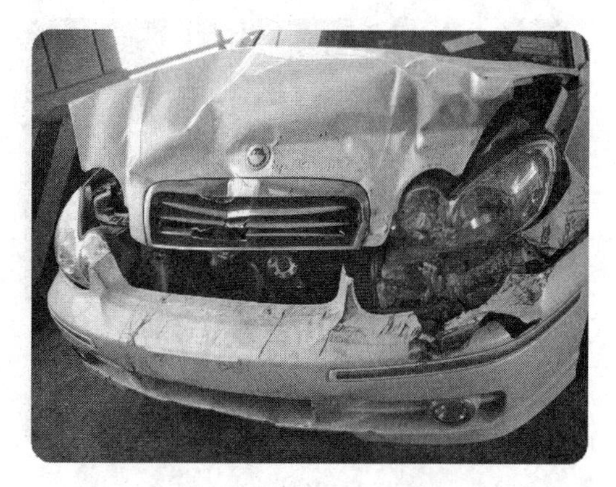

작업 전의 이미지 훈련도 효과적이다.

한 종류의 이미지 훈련이지만, 이러한 작업의 순서가 정리되면, 수정작업은 마지막 끝날 때까지 같은 방법으로 실시한다. 단, 경험이 적은 자는 사고 상황을 머리 속으로 떠올려 말로서 표현한다는 것이 어렵다는 것을 알지 못한다. 그렇지만, 힘이나 강판의 성질, 보디의 구조에 대해서 충분히 이해를 하게 되면, 어느새 보디 수정의 요점이 자신의 몸에 베이게 된다.

3 보디 수정의 3요소

보디 수정의 실제 작업에 대해서 크게 분류하면 **고정**, **인장**, **계측**의 3부분으로 분류한다. 이것은 효과적인 수정작업을 하기 위한 필수 요건이 된다. 그리고 이것들을 제각기 별도의 작업을 할 수 없으며, 상호 깊은 관련이 있어, 수정작업을 할 때는 보디 수정의 3요소를 일체로 생각하여야 한다. 즉, 고정, 인장, 계측작업이 동시에 이루어져야 한다.

고정이나 인장, 계측의 3요소 중에서 어느 한 가지라도 소홀히 하게 되거나, 잘못되면 차량이 완성된 후 제품에 결함이 나타나도 더 이상 수정할 수 없는 실수를 범하게 되거나, 손상되지 않은 제품을 망가트리는 결과를 초래할 수 있게 된다. 따라서 보디 수정의 3요소를 하나의 작업으로 생각하고 진행시키는 것이 합리적이고 효과적인 보디 수정의 조건이 된다.

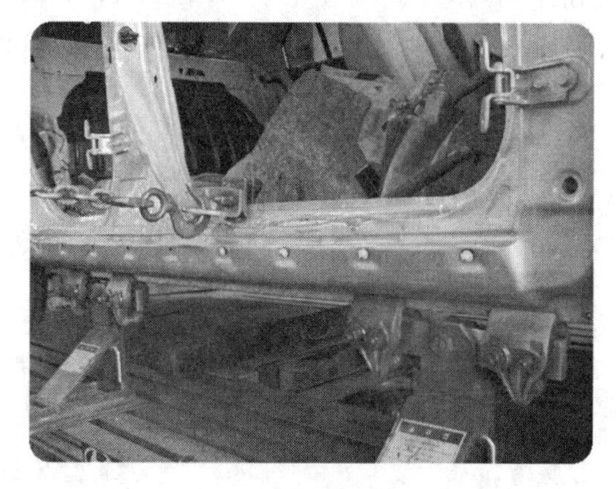

〈 고정 〉

〈 인장 〉

〈 계측 〉

보디 수정의 3요소

2 힘의 성질

보디수정 작업을 실시할 때, 필요한 장소에 필요한 크기의 힘을 가하는 것이 필수조건이 되기 때문에, 힘의 성질 자체를 이해하지 않으면 보디수정에 많은 어려움을 겪게 된다.

1 벡타

어떤 특정의 힘을 표시할 때, 힘의 크기와 방향의 두 가지 요소로서 나타나게 되는데, 힘이 가지고 있는 방향과 힘의 크기를 벡타라 한다.

힘 이외에도 바람(풍향과 풍속), 속도(진행방향과 속도), 물의 흐름(흐름의 방향과 강도)등이 같은 종류에 해당된다.

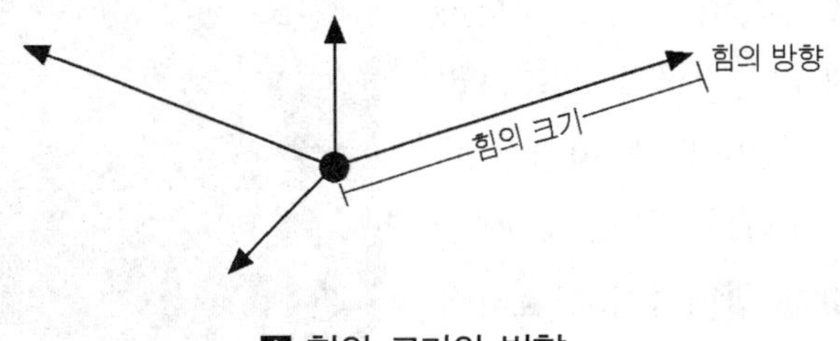

힘의 크기와 방향

그리고 벡타는 화살표를 사용하여 도면 위에 나타낼 수가 있으며, 이 화살표는 합하거나 분해가 가능하다. 대개는 화살표의 길이를 힘의 크기로 나타내고, 화살표의 방향이 힘의 방향이 된다.

물론 힘의 크기나 방향을 말하는 것은, 실제의 보디 수리에서 정밀한 대답을 얻을 수 없기 때문에 대충적인 것에 지나지 않지만, 인장방향(잡아당기는 방향)을 생각할 때 수리 방법의 결정에 많은 도움이 된다.

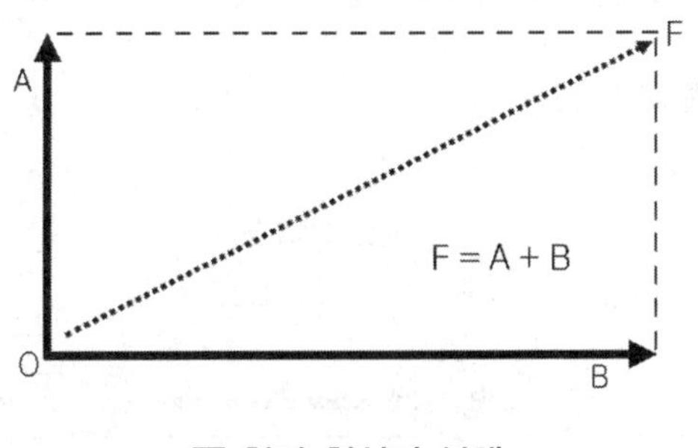

※ 0점으로 가해진 힘 F는 a와 b의 두 방향으로 분해되어 전달되는 것을 알 수 있다.

※ a와 b 두개의 힘으로 F라는 힘을 만들어 낸다.

힘의 합성과 분해

보디에 가해진 힘이 어디에서, 어떻게, 어느 방향으로 가해졌는가를 알게 되면 어느 방향에서 어떻게 힘을 가해는 것이 효과적인가를 알 수가 있다. 예를 들어 보면 보디의 코너 부위에서는 어느 방향으로 잡아당기는 것이 효과적인가 등의 경사진 힘의 방향을 결정하는데 도움이 된다.

2 관성의 작용

어떤 힘을 가할 경우에, 순간적인 힘이 작용하는 경우와 지그시(천천히) 힘이 가해지는 경우에는 같은 크기의 힘이라도 그 결과가 다르게 된다. 이것은 어떤 물질에도 관성이라는 성질이 있기 때문이다. 관성이란 물질의 움직임을 나타내며 물질의 무게에 따라 움직이는 것과 정지하는 것이 각각 다르다. 예를 들면, 사고시의 충격은 순간적인 힘이기 때문에 정지하고 있는 자동차의 경우에도 관성에 의해서 멈추어 있게 되고 이것에 의해 보디에는 손상이 생기게 된다. 인장작업은 천천히(느린 속도로) 힘을 가하기 때문에 고정지점이 없는 자동차에 힘을 가하면, 자동차는 이동하게 되어 변형을 수정하는 것은 불가능하다.

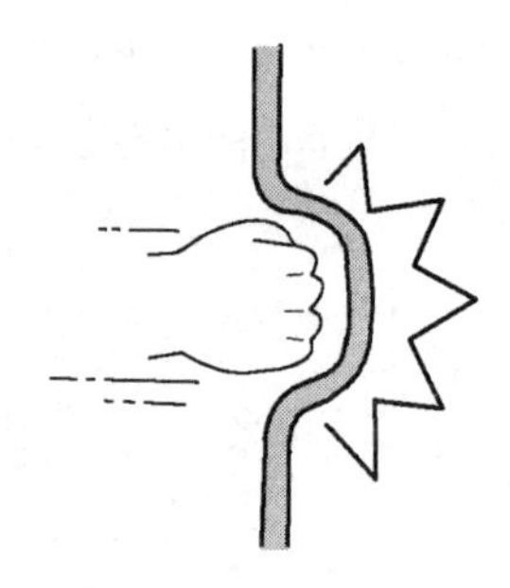

(a) 순간적인 힘에 의한 손상

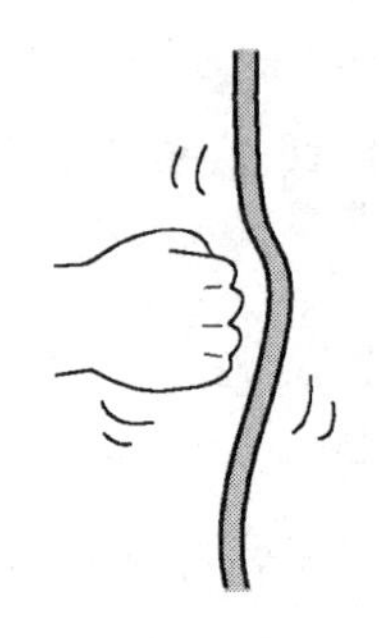

(b) 지그시 가한 힘에 의한 손상

힘을 가하는 방법과 손상상태

무거운 물건일수록 움직이기 어렵고, 처음 이동시작과 멈춤에는 큰 힘을 필요로 한다.

관성의 작용

힘이 전달되는 범위도 순간적인 힘은 비교적 좁은 범위에 전달되고 천천히 가해진 힘은 전체적으로 넓은 범위로 전달된다.

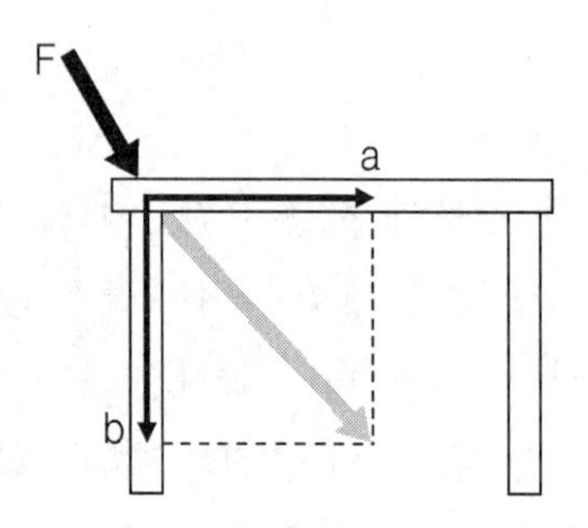

보디에 가해진 힘 F는 라디에이터 코어 스폿 패널 a와 펜더 에이프런 패널 어셈블리 b에 분해되어 전달된다.

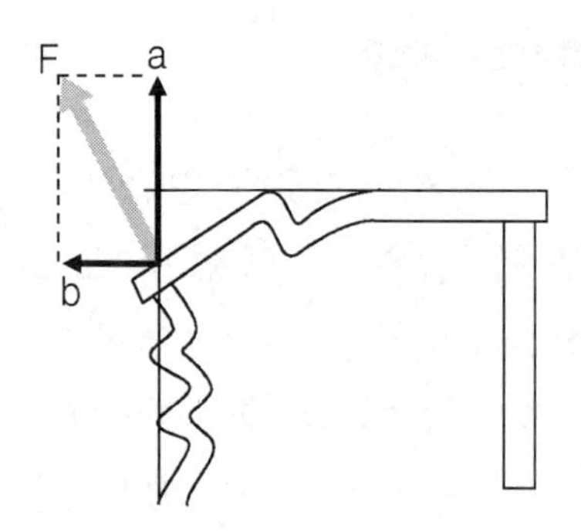

a와 b 두 방향의 인장작업으로 보디를 F 방향으로 수정하는 것이 가능하다.

벡타의 응용

③ 응력의 집중

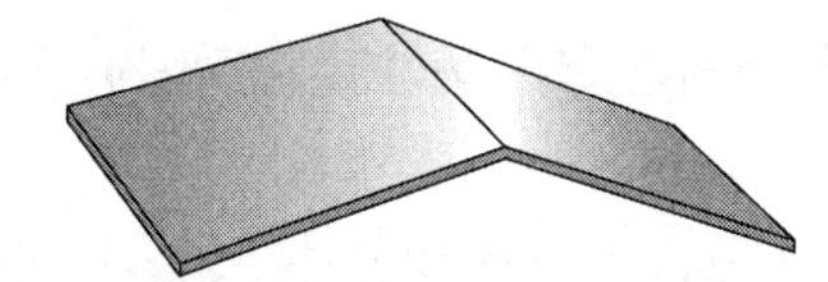

전체가 균일하면 구부러지는 곳은 힘이 걸리는 방향에 따라 다르다.

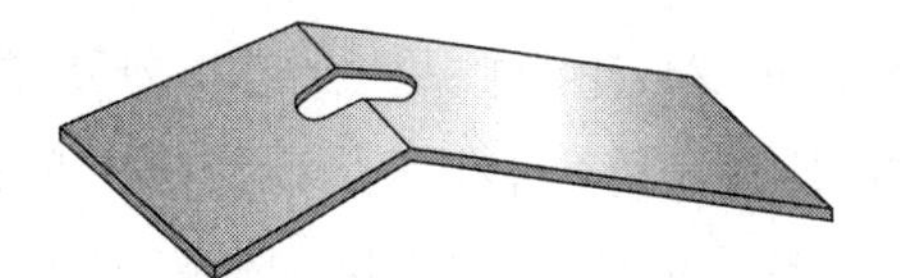

응력이 집중되는 부분이 있으면 반드시 그 곳에서부터 먼저 구부러진다.

▣ 응력의 집중

힘이 물질(강판)의 가운데 전달될 때 물질의 모양이나 면적, 성질 등이 변화하게 되는 경우가 있으며, 이 때 그 부위에 집중된 힘이 작용하게 되는데, 이것을 응력의 집중이라 한다. 응력이 집중되는 부위는 아래 그림에서 보듯이 구멍이 있는 부위, 단면적이 적은 부위, 곡면이 있는 부위 등으로 이러한 부위는 힘이 가해지는 장소나 그 주변보다 먼저 손상을 받는 부위가 된다.

모노코크 보디의 충격 흡수 구조는 이 원리를 이용하여 설계되어 진다.

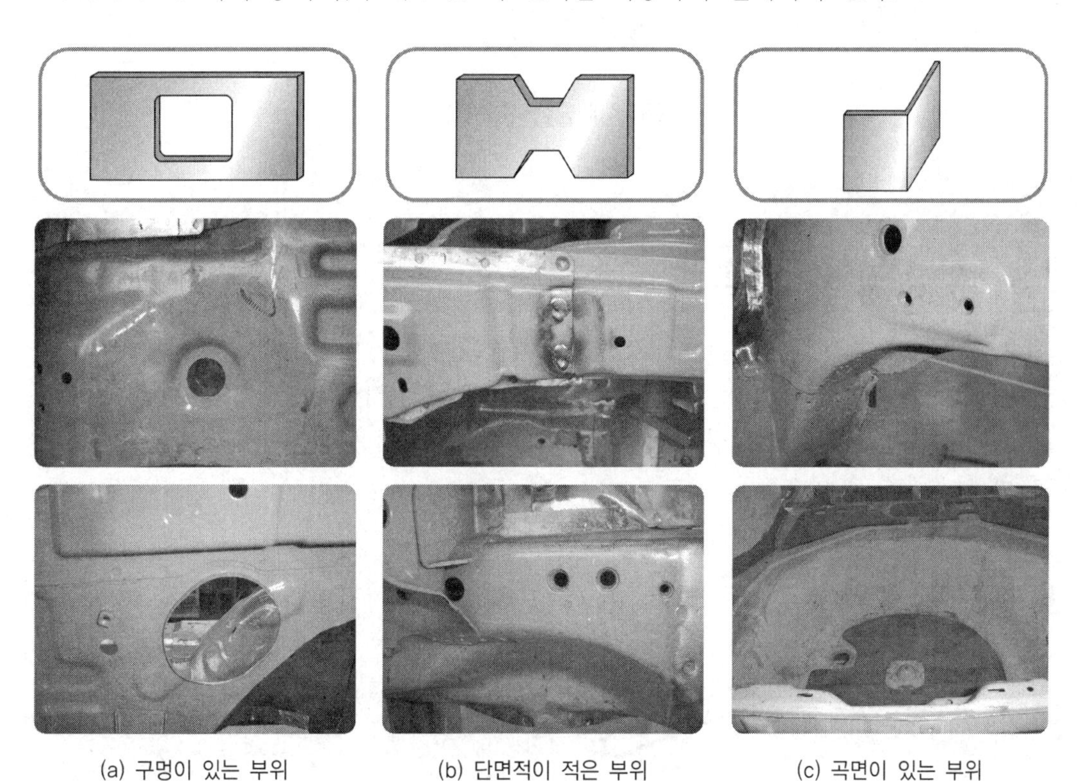

(a) 구멍이 있는 부위　(b) 단면적이 적은 부위　(c) 곡면이 있는 부위

▣ 응력이 집중되는 부위

4 모멘트의 발생

물질의 중심에서 떨어진 부분에 힘을 가할 경우 가해진 힘은 똑바로 작용하게 되고 가해진 상대 물체를 회전시키는 힘이 발생하게 된다. 이것이 모멘트이다.

모멘트를 무시하고 적당한 인장작업을 하게 되면 보디 전체를 회전시킨다든지, 비틀리게 되는 힘이 발생하여 생각하지도 않은 장소(손상이 없는 부분)를 변형시키는 경우가 있다.

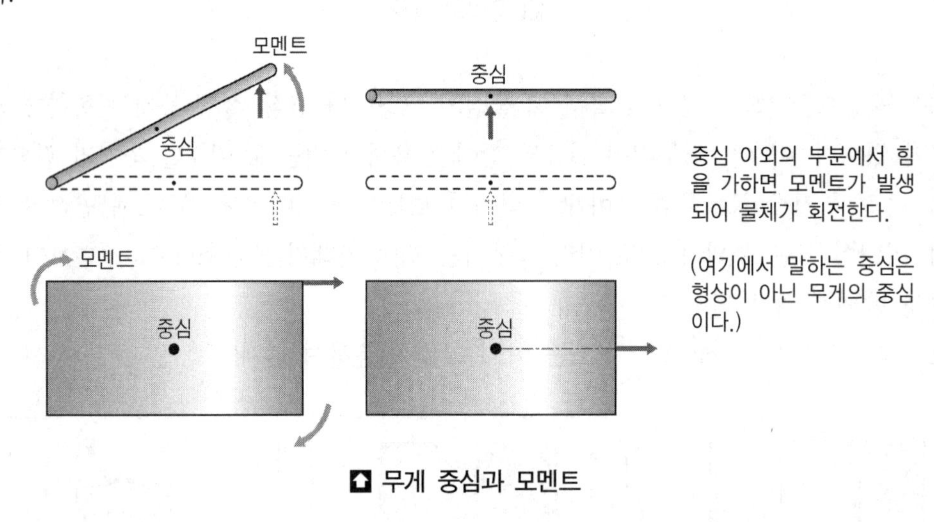

무게 중심과 모멘트

3 인장 작업의 기초

복잡한 구조를 가지고 있는 자동차 보디를 취급하기 전에 단순히 균일한 구조를 가진 봉이나 패널, 입체물 등의 수정을 통하여 당김 작업 시에 작용하는 힘에 대해서 알아보도록 하자.

1 단순한 봉의 수정

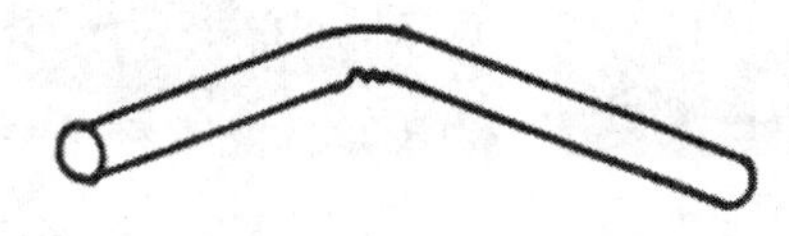

먼저 균일한 재료로 만들어진 봉이 구부러져 있다고 보자.

한쪽 방향에서만 힘을 가하면 봉은 쭈르르 미끄러지면서 이동할 뿐, 곡선을 직선으로 수정할 수 없다.

한쪽은 고정시키고 반대방향으로 잡아당기게 되면 똑바로 펴지게 할 수 있다.

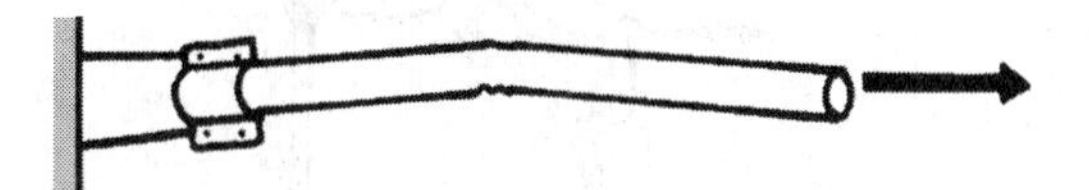

위 그림과 반대로 인장방향과 고정을 반대로 하여도 같은 사항이 된다.

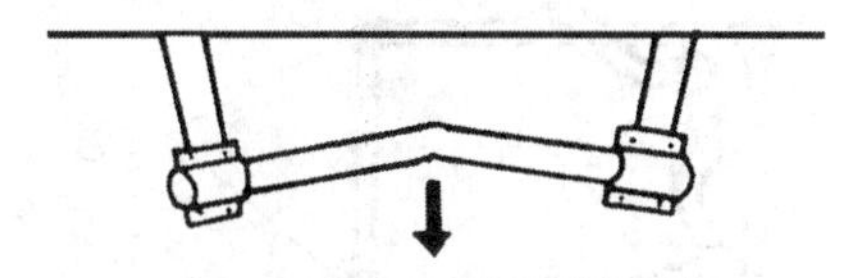

봉의 양단을 고정시키고 구부러진 부분에 힘을 가해도 수정이 가능하다.

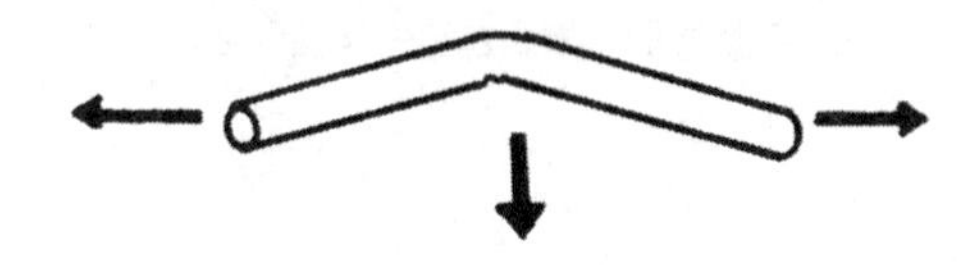

어디라도 같으면 한번에 3개의 힘을 가하는 것이 제일 빠른 방법이다. 각각의 힘을 3등분하는 것도 같은 모양으로 수정이 가능하다.
힘을 1/3씩 분해하여 힘을 동시에 가하면 봉의 재료가 약해도 인장하는 것이 어렵지 않고 적은 힘으로 수정이 가능하여 힘을 한 장소에 모아서 인장하는 것 보다 유리하다.

② 평면적 패널의 수정

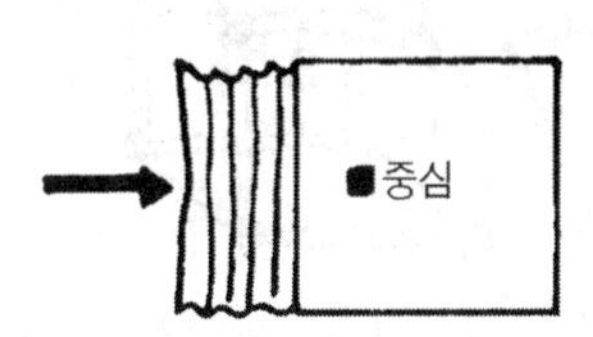

같은 재료로서 균일하게 만들어진 패널이 변형되어 있다고 보자

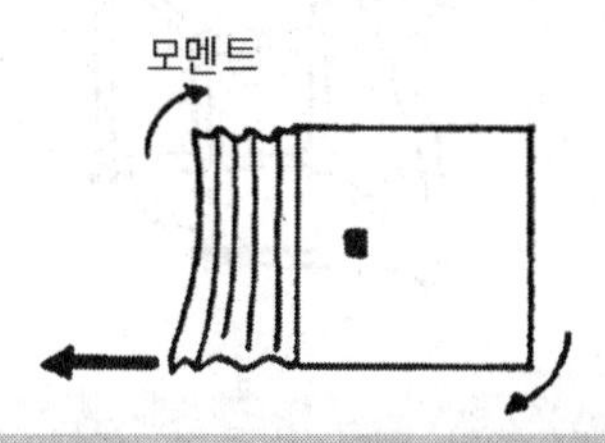

패널의 한쪽 측면에서 인장을 하게 되면 모멘트가 발생하여 패널이 회전한다.

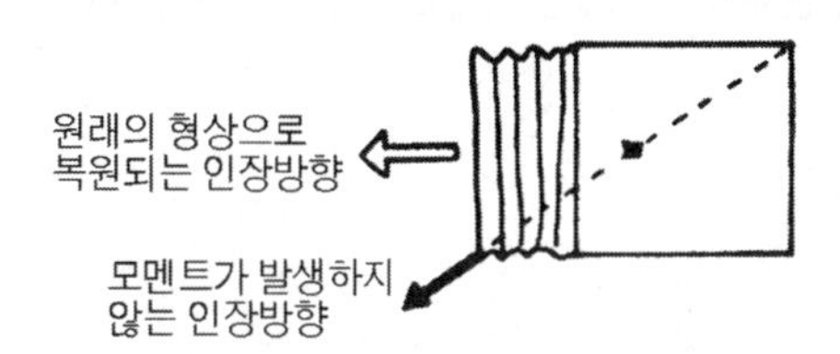

중심선에서 연장선을 인장하거나, 원래의 형상으로 되돌아가는 방향과 일치하면 모멘트 발생은 없다.

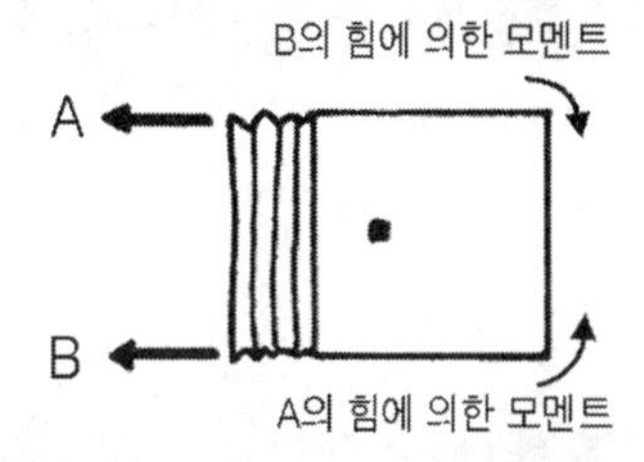

위와 아래의 두 곳에서 동시에 잡아당기면, 모멘트는 상쇄되어 원래의 형상으로 되돌리는 것이 가능하다.

3 파이프를 조합한 면의 수정

파이프를 조합하여 만들어진 면의 수정을 고찰하면 실제의 보디 구조 수정에 조금은 가깝게 접근할 수 있다.

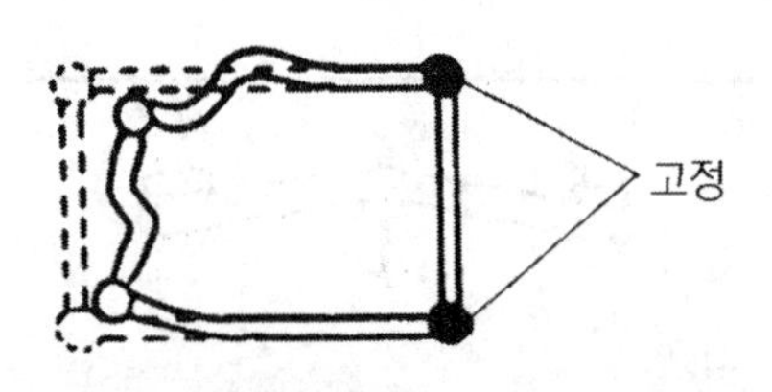

어느 방향으로 수정할 것인가? 하는 것을 곧바로는 판단하기가 어렵기 때문에 변형된 파이프를 각각의 봉으로 고찰하면 그림의 모양으로 된다.

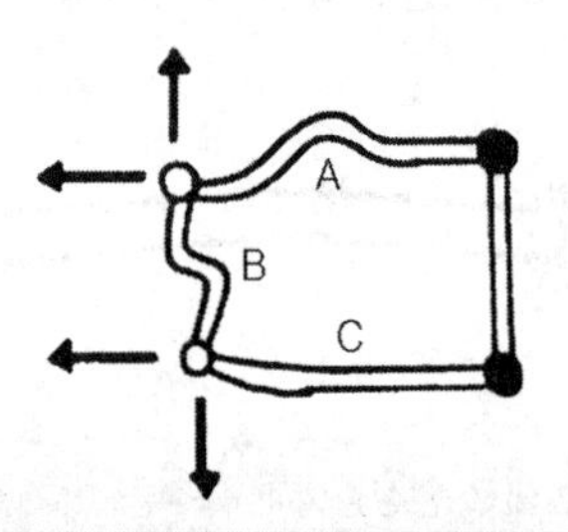

그림에서와 같이 A와 C의 파이프는 전방으로 인장하고, B의 파이프는 좌우 방향으로 인장하면 된다. 각각의 파이프가 똑바로 펴지게 되면 전체적인 모양도 본래의 형상으로 되돌아간다.

4 입체물의 수정

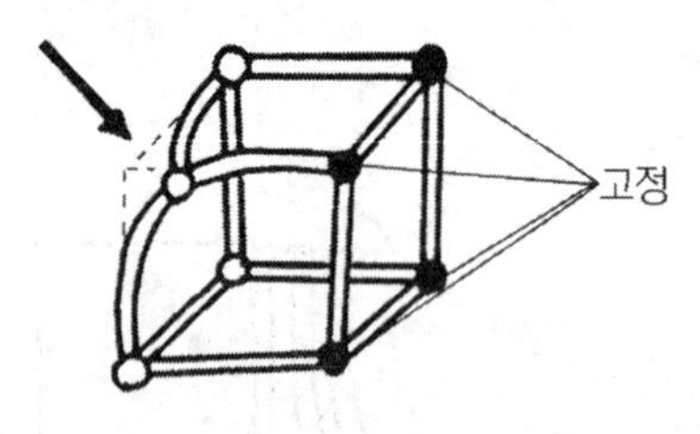

그림에서와 같이 입체물의 변형 상태는 단순하지만, 이것 또한 A, B, C 3개의 파이프를 똑바르게 펴지게 하면 전체를 원상으로 복원하는 것이 가능하다.

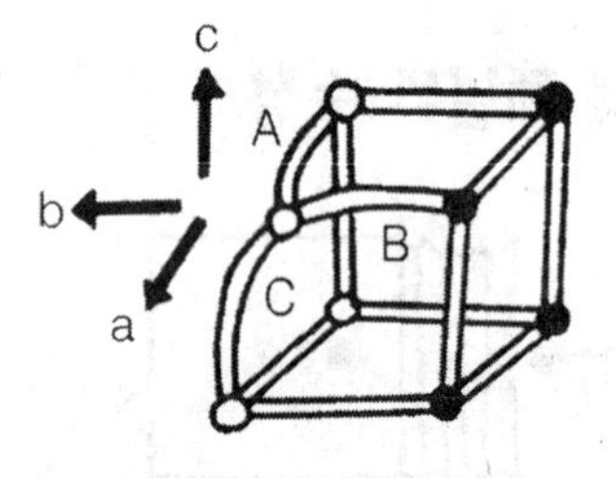

A, B, C의 변형된 파이프는 각각 a, b, c의 힘으로 똑바르게 복원시키는 것이 가능하다.

4 보디 손상의 확인

① 손상 확인의 중요성

보디의 어느 부분이 어떻게 손상을 받았는가 하는 것을 정확하게 아는 것은 보디 수정 작업에 있어서 대단히 중요한 부분이다. 이것쯤이야 눈으로 보는 것만으로 라고 생각할지도 모르지만 복잡한 보디 구조 가운데에서는 생각하지도 않은 장소에서 변형이 있다든지, 손상의 중심에서 상당히 멀리 떨어져 있는 부분에도 일그러짐이 있는 경우도 있으므로, 눈으로 보는 것만으로 판단할 수 없는 넓은 범위의 고장도 있다. 그러므로 어렴풋이 멀리서 바라보는 것만으로는 안 되며, 중요한 부분의 손상을 빠뜨리는 일이 없는 확인 작업이 요구된다.

② 손상되기 쉬운 장소

보디 패널은 장소에 따라 강도가 다르며 충격흡수 구조에 따라 손상되기 쉬운 부위가 있다. 따라서 일정한 범위로 충격을 받은 경우에 손상되기 쉬운 부위가 각 장소에 있다.

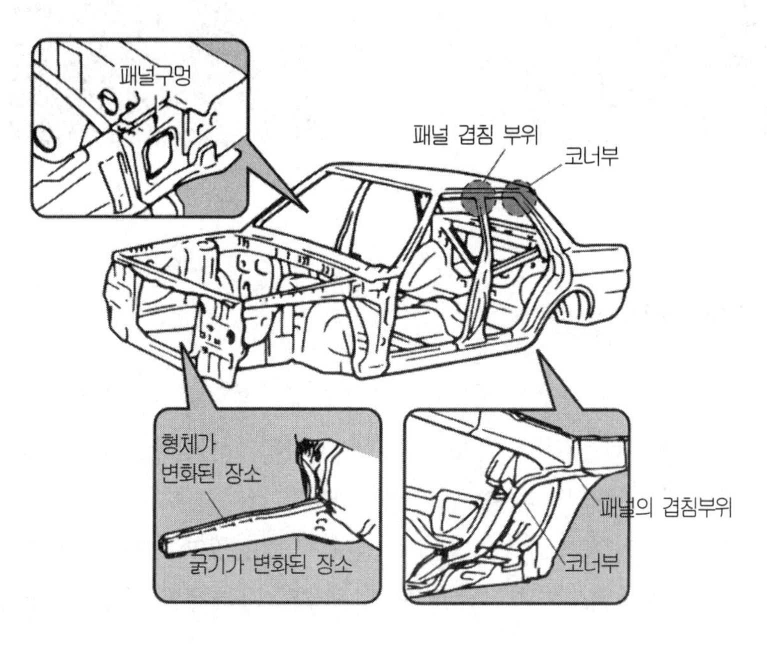

손상되기 쉬운 장소

이러한 장소를 점검함으로써 손상이 어디까지 확대 되어 있는지를 아는 것이 가능하게 된다. 이 부분을 다른 말로서 표현하면 응력 집중이 쉬운 장소가 된다. 예를 들면, 패널에 구멍이 뚫려있는 부분, 코너 부분, 멤버나 휠 하우스 등에 큰 곡선으로 되어 있는 장소, 패널을 연결하여 합쳐져 있는 부분 등이 여기에 해당된다.

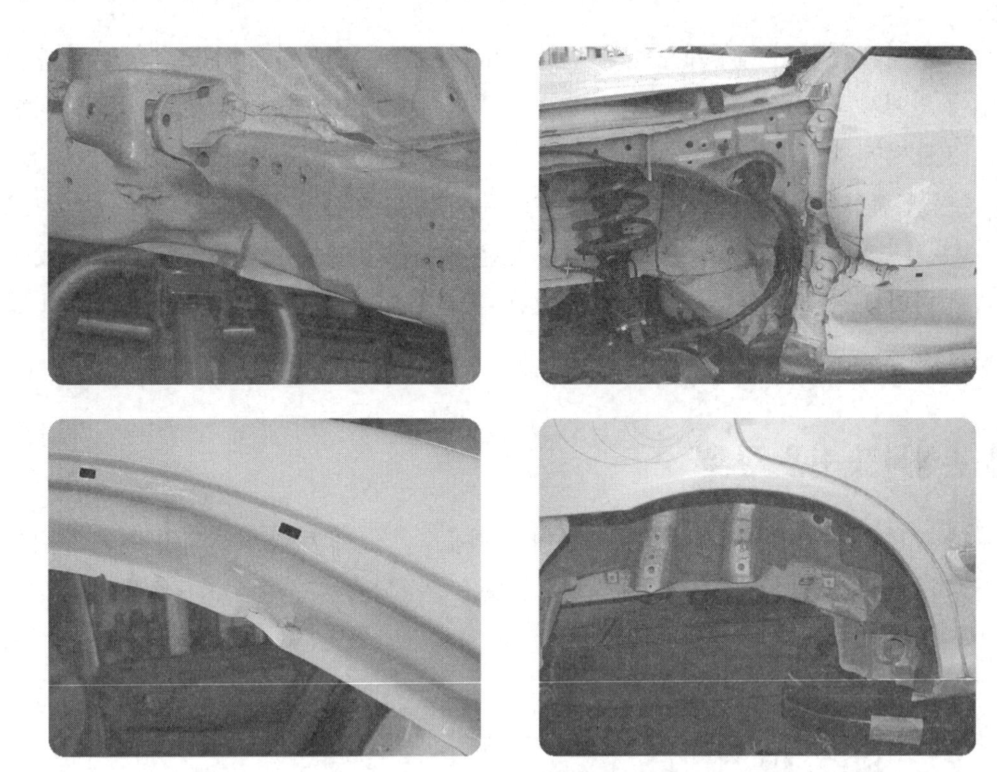

손상되기 쉬운 장소

③ 패널의 개폐 상태 점검

도어나 후드(HOOD)처럼 인접한 패널과의 틈 사이를 점검함으로써 보디의 손상을 점검하는 것이 가능하다. 예를 들면, 프런트 펜더와 도어의 틈 사이가 없고 전후 도어의 틈 사이가 정상이라면 프런트 필러 뒤쪽으로는 손상이 없는 것으로 판단된다.

전후 도어의 틈 사이가 좁으면 도어 개구부까지 변형이 있게 된다. 또한 틈 사이의 상하 간격이 동일하지 않으면, 그 차이만큼 보디 전체가 기울어져 있거나, 뒤틀려 있다는 증거이다.

아래의 사진은 사고차량 패널의 변형된 모습들이다.

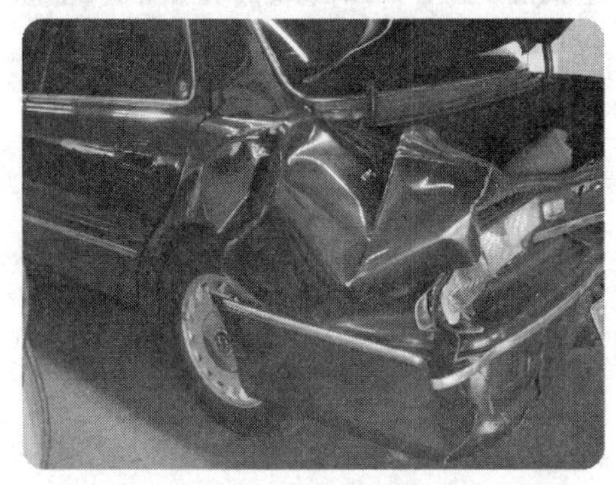

후면부 충돌로 인한 멤버 및 패널의 변형

프런트 필러부의 변형으로 인한 펜더와 도어의 단차 발생

프런트 필러부의 변형으로 인한 도어와 도어와의 단차 발생

프런트 필러부의 변형으로 인한 펜더와 후드와의 단차 발생

후면부 충돌로 인한 쿼터패널과 트렁크 리드와의 단차 발생(좁아짐)

후면부 충돌로 인한 쿼터패널과 트렁크 리드와의 단차 발생(넓어짐)

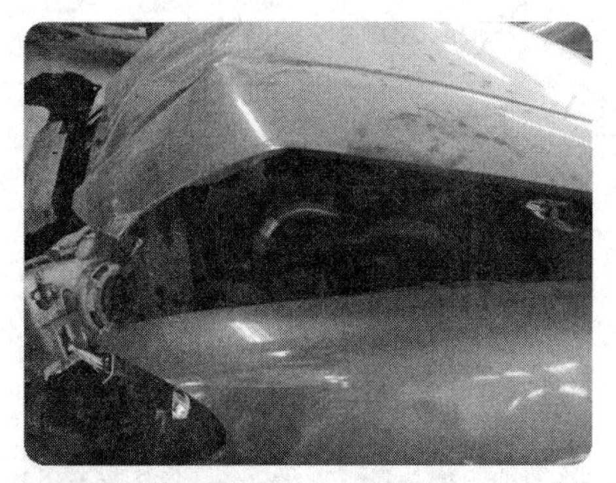

전면부 충돌로 인한 후드의 변형
(후드가 꺾이어 올라감)

전면부 충돌로 인한 도어의 단차
(상단 : 좁아짐, 하단 : 넓어짐)

사고차량 패널의 변형된 모습

4 보디의 구조와 손상되는 방향

못을 박을 때 조금이라도 경사지게 하여 박게 되면 즉시 못은 구부러져 버리고 말지만, 똑바로 세워서 박으면 나무에 박히게 된다. 그림에서 보듯이 사이드 멤버의 정면에서 바른 힘이 가해지면, 멤버의 손상은 적은 반면, 멤버의 손상은 적은 반면, 멤버의 부착부분이 되는 대시 패널이 움푹 패여 들어가는 변형이 발생하는 경우가 있다.

일반적으로 충격을 받은 부분의 주변 손상이 심하고, 거리가 멀어짐에 따라 손상이 경미해 지는 경우가 대부분이기 때문에 이러한 손상을 확인하지 못하고 작업을 진행하게 되면 정상적인 보디 수정은 기대할 수 없게 된다.

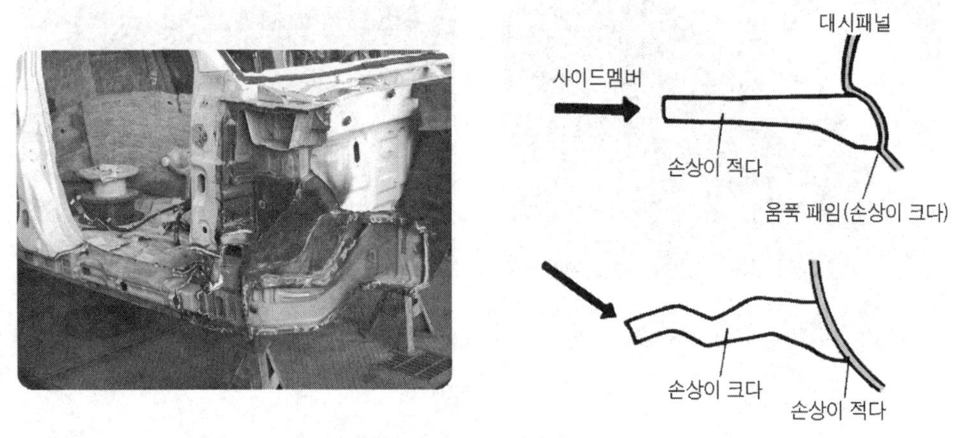

힘의 방향과 손상되는 방향

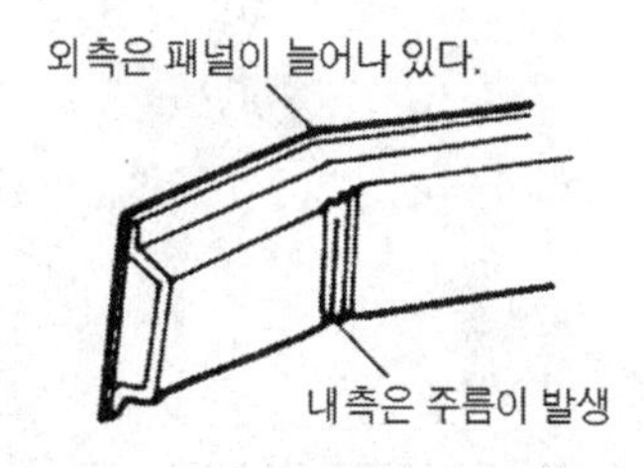

멤버류의 손상

멤버류나 필러 등과 같이 상자모양의 구조로 되어 있는 부위에 변형이 있는 경우에는 굴곡의 내측은 주름형태의 손상이 생기게 된다. 육안으로 관찰했을 때 어느 곳이 주름상태로 되어 있으면 그 멤버는 주름을 안쪽으로 하여 구부러져 있는 것을 확인할 수 있다.

5 2차적인 충격에 의한 손상

자동차는 사람이 타지 않고 주행 되는 경우가 없기 때문에 사고 시에는 타고 있는 사람이나 화물의 이동에 의한 손상도 발생하게 되는데, 이것을 확인하지 못하는 경우가 있다. 스티어링 휠, 인스트루먼트 패널, 전면유리, 트렁크 룸 안쪽 등이 이러한 손상이 발생되는 경우에 해당된다.

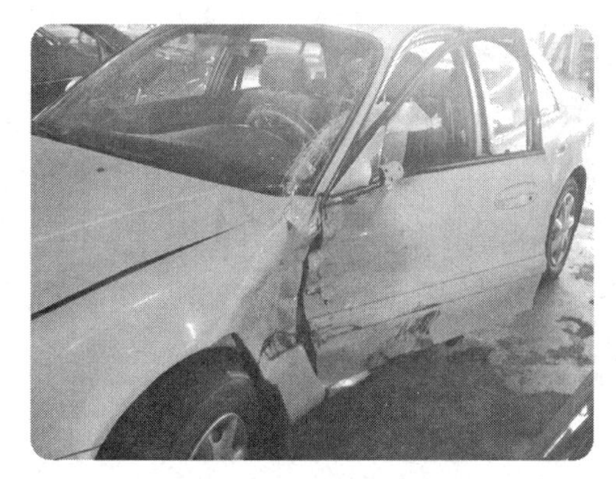

유리 파손

내부 인테리어 이상

엔진 및 하체부분 파손

스티어링 휠 및 인스트루먼트 패널 파손

루프 및 필러부의 변형

도어의 변형

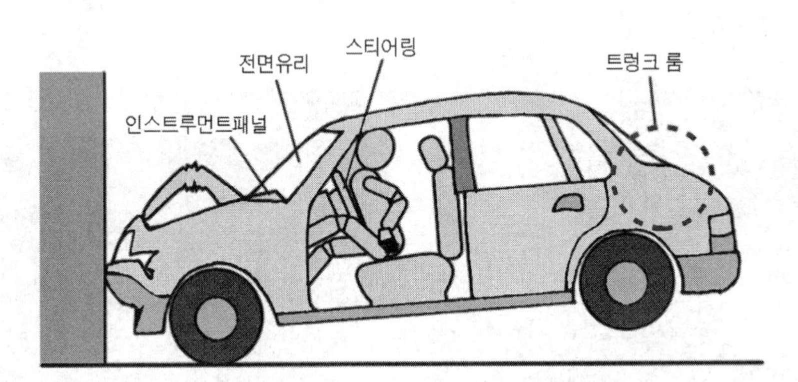

사람이나 화물에 의한 손상

2차 손상의 여러 가지 형태

5 차체 고정

1 고정의 목적과 방법

고정이란 손상된 차량을 차체수정 장비를 이용하여 수정작업을 실시할 때 작업 중 차량이 움직이지 않도록 고정하는 것으로서, 기본고정과 추가고정으로 나눌 수 있다.

차체의 고정은 고정 부분이 헐거워지거나 강도가 부족한 위치를 피해서 선택할 필요가 있다. 이는 차체 인장 작업 중 인장 방향으로 차체가 이동하지 않도록 방지하는 역할을 한다. 잘못된 고정 방법은 자기 자신과 타인을 매우 위험한 상태로 빠뜨릴 위험이 있기 때문에 확실한 고정으로 확실한 작업이 이루어지도록 해야 한다.

2 고정의 목적

(1) 차체의 이동 방지

차체 골격부위의 변형을 회복시키기 위해서는 약 1 ~ 5톤의 큰 힘이 필요하다. 이 힘을 견뎌내는 차량의 설치부나 수정기의 고정 부분이 불완전한 상태라면, 차량을 인장하는 인장력이 차량을 이동시키는 결과가 된다.

따라서 차량 및 수정기의 고정은 수정 작업에 필요한 인장력에 견딜 수 있어야 한다.

(2) 인장력을 균등히 분산한다

인장력이 한 부분에 집중되는 일이 없도록, 차체 전체 및 수정 장비에 고정한 부분에 분산시켜 차체의 2차 손상을 방지한다.

(3) 고정 부위

차체의 고정부위는 강도상, 프런트 필러 및 리어 필러의 밑 부분을 선택한다. 고정은 우측의 그림과 같은 섀시 클램프를 이용하는 것이 일반적이고 설치할 때에는 클램프의 톱니가 인장(당김) 방향의 반대 방향이 되도록 설치한다.

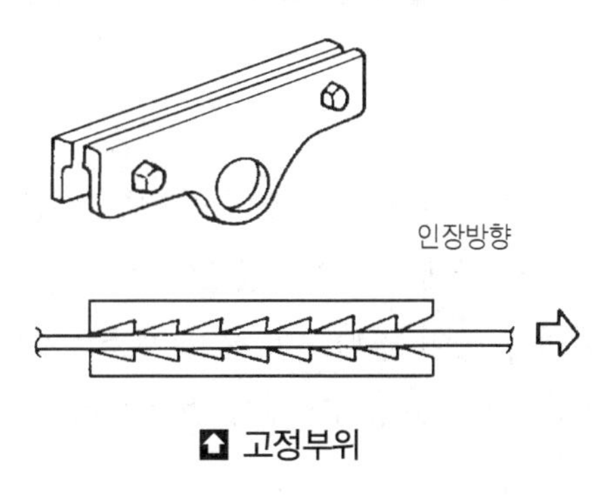

고정부위

(4) 고정의 필요성

타이어가 부착되어 있는 자동차를 체인 블록이나 유압 램으로 인장을 하게 되면, 인장하는 방향으로 이동하게 된다. 타이어 이외의 것도 이와 마찬가지이다. 이렇게 되면 보디를 수정할 수 없기 때문에 보디를 확실하게 고정해야 한다.

그렇다고 하여 아무 곳이나 고정하여도 좋다는 것은 아니다. 인장작업에 의해서 가해지는 힘은 그대로 고정 장소에도 가해지기 때문에 고정지점을 잘못 선택하게 되면 또 다른 부분을 손상시키는 경우도 있다.

또한, 인장작업에 따라 모멘트(회전력)가 발생하기 때문에 비정상적인 방법으로 힘이 작용되면 차체를 손상시키는 일이 발생하게 된다.

(5) 기본적인 고정

차체고정에는 앞에서도 이야기 했듯이 기본적인 고정과 인장작업의 필요에 따라 추가되는 고정이 있다. 기본적인 고정은 차체수정 장치에 한 세트로 되어 있어 설치할 수 있게 되어 있어서 측면 손상을 제외하고 대개의 사고차량에 대해서는 같은 방법으로 설치한다.

기본 고정의 예

고정 부위는 사이드 실 아래의 플랜지 부위로써 전후, 좌우의 4개소가 원칙이다. 4개의 고정용 클램프는 가능한 고정지점에서 가까운 위치에 파이프 등으로 상호 병렬상태로 연결하는 것이 좋다. 이것은 4개소의 고정용 클램프가 일체로 되어 있어서 인장 작업에서 받은 힘이 고정지점에서 멈추어 있기 때문이다.

본래 자동차의 사이드 실(side sill) 패널은 인장작업에서 발생되는 힘에 견딜 수 있도록 설계되어있지 않기 때문에 고정부분에 제각기 다른 힘이 가해지면 사이드 실을 변형시키는 경우가 있다. 하지만, 4개소를 일체로 하여 정확하게 고정시키면 그러한 걱정은 하지 않아도 된다.

(6) 기본고정의 특수한 예

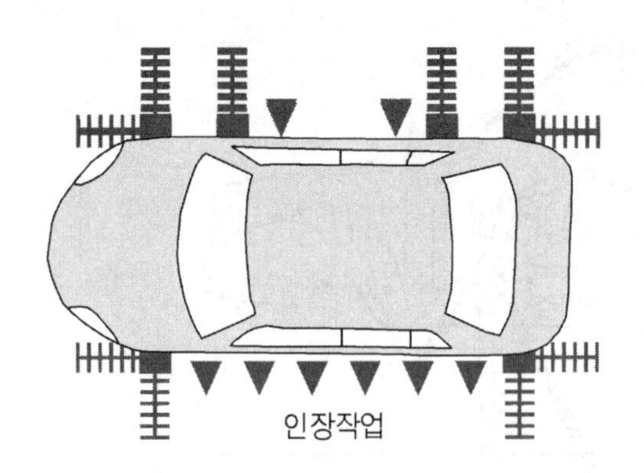

사이드 손상의 고정 예

① **사이드 실 하부(下部) 플랜지의 고정**

일반적인 클램프 설치 장소이다. 우측 그림(그림A)과 같이 사이드실 아우터와 인너로 형성되어 있는 폐단 면 하부의 용접된 플랜지에 고정한다.

② **사이드 실 상부(上部) 플랜지의 고정**

차체의 구조에 따라서는 사이드 실의 하부에 플랜지가 없는 구조도 있다. 이 경우는 우측 그림(그림B)과 같이 상부의 플랜지를 사용하여 고정한다.

사이드 실 아래 부분에 플랜지가 없는 차종에서는 사이드 실 상부의 몰딩이나 커버류를 탈거하고, 상부 플랜지에 고정용 클램프를 상부 플랜지에 고정한다. 대부분 수정 장치에는

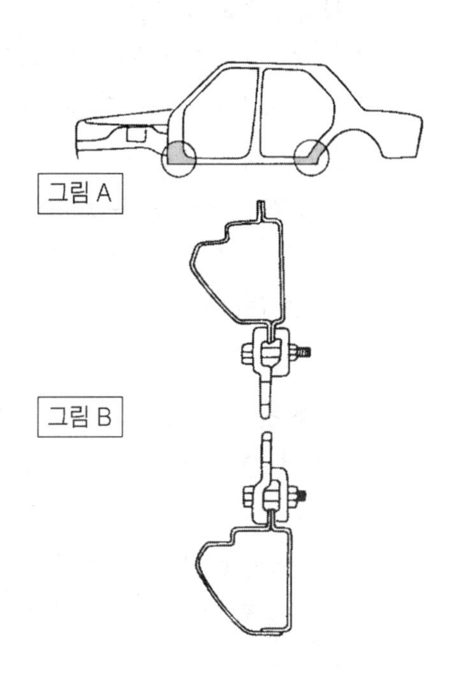

이 방법으로도 고정할 수 있는 용도로 되어 있다.

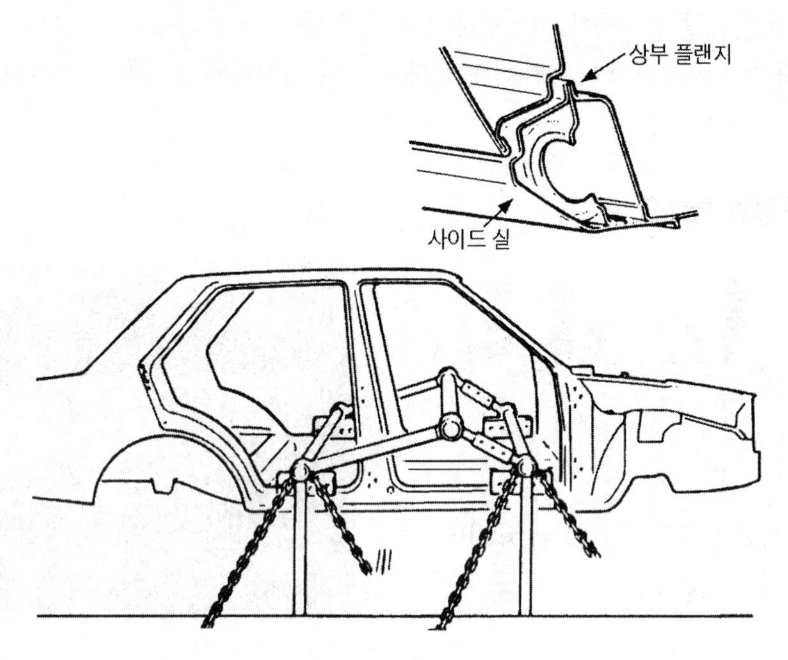

사이드 실 아랫부분에 플랜지가 없는 차종의 고정

③ 사이드 멤버의 고정

프레임 붙임 승용차(예, 도요타의 크라운)에서는 보디와 프레임을 별도로 고정한다. 프레임 측에는 고정용 클램프를 부착할 수 없기 때문에 박판을 용접하여 클램프를 고정하지만, 전용 어태치먼트(부착, 부속품)를 사용하면 편리하다.

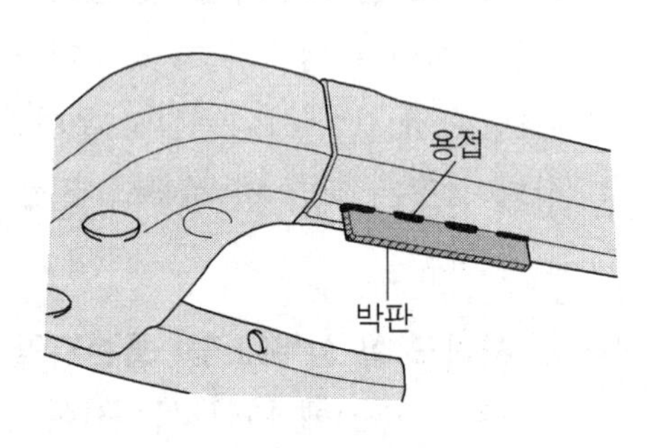

프레임 붙임 승용차의 고정

④ 원 박스(ONE BOX) 자동차 보디의 고정

원 박스(ONE BOX) 자동차에서는 차체의 양쪽 구조는 통상 승용차와 같은 구조의 폐 단면 구조를 가지고 있지 않은 것이 많다. 이런 구조의 차체에서는 강도가 있는 사이드 멤버에 섀시 클램프를 설치한다. 그러나 사이드 멤버는 섀시 클램프를 설치할 수 있도록 되어 있는 것이 거의 없기 때문에 두꺼운 강판(3~4㎜)을 용접하여 사용하는 경우가 있다.

⑤ **프레임의 고정**

프레임을 견고한 스탠드로 받치고, 앞뒤의 4곳에 체인을 감아 플로어 앵커에 고정한다.

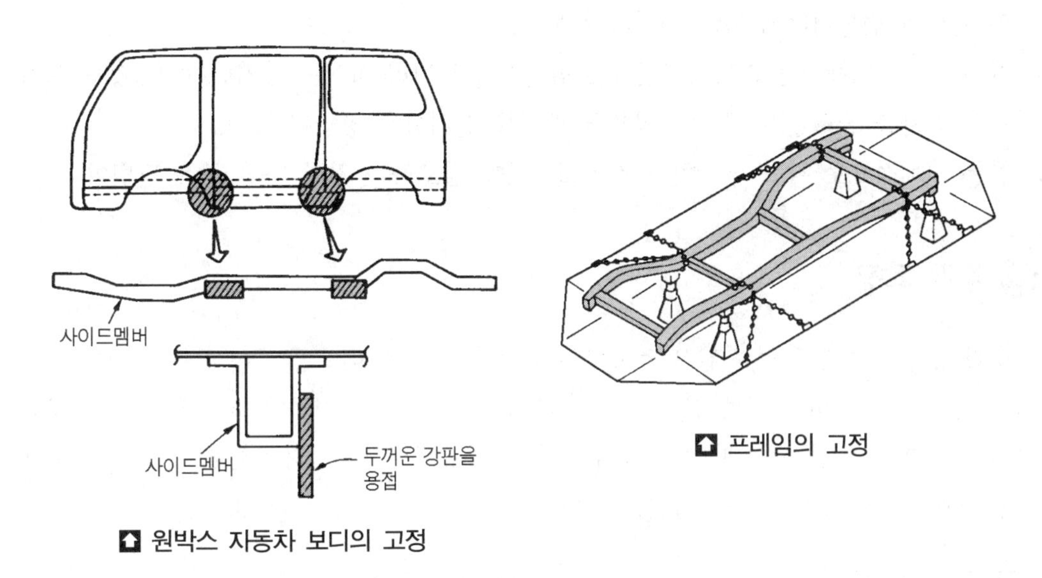

원박스 자동차 보디의 고정

프레임의 고정

6 보디 고정 방법

1 고정 작업의 순서

기본적인 고정 작업이란 사고 자동차의 보디를 수정 장치에 고정하는 것이라 할 수 있다. 따라서 수정장치의 기종에 따라서 약간의 차이는 있지만, 전체의 흐름은 대부분 같은 유형으로 되어 있다.

마루식 수정장치에서는 우선 사고차를 장치의 중앙으로 옮긴다. 이때 손상부위(앞 또는 뒤)에 따라 작업하기 쉬운 방향으로 자동차를 위치시키고 고정에 필요한 클램프 등을 자동차 주변에 옮겨놓고 나서 최초에 고정용 클램프를 부착한다.

기본 고정 작업

그리고 각 클램프 등으로 연결한다. 여기까지 작업을 하고 나서, 작키 또는 가라지 작키 등으로 자동차를 들어 올리고 나면 그 후의 작업에 대해서는 고정 장소에 고정 할 것인가 혹은 받침대 등으로 지지하여 체인을 걸어 고정할 것인가는 수정장치 뿐만 아니라 어떤 형태의 변형이냐에 따라 선택하면 된다.

벤치식 수정기에서는 리프트식인가 조립식인가에 따라 차이는 있지만, 어느 것도 벤치 위에 자동차를 올려놓기 전에 고정용 클램프를 설치하는 방법이 좋다.

물론 구체적으로 각 수정장치의 취급설명서를 참조하는 것이 가장 좋은 방법이다.

2 추가 고정

추가 고정은 인장 작업과 같은 것으로서 체인과 클램프, 체인 블록이나 유압 램을 사용하여 사고 유형에 따라 힘의 범위를 제한 할 수 있는 곳에 고정한다. 이것은 경미한 정도의 손상은 기본 고정만으로도 가능하지만, 수정 작업에서 큰 힘을 필요로 할 때에는 기본 고정 외에도 추가고정은 반드시 필요하다.

추가고정을 해줌으로써 얻어지는 효과는 다음과 같다.

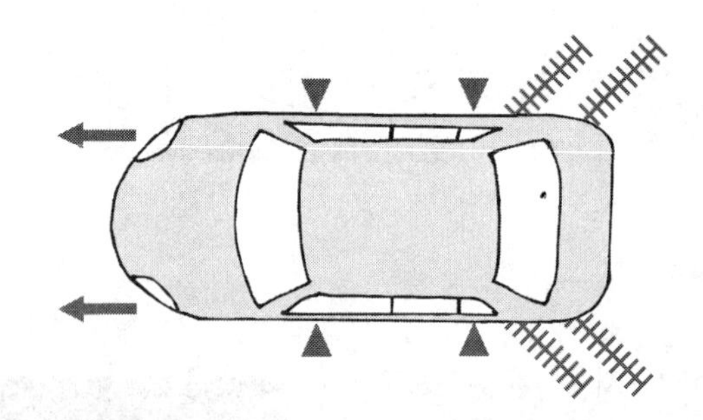

전면 및 후면에 추가 고정된 모습

(1) 기본 고정의 보강

기본고정에 체인을 사용하고 있는 경우에는 힘을 받는 방향에 따라 느슨해지기 쉽기 때문에 인장방향과 반대되는 지점에 고정을 추가하여 보디가 움직이지 않도록 한다. 기본 고정 장치가 견고하게 되어 있다면 필요가 없을 수도 있지만, 측면 손상이나 원 박스 차량 등의 고정에 해당되는 경우에는 꼭 필요하다.

(2) 모멘트 발생 제거

당김 작업은 항상 보디의 중심을 인장하지만은 않는다. 당김 방향에 따라 항상 발행할 수 있는 모멘트 발생을 방지할 수 있는 고정을 추가로 해주어야 한다.

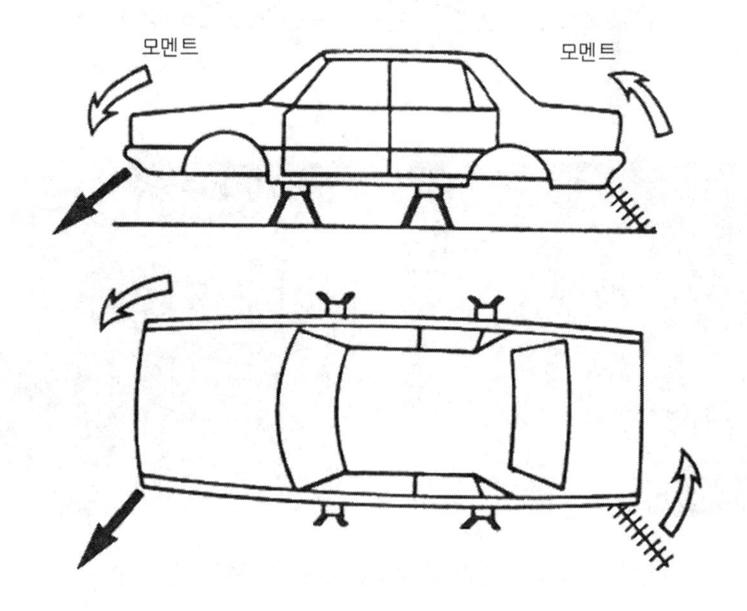

모멘트 발생을 방지하는 고정예

(3) 지나친 인장을 방지

예를 들면, 좌측 펜더 에이프런 패널을 좌측으로 인장할 경우에 우측 펜더 에이프런 패널에도 힘이 가해지기 때문에 필요에 따라 고정을 추가한다. 펜더 에이프런 패널이 부착되어 연결되어 있는 부분에 큰 힘을 가할 때에는 프런트 필러를 고정하는 것이 필요하게 된다.

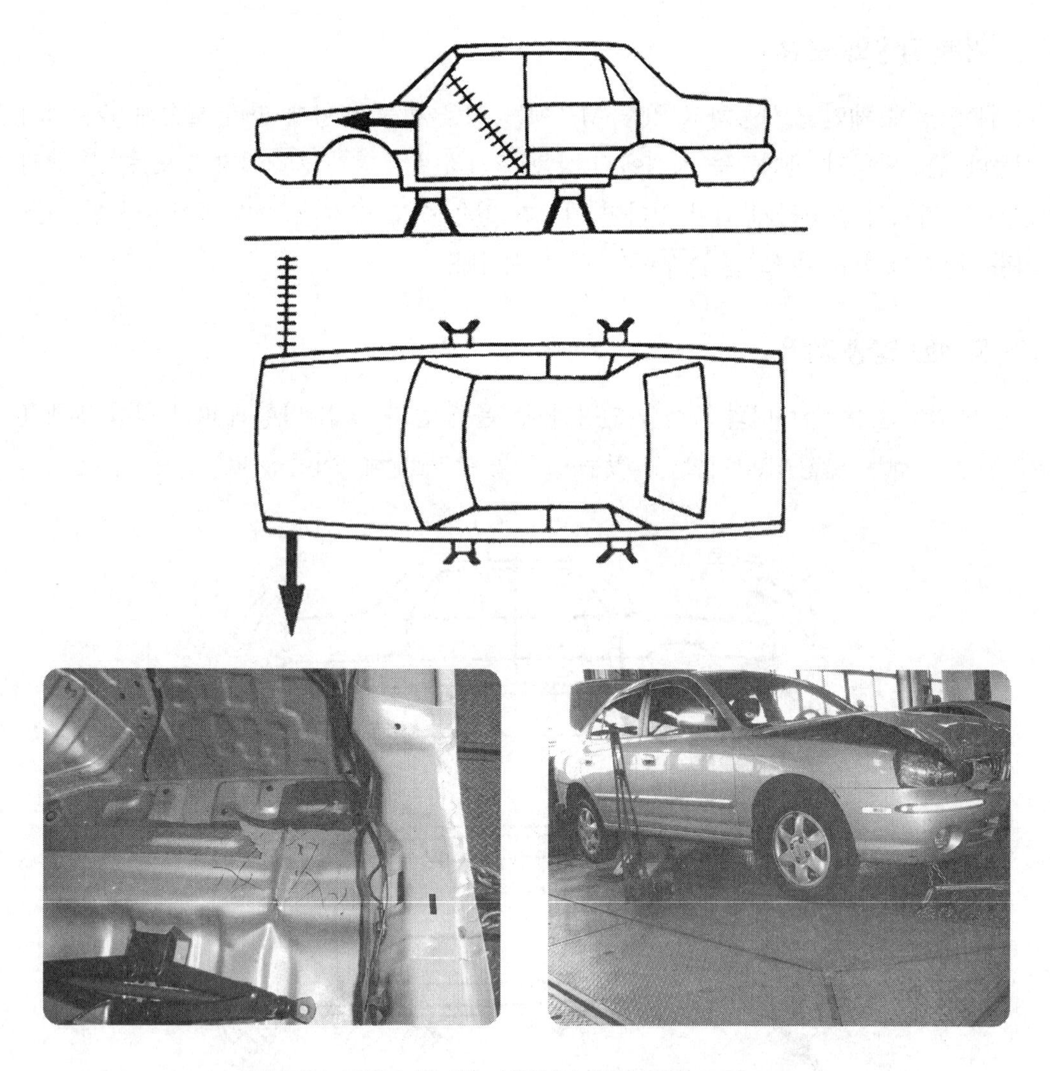

리어 사이드 멤버를 수정하기 위한 추가 고정 모습

(4) 용접부를 보호한다

아무리 신차의 용접부가 튼튼하더라도 접합부 가까운 곳에 큰 힘을 가하게 되면 위험 할 때도 있다. 스폿 용접 부를 보호하기 위해서는 용접부의 바로 앞에 고정을 추가한다.

용접부를 보호하는 고정

(5) 힘의 범위를 제한한다

인장 작업의 힘은 고정된 부분까지 전달된다. 그래서 대단히 좁은 범위에 힘을 가할 때에는 필요한 범위만큼의 뒤를 고정시키게 되면 그 이상 뒤로는 힘이 전달되지 않는다.

인장 작업의 힘은 필요한 만큼의 협소한 범위까지 작용시키는 방법이 가장 효과적이라 할 수 있다.

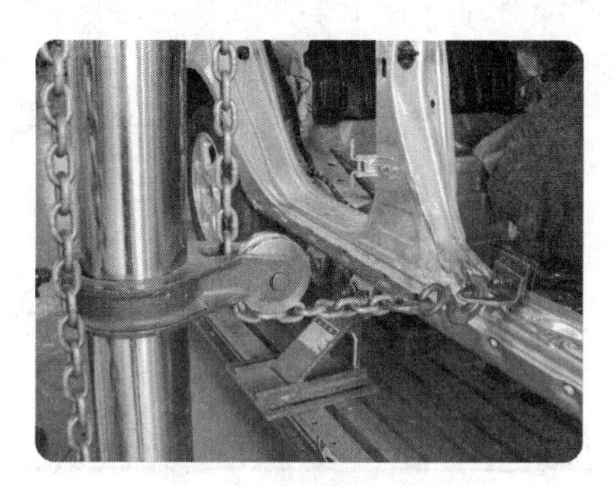

힘의 범위를 제한

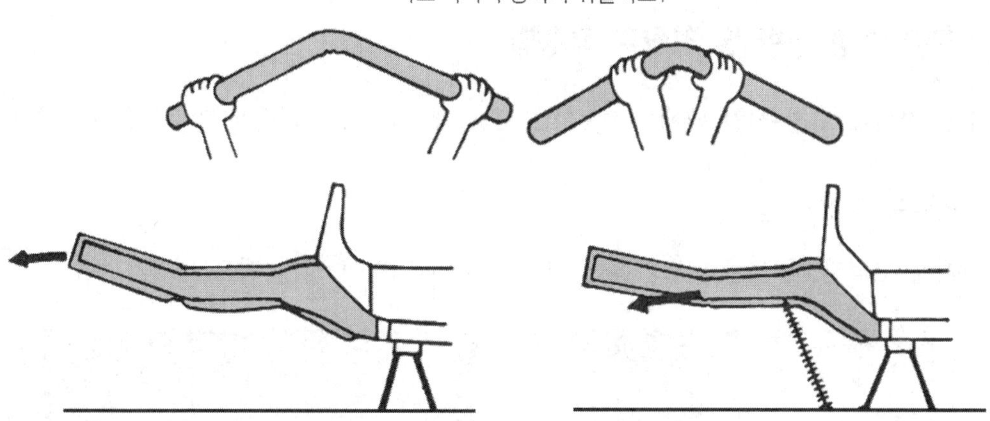

인장 작업의 힘을 좁은 범위로 집중시킨다

③ 엔진은 별도로 지지하여 놓는다

FF 차량은 프런트 부분에 엔진이나 밋션 등의 무거운 부품들이 집중되어 있기 때문에 그대로 수정 장치에 설치하게 되면 프런트 보디가 자체 중량에 의해 아래 부분으로 기울이게 된다. 이 상태로서는 계측 작업도 부정확하기 때문에 수정작업을 할 때에는 작키류로 윗 방향을 향해 지지하여 주는 것이 좋다. 트렁크 룸이 크게 되어 있는 차종에서는 리어 측으로도 같은 방법으로 지지하여 주는 것이 좋다.

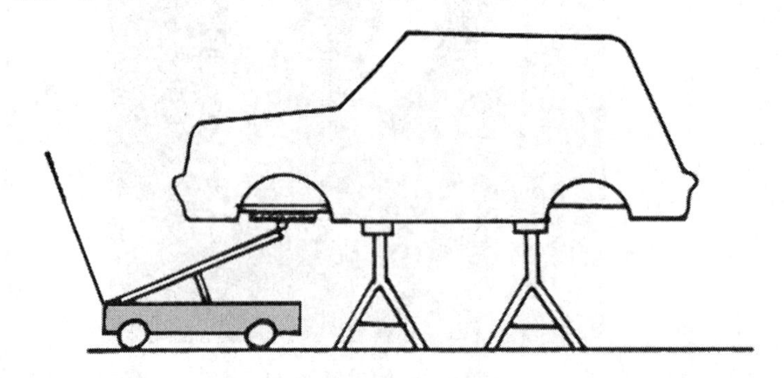

◘ 프런트 보디가 아래쪽으로 쳐지지 않게 작키 등으로 엔진을 지지한다.

④ 차체 수정 장비 별 차량의 고정법

수정 장치에 고정 시킬 때에는 일반적으로 크게 나누어서 다음과 같은 것들이 있다.

(1) 이동식 수정기

차체에 고정된 새시 클램프의 홀에 크로스 체인을 걸어 리지 랙으로 지지한다.

(2) 바닥식(마루식) 수정기

리지 랙으로 지지한 후 크로스 체인의 양 끝을 바닥의 레일이나 앵커에 고정한다.

최근에는 바닥면의 레일에 고정 스탠드를 설치하여 확실하게 고정하는 chainless 4 점 고정 방식이 보급되고 있다. 이 방법은 차량의 고정 시 체인을 사용하지 않고도 고정이 가능하기 때문에 바닥 밑의 공간을 유용하게 사용할 수 있다.

(3) 벤치식 수정장비

① 벤치에 부착된 새시 클램프로 차체를 고정하는 장비에는 셀레트와 카-오라이너가 있다.

② 크로스 빔을 일체화 시킨 새시 클램프로 차체를 고정하고 크로스 빔을 벤치에 설치하는 데이터 라이너가 있다.

▲ 벤치식 수정 장비

7 차체 수정 기기

① 차체 수정 장비의 종류와 특징

차체 수정 장비는 그 구조나 형상에 따라 바닥식, 벤치식, 틸트랙식, 이동식으로 분류할 수 있다.

(1) 바닥식

바닥에 매립된 레일이 설치되어 있으며, 앵커 후크에 차체와 수정용 기기를 고정, 설치하여 사용하는 것으로서 마루 자체가 수정 장치 일부로서의 기능을 한다. 인장 장치로서는 폴 포스트 방식과 조립식의 유압 램을 사용한다. 그 종류로는 오토폴, 마이텍, 오토패널 지그 등이 있다.

(2) 벤치식

보통은 이동이 가능하도록 바퀴가 달린 정반형의 벤치에 차제를 고정하여 그 벤치에서 직접 작업에 필요한 수정 장치를 설치하여 작업한다. 벤치 자체를 리프트로 들어 올려 차체 수리의 효율성을 높일 수 있는 장비도 있다. 그 종류로는 카-오-라이너, 셀레트, 데이터 라이너, 글로벌 지그 등이 있다.

(3) 틸트랙식

오래 전부터 개발되고 있는 수정 장치로서 차량이 진입할 수 있는 틸트식 플로어(정반)을 가지고 있으며, 그 플로어 위에 차체를 고정하여 수정작업을 하는 형태이다. 그 종류로는 베어, 플렉스 라이너, U 베이스, 코렉(KOREK) 2000 등이 있다.

(4) 이동식

간단한 일체식의 빔을 프레임 사이에 설치하여 수정 장치를 설치, 작업하는 형식이다. 그 종류로는 블랙 호크, 도져 등이 있다.

2 차체 수정 장비의 특징

(1) 바닥식

① 모든 방향에서 당김 작업이 가능하다.
② 동시 다(多) 방면에서의 당김 작업이 가능하다.
③ 언더보디 부위의 높이 치수의 측정이 어렵다.
④ 작업에 숙련을 요한다.
⑤ 작업 시간이 오래 걸린다.

바닥식

(2) 장비 및 어태치먼트

① 익스텐션을 설치함으로서 높이 장소의 수정 작업을 용이하게 할 수 있다.
② 다양한 어태치먼트로 구성되어 있다.

(3) 오토 폴

① 하나의 타워로 밀고, 당기는 작업이 가능하다.
② 스트롱 타워는 체인을 사용하지 않고 간단하게 설치 할 수 있다.

(4) 수정용 클램프

① 한번에 여러 곳의 당김 작업이 가능하다.
② 수정용 클램프의 종류가 많다.

(5) 마이텍

① 장소를 많이 차지하지 않는다. ② 설비비가 적게 든다.
③ 2개소의 동시 당김이 가능하다.

(6) 오토 폴 사용 예

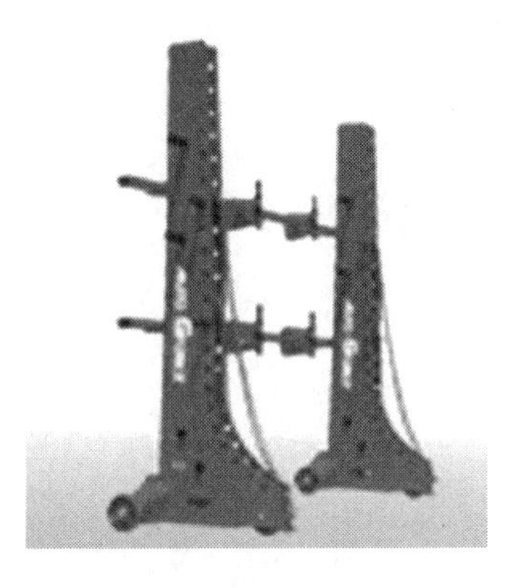

- 과다한 힘을 가하여 체인 절단 시 작업자의 안전을 보장함.
- 유압계가 부착됨으로써 사용 시 당김 하중을 체크 할 수 있음.
- 하단 부위의 당김 작업도 가능함
- 오토 지그 레일에 쉽게 부착되어 안전함.
- 캐스터 바퀴 사용으로 이동이 편리함.
- 2대의 Bar를 설치하여 사용함.

▣ 사각 스트롱 폴

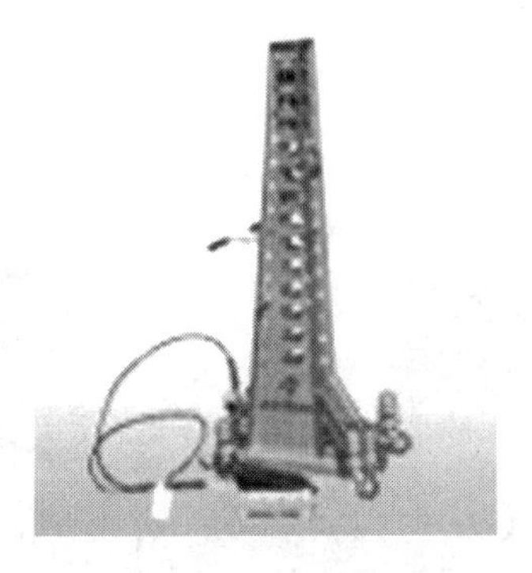

- 차량의 프레임 및 각 부분을 수정작업 하고자 할 때 원하는 위치에서 레바 블록을 이용하여 잡아당길 수 있음.
- 차체 수정 작업을 자유롭게 작업을 할 수 있음.

▣ 사각 자동 스트롱 폴

원형 풀

- 수정 작업시 당기는 높이를 손쉽게 조절 가능
- 지그 레일에 간단히 장착 수정작업 가능

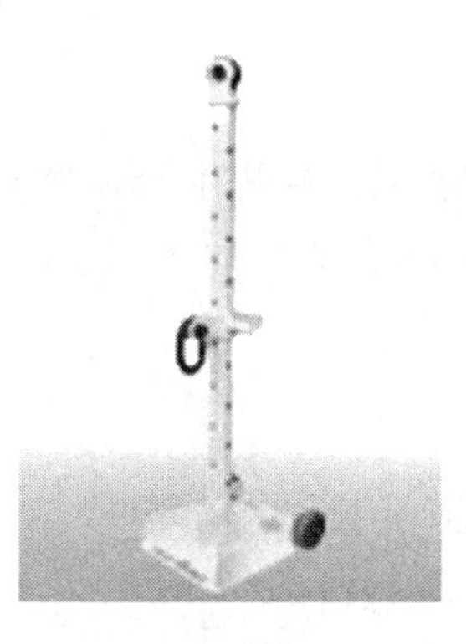

수동 원형 풀

- 차량의 프레임 및 각 부분을 수정 작업 하고자 할 때 원하는 위치에서 레버 블록을 이용하여 잡아당길 수 있음

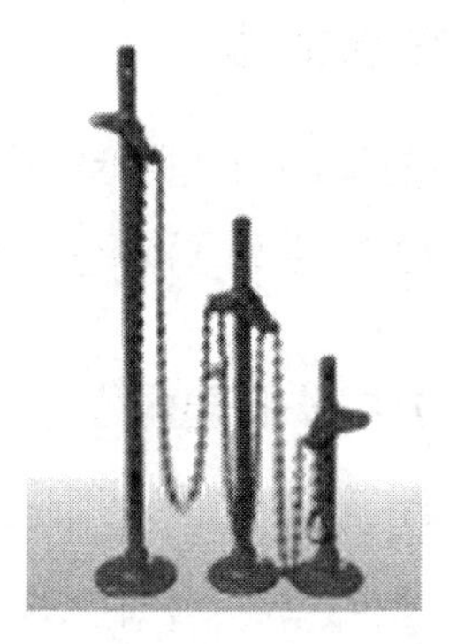

오토 풀 베이스

- 당기는 높이를 선택하여 작업할 수 있고 손쉽게 이동됨.

(7) 워닝 앵커 FM - 2200

① 벤치 자체가 리프트 업, 리프트 다운이 가능하다.

② 보디 클램프는 체인을 사용하지 않고 고정이 가능하다.

③ 여러 가지의 작업을 앉은 자세에서 할 수 있다.

(8) 오트 패널 시스템

① 인장 작업은 에어 임팩트 렌치에 의한 패널 구동식이다.

② 유압식에 비해 1회에 당길 수 있는 스트로크가 크다.

③ 동시 다방면(多方面)에서 당김 작업이 가능하다.

(9) 벤치식

① 카-오-라이너 벤치

㉠ 인장 각도의 변경이 가능하다.

㉡ 벤치를 정반으로 사용할 수 있으므로 언더보디의 정확한 높이 측정이 가능하다.

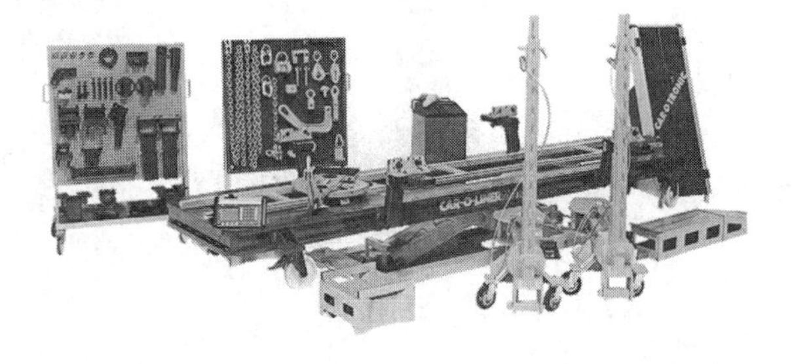

ⓒ 벤치와 차체 언더 보디와의 사이가 좁아 언더 보디의 작업이 불편하다.

② **셀레트**

㉠ 차종마다 전용 지그 브래킷이 사용되며, 이 전용 브래킷은 차체 고정과 계측이 동시에 이루어져 효과적이며, 정밀도가 높은 작업을 단(短)시간에 할 수 있다.

㉡ 당기는 방향(각도)의 변경이 가능하다.

㉢ 벤치를 정반으로서 사용할 수 있으므로 언더보디의 정확한 높이의 측정이 가능하다.

③ **데이터 라이너**

㉠ 동시에 여러 방면에서의 인장 작업이 가능하다.

㉡ 벤치를 정반으로 사용할 수 있으므로 언더 보디의 정확한 높이의 측정이 가능하다.

㉢ 레이저 광선을 사용한 3차원 계측 장비에 의해 측정하면서 수정 작업이 가능하다.

㉣ 벤치와 차체 언더보디 와의 사이가 좁아 언더 보디의 작업이 불편하다.

④ **글로벌 지그**

㉠ 유니버설 지그 브래킷 방식으로 지그는 손으로서 나사 또는 핀을 고정하여 조정 사용한다.

㉡ 벤치를 정반으로 사용할 수 있으므로 언더 보디의 정확한 높이의 측정이 가능하다.

㉢ 차종에 따라 지그의 설치를 다르게 할 필요가 있다.

㉣ 벤치와 차체 언더보디 와의 사이가 좁아 언더보디의 작업이 불편하다.

(10) 틸트랙식

① **베어**(K-120)

㉠ 보디, 프레임을 동시에 4방향에서 인장 작업을 할 수 있다.

㉡ 휠 얼라인먼트 측정이 차체 수정과 동시에 가능하다.

② **플렉스 라이너**

㉠ 차량은 높은 위치에서 수평으로 유지되기 때문에 차체의 고정이나 언더보디의 계측이 용이하다.

㉡ 4개의 강력한 타워가 수정을 하므로 작업 효율이 높다.

㉢ 다른 수정 장비에 비하여 넓은 설치 공간이 필요하다.

㉣ 벤치를 정반으로 사용할 수 있으므로 언더보디의 정확한 높이의 측정이 가능하다.

③ U 베이스

㉠ 틸트 벤치 시스템으로 신속한 설치(세트)가 가능하다.

㉡ 베이스를 정반으로 사용할 수 있으므로 정확한 높이의 측정이 가능하다.

㉢ 전동식 유압 펌프이기 때문에 소음이 적고 속도가 빠르다.

④ 코렉(KOREC)

㉠ 베이스가 수평상태로 상하로 움직이는 장비이다.

㉡ 타워가 360° 회전이 가능하다.

㉢ 베이스를 정반으로 사용할 수 있으므로 정확한 높이의 측정이 가능하다.

(11) 이동식

① 도 저

㉠ 이동이 용이하고 어디에서든 사용할 수 있다.

㉡ 비교적 작은 손상에 최적격이다.

㉢ 당기는 방향이 제한된다.

㉣ 다른 수정기와 비교해서 가격이 싸다.

㉤ 설치가 용이하다.

㉥ 고장력 강판을 채용한 부위의 수정은 곤란하다.

(12) 3차원 계측기 부착 유압 수정기

① 블랙 호크 P188

㉠ 차체의 기준면에 대해 수정 작업 중에도 차체의 변화에 대응해서 자동적으로 수평을 유지한다.

㉡ 차체의 센터(중심)를 항상 명시해서 수정 중에는 후방으로 간단하게 슬라이더(이동)시킬 수 있다.

㉢ 길이, 폭, 높이가 동시에 측정 가능해 수정량, 방향, 각도를 한 눈에 판별 할 수 있다.

② **셀레트 매트로** 2000

㉠ 좌우 8점을 동시에 계측이 가능하다.

㉡ 지그 브래킷트를 이용하지 않은 유니버셜 계측장비도 상부 보디(몸체)의 정확한 수치 측정이 가능하다.

㉢ 기준점까지 계측하면서 수정 작업이 가능하다.

㉣ 부품 부착, 용접 등의 작업대로서의 활용이 가능하다.

③ **카-오-라이너**

㉠ 좌우 대칭의 계측이 가능하다.

㉡ 인장 장치와 연결해서 계측 수정을 함께 진행 시킬 수 있다.

㉢ 부품 조립과 용접 시에 작업대로서 활용이 가능하다.

④ **기 타**

글로벌 지그, 데이터 라이너 등 많은 수정기는 3차원 계측기와 연결하여 사용이 가능하다.

8 체인의 설치

❶ 차량의 전면으로의 인장 작업

체인을 설치하는 방향은 손상 부분을 어느 방향으로 인장할 것인가에 따라 결정된다.

다음의 그림은 차량의 전면으로 인장하려는 경우의 체인 설치 방법을 나타낸 것으로, 이것에 대응되는 인장 방향은 설치한 체인의 연장선의 화살표 방향이면 차체는 움직이지 않는다. 차량의 후면으로의 인장 때는 이것의 반대가 된다.

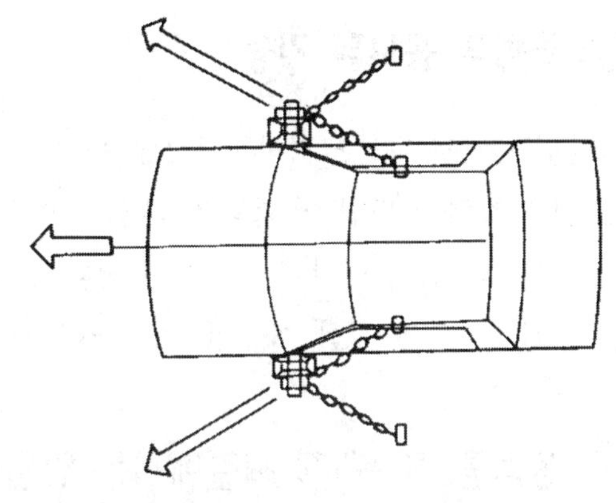

전면으로의 인장작업시 체인의 설치

② 평측면(側面)에서의 인장 작업

측면(側面)에서의 인장 작업은 체인을 다음 그림과 같이 설치하는 것이 일반적이나, 이 경우에도 전면에서의 인장 작업과 같이 설치한 체인의 연장선상의 범위인 화살표 방향으로 인장작업을 실시하면 차량의 이동은 없다.

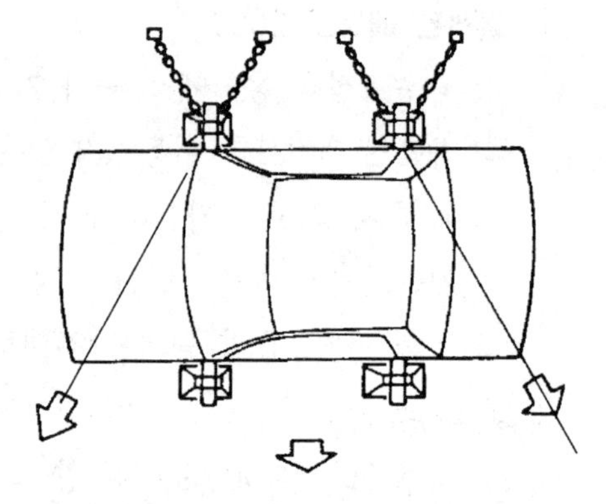

측면으로의 인장작업시 체인의 설치

9 클램프의 사용 기술

① 클램프의 취급 방법

인장작업의 힘은 클램프가 보디를 얼마나 견고하게 붙잡아 주는가에 따라서 그 기능이 좌우된다. 클램프가 힘을 받아 벗겨지게 되면 작업을 진행할 수 없게 될 뿐 아니라 위험도 따르게 된다.

'어느 방향으로 당겨야 할 것인가?' '어디에 클램프를 부착할 것인가?' 라고 생각하기에 앞서서 클램프의 취급 방법을 아는 것이 더 중요하다고 할 수 있다.

② 클램프 톱니의 기능

클램프가 보디를 고정하는 부분에는 삼각 단면의 톱니가 부착되어 있어서 인장작업으로 힘을 가하게 되면 이 톱니가 패널에 박히는 구조로 되어 있다. 때문에 톱니가 둥글게 되어 있거나 톱니 사이에 이물질이 끼여 있게 되면 고정된 부분에서 이탈되기 쉽다. 그러므로 정기적으로 점검, 청소를 해주어야 한다.

③ 볼트를 지나치게 체결해서는 안된다

미끄러지는 원인이 되기 때문에 클램프의 볼트를 힘껏 조여도 항상 불안하지만 클램프의 볼트를 조이면 조인 만큼 패널을 파고 들어가는 힘도 커지는 구조로 되어 있다. 그러므로 필요이상의 힘을 가하여 체결하게 되면 클램프의 수명을 단축시키게 된다. 또한, 볼트는 정기적으로 점검하여 나사산의 마모상태를 점검하고 이물질이나 먼지 등을 제거하여야 하며, 엔진오일 등을 주유하면 오래 사용할 수 있다.

4 체인을 꼬이지 않게 하라

인장작업에서 발생되는 힘은 체인에도 가해지게 된다. 체인의 강도는 여유 있게 제작되어 있기 때문에 작업 중에 절단 되는 일은 그렇게 흔하게 발생되지 않지만 체인이 꼬여 있다든지, 상처가 있다든지, 혹은 열을 가하여 강도를 저하시킨 상태에서 작업을 하게 되면 위험한 상황에 빠질 수 있다. 그러므로 항상 인장 작업 시에는 체인을 곧바로 편 상태에서 인장 작업을 하는 것이 좋다. 때에 따라서는 오일류 등을 엷게 도포하여 주는 것도 오래 사용하는 방법이 된다.

5 클램프의 당김 방향

클램프를 인장하는 방향은 구조에 따라 차이가 있다. 어느 방향이라도 아무렇게 인장해도 좋게 되어 있지는 않다. 클램프에 힘을 가하는 경우에 필요한 힘의 방향은 클램프가 패널을 잡고 있는 톱니 부분의 중심을 통과하는 연장선상에 위치하도록 하여야 한다.

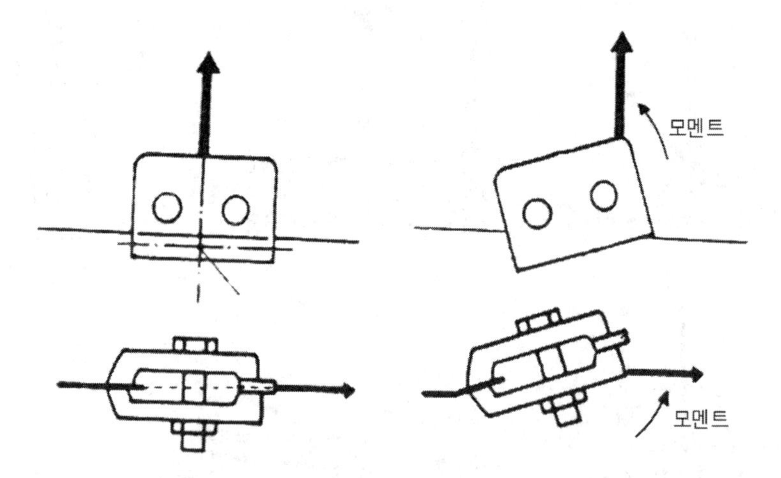

당김 방향은 클램프가 보디 패널로 파고 들어가는 범위의 중심과 일치시킨다.

중심을 벗어난 방향으로 당기게 되면 패널을 손상시킬 수 있기 때문에 주의해야 한다.

클램프의 당김 방향

인장 방향과 톱니의 중심이 어긋나게 되면, 모멘트가 발생하여 톱니 부분을 비틀리게 하는 힘이 발생하게 되고 미끌림으로 클램프가 이탈하게 된다. 또한 힘도 충분히 가해지지 않게 된다. 이것은 일반적인 클램프에 한정된 것이 아니고 어떠한 클램프도 같은 것으로서 예를 들면, 직접 부착되는 부분에 볼트로 지지 되는 원반상의 판(플레이트)에도 인장 방향은 각 볼트를 체결한 중심을 통과하지 않으면 안 되고, 후크류에서는 차체에 힘이 가해지고 있는 부분과 체인을 연결하는 부분이 체결되어 있는 연장선상이 아니면 인장할 수 없다.

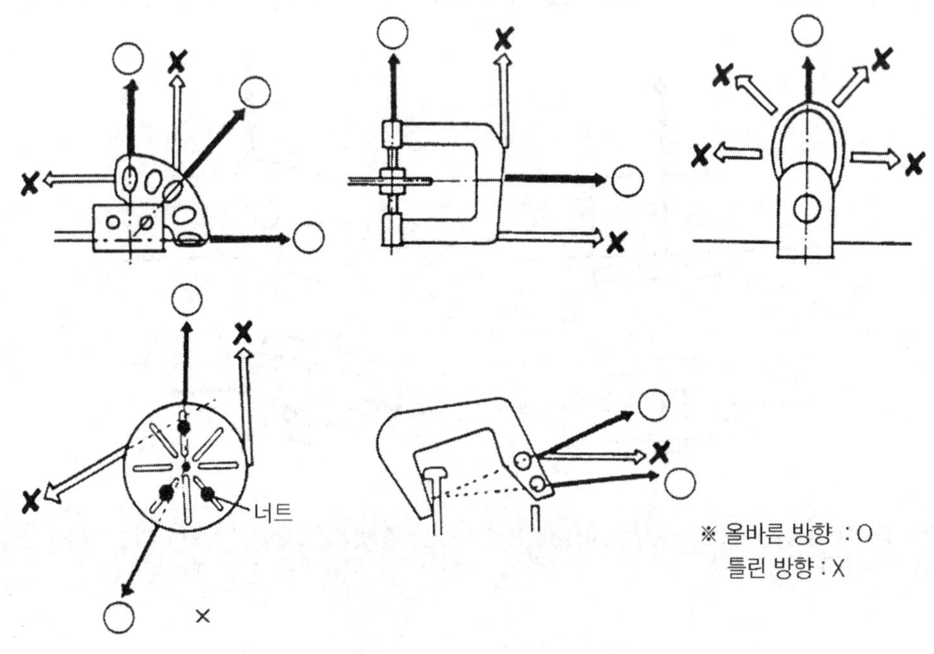

클램프의 올바른 당김 방향

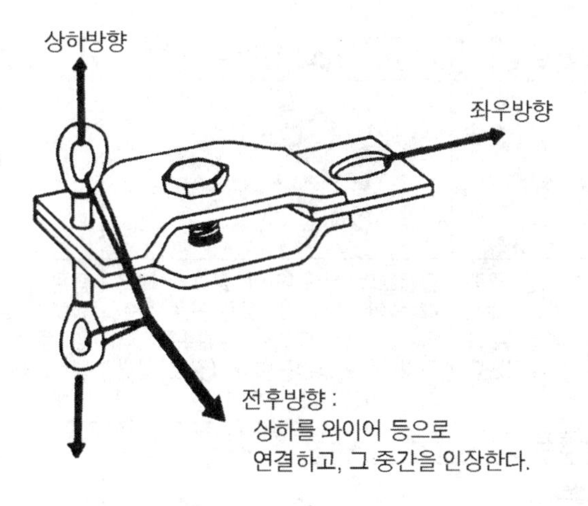

여러 방향으로의 당김방법의 예

⑥ 클램프의 사용 예

단조 조정 클램프	사이드 클램프	사이드 클램프
대시패널, 플로어패널, 루프패널 등을 위와 밑으로 당기는데 사용한다.	사이드 프레임을 잡아당기는데 사용하고 턱이 있는 곳에 물려 동시에 옆면 및 상하면으로 당기는 작업을 할 수 있다.	경 파손부위 및 클램프가 깊기 때문에 턱이 진 부분을 작업하는데 사용할 수 있다.
단조 클램프	**프리 앵글 클램프**	**프리 앵글 클램프**
대시패널, 루프패널 등 좁은 공간, 파손부위가 적은 곳을 직선 및 옆면, 윗면으로 당기는데 사용한다.	클램프의 물림 폭이 넓고, 어떤 방향으로도 자유자재로 당길 수 있어 작업능률이 탁월하며, 사이드프레임, 로커패널(사이드 스텝) 등의 작업에 적합하다.	넓게 물려 당길 수 있는 클램프

단조 조정 클램프	오버 클램프	단조 클램프
죄임 볼트로 조정할 수 있는 클램프로 깊숙이 물릴 수 있다. 대시패널, 프레임, 프런트 패널, 루프 등의 경미한 파손부위를 당기는데 사용한다.	클램프의 한쪽 면이 열리기 때문에 턱이 진 곳 및 깊은 곳을 물어 당기는 클램프로서 당길수록 더 조여 주는 클램프이다. (앞면 물림쇠는 360도 회전한다.)	좁은 공간에서의 당김 작업에 적합하며 프런트 패널, 사이드프레임 등을 직선 및 윗면, 옆면으로 당기는데 사용한다.
단조 조정 클램프	**단조 클램프**	**C 클램프**
사이드프레임, 대시패널, 프런트패널, 스텝 등 경 파손 부위에 사용할 수 있다.	차량의 루프부분을 당기는데 주로 사용하며 작은 파손부위를 작은 힘으로 작업하는데 사용한다.	휠 하우스, 백 패널(앤드패널), 사이드프레임, 플로어패널, 트렁크패널, 필러 작업등 기존클램프를 사용 못하는 깊은 부분의 작업에 적합하다.
C 클램프	**ㄷ 클램프**	**ㄷ 클램프**
대시패널, 휠하우스, 백패널, 사이드프레임, 플로어패널, 리어 플로어패널, 프레임 작업등 기존 클램프를 사용 하지 못하는 깊은 부분의 작업에 적합하다.	사이드패널, 백패널, 플로어패널 등 깊은 곳을 물어 작업하는데 사용하며, 트렁크 플로어의 접합부위 물림작업과 여러 각도에서의 당김 작업을 할 수 있다.	오픈 클램프 대형으로서 물림부(입)를 많이 벌릴 수 있어서 스텝을 넘어서 플로어를 물릴 수 있어 대파차에는 절대 필요한 공구이며, 휠하우스, 백패널, 플로어패널 등의 깊은 곳을 잡아당길 수 있고, 사이드프레임, 스텝 등을 여러 각도에서 어떤 각도로든지 당길 수 있는 만능 클램프이다

자동 클램프	레버 클램프
뒷면 고리를 툭 쳐서 밀면 앞면 물림턱이 열리고 당기면 자동으로 조여진다. 턱이 있는 부위를 무리 없이 물림 작업할 수 있다. 클램프의 물림 이빨을 교환할 수 있도록 되어 있다.	센터 필러, 사이드 플로어패널, 백패널, 프런트패널 등을 볼트의 조임 없이 신속히 걸어서 사용 할 수 있다.

⑦ 클램프는 목적한 바에 맞도록 사용

클램프는 어디에 부착하여 사용하여도 좋지만, 특정 부위에 사용할 수 있도록 겸용으로 제작되어 있는 것도 있다. 예를 들면, 좁은 장소용으로 제작된 클램프 에서는 큰 힘에는 내구력이 약하도록 되어 있고, 내경을 크게 한 바이스형 클램프는 일반적인 클램프 보다 미끄러지기 쉽기 때문에 필요한 때 이외에는 사용하지 않는 것이 좋다. 또한, 톱니 형상에 따라 지정된 방향 이외에는 힘을 가할 수 없게 되어 있는 클램프도 있다.

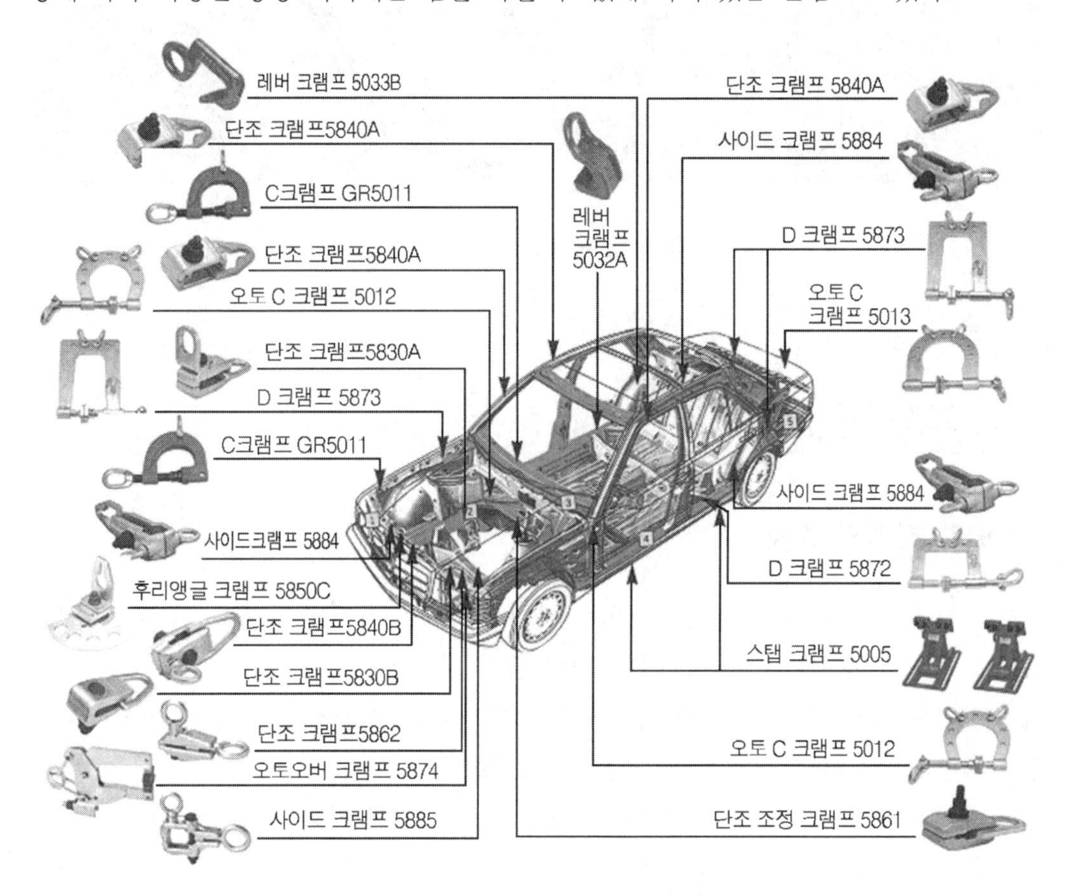

부위에 따른 클램프의 사용 분류

그리고 클램프류는 가능한 많은 종류를 사용하고 부착하는 부위나 당김 방향에 맞는 것을 사용하는 것이 좋다. 한가지의 동일한 클램프를 가지고 지금 작업하고 있는 차량에 여러 번 반복하여 사용하게 되면 시간적인 손실이 대단히 크다.

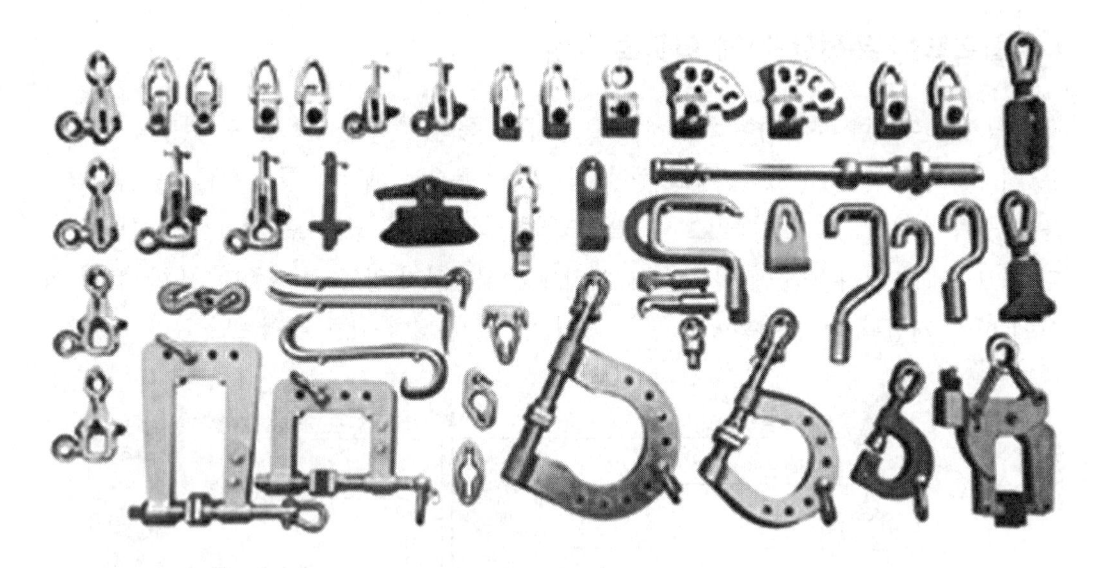

클램프의 종류

10 효과적인 인장 작업

1 인장 작업의 순서

사고 시에 받은 힘과 같은 크기의 힘을 반대 방향으로 가하게 되면 보디는 복원 된다라고 말하지만 이것은 잘못된 것이다. 어떠한 힘을 받았는가를 정확하게 아는 것은 우선무리이다. 만약 판단했다고 하더라도 사고시의 힘은 순간적인 힘이기 때문에 보디 수정 시 지그시 가해지는 힘과는 전달되는 방법에 있어서 차이가 있다. 그것은 한번 변형된 패널은 가공경화 현상이 발생되기 때문에 같은 힘을 가해도 변형된 패널은 원상태로 돌아오지 않는다. 보디 수정에 있어서는 보디 수정에만 사용하는 힘이 따로 있다고 할 수 있다.

보디에 비틀림이 발생할 정도의 큰 충격을 받아서 손상된 자동차를 보아도 실제와는 다르고 어느 부분을 어떤 방향으로 어떠한 순서로서 인장하는 것이 좋을까? 라고 똑바르게 판단하는 것은 그렇게 쉽지가 않다.

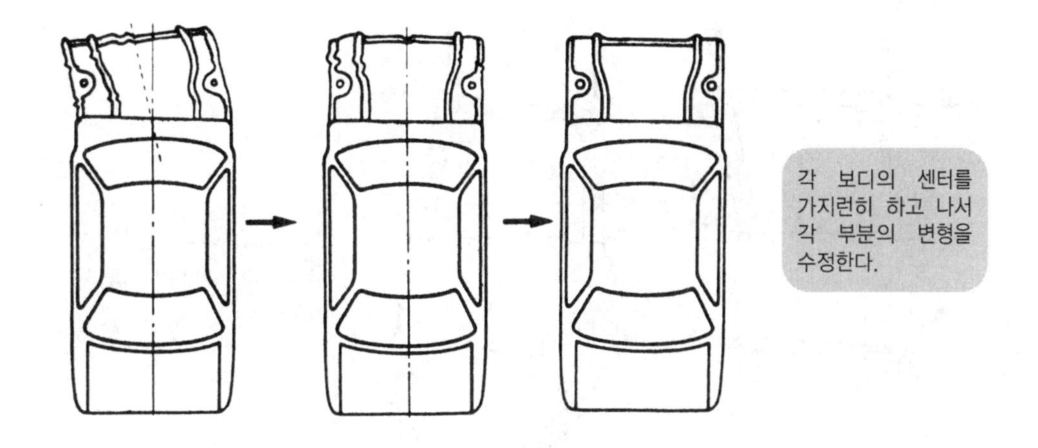

힘이 가해진 장소에서 제일 먼 거리에서부터 복원한다.

수정 작업의 순서

그러나 이것은 너무 지나친 걱정이라고 할 수 있기 때문에 필요한 것은 각 보디의 센터(중심)를 통하여 관찰한 후에 힘을 받은 장소에서부터 힘이 전달되어간 경로를 찾아 제일 먼 거리에 발생된 손상이 발견되면 여기에서부터 순서대로 복원하는 것이 좋다. 이것은 어떠한 사고 차에도 같은 방법으로 할 수 있으며, 역으로 하게 되면 수리가 되지 않는 것은 물론 차량을 손상시키게 되는 결과가 나타날 수도 있다.

② 보디에 대응하여 똑바르게 당김

보디 수정 작업의 신속 정확한 작업을 위해서는 인장 작업의 힘을 효과적으로 보디에 전달하는 것이 제일 중요하다.

예를 들면, 10의 힘으로 인장하여도 그것이 4 ~ 5정도의 힘밖에 보디에 전달되지 않으면 시간만 걸리게 된다. 효과적인 힘을 가하는 방법은 원칙적으로 보디 구조에 대응하여 똑바르게 힘을 전달하는 것이다.

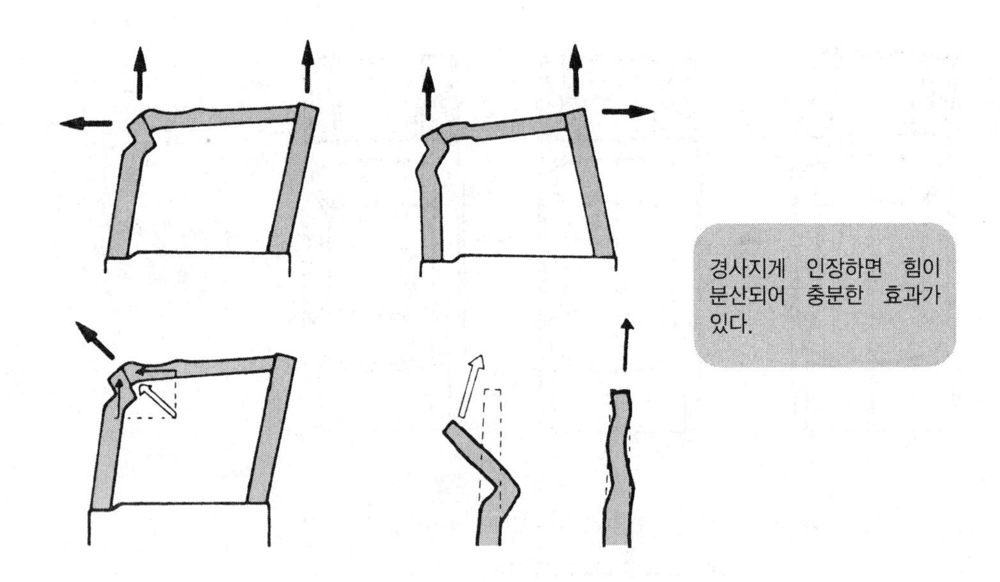

전면으로부터의 인장 작업을 할 때에는 똑바르게 앞에서부터 해야 하고 측면에서 인장할 때에는 보디에 대응하여 직각 방향으로 당김 작업을 한다. 이것은 멤버나 펜더 에이프런 패널 등의 강성이 높은 부위를 인장할 때에는 무시할 수 없다.

비스듬한 방향에서의 힘은 단 한번으로 수정은 가능하지만, 보디의 구조에 부합되지 않으면 힘이 분산되어 약한 힘밖에는 가해지지 않는다. 또한 클램프도 미끄러지기 쉽게 된다.

마지막 그림에서처럼 보디의 변형은 과장되어 있어서 비스듬하게 인장하지 않으면 복원할 수 없는 경우에 해당되며 실제는 원래의 보디 라인에서 그 정도의 큰 힘은 서로 엇갈리게 할 필요가 없기 때문에 똑바르게 인장하여도 큰 문제는 없다.

③ 두 개소 이상을 당김 작업하면 좋다

손상범위가 넓은 경우와 손상부의 강성이 높은 경우 등에서는 당김 지점을 한 개소로 하지 않고 두 개소 이상에 클램프를 설치하여 당겨내는 것이 더 좋은 방법이 된다.

예를 들면, 펜더 에이프런 패널이 앞에서부터 충격을 받아 손상된 경우에 사이드 멤버를 20의 힘으로 인장하는 것보다 사이드 멤버와 펜더 에이프런 패널 상하의 단면을 동시에 10이라는 힘으로 인장하게 되면 보다 신속하고 완벽한 복원 작업을 할 수 있다.

또한, 사이드 멤버가 "ㄱ" 형으로 굴곡 되어 있을 때 전면으로의 인장하는 힘에 측면으로부터의 힘을 추가하게 되면 보다 빨리 수정 작업을 할 수 있다. 프런트 필러의 변형에서는 전면으로는 잡아당겨 주고 실내 측에서는 밀어주거나 하는 추가적인 힘을 추가하게 되면 더욱 효과적인 인장 작업을 할 수 있다.

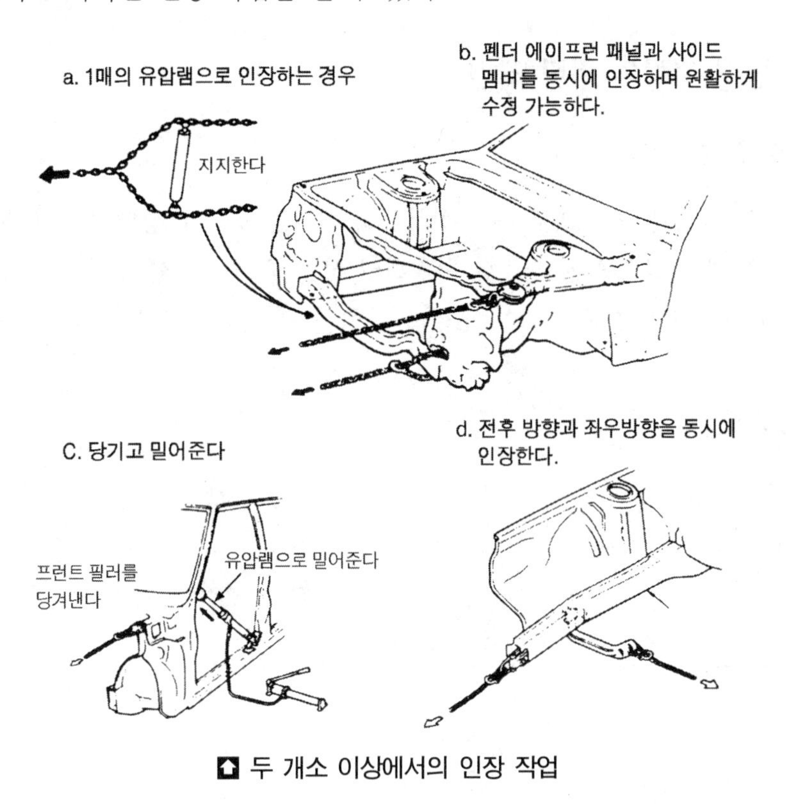

두 개소 이상에서의 인장 작업

④ 인장 작업 시 주의사항

유압 램으로 당김을 할 때는 최초에 힘을 가한 상태에서 방향이 변화한다. 체인이나 램의 여유분이 당겨서 늘리게 되어 있지만 사전에 그 변화량을 예상하여 세트 하는 것이 최상의 방법이다. 이렇게 하여 힘이 충분히 가해진 상태에서는 대부분 방향은 변화하지 않는다. 또한 어느 정도 주의를 하여도 갑자기 클램프가 이탈되어 흉기로 변하는 경우가 있기 때문에 체인이나 클램프와 보디 사이를 와이어나 안전 고리로 체결하여 두는 등 안전장치를 해 두어야 한다.

보디와 체인 사이를 와이어(안전고리)로 체결하여 두면 안전사고를 방지할 수 있다.

11 손상 형태별 차체 고정과 수정 방법

❶ 상하 변형 차량의 인장 작업

(1) 아래쪽으로의 당김

손상 차량을 고정한 후, 스탠드를 손상부위와 가까운 곳의 손상되지 않은 부분에 설치한다. 손상부위와 멀리 떨어진 장소에 설치하면 작업 중 손상부와 함께 손상이 없었던 부분도 동시에 당겨지는 형태로 되어 오히려 변형을 초래하는 결과를 가져온다.

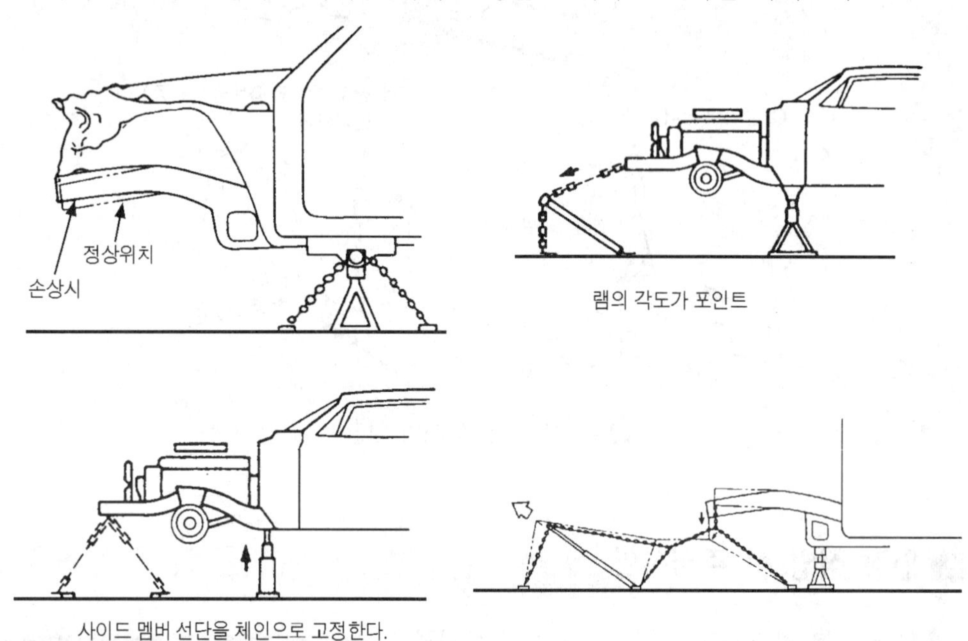

◘ 아래쪽으로의 당김작업

(2) 위쪽으로의 당김 작업

위쪽으로의 당김은 아래로 당길 때와는 반대방향으로 손상이 없는 부분을 변형시키지 않도록 주의해서 앵커나 레일에 체인을 설치하여 고정시킨다.

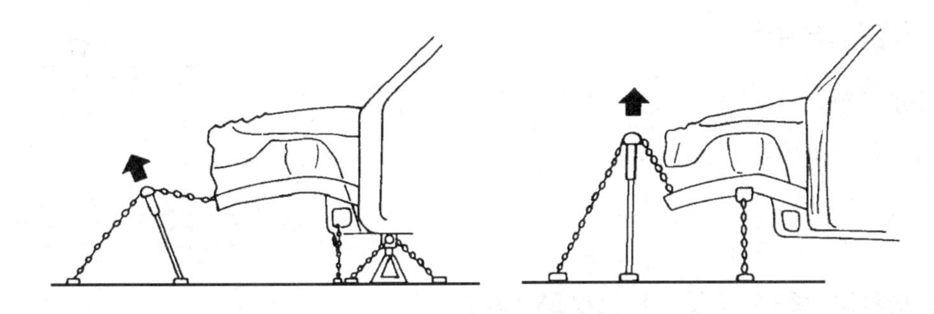

위쪽으로의 당김작업

2 매쉬(mash) 변형시의 당김 작업

그림과 같이 손상되었을 경우, 보통 사이드 멤버와 펜더 에이프런이 동시에 손상을 받는 경우가 많고 또한 충격이 클 경우에는 프런트 필러의 변형도 가져올 수 있다. 당김 방향은 전면(前面)에서 당김 작업을 실시한다.

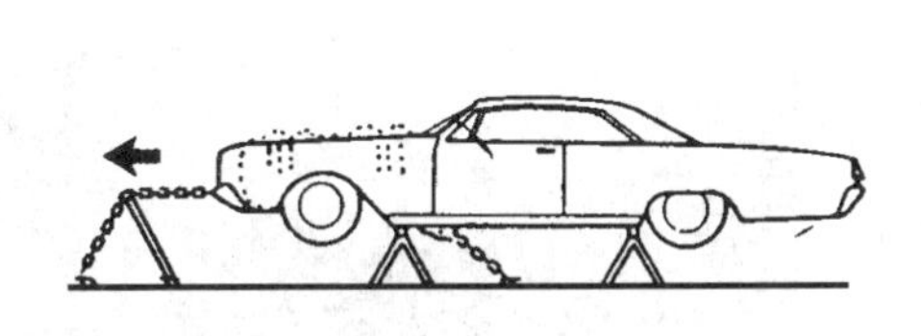

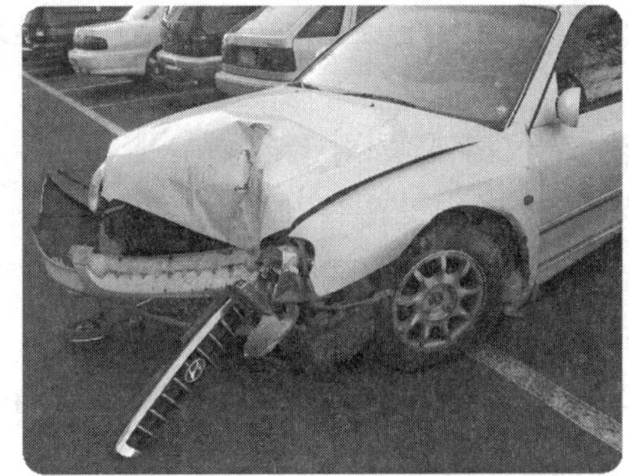

매쉬변형과 당김작업

3 횡으로 휜 경우의 고정과 당김

(1) 차량의 전면부

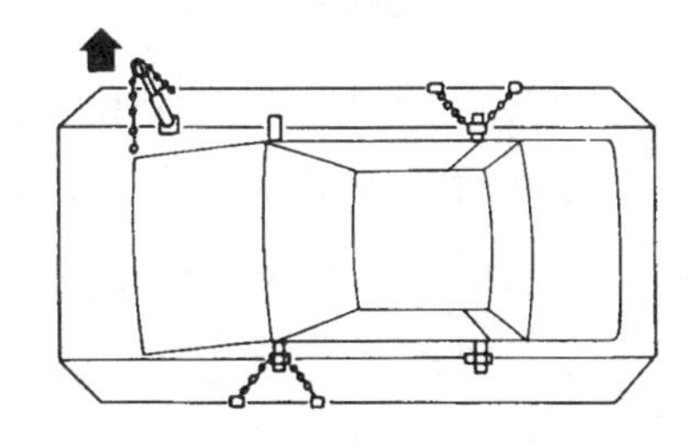

차량의 전면 부분이 횡으로 휜 경우는 당김 방향의 반대 측 전방에 1개소와 당김 방향의 후방에 1개소를 고정하여, 회전 모멘트에 의한 차량의 이동을 방지한다.

(2) 차량의 중앙부

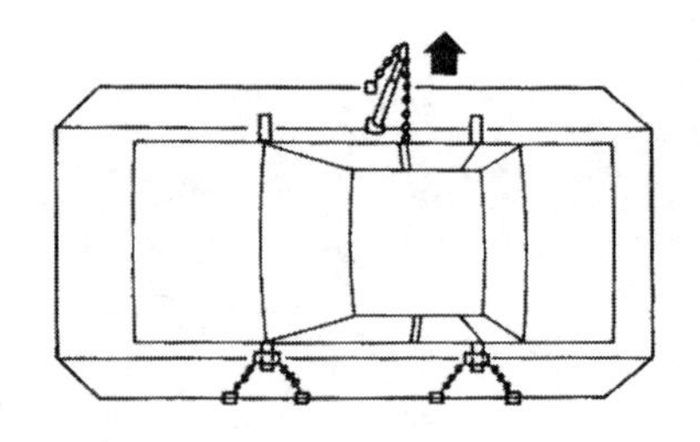

차량 중앙부의 경우는, 당김 방향의 반대 측의 전, 후 2개소를 고정한다.

4 모서리 부분 손상 시 고정과 당김

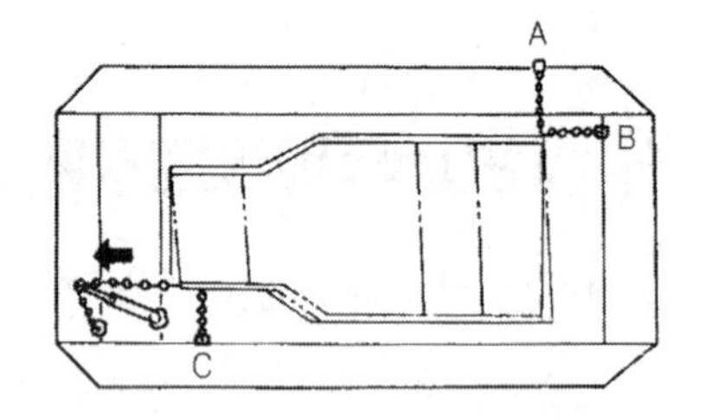

모서리의 휨은 모서리의 충격에 의해 발생한다. 그 때문에 대각선의 길이에 변화가 발생한다. 즉, 전방 프레임을 화살표 방향으로 당겼을 경우 차체가 회전하려는 회전모멘트가 생기기 때문에 그것을 방지하기 위해서 전방의 C부분 프레임에도 체인으로 고정한다.

5 복수 충격(다중인장)의 고정과 당김 작업

리어 플로어패널처럼 넓은 패널에 손상이 발생한 경우에는 1곳씩 당김 작업을 실시하는 것보다 동시에 여러 곳을 당기는 방법이 수정에 의한 2차 손상을 방지할 수 있고 연결되는 다음의 작업도 쉽게 되어 작업 효율이 높아진다.

다음 그림과 같이 동시에 4곳을 당기면 작업 시간도 단축된다.

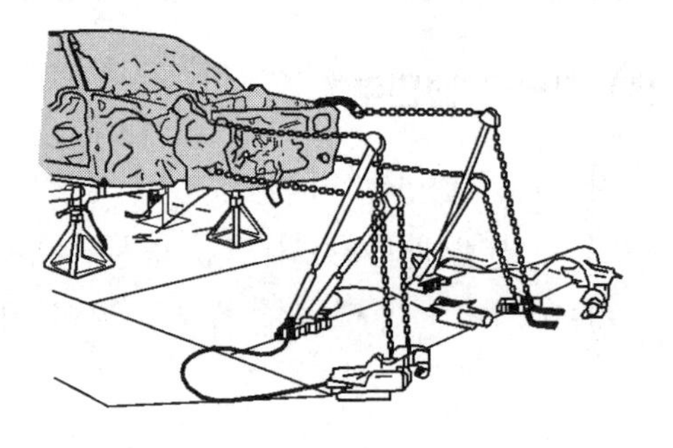

순서는 다음과 같다.

① 4개소 램의 힘을 각 부분의 역할에 맞는 인장력으로 당긴다.
② 한꺼번에 강하게 당기지 않는다.(심한 손상이나 패널이 늘어나는 것을 방지)
③ 충격을 받은 부분에는 작은 힘으로 서서히 당긴다.

6 밀고 당기는 작업의 개소와 고정 및 당김 방향

(1) 미는 작업

차내의 트랜스미션 부근이 부풀어 오른 경우 등 안쪽에서 밀어내는 작업으로 그림과 같이 체인을 역 V 자 형으로 체인 앵커에 고정하고, 램에 익스텐션 튜브를 적당한 길이로 연결하여 체인 중앙의 근처에 로크 핀으로 고정한다. 체인 로크 헤드의 오목한 부위에 너클을 대고 손상 개소에 적당한 어태치먼트를 대어 유압 램을 작동시킨다.

(2) 밀고 당기기의 동시 작업

그림처럼 프런트 사이드 멤버 끝 부분이 안쪽으로 휘어져 안쪽 부분이 바깥쪽으로 부풀어 오른 것처럼 손상된 경우는 그림과 같이 사이드 멤버를 앞쪽으로 당겨 내면서 선단부는 바깥쪽으로 당기고 안쪽 부분은 내측으로 밀어서 수정한다.

밀고 당기기의 동시 작업

7 루프 패널의 손상 시 고정과 당김

램에 익스텐션 튜브를 연결하면 그림과 같이 수평방향과 상부방향으로 당겨 낼 수 있다. 램의 위치를 차량 쪽에 설치할수록 위로 당겨 올리는 양은 많아진다.

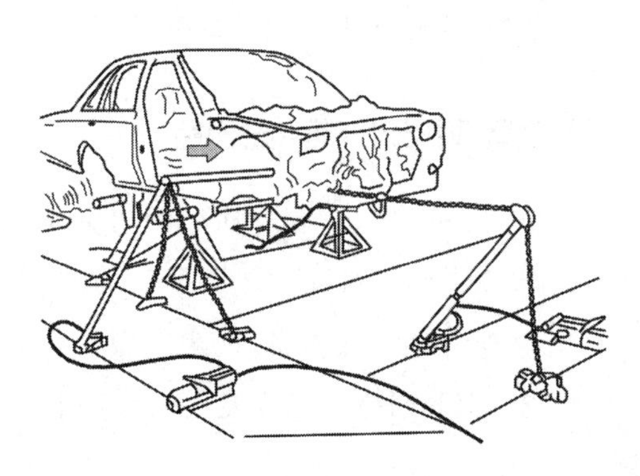

루프패널의 손상시 고정과 당김

8 당김 작업의 포인트

(1) 수정 순서는 손상 순서의 반대

사고차량의 손상 형태는 휨이나 비틀림 현상이 단독으로 발생하는 일이 적고, 대부분은 중복된 형태로 나타난다. 엔진 룸에 일어난 손상의 경우는 운전자가 장애물을 발견해서 충돌을 피할 수 없다고 판단했을 때는 먼저 자동차의 방향을 전환해서 정면충돌을 피하려고 하는 행동을 일으킨다. 이 결과 최초의 손상은 휨(스웨이)의 현상이 발생하는 것이 일반적이다.

두 번째의 행동으로서, 차를 멈추려고 급브레이크를 작동시키므로 인해 급격하게 차륜이 로크(lock)된 차량은 미끄러지면서 차의 앞부분이 밑으로 숙여져 충돌을 일으킨다. 이때 발생하는 손상은 종으로 휨이 발생하고 더욱 변형이 진행되면 찌그러짐이 발생한다. 일반적인 사고차라도 그 손상 형태는 지금까지 설명된 사례와 닮은 형태가 많고 몇 개의 현상이 중복되어 나타나는 경우가 많다. 따라서 손상 개소의 수정은 손상이 발생한 순서의 역순이다.

① 찌그러짐의 수정
② 종으로 휨의 수정
③ 횡으로 휨의 수정이 기본적인 작업 순서이다.

(2) 체인의 취급 포인트

① 비틀린 체인을 바로 편다.
② 차체에 고정한 훅에 체인의 훅을 직접 걸지 말 것.
③ 차체에 고정한 훅에 체인을 걸 때에는 여유가 있게 한다.
④ 체인을 해머로 두들기지 말 것.
⑤ 변형된 체인을 사용하지 말 것.

(3) 포터 파워의 취급 포인트

① 설치 각도는 30~90°의 범위(45~60°가 효율적)
② 30° 이하에서는 앵커부와 램의 접속부가 벗겨지기 쉽고, 90° 이상에서는 체인이 앵커에서 벗겨질 위험이 있다.
③ 램의 커플러는 위로 오게 한다.

④ 램의 연장은 최소의 수로 한다. 짧은 램을 여러 개 연결하면 연결 부위에 유격이 많이 발생해서 힘을 가하면 휘어질 수 있다

(4) 당기는 방향은 손상된 방향의 역방향

손상 패널을 당길 경우에는 손상 방향의 역방향에서 당기는 것이 원칙이고, 작업 시에는 특히 다음의 작업에 유념해야 한다.

① 클램프와 패널의 고정은 확실하게 한다

당길 때 발생되는 인장력은 5,000kg의 큰 힘을 가해야 할 경우도 있다. 때문에 클램프와 패널의 고정은 이 인장력을 견딜 수 있어야 한다. 패널에 물림이 불완전한 상태에서는 작업 중에 클램프가 이탈되어 생각지도 않은 큰 사고를 발생시키는 원인이 되기 때문에 주의가 필요하다.

② 당김력의 확인

당김 작업을 위해 체인의 설치가 끝난 후, 설치한 앵커 레일과의 고정 위치나 당김 높이, 당김 방향 등이 자신이 의도한 대로 작업이 이루어 질 것인가를 확인하기 위하여 유압 램을 가볍게 작동시켜 체인이 약간의 장력을 유지하도록 한다.

(5) 수축된 부위의 당김 작업

패널이 외부의 힘을 받아 변형되면, 패널 뒷면의 일부는 늘어나고 반대부위는 수축현상이 일어난다. 이러한 현상은 폐 단면 구조의 사이드 멤버 등이 꺾임 변형의 경우도 마찬가지라고 생각되어 진다.

아래의 그림은 안쪽으로 접혀진 사이드 멤버로서, 변형이 큰 내측은 수축되고 외측은 미세하지만 늘어나 있다.

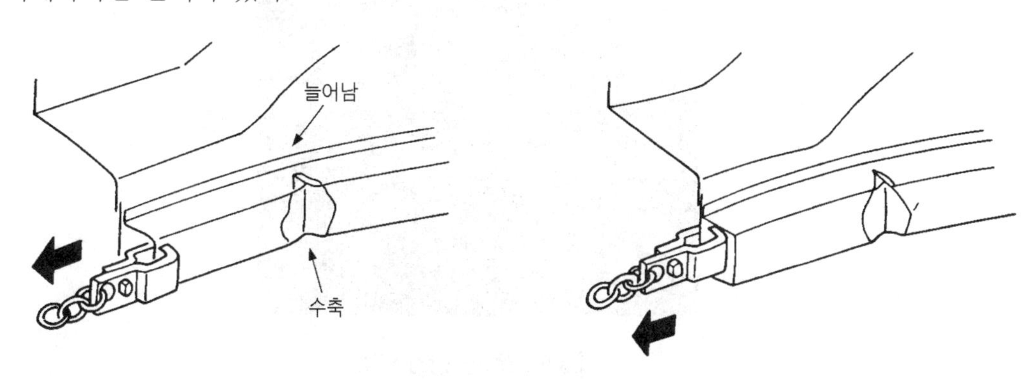

수축된 부위의 당김작업

꺾인 멤버의 수정

이처럼 꺾인 멤버의 수정은 수축되어 치수가 짧게 된 멤버에 클램프를 고정해서 당김 작업을 실시한다. 클램프의 고정을 외측으로 해서 당김 작업을 실시하면 내측 부분의 수정이 곤란해지고 늘어나는 양이 증가해서 변형이 커지는 원인이 되기 쉽다.

(6) 급격한 당김 작업은 금물

① 단계적인 당김, 수정

패널을 가공하면 가공경화가 생기듯이 충격에 의해 발생한 변형부에도 마찬가지로 가공경화가 발생한다. 경화한 부분은 연신율이 저하되어 있기 때문에 인장력을 과도하게 증가시키면 패널이 찢어지는 현상이 발생한다. 따라서 작업을 실시할 때에는 변형 된 부분을 한 번에 원래대로 수정하려 하지 말고, 패널의 형태를 관찰하면서 당김 작업을 서서히 실시하여야 한다.

단계적인 당김작업

② 가공경화의 제거

가공경화의 제거 법에는 열처리 법의 자연냉각 법을 응용한다. 그러나 이 경우는 고온(700℃ 이상)가열은 재료가 갖고 있는 기계적 성질을 저하시킬 위험이 있기 때문에 400~500℃ 정도의 온도로 국부적인 가열 범위로 한정시켜야 할 주의가 필요하다.

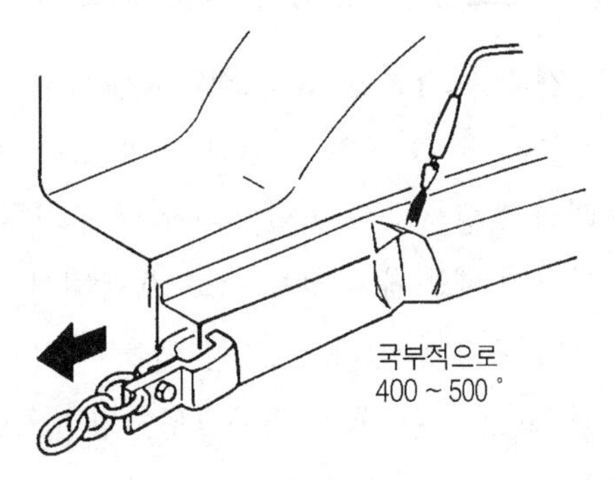

국부적 가열

TIP

현재 모든 차체수리 작업 중 가열을 통한 패널 수정 및 멤버 수정은 거의 찾아 볼 수 없는 것이 현실이다. 즉, 열이 가해진 부분은 재질의 변화로 인한 강도상의 문제와 부식을 더 빨리 초래하는 결과를 가져오기 때문에 가스열을 사용한 수리 방법은 점차 줄어드는 현실이다. 물론 아직도 사용하고 있는 곳이 없지 않아 있지만, A/S현장에서의 사용은 지양하고 있는 편이다. 하지만, 프런트 사이드 멤버 및 리어 사이드 멤버를 수정하고자 할 때 멤버의 구조에 따라 쉽게 수정하지 못하는 부분이 많다. 또한 RV 및 SUV차종의 출연으로 트럭 및 페리미터형 프레임은 수정 작업이 여간 까다롭지 않은 것이 사실이다.

이러한 수정 작업에 가급적이면 가스 열을 이용한 수정이 결코 바람직하지 않지만 경우에 따라서는 사용할 수도 있다. 모든 부위에 처음부터 가스 열을 이용한 수정 방법은 결코 권장할 방법이 되지 않지만, 쉽게 복원되지 않는 곳에 너무 높은 열을 가하여 수정 하는 것이 아니라 적당한 온도로 가열하여 수정 작업을 하면 된다.

열처리 작업을 행한 곳은 반드시 방청 작업을 병행해 줌으로써 부식 방지 작업을 해주어야 하는 것을 잊지 말기 바란다.

무리하게 수정작업을 진행하려고 하는 것보다 안전한 방법을 택하는 것이 작업자에게는 무엇보다 우선이 되어야 하고 또한 고객의 차량을 수정함에 있어서 무엇보다 중요한 것은 고객의 안전이 가장 우선시 되어야 한다는 것을 명심할 때 우리는 어떻게 고객의 차량을 수정해야 하는가? 질문하지 않아도 알 수 있을 것이라 생각된다.

③ 파열의 보정

작업 중 과도한 인장력으로 인하여 손상이 발생한 경우는 작업을 중지하고 신속히 손상 부위를 수정한다.

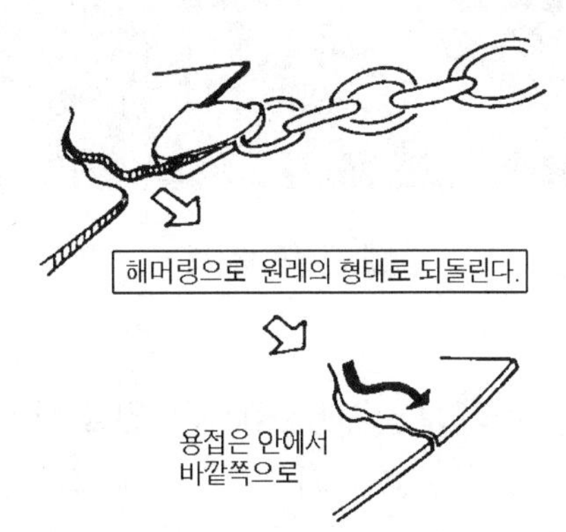

(7) 스프링 백 현상을 예견해 둔다

강판을 가공할 경우 잔여응력의 작용에 의해 스프링 백 현상이 발생한다. 변형된 패널은 원래의 형상으로 되돌릴 경우에도 스프링 백이 일어나기 때문에 이것을 미리 생각해서 작업을 진행할 필요가 있다. 스프링 백을 미리 생각한 작업 및 스프링 백을 억제 하는 방법으로서 다음과 같은 것들이 있다.

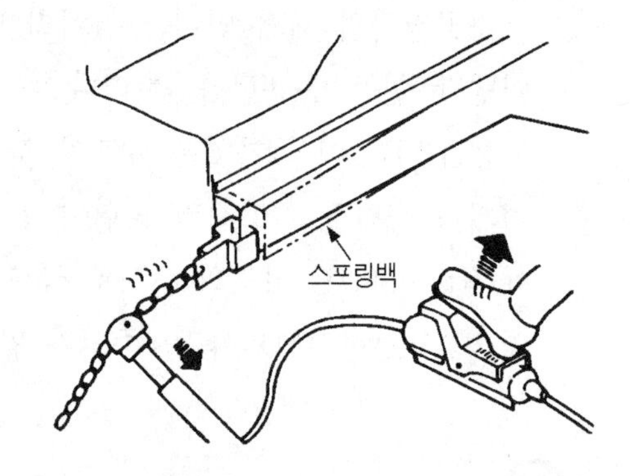

① 인장하려고 하는 위치보다 조금 더 당겨준다

인장작업을 진행 할 때 규정 치수보다 2 ~ 3㎜ 정도의 범위에서 더 당겨내어 복원되는 상태에 따라 인장력을 증가시켜 나간다.

② 해머링을 병행한다

인장력이 작용하고 있는 상태에서 손상부위를 해머링 한다. 이 목적은 외력에 의해 변형된 부위는 충돌에 의한 충돌 에너지가 잔류응력의 형태로 내부에 남아 있기 때문에 해머링으로 이 잔류응력을 제거해 주어야 한다.

잔류응력 제거

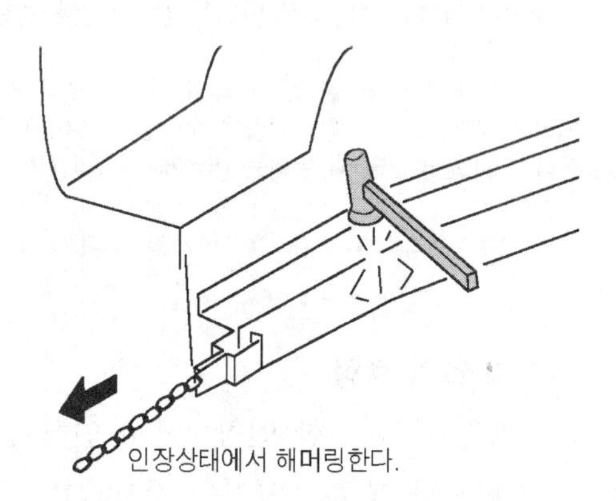

손상부위 해머링 작업

③ 도어가 닫힌 상태에서 인장력을 판단

충돌사고에 의한 패널 부위의 변형은 외력을 받은 부위에 그치지 않고 사이드 보디까지 충격력이 파급되는 경우가 있고, 이것은 도어나 후드, 트렁크 리드 등의 개폐

부분의 간극 등으로 판별할 수 있다. 수리 시에는 다른 변형 부(외력을 받은 부위)를 당김 작업을 실시하는 과정에서 개폐부분의 변형이 자연 복원되어짐으로써 이러한 복원 상태를 보고 직접 당겨지는 부위의 인장력의 적정 여부를 판단할 수 있다.

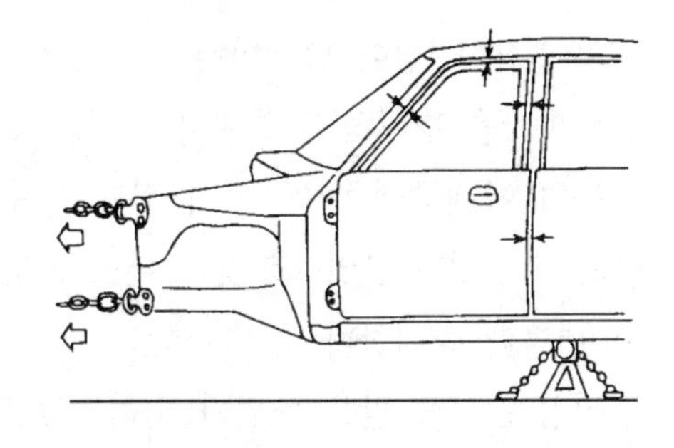
인장력의 적정 여부 판단

(8) 섀시 클램프 윗부분의 당김

라디에이터 코어 서포트(슈라우드 패널)의 상부나 프런트 스트러트 부분의 부착부분, 프런트 필러 상부 등 섀시 클램프의 고정 위치보다 높은 위치의 부분을 당김 작업을 할 때에는 섀시 클램프와 당김 부분의 체인을 설치하는 부분과의 사이에 회전 모멘트가 발생, 그 결과 섀시 클램프나 도어의 개폐부분(필러 주위)에 2차 손상을 일으킬 위험이 있기 때문에 주의가 필요하다.

다음 그림은 섀시 클램프의 고정 위치나 당기기 위한 체인의 고정 위치에 상 · 하 차이가 있을 경우(그림 A)와 상 · 하 차이가 없을 경우(그림 B)의 힘의 관계를 나타낸 것이다. 그림 A에서는 당김 위치와 섀시 클램프의 고정 위치 사이에 h의 차이가 생기기 때문에 이 상태에서 당기기를 시작하면 섀시 클램프의 고정부를 지점으로 한 회전 모멘트가 발생해서 보디 측에 변형이 발생한다.

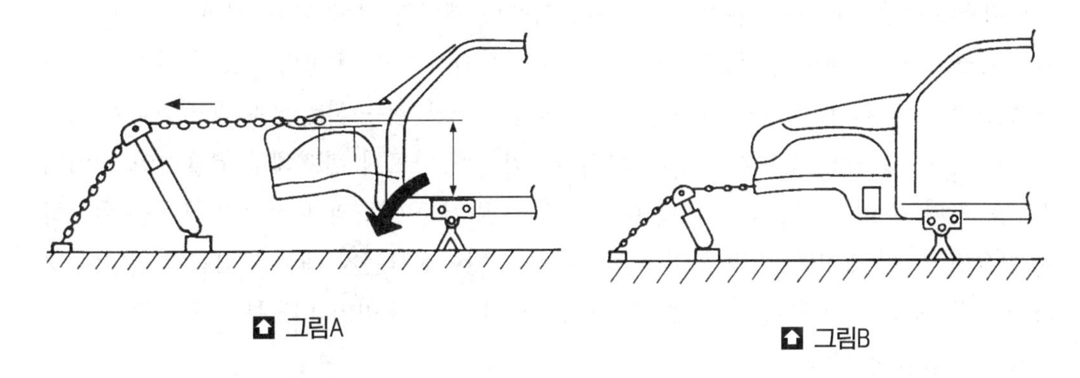
그림A

그림B

또한, 그림 B에서는 섀시 클램프의 고정위치와 체인의 고정위치 사이에 그림 A와 같은 상하의 차이가 없기 때문에 회전 모멘트에 의한 변형은 발생하지 않는다.

따라서 상하의 차이가 있는 부분을 당겨낼 때에는 앞쪽에서 당기므로 상관이 없다고 생각을 해서 보디에 발생하는 2차 손상을 무시하면 작업 종료 후 도어의 닫힘이 불량해지는 등의 현상이 발생한다. 이 때문에 2차 손상을 방지하기 위해서는 체인 고정부의 아래쪽에 여러 가지 활용할 수 있는 받침대나 유압 램 및 스탠드를 받쳐 변형을 방지한다.

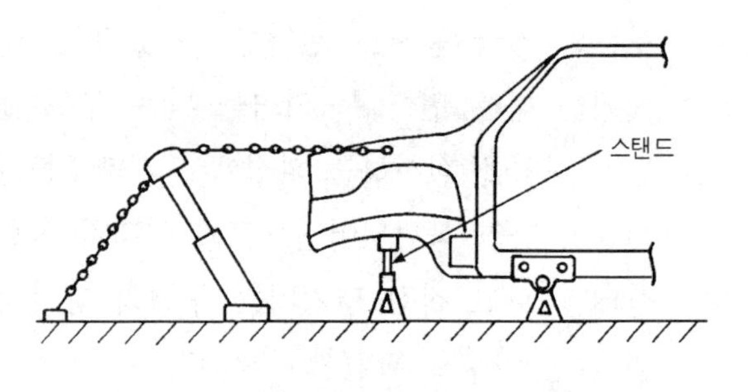

스탠드 받침

직접 손상을 받은 부위가 수리되었음에도 불구하고 도어 등의 개폐 간극이 정상수치로 돌아오지 않을 경우는 플로어 패널 주위의 사이드 멤버 등에 비틀림이 발생되어 있을 수도 있으므로 주의가 필요하다. 비틀림 변형의 확인은 센터링 게이지를 활용하는 것이 좋다.

(9) 당김 작업은 수정 작업이 주된 목적

당김 작업에서 중요한 것은 교환 할 부품을 수정하는 것이 아니라, 수정해서 재사용할 부품을 바른 위치로 수정하는 것이 주된 목적이다. 이 때문에 외력을 받은 부분을 손상의 반대 방향으로 당기는 작업에 의해, 주위에 파급된 손상을 원래의 상태로 되돌려 주는 보조 작업이라 생각할 수 있다.

(10) 서비스 부품의 범위를 알고 교환 범위를 결정한다

서비스 부품의 한 예로 라디에이터 코어 서포트 패널과 같이 어퍼, 사이드, 로어의 각 단품 부품 외에 일체로 조립한 A' ssy 부품이 설정되어 있어 손상의 정도에 따라 선택할 수 있도록 되어 있다. 따라서 차체로부터 부품을 떼어낼 때는 서비스 부품의 단위가 어떤 형태로 되어 있는가, 교환할 범위는 어디까지인가를 바르게 판단해서 효율적인 작업이 되도록 한다. 서비스 부품의 형태에 따르지 않는 탈거는 여분의 부분까지 부품을 확보하지 않으면 안 될 것이며, 이것에 따른 작업부분이 많아진다든지 해서 합리적인 작업이 되지 않음은 물론 고객에게는 적절한 수리비보다 더 많은 수리비용을 부담하게 되는 결과까지로 발전하게 된다.

(11) 손상 유형별 당김 작업

① 손상을 유형화 한다

많은 종류의 손상된 차량들은 제각기 다른 모양을 갖고 있으며, 이러한 손상차량을 하나하나 유심히 관찰해보면 어느 정도는 같은 유형으로 되어 있는 것을 알 수 있다. 경험이 축적되면 이것이 자연히 머리에 입력되기 때문에 어떠한 사고 차량도 손쉽게 대응하게 된다.

손상의 상태로서 작업의 순서를 분류하고 그 후에 세부적인 부분은 각각의 손상에 대응하여 수정하는 방법으로 순서를 정하게 되면 사고차를 수리하는데 있어서 그렇게 어려운 문제는 없다.

가벼운 전면부의 손상

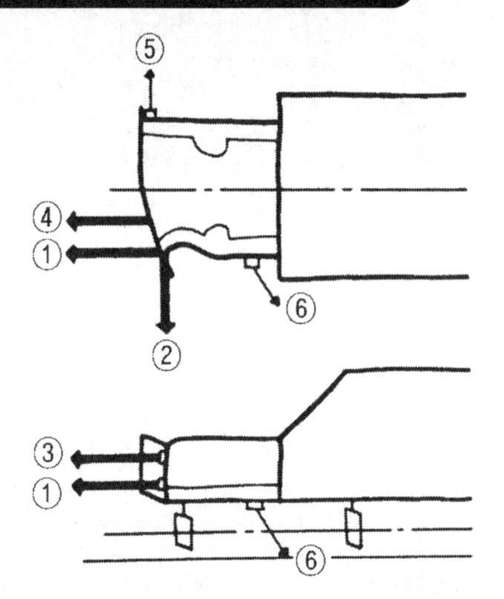

그림에서의 변형은 라디에이터 서포트 패널의 좌측 1/2이 압축되어 있고, 펜더 에이프런 패널의 앞에서부터 1/3정도가 변형되어 있는 상태이다.
우측 펜더 에이프런 패널은 대부분 이상이 없고 상하의 쏠림도 없다. 이 경우에 라디에이터 서포트 패널과 좌측 펜더 에이프런 패널의 용접부에 클램프를 부착, 앞 방향 ①과 좌측방향 ②로 조금씩 인장을 한다. 좌측 펜더 에이프런 패널의 손상이 적으면 옆 방향으로의 힘 ②는 생략할 수도 있다. 손상이 클 때에는 상하로 인장한다.(①,③)
라디에이터 서포트 패널의 변형이 클 때에는 보다 안쪽으로 들어가서 앞 방향으로의 힘 ④를 추가한다. 추가고정은 우측 펜더 에이프런 패널이 인장되지 않게 ⑤와 좌측 펜더 에이프런 패널 뒤쪽으로는 힘이 미치지 않도록 ⑥으로 고정한다.

ㄱ자 변형의 라디에이터 서포트 패널

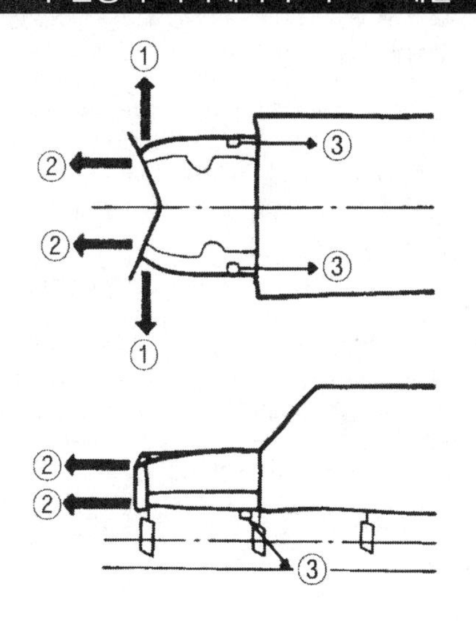

라디에이터 서포트 패널이 "ㄱ" 자로 변형되고 좌, 우측의 펜더 에이프런 패널은 그 변형에 의해 안쪽으로 굽어져 있다. 이때 변형량이 큰 라디에이터 서포트 패널의 중앙을 인장하여도 되지만 그렇게 하게 되면 제대로 수정되지 않는다.
여기에서는 라디에이터 서포트 패널의 길이가 짧아져 있다고 생각을 하고 좌,우측 에서 잡아 당겨 늘리게 되는 힘 ①을 가한다.
이것은 동시에 펜더 에이프런 패널을 복원하는 힘도 된다.
펜더 에이프런 패널이 압축되어 있을 때에는 손상에 대응하여 상하좌우 4개소의 힘 ②를 추가한다.
고정은 좌, 우측 펜더 에이프런 후면 ③에 고정한다.

약간 큰 전면부의 손상

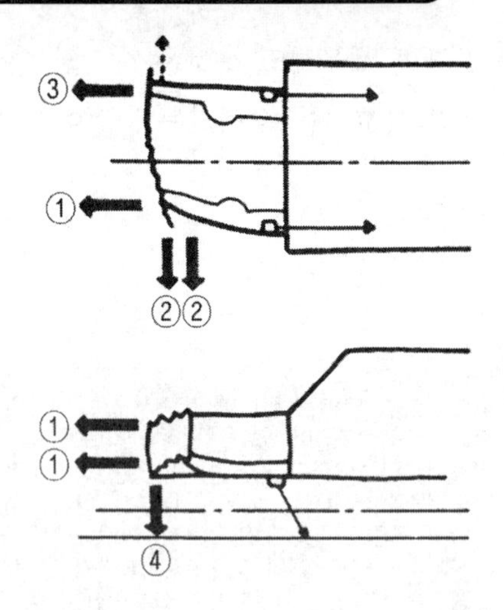

그림에서처럼 엔진 룸의 전체가 우측으로 늘어나 있고 충격의 중심이 되는 좌측 펜더 에이프런 패널의 전면이 위로 들여 올라가 있다. 인장 작업의 주요지점은 좌측 펜더 에이프런 패널과 라디에이터 서포터 패널의 용접부 앞 방향으로는 상하를 인장(①), 좌측 방향으로는 손상의 상태에 대응하여 2 ~ 3개소에 힘(②)를 가한다.
우측 펜더 에이프런 패널은 우측으로 약간 쏠린 상태로 되어 있어 앞에서의 인장 힘(③)정도로 충분하다. 좌측 전면의 상부 방향의 손상이 클 때에는 아래 방향으로 (④)를 추가한다.

프런트 필러에 전달된 전면부의 손상

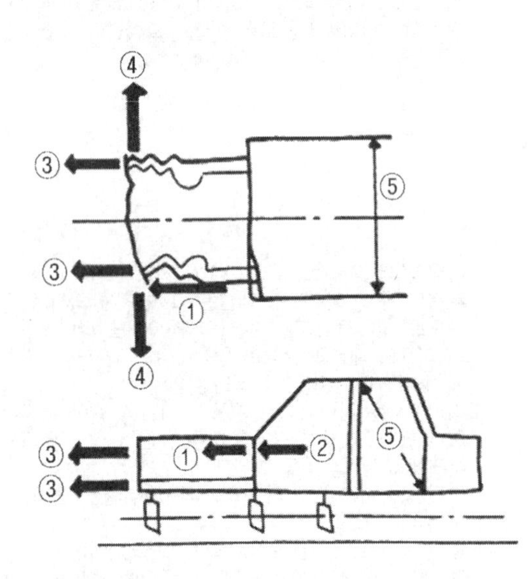

프런트 보디 전체가 크게 변형되어 좌측의 프런트 필러가 밀려들어가 있다. 상당히 큰 사고이다. 이 경우에는 손상이 프런트 코너 일부 정도로 한정되어 있지 않다. 그림에서처럼 좌측 프런트 펜더 에이프런 패널이 부착된 사이드 멤버 안쪽 에서 앞으로 인장하면(①) 효과적이다.
실내 측에서도 필러를 (②) 앞으로 밀어주면 보다 빠르게 복원 작업이 가능하게 된다. 이것은 대시 패널이 밀려들어가 있을 때에도 같다. 보디 전면부는 좌우상하 4곳에서 (③) 당김 작업을 실시한다. 옆 방향으로의 쏠림이 있는 경우에 (④)좌측 혹은 우측으로의 인장이 필요한 것이다. 큰 힘을 가할 때에는 도어 개구부의 비틀림을 방지하기 위하여 추가적인 고정 작업(⑤)이 필요하다.

위와 같이 프런트 필러까지의 손상이 발생한 차량은 손상 범위가 크기 때문에 대부분 현장 작업시에는 프런트 사이드 멤버의 교환 작업을 실시한다. 이 때 교환하고자 하는 범위를 정확하게 판단 후에 인장 작업을 해야 하며, 모든 수정 작업이 완료 된 상태에서 절단 작업을 해야한다. 변형이 남아 있는 상태에서 절단 작업이 먼저 이루어지게 되면 후속 작업으로 이어지는 패널 부착 작업 시에 상당히 어려움을 겪게 되므로 주의를 요한다.

가벼운 측면 손상

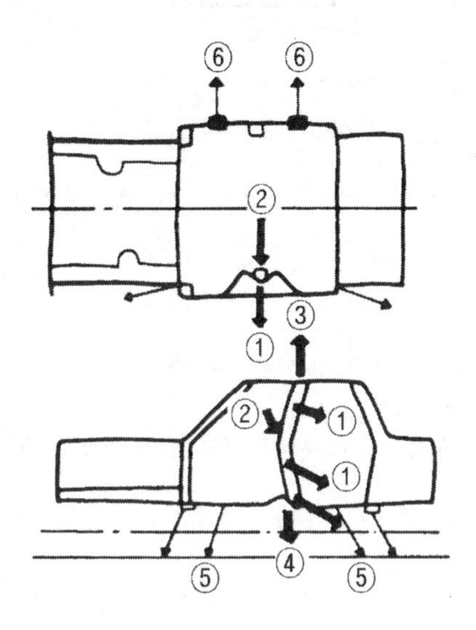

그림에서처럼 센터 필러를 중심으로 한 플로어 패널에 비틀림이 발생하지 않은 정도의 손상이라면, 기본 고정은 원래의 방법대로 실시한다. 수정 작업은 센터 필러와 사이드 실이 중심이 된다.
클램프를 설치하는 장소가 마땅하지 않으므로 박판 등을 용접하거나 센터 필러를 보호하는 보조재료(고무 등 패널을 손상시키지 않는 재료) 등을 부착하여 체인을 감을 수 있는 등의 작업이 필요하다. 구체적으로는 변형의 중심을 똑바로 하여 양측을 좌측 방향으로 인장(①)하며 동시에 실내측에서 밀어준다.
(②) 루프가 손상되어 있는 경우에는 위쪽 방향으로(③) 인장작업을 병행해 준다. 사이드 실(로커 패널)이 위로 들려 올라가 있는 경우에는 이것에 대응하여 아래 방향으로도 인장 작업을(④) 실시한다. 사이드 실의 손상이 없는 경우에는 좌측 사이드 실의 양면을 고정하여 준다.
(⑤) 손상의 크기 여부에 따라서 인장 작업이 진행되는 반대 방향에 기본고정 외에도 추가고정을 해줌으로써 인장 작업을 통한 수정작업의 효율성을 극대화 할 수 있다.

과도한 측면 손상

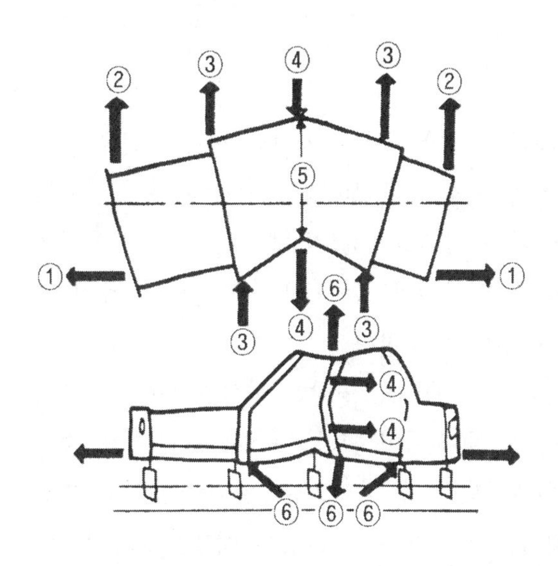

그림에서처럼 손상 범위가 센터 필러를 지나 플로어 패널까지 전체적으로 손상이 되는 경우가 있다. 보디의 전체가 뒤틀려 있어서 기본적인 고정도 할 수 없다. 이렇게 되면 인장 작업과 고정은 구별할 수 없는 난처한 입장에 처하게 된다. 기본적으로 전체를 굽어진 막대기(봉)으로 생각하고 변형 되어져 있는 쪽을 전후에서 잡아 당겨 늘리는 힘(①)과 보디의 전후를 원상으로 복원하기 위한 (②) 큰 힘이 필요하다.

이것만으로는 보디의 변형을 되돌릴 수 없기 때문에 프런트와 리어 필러 부분을 밀고 당기는 힘(③)과 센터 부분의 변형을 되돌리는 힘(④)도 빠져서는 안 된다.

차 실내에서 센터 필러를 좌우로 연결(⑤)하게 되면 가해지는 힘은 보다 효과적이다.

상하 방향으로는 보디의 손상에 따라 전후좌우의 힘을 옆으로 뉘울 수 있도록 밀거나 당기는 힘(⑥)을 가한다. 변형의 상태에 따라서는(⑥)의 방향이 모두 역으로 되는 경우도 있다.
리어 부분의 손상은 프런트 손상의 반대로 생각하고 진행하면 좋다. 또한 인장 지점은 실제 인장작업에서는 같은 방향으로 인장 작업을 추구하는 경우도 있다.

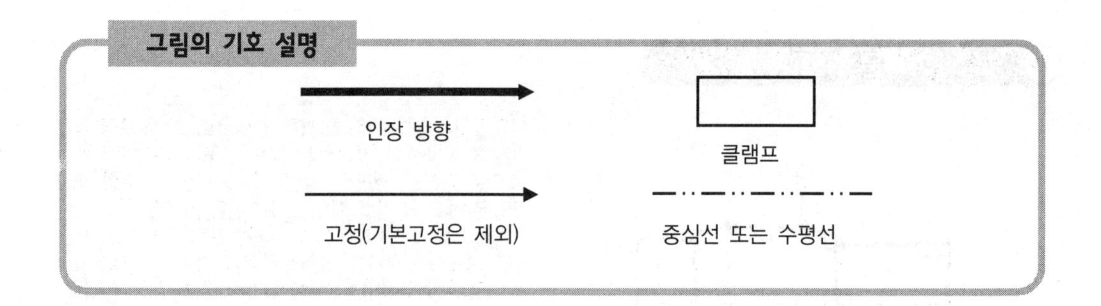

그림에 나타난 사고의 유형은 일부분에 속하는 것으로 참고하기 바란다.

사고의 유형은 같은 장소에 일어난 사고라 할지라도 변형되는 모습과 수정 방법에 차이가 많이 발생하므로 유형별 손상 수정 방법은 참고용이다.

실제 손상된 차량의 모습이 아니라 그림으로 표현된 손상이기에 다소 과장되게 표현 된 부분이 있음을 또한 참고 바란다.

12 보디 계측

1 계측의 필요성

골격부위까지 충격이 미친 손상 차량을 복원 수리할 경우 관찰이나 실물을 맞추어 보는 등, 외관만을 수리할 경우 안전, 쾌적한 주행을 할 수 없는 경우가 있다. 모노코크 보디에서의 서스펜션은 차체에 직접 연결되어 차를 지지하고 있기 때문에, 이것의 부착위치나 치수가 정확히 수리되지 않으면 올바른 휠 얼라인먼트는 기대할 수 없기에 주행 중 핸들이 떨린다든지 타이어의 편 마모 등의 이상이 발생한다.

더욱이 필러 부분의 손상은 외판 패널의 부착(조립)에도 영향을 끼치고 도어 각 부의 개폐 상태의 불량과 단차 및 간극 발생, 누수 등의 원인이 된다. 따라서 골격 부위 손상 차량은 이러한 문제점을 미연에 방지하기 위해서도 차체 수정 시 차체 정밀도를 충분히 확보하는 것이 중요하다. 현재, 각 메이커에서는 생산하는 전 차량에 대해서 차종별, 차형별로 차체 치수도를 작성하고 있다. 작업을 실시할 때 손상 정도가 관찰만으로 불충분할 경우는 계측기기를 사용해서 손상을 알기 쉬운 수치로 바꾸어 파악함으로써 확실한 작업을 해야 한다.

사람의 눈은 착각을 일으키기 대단히 쉽다. 예를 들면 같은 길이의 봉이 다르게 보인다든지, 똑바르게 곧은 선이 비뚤어져 보이는 경우도 있다. 그러나 계측기기에 의해 선의 길이도, 굽음도 곧바로 판단할 수 있다. 보디의 계측도 이와 같이 눈으로 보는 것만으로는 정확한 판단을 할 수 없다. 보디를 계측(측정) 하는 것에도 각종 계측기기가 사용되고 있다. 각종 보디는 선이나 봉에 따라 단순한 모양의 것은 없으며, 입체 구조물이기 때문에 줄자를 이용하여 길이를 측정하는 것으로는 적합하지 않다.

현재 정비현장에서 많이 사용되고 있는 줄자 사용으로의 계측은 실제로 필요치 않다라는 것은 아니다. 가장 많이 사용되어 지고 있고, 가장 많이 활용하는 것이 줄자의 사용이다. 오랜 경험을 바탕으로 한 줄자의 사용만으로 차량의 손상 범위의 측정과 길이의 비교를 하는 것 또한 많은 경험을 토대로 이루어진 것이기에 무엇이라 정의를 내릴 수는 없을 것이다.

하지만, 정확한 보디 수정의 기본은 정확한 계측기기의 사용에 있다. 많은 사람들이 그것을 알고 있지만 사용하지 못하고 있는 것은 아마도 현실성일 것이다. 장비가 갖추어 지지 않았기 때문이다. 사용하고 싶어도 사용할 수 있는 계측기기가 없는 현실이 안타깝지만, 계측기기가 없다고 해서 사용방법을 모르는 것 또한 각자의 노력 부족이 아닐까 생각해 본다.

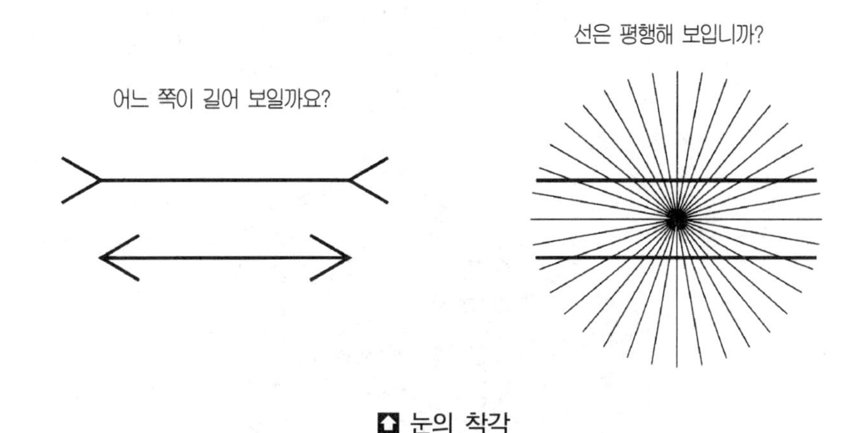

눈의 착각

2 트램 게이지에 의한 계측

대각선이나 특정부위의 길이는 트램 게이지를 사용하면 정확하게 측정할 수 있다. 최근에는 대부분의 제품이 메이저를 부착하기도 하고, 비교에 의한 실제 치수를 판독할 수 있게 되어 있으며 사용 범위는 대단히 넓다. 보디 치수의 자료가 무한하더라도 대각선의 비교나 길이의 점검으로서 보디의 상태(변형의 상태), 특히 엔진룸이나 윈도우 개구부 등의 변형을 알 수 있다.

본래의 보디가 좌우 비대칭 되어 있다든지, 보디가 나사로 되어 있으면 정확한 계측을 할 수 없다.

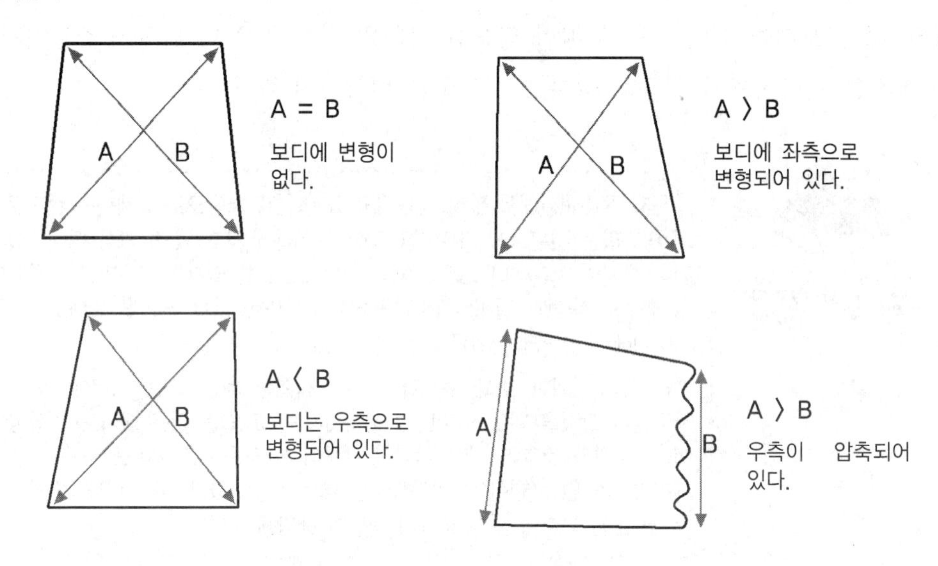

■ 대각선의 비교와 길이 점검

※ 많이 측정할수록 정밀도는 향상된다.

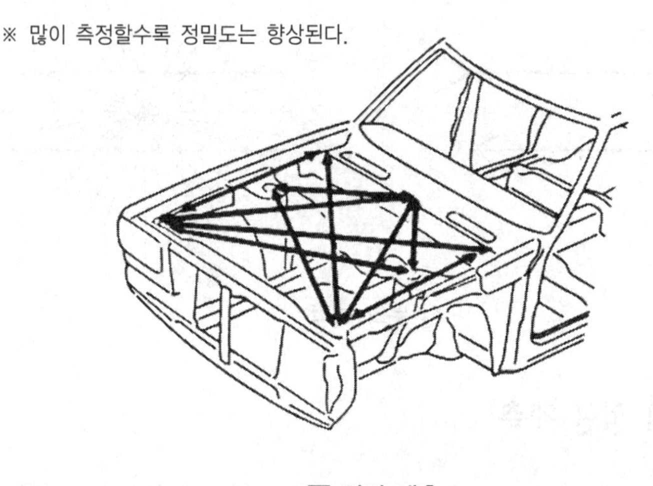

■ 정밀 계측

❸ 작업 전의 점검

트램 게이지는 치수를 읽는 부분과 계측하는 측정자의 두 부분으로 나뉘어진다. 따라서 작업을 실시할 때에는 측정자의 변형이나 움직이는 부분에 유격이 있으면 정확한 계측 작업이 안 되기 때문에 작업 전에 다음의 점검을 하지 않으면 안 된다.

(1) 유동부의 유격

유동부분을 확실히 고정하고, 측정자나 유동부에 유격이 없는 가를 확인한다.

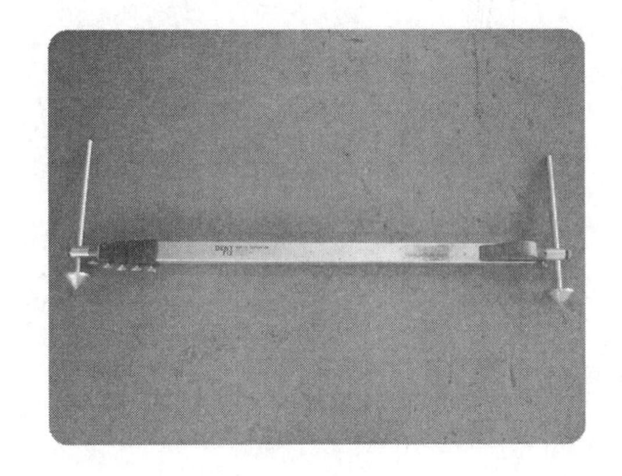

트램 게이지

측정자와 유동부 점검

(2) 측정자의 변형 확인

측정자를 분해해서 평면 위에 놓이게 했을 때 변형여부를 확인할 수 있게 되고 다음 그림과 같이 좌우의 측정자를 같은 길이로 맞추어 측정자 선단의 치수를 비교해서 그 치수와 트램 게이지가 나타내는 치수를 비교해 보면 쉽게 변형의 여부를 확인할 수 있게 된다.

(3) 측정자 끝의 마모 확인

측정자의 끝은 측정 점을 나타내는 경우가 많기 때문에 중심점이 틀린다든지 변형되어 있으면 안 된다.

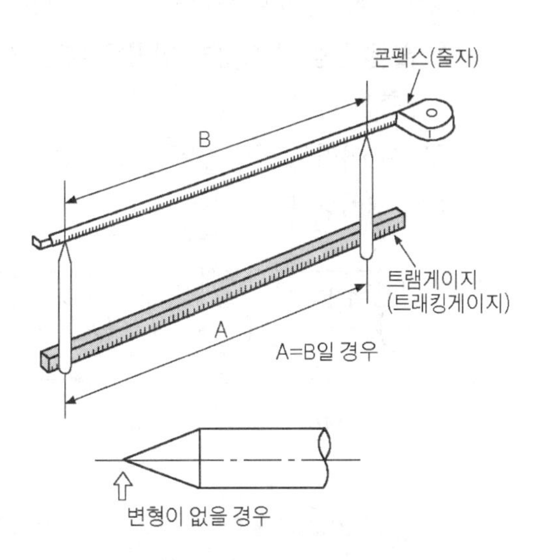

측정자 선단의 치수 비교

(4) 트램 게이지의 측정자 조정

트램 게이지의 측정자 조정은 평면 투영 치수와 직선거리 치수가 아래와 같이 서로 다르다.

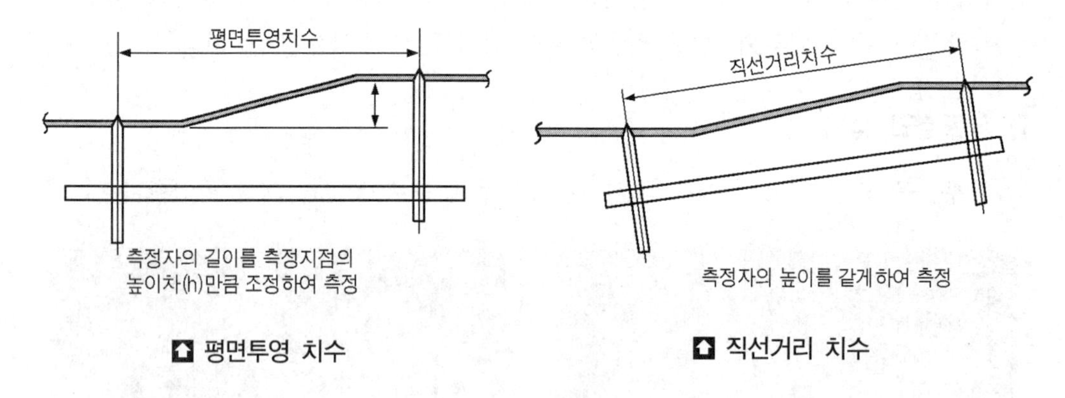

평면투영 치수　　직선거리 치수

(5) 작업상의 주의

① 측정자는 계측할 홀에 확실하게 고정 한다

홀에 확실하게 고정함으로써 홀 중심 간의 거리를 구할 수 있다.

② 측정자는 필요이상으로 길게 하지 않는다

너무 길게 되면 휘어짐이 발생해 읽는 부분과 측정 부분의 오차가 발생하게 된다.

③ 홀 중심을 측정하기 어려울 때는 홀 끝 부분을 이용한다

계측은 홀과 홀 사이의 중심 거리를 측정하나 장소에 따라 계측할 수 없는 장소나 계측이 어려운 곳이 있다. 이런 경우에는 홀의 끝 부분을 계측하여 홀 중심 간의 거리로 대처한다.

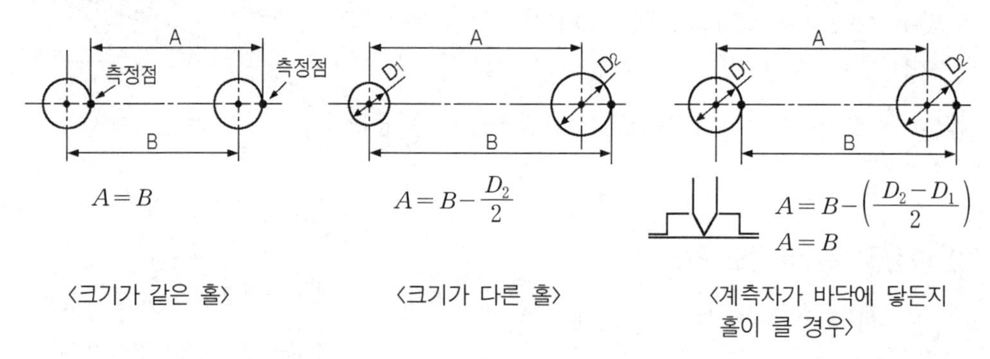

홀 측정

④ 측정점의 높이차가 있으면 오차가 생기기 쉽다.

높이 차이가 있는 장소를 직선 치수로 측정하면, 그 치수는 경사각 및 홀의 크기 차이 등으로 기준치와 다른 치수가 나오게 된다. 다음 그림은 측정자 선단 부의 상세도를 나타낸 것으로써 홀 중심과 측정자의 계측 점에 차이가 생기는 것을 알 수 있다.

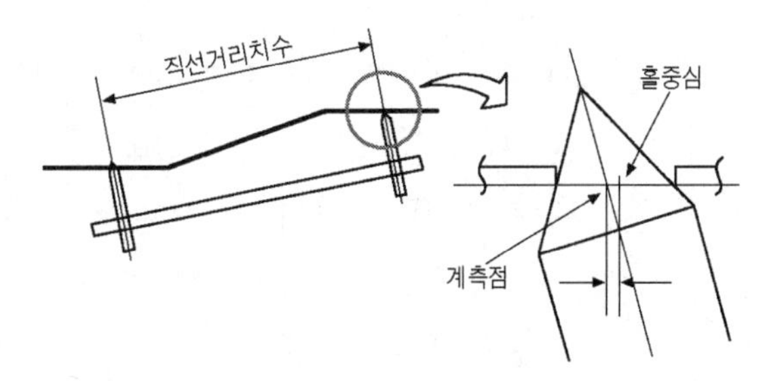

측정점의 높이차간의 계측점

아래그림은 계측 점 높이차의 대소 및 홀 크기의 차이에 의해 생기는 측정자의 계측 점과 홀 중심 위치 차를 비교한 것으로, 높이 차이가 클수록(트램 게이지의 경사가 심하다) 홀의 크기 차이가 클수록, 측정자의 계측 점과 홀의 중심 위치에 차이가 나는 것을 나타내고 있다.

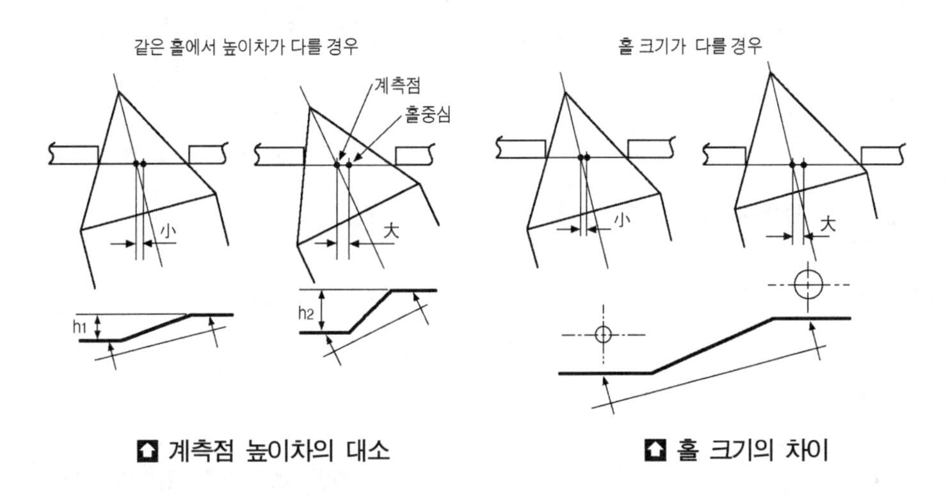

계측점 높이차의 대소　　　　홀 크기의 차이

아래의 표는 계측점의 경사각과 홀의 크기 차이에 의해 생기는 계측기 치수와 기준 치수의 오차를 표시한 것이다.

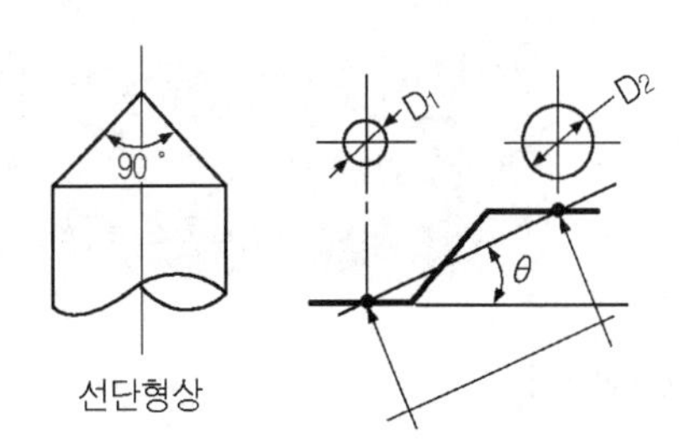

D2−D1 / ° (도)	0mm	5mm	10mm
0°	0	0	0
10°	0	0.5	1
15°	0	1	1.5

㉠ 경사각 10° 이상에서는 1㎜ 이상의 오차가 생긴다.

㉡ 경사각 10° 를 기준으로 1000㎜의 길이에서 높이차가 약 200㎜ 정도로 기억해두면 좋다.

㉢ 한 지점으로부터 2~3방향의 치수를 동시에 계측한다.

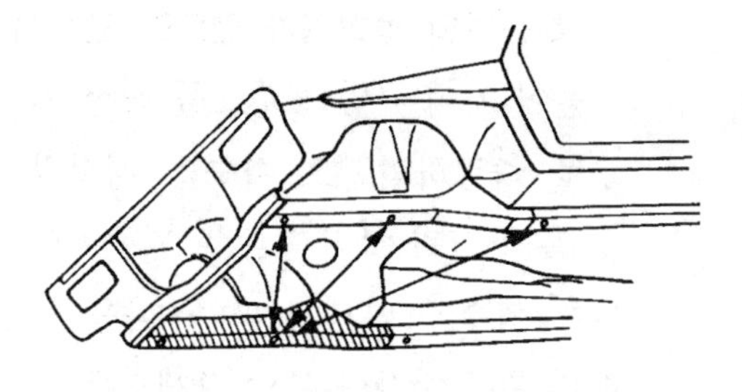

한 지점으로부터 동시 계측

㉣ 투영 치수가 있는 차체치수도 에는 최종 치수의 확인은 투영치수로 실시한다.

⑤ **측정자에 어댑터를 붙일 경우**

양쪽 홀의 크기가 측정자보다 클 경우에 어댑터를 장착하면 정확한 작업이 가능하다. 그러나 직선거리 치수로 계측할 경우 양쪽 측정자에 어댑터를 붙여, 계측한 오차의 크기를 감안한다. 한쪽만 사용하면, 계측한 수치의 오차가 크게 나기 쉽다.

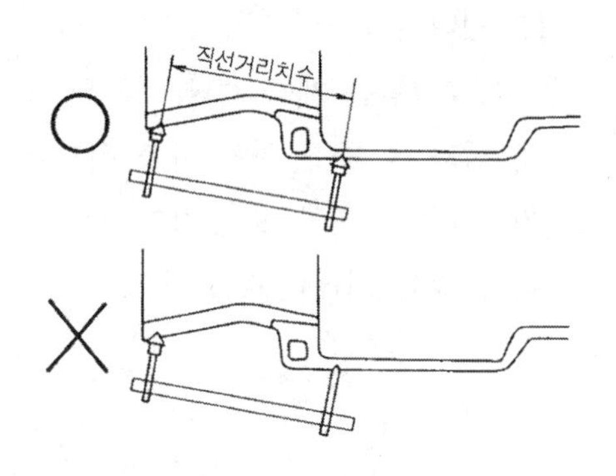

측정자에 어댑터 장착

4 센터링 게이지에 의한 계측

센터링 게이지는 좌우 대칭인 멤버의 기준 홀 등에 장착하면 자동적으로 중심을 나타내는 것으로 통상 보디의 4~5개소에 장착하여 보디의 중심선의 변형(휨)이나 비틀림 손상을 판별한다.

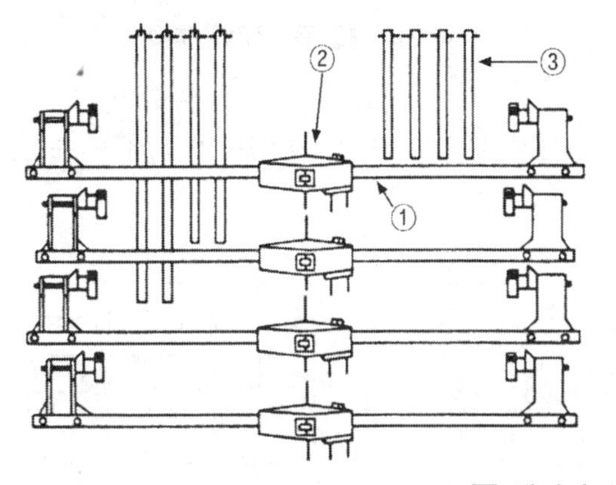

센터링 게이지

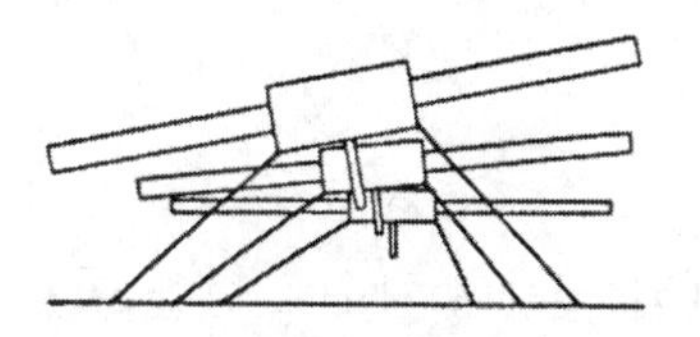

우측(RH)은 아래로 좌측(LH)은 위로 변형되어 있음을 알 수 있다.

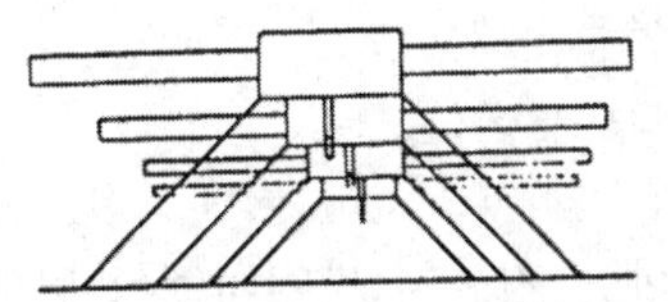

전체적으로 우측(RH)으로의 변형이 있음을 알 수 있다.

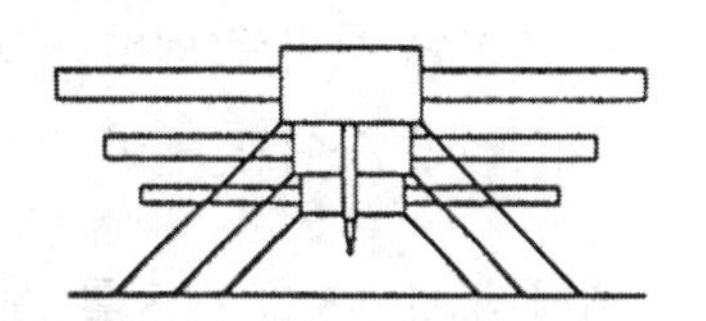

전체가 직선상으로 병렬되어 있으며 변형이 없다.(정상)

센터링 게이지의 계측

(1) 종 류

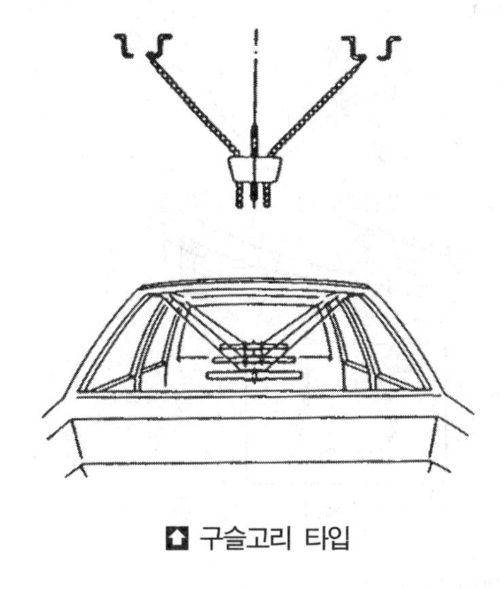

구슬고리 타입

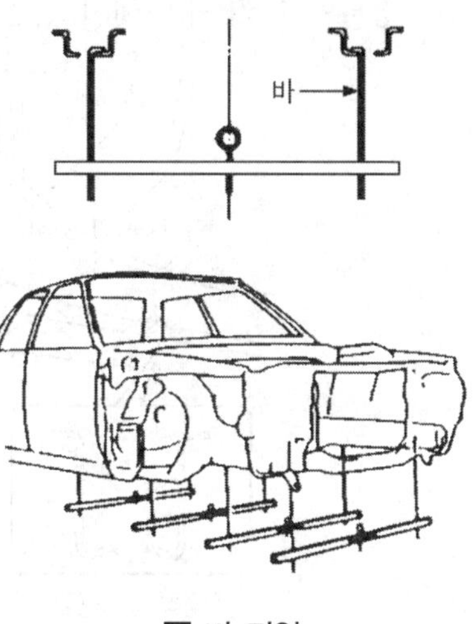

바 타입

(2) 설치개소

기본적인 설치장소는 우선 손상이 없는 장소에 3곳, 손상이 있다고 보여 지는 장소에 1~2곳에 설치한다.

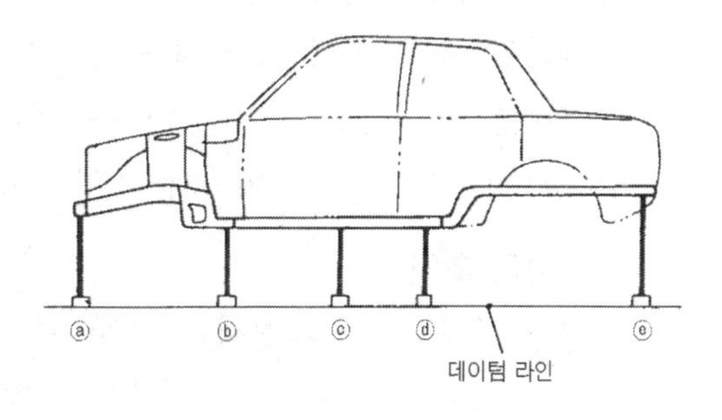

기본적 설치장소

주된 설치 장소는 다음과 같다.

① 프런트 크로스 멤버 또는 프런트 사이드 멤버 전면부
② 프런트 사이드 멤버의 바닥 부분
③ 센터 사이드 멤버

④ 리어 사이드 멤버 전면부

⑤ 리어 사이드 멤버 후면부 등이다.

센터링 게이지를 설치할 때에는 자동차 메이커에서 발행되는 차체 치수도 등을 이용한다.

(3) 사용상의 주의

① 게이지 부착 부분의 확인

게이지를 부착하는 홀에 변형이 있을 경우에는 사용하지 않는 것이 원칙이나, 변형의 정도에 따라 수정해서 사용할 수 있다.

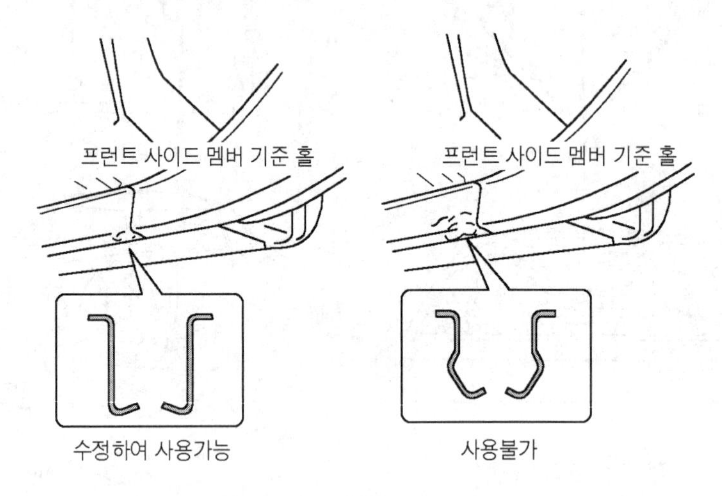

◘ 게이지 설치부의 변형 상태

② 좌우 대칭 위치의 확인

센터링 게이지의 부착 위치는 좌우 대칭인 것이 기본이다. 최근의 차량은 상하 좌우 사이드 멤버가 5 ~ 10㎜ 장도의 차이가 있는 비대칭형이 있기 때문에 작업 시에는 반드시 「차체수리 지침서」 등을 정확히 확인하는 습관이 필요하다.

③ 설치 확인

항상 「차체수리 지침서」 의 치수를 기준으로 하여 설치한다.

④ 변형 상태의 판단

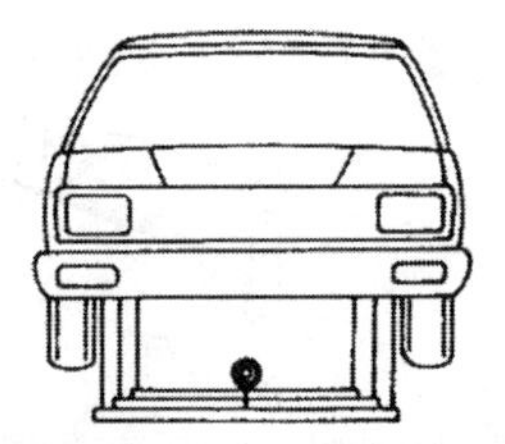

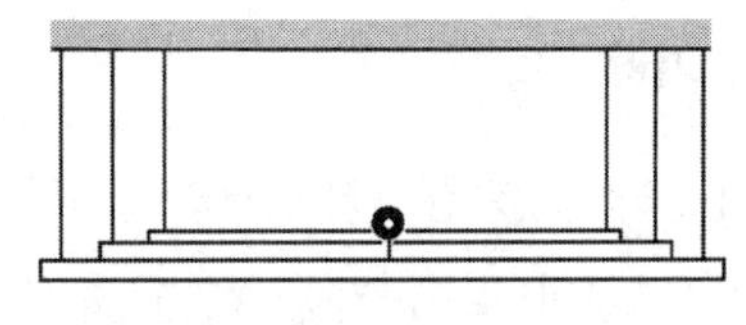

평행도 - 센터의 변형이 없다.

이 경우는 평행도를 나타내는 크로스 - 바 및 차량 중심을 나타내는 센터 핀이 어긋남 없이 정렬된 상태를 나타낸다.

◘ 정상시

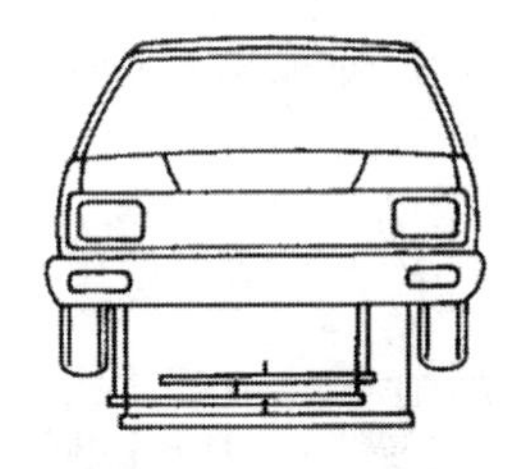

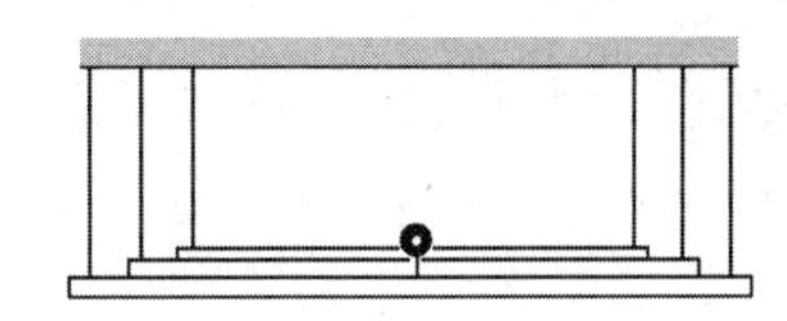

평행도를 나타내는 크로스 - 바는 정렬되어 있으나, 센터 핀은 변형되어 있다.

◘ 좌우변형

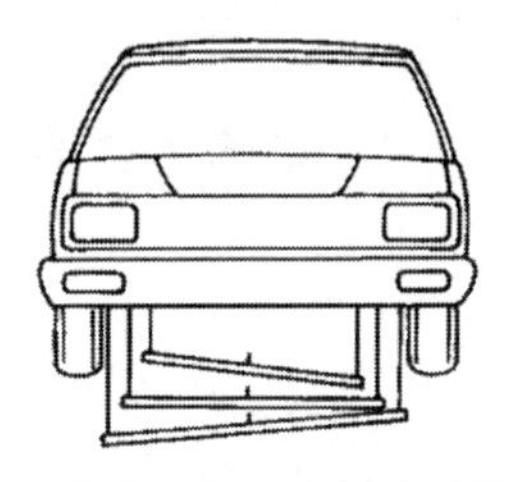

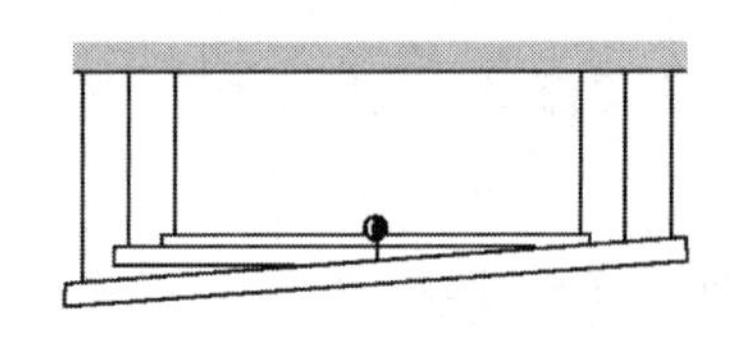

크로스-바에 좌우 차이가 있다.

◘ 뒤틀림

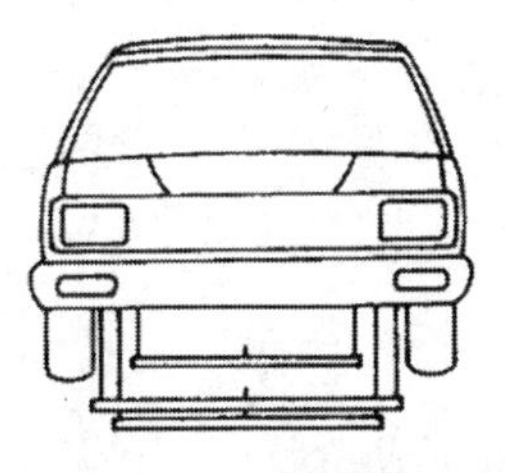

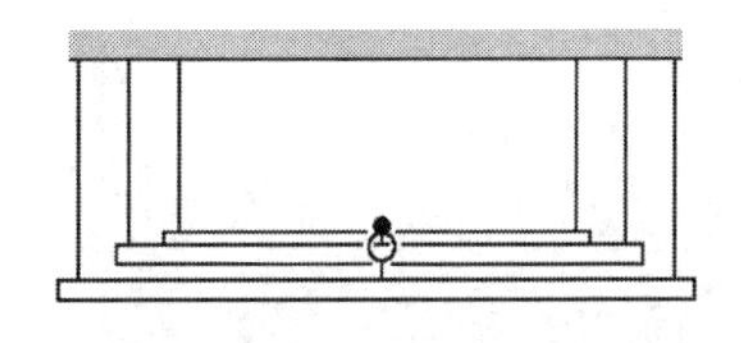

크로스 바에 상하의 어긋남이 발생한다.

◘ 상하변형

5 줄 자

(1) 줄자의 가공

줄자를 사용하여 홀 끝 간의 거리를 측정할 경우 줄자의 끝을 그림과 같이 가공 하면 측정 시에 홀에 걸기 쉽고, 계측 오차를 줄일 수 있다.

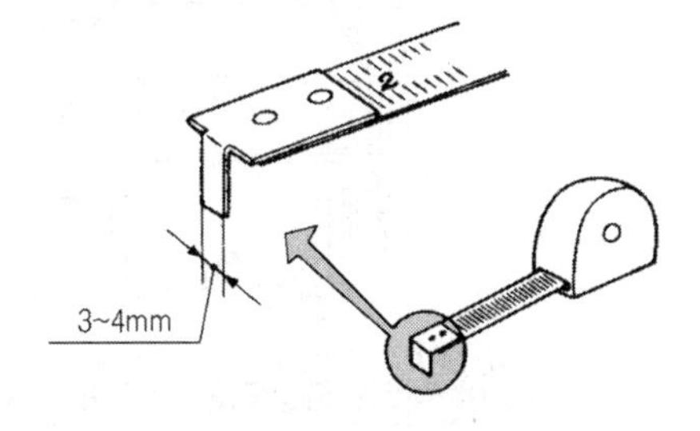

줄자의 가공

(2) 계측 상의 주의

① 비틀림, 휨 등이 생기지 않도록 할 것.
② 측정 점을 확실하게 누를 것, 필요에 따라서 2인이 함께 측정한다.
③ 장착부위 금속 형태에 의한 오차를 고려한다.
④ 줄자의 기점은 100㎜로 하고 홀 중간의 거리를 측정하면 정확한 측정이 가능하다.

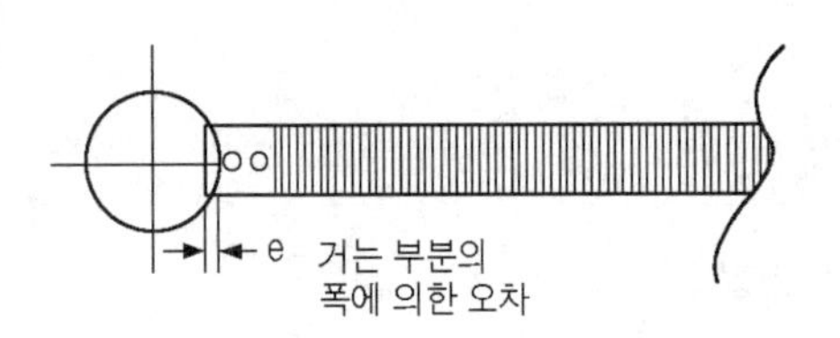

폭에 의한 오차

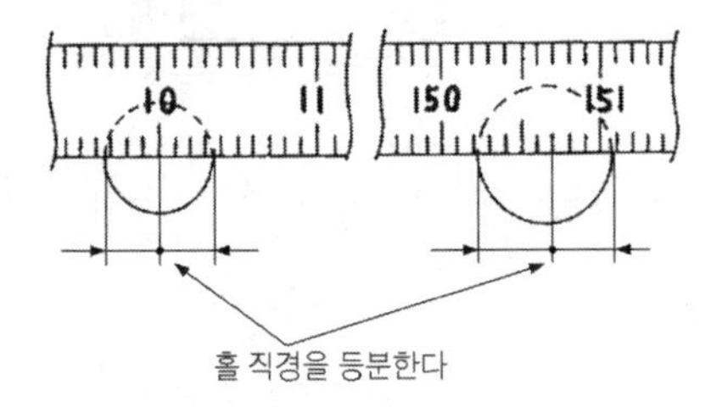

홀 직경 등분

6 지그에 의한 계측

지그(Jig)는 센터링 계측에 다소의 시간이 걸리지만 취급은 누구 나도 사용할 수 있도록 간단하여 눈으로 보면 곧바로 결과가 나오게 되어 있다.

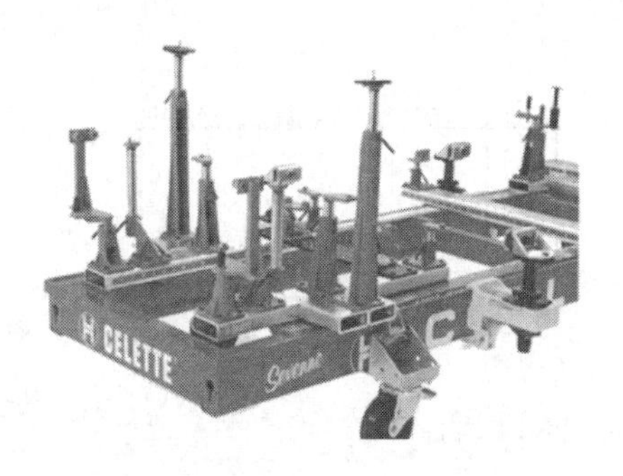

셀레트 벤치 위의 지그 세팅

차체에 지그 설치 후 변형 확인 모습

지그에 의한 계측으로 인해 쉽게 손상의 범위와 위치를 파악할 수 있으므로 작업은 상당히 간단한 정도이다. 물론 세팅을 빨리 하는 숙련도 필요하겠지만 이러한 숙련은 어느 계측기기에나 공통적으로 적용된다고 할 수 있겠다.

7 계측작업의 요점

계측작업을 정밀하게 하기 위해서는 다음의 사항들을 주의할 필요가 있다.

① **수평으로 확실한 고정할 것** : 보디가 기울어진다든지 흔들흔들 움직이게 되면 정확한 계측을 할 수 없다.

② **계측기기에 손상이 없을 것** : 트램 게이지의 측정 눈금이나 센터링 게이지의 핀, 신 계측기의 움직이는 부분, 지그의 측정 부분 등 계측기 본체가 삐뚤어져 있다든지 하면 정확한 측정 결과치를 기대할 수 없다.

③ **보디 치수자료의 활용** : 실측했을 때 조금은 상이한 부분이 없지 않아 있지만 객관적인 자료로는 부족함이 없을 것 같다.

8 차체 치수도의 종류

차체 치수도는 프런트 보디, 사이드 보디, 언더보디, 리어 보디 등을 기본으로 하여 정리 되어 있다.

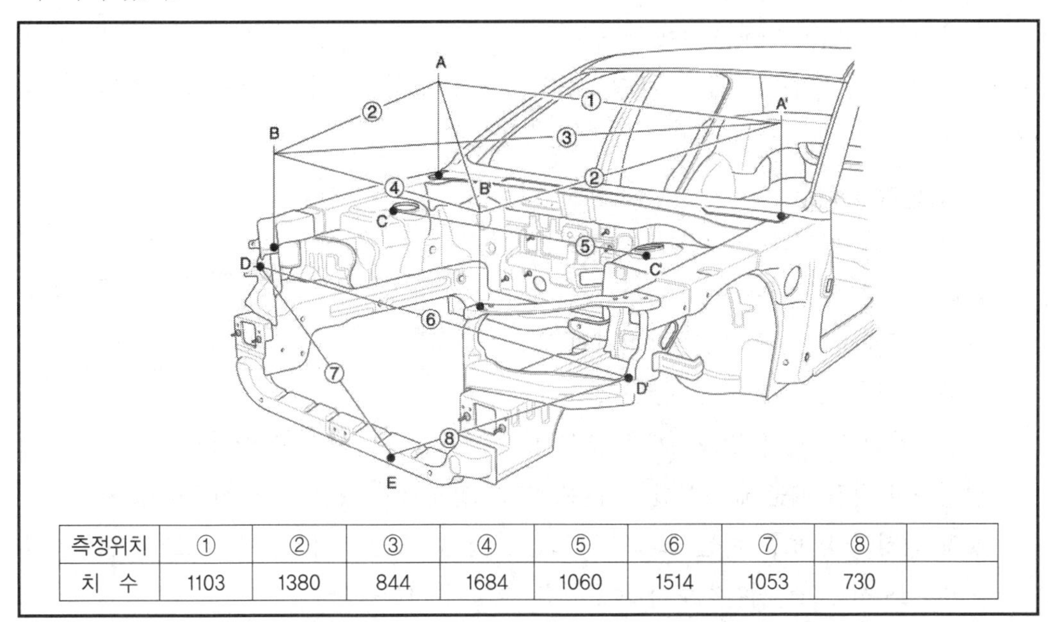

측정위치	①	②	③	④	⑤	⑥	⑦	⑧	
치 수	1103	1380	844	1684	1060	1514	1053	730	

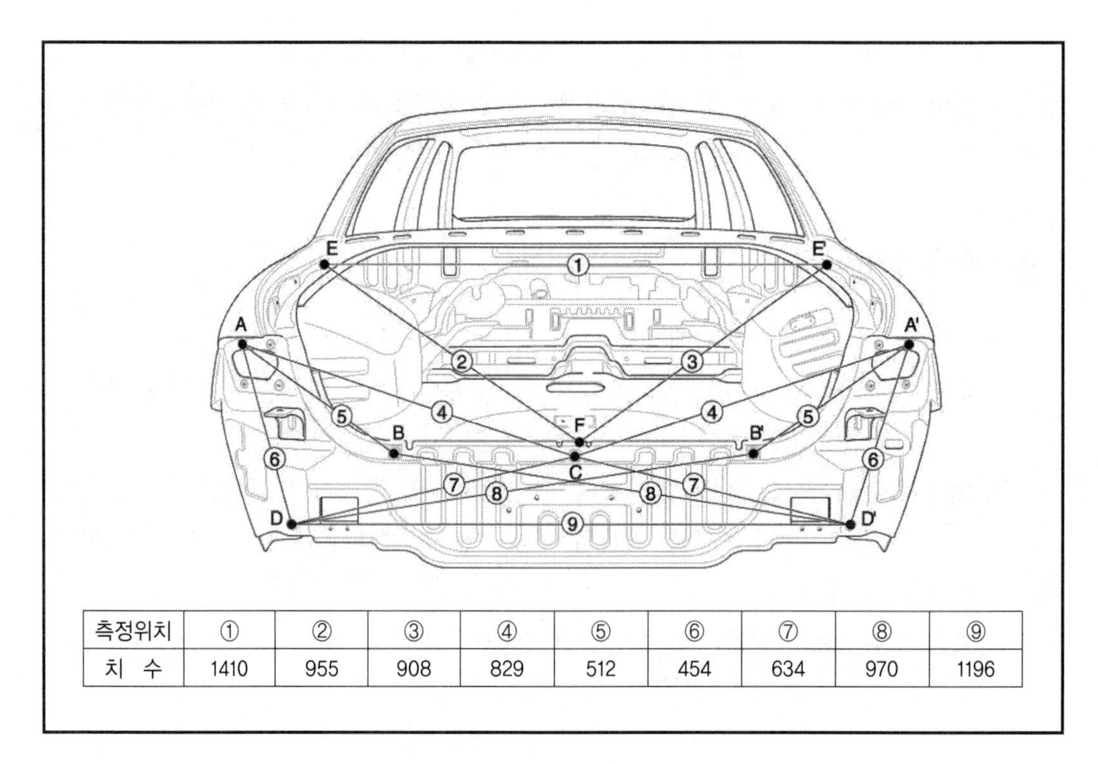

측정위치	①	②	③	④	⑤	⑥	⑦	⑧	⑨
치 수	1410	955	908	829	512	454	634	970	1196

차체치수도(리어 보디)

(1) 차체치수도의 표시법

계측하는 2점 간의 거리 표시에는 직선거리 치수와 평면 투영 치수의 2가지 방법이 사용되고, 직선거리 치수는 프런트 보디, 사이드 보디, 양쪽 모두를 병용한 언더 보디가 있다.

① 직선거리 치수

직선거리 치수라는 것은 측정하려는 2개의 측정 점을 직선으로 연결하는 치수를 말한다. 이 경우 트램 게이지의 측정자는 양측 모두 같은 길이로 한다.

직선거리 치수

일반적인 트램 게이지는 계측 오차가 발생하기 쉽기 때문에 정확한 기준 평면이 설계되어 있는 계측 시스템을 이용하는 것이 원칙이다. 보통 직선거리 치수 법은 측정용 포인트 사이를 똑바르게 연결한 치수 법으로서 트램 게이지로서도 정확한 측정이 가능하다.

② **평면 투영 치수**

평면 투영이란 물체를 상, 하, 옆, 전, 후로부터 보고 그 형태를 평면 위에 나타낸 모습을 말한다. 이것은 보디의 중심선에 대하여 평행한 수평선의 길이를 나타내는 치수법이다. 때문에 높이나 좌우의 차이는 무시되고 평면상의 치수법이라 할 수 있다.

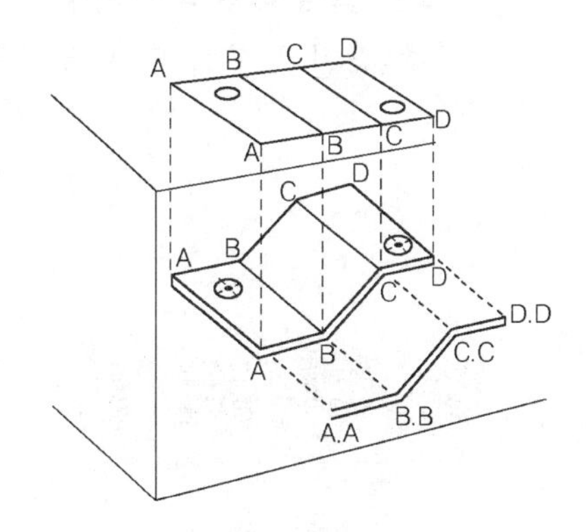

평면 투영 치수

(2) 기 준 점

① **홀의 기준점**

홀의 중심으로 나타낸다.

② **부품 선단의 기준점**

부품의 플랜지 선단의 각도를 나타낸다.

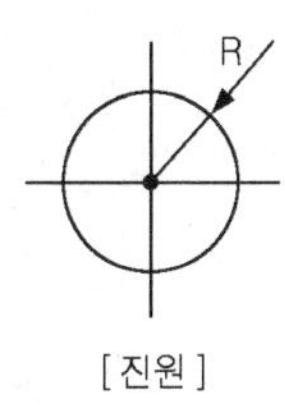

[진원]

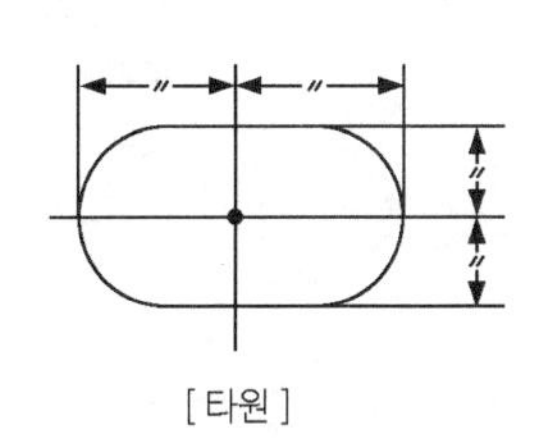

[타원]

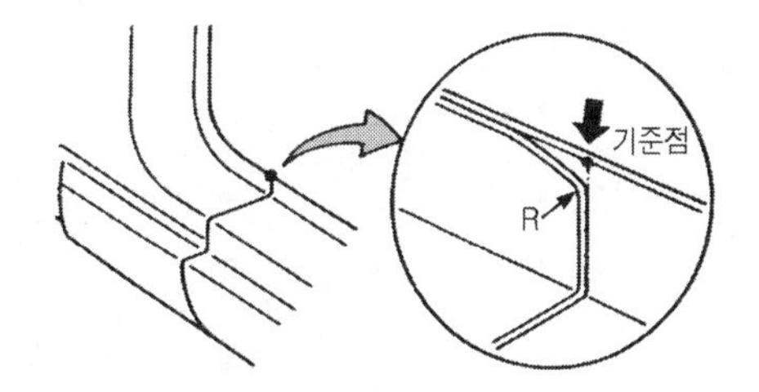

③ **돌기 엠보싱의 기준점**

돌기 엠보싱의 정점(頂點)에서 나타낸다.

④ **계단부의 기준점**

표면 계단 부위의 단부(端部)를 나타낸다.

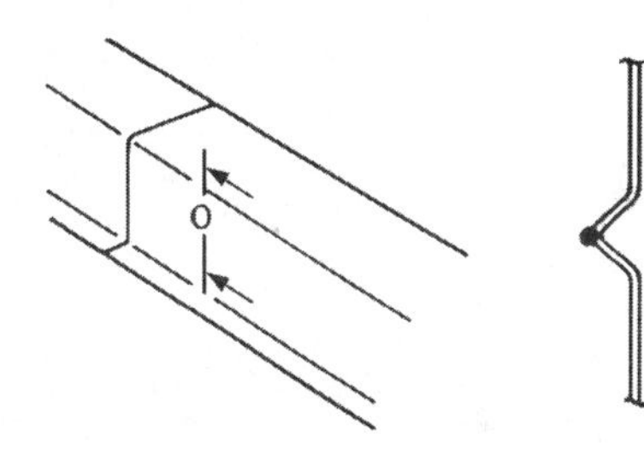

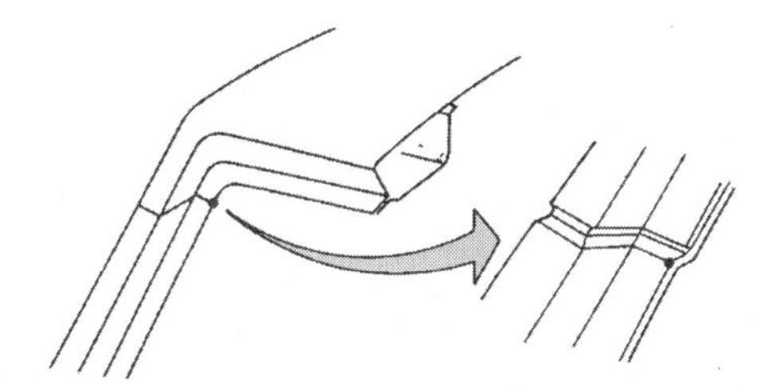

⑤ 2중 겹침 패널의 기준점

2중 겹친 부분의 맞댄 부분을 나타낸다.

아래측 패널은 엠보싱을 위측 패널은 잘려 진 부분을 나타낸다.

상하 패널 모두 기준 홀이 비워져 있음을 나타낸다.

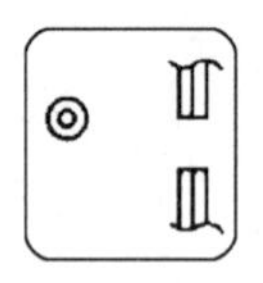

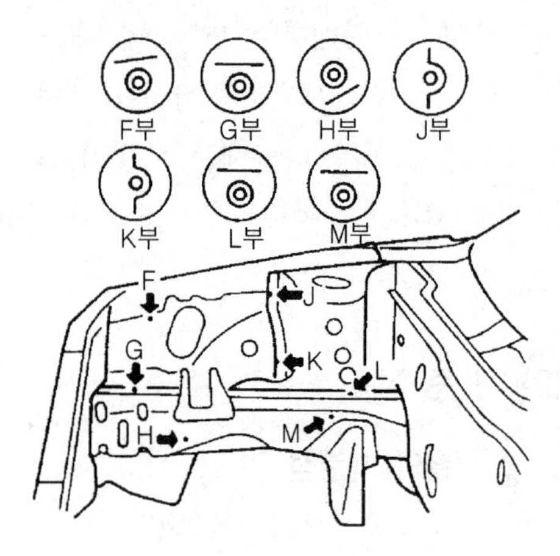

4 보디 패널 수정

1 패널 수정 방법의 선택

패널 수정 작업은 보디 수정과 달리 수정 장비를 사용해서 변형된 패널을 수정하는 것이 아니라 수공구 및 인출 장비를 사용해서 패널을 수정하는 작업이라 할 수 있다. 패널 수정 작업에 있어 오직 수공구 및 인출 장비만을 가지고 수정하는 작업이 많이 발생하지만 변형의 유형에 따라서 수정 장비를 사용하는 경우도 있다. 펜더나 도어, 후드, 트렁크 리드, 루프 패널, 쿼터 패널, 사이드 실 등 외형적인 변형 부위를 수정하는 것이 패널 수정 작업이라 할 수 있다. 수정 작업이라는 개념은 복원시킨다는 개념으로 생각하면 될 것이다.

단순히 수정 또는 복원의 개념으로 본다면 용접 패널의 교환 작업은 수정 개념이 아니라 교환의 개념일 것이다. 하지만, 패널 수정 작업만으로 작업이 이루어지는 것도 물론 많이 있지만, 교환 작업을 위해서 수정 작업이 이루어지는 작업 또한 많이 발생하기에 수정 부분뿐만 아니라 외판 패널 교환 작업까지도 연계하는 것이 훨씬 유익하다고 판단되어 패널 수정 작업 뿐 아니라 용접 된 외판 패널 교환 작업까지도 배우기로 한다.

패널을 교환 하는 데 있어 용접된 패널(쿼터 패널, 루프 패널, 사이드실)을 교환 하는 작업도 있지만, 도어나 후드, 트렁크 리드, 펜더 등 볼트 온 패널(Bolt On Panel)만을 단독으로 교환 하는 작업도 있다는 것을 먼저 인식하기 바란다.

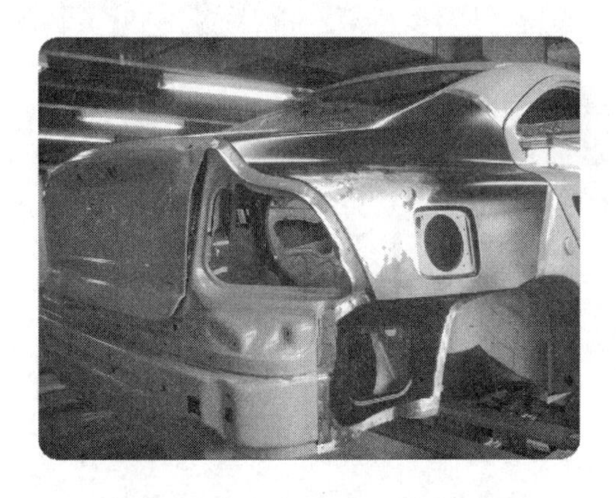

용접패널 교환 작업(쿼터 패널)

볼트 온 패널 교환 작업

1 수리 방법의 종류

(1) 타출 수정

타출 수정은 해머, 돌리를 주로 사용하고 필요에 따라서 스푼과 정을 병용하여 사용한다. 이 작업은 패널 내측에 손과 스푼이 들어가야 하는 조건이 따르며, 그렇지 않은 경우에는 차량으로부터 부품을 떼어내는 것이 바람직하다.

(2) 인출 수정

인출 수정은 패널 내측에서 손과 스푼(spoon)이 들어가지 않는 폐단 부위를 패널의 외부에서 작업하는 방법이다.

타출 수정

인출 수정

(3) 인출 수정의 특징

① 표면에서부터 이루어지는 작업이므로 관련부품을 탈거할 때 부대작업이 거의 없다.
② 부대작업이 거의 없기 때문에 시간 단축이 가능하다.
③ 타출 수정에 비해 수정 면이 거칠고 세밀하지 못하다.
④ 작업 후 퍼티를 도포하는 것이 원칙이다.

2 손상 부분의 수리 순서 결정

❶ 손상의 확인

① 최초의 충격지점 확인
② 힘의 전달 경로 확인(힘의 크기와 방향)
③ 마지막 발생한 요철부 확인

▲ 손상 확인

3 패널의 변형 형태

❶ 손상 점검

(1) 작업 전의 준비

① 변형 부위 확인

작업 전에 변형된 부위를 확인하기 위해서는 패널 표면을 깨끗이 닦아내어야 한다. 변형된 패널 주변에 먼지와 진흙이 묻어 있으면 패널 손상 범위를 정확하게 발견하기가 어렵다. 변형된 패널의 손상 범위를 알기 위해서는 패널 외측만큼 내측도 이례적으로 깨끗하게 해서 변형을 확인하는 한편, 수정 작업을 효율적으로 해 나갈 수 있도록 해야 한다.

② 변형의 종류

패널의 변형은 어떤 충격을 받아 변형된 경우가 많고, 부딪친 곳은 한쪽으로 치우치게 된다. 충격을 받은 장소에 따라 변형 방향이 다르므로, 변형에 따른 수정 방법이 필요하다.

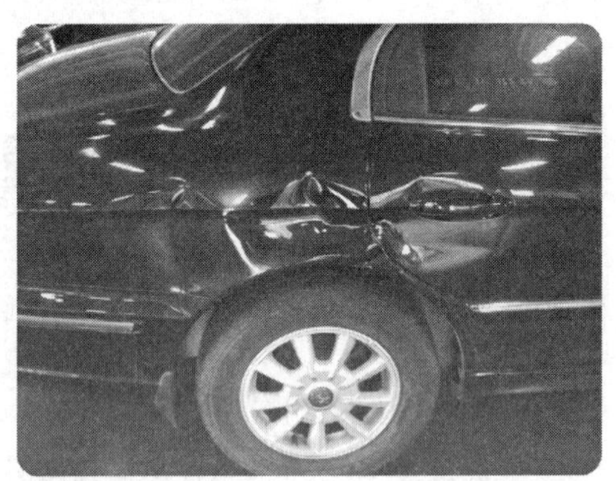

패널의 변형

(1) 직접 변형과 간접 변형

① **직접 변형** : 충격을 받은 부분이 변형됨.

② **간접 변형** : 충격으로 인한 힘의 전달로 충격을 받은 부위가 아닌 다른 장소가 변형됨.

그림에서처럼 A부분은 직접 충격을 받은 장소이므로 변형이 큰 것을 알 수 있다. A부분의 직접적인 충격으로 인한 힘의 전달로 B부분에도 간접적인 작은 변형이 생겼음을 확인할 수 있다. **A부분**에 직접 충격을 받은 곳의 변형을 **직접 변형** 또는 **일차손상**이라고 하며, **B부분**은 A부분의 충격으로 인한 또 다른 변형이므로 **간접변형** 또는 **이차손상**이라고 한다.

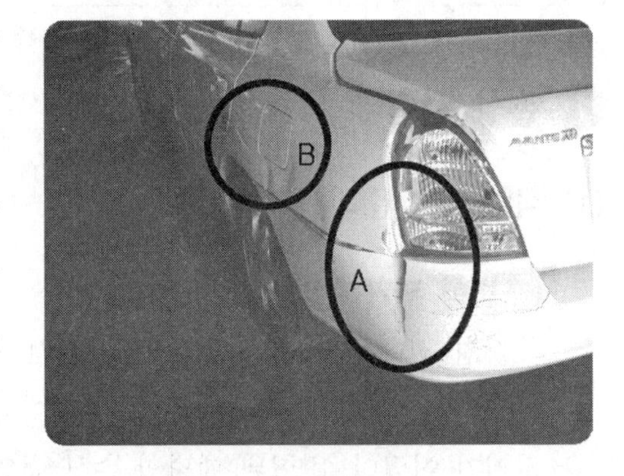

직접변형과 간접변형

간접 변형은 보통 탄성 변형인 경우가 많고, A부분을 수정하면 자연스럽게 원래의 상태로 되돌아 갈 때도 있다. 그러므로 탄성 변형은 마무리 수정과 함께 이루어지는 것이 바람직하다.

(2) 장소에 따른 변형 형태

① 완만한 곡면

충격을 받은 곳의 중심에 변형된 모양이 둥글고 넓다.

완만한 곡면

② 심한 곡면

충격을 받은 곳의 중심에 좁은 범위의 변형이 발생한다.

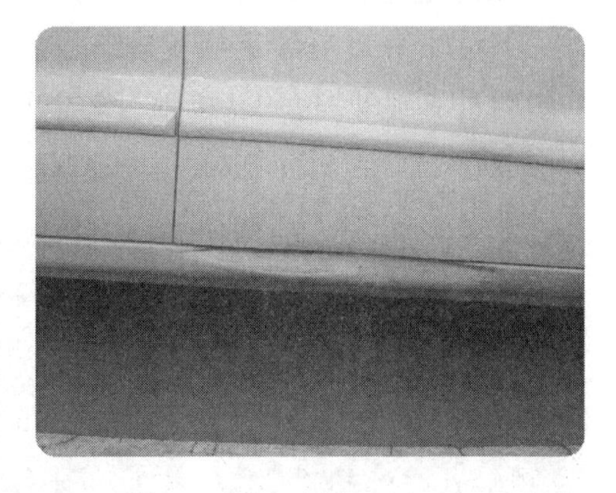

심한 곡면

③ **프레스 라인 부근**

충격을 받은 곳의 중심에 변형이 넓고, 프레스 라인 부근에 변형이 발생한다.

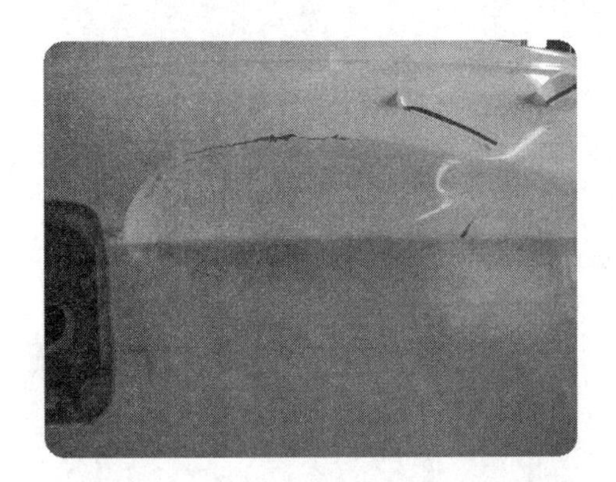

프레스 라인 변형

(3) 탄성 변형과 소성 변형

탄성 변형과 소성 변형을 구분할 수 있는 방법은 쉽게 육안으로도 판별이 가능하며, 변형된 부분을 손으로 밀어 낼 때 패널의 움직임을 보고 탄성 변형과 소성 변형의 차이를 판단 할 수 있다. 강판의 성질 중에서 탄성과 소성이라는 성질을 통해서도 알 수 있다.

① **탄성 변형** : 변형된 부분을 안쪽으로부터 밀어내면, 변형된 부분이 다시 원래의 모습으로 되돌아가는 변형을 말한다.

② **소성 변형** : 변형된 부분을 안쪽으로부터 밀어내면, 변형된 부분은 그 형태를 유지하려 하고 탄성 된 부분만 되돌아가는 변형을 말한다. 즉, 탄성 변형된 부분은 다시 원래의 모습으로 되돌아오지만 소성 변형된 부분은 되돌아오지 않고 변형된 모습 그대로 남아 있다.

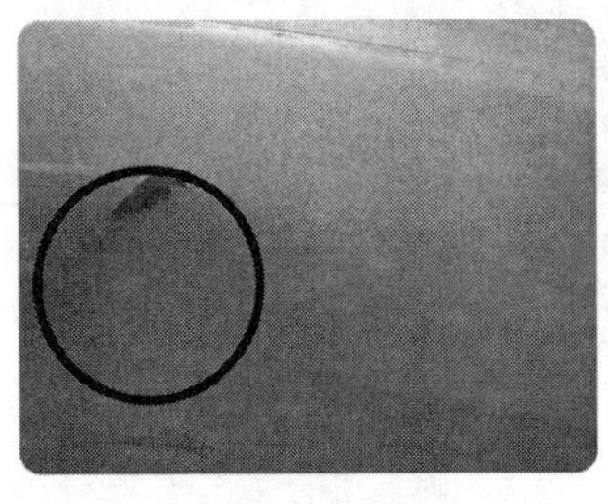

도막이 갈라짐

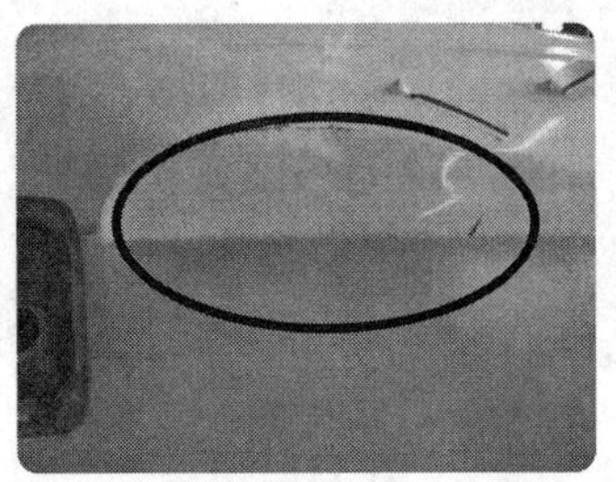

변형부 주위 각이 생김

변형부 주위 늘어남

소성 변형의 형태

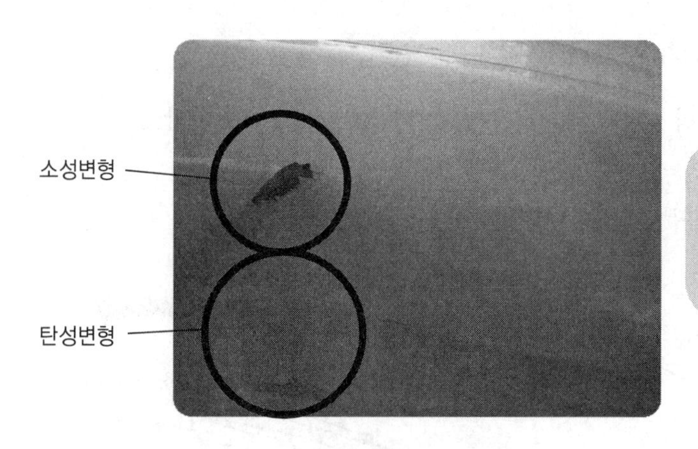

그림에서도 확인할 수 있듯이 탄성변형과 소성변형은 항상 함께 발생하는 것을 알 수 있다.

◘ 탄성변형과 소성변형

4 패널의 변형 확인 방법

큰 변형은 누가 보아도 쉽게 판단할 수 있지만, 문제는 잘 보이지 않는 작은 변형과 수정 작업이 끝이 난 후 패널에 남아있는 변형을 발견함이 중요하다. 패널의 변형을 확인하는 방법에는 다음의 방법 들이 있다.

(1) 눈으로 확인(육안점검, 시각)

손상부를 비스듬하게 직시하면서 빛(자연 광, 형광빛)을 이용하여 눈으로 판단한다. 눈으로 확인하기 전에 반드시 도막 표면에 부착되어 있는 먼지나 진흙과 같은 이물질을 제거한다.

◘ 육안점검

(2) 손으로 확인(촉각)

패널 표면에 손바닥을 가볍게 대고 상하, 좌우로 움직여 손바닥에 닿는 감촉으로 변형을 확인한다. 손이 움직이는 방향은 손상이 없는 면에 손을 대고 손상 면을 통과하여 손상이 없는 반대편 부분을 지나치면서 손바닥의 감각으로 변형을 확인한다.

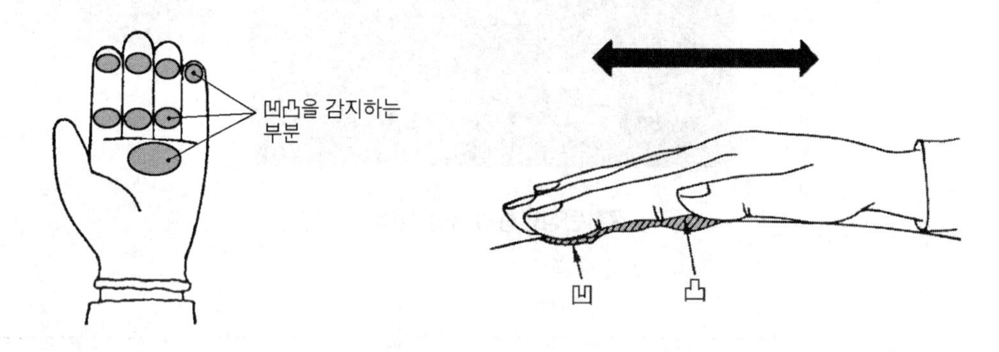

손바닥의 감각으로 변형 확인

(3) 공구를 사용

시각과 촉각으로 손상 부위의 발견에 익숙해질 때까지는 많은 경험이 필요하다. 숙련된 전문가의 감각은 날카롭기 때문에 변형의 발견이 빠르고 정확하지만, 숙련되지 못한 사람은 처음부터 시각과 촉각으로 손상 부위를 발견하기는 어렵기 때문에 여러 가지 공구를 사용하여 변형을 확인한다.

① **분필 사용(체크용)** : 분필을 넓게 옆으로 움직이면 변형이 없는 부분은 색이 묻고, 변형이 되어 들어가 있는 부분은 색이 묻지 않는다.

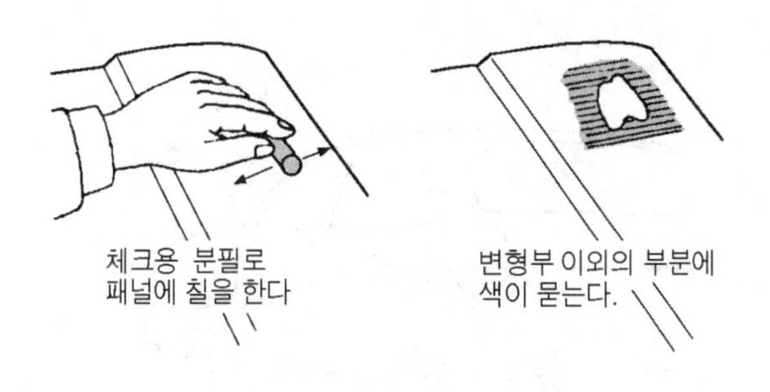

분필 사용

② **쇠톱 날 사용** : 분필을 사용하는 경우와 같이 변형이 없는 부분은 톱날 자국이 생기고, 변형이 되어 들어간 부분은 자국이 생기지 않는다. 보다 정확한 수정을 위하여 변형이 없는 면에 자국이 생기지 않게 주의 한다.

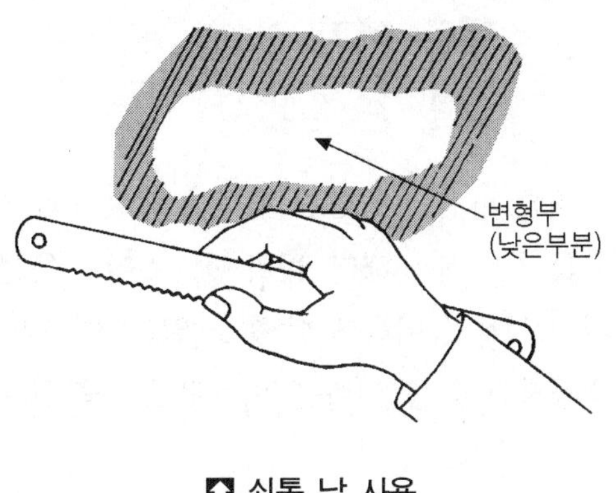

쇠톱 날 사용

③ **보디 파일(줄) 사용** : 보디 파일로서 패널을 가볍게 연마한다. 파일은 정형(수정)을 목적으로 하는 작업에는 사용하지 않는다. 파일을 과도하게 사용하면 패널의 두께가 감소할 수 있으므로 주의한다.

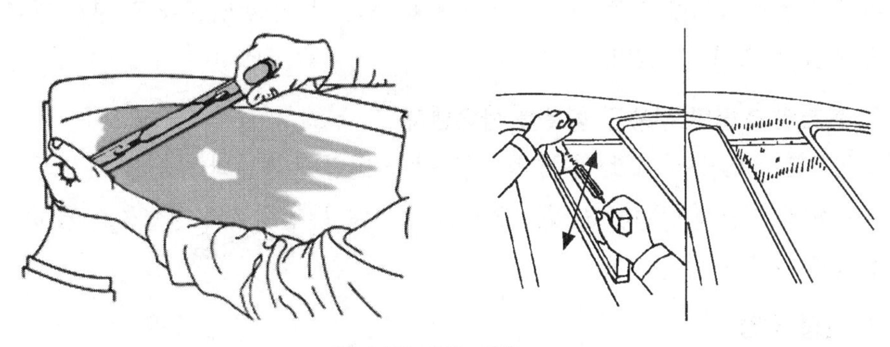

보디 파일 사용

④ **디스크 샌더 사용** : 파일 대신 샌더기를 사용하는 방법이 있다. 패널을 가볍게 연마하는 것이 중요하며, 강하게 연마할 경우 패널의 두께가 감소하고, 연마 시 열에 의해 패널이 변형된다.

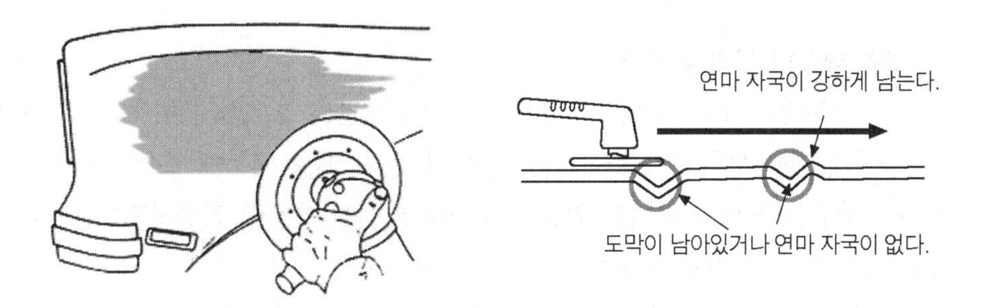

디스크 샌더 사용

5 대충 펴기

대충 펴기는 변형된 패널을 대충 손상전의 상태로 되돌리는 것이다. 대충 펴기에 사용되는 공구에는 **해머, 돌리, 정, 스터드 용접기** 등이 있다. 대충 펴기의 특징은 마지막 마무리 작업을 용이하게 할 수도 있고, 어렵게 할 수도 있다. 요령에 따라 대충 펴기를 잘하면 수정시간에 큰 영향을 미치므로 충분한 훈련이 필요하다.

❶ 준비 작업

패널의 변형은 한 곳이라도 작은 꺾임과 굽음이 중복되어 발생하는 것이 일반적이다. 복잡하게 변형된 패널을 어떤 순서로, 어디부터 수정할 지 판단한다. 그렇게 하면 변형된 패널을 쉽게 수정할 수 있다.

① 볼트로 조립된 부품은 볼트를 풀어낸다.

프런트 펜더를 작업할 경우, 충격을 받아 변형된 패널의 주변을 패널의 외부에서 확인한다. 부품을 구성하고 있는 볼트를 풀어내고, 변형부의 강성을 제거하여 원래의 상태에 가깝게 되돌린다.

② 인장 작업

패널을 제거한 후, 충격을 받은 반대 방향으로 인장작업을 한다. 변형된 패널을 중심으로부터 인장하게 되면 변형되어 있는 패널의 탄성변형부가 회복되면서 원래의 상태와 비슷한 형태로 되돌아간다.

쿼터 패널과 같이 용접되어 있는 경우는, 충격을 받은 반대방향으로 인장함과 동시에 패널 안쪽에서 나무 해머(패널이 거의 늘어나지 않는다)로 가볍게 두드리면 쉽게 원래의 상태로 돌아간다.

③ 패널 내부의 부착물 제거

패널 내부에는 소리, 진동 및 부식으로부터 패널을 보호하기 위해 언더코트와 실러, 방진제(인슐레이터)가 붙어 있는 부분이 있다. 패널 내부에 부착된 패드 등을 제거하는 이유는 해머와 돌리의 힘을 흡수하여 확실한 수정이 곤란하기 때문에 제거해 주는 것이 수정하기에 유리하다.

단, 외판 보강제가 붙어 있는 패널은 외판 보강제를 제거하는 것은 곤란하다. 부득이하게 제거할 경우에는 에어 샌더와 정 등을 주의하여 사용한다.

데드너 실러 부착

2 기본적 손상부의 수정

(1) 변형의 종류

다음 그림은 패널의 기본적 변형 형태를 나타낸 것이다.

(A) **변형**된 패널의 중앙에 **소성변형**(영구변형)이 발생되었고, 그 주변은 **탄성변형**이 발생하였다. 영구변형 부분은 도막이 갈라지고 흠이 발생한다.

(B) **변형**부 주변은 한 곳 또는 여러 곳에 **영구변형**이 발생되었고, 다른 부분은 **탄성변형**이 발생되었다. 영구변형 발생부는 꺾인 형태의 각이 많고 도막이 갈라지고 벗겨져 있다.

(C) (A)와 (B)가 중복되어 발생된 것이다. 변형 패널의 중심부에 **영구변형**이 발생되었다.

(A)

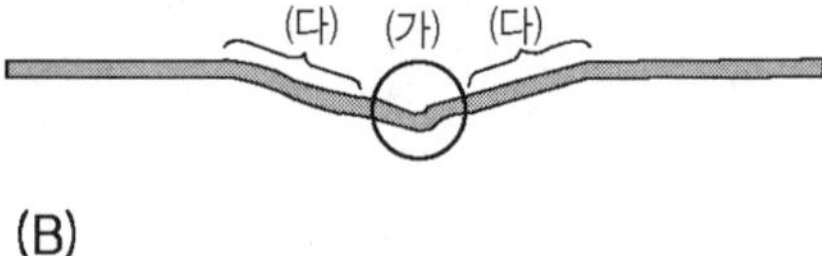

(B)

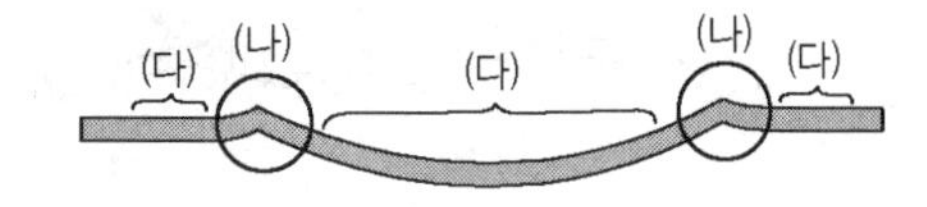

(C)

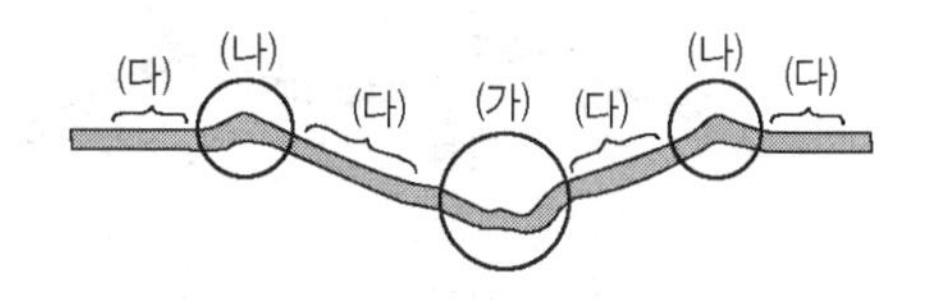

손상의 형태

(2) 변형의 수정 방법

① (가) 부분

패널 스스로가 변형에서 완전히 복원되는 능력이 없다. 그러므로 주위의 패널이 복원되는 힘이 존재하여도 되돌려 지지 않는 형태이다. 수정방법은 영구변형이 나타난 변형부의 변형을 평탄하게 펴고, 그 부분을 전기나 가스 용접기로 수축하면 정상적인 복원이 쉽다. 변형된 패널의 면적이 좁을 경우는, 해머와 돌리를 사용하여 응력을 넓은 범위로 분산시켜서 원래의 상태로 복원하는 방법도 있지만 숙달된 기능이 필요하고 작업시간도 오래 걸리므로 비숙련자는 앞의 방법을 사용하는 것이 좋다.

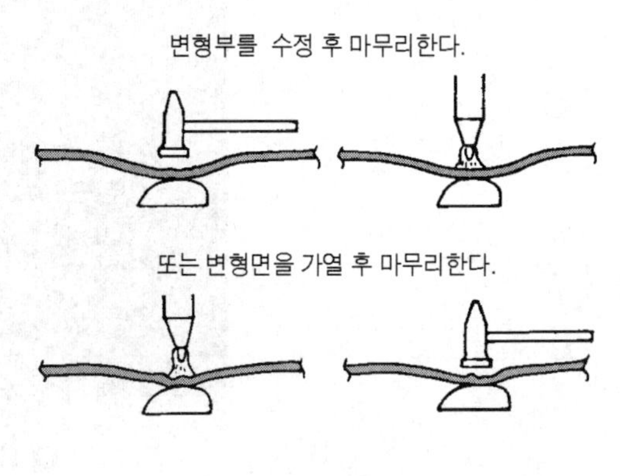

부분적 변형 수정

② (나) 부분

이 부분은 변형의 주위에 원래의 형태로 돌아가려는 탄성력이 작용하고 있고 (나)는 소성변형이 발생되었다. 이 부분은 탄성력에 의해 원래의 면 보다 높게 올라와 있다. 예를 들면 종이를 접었다 펴면 접힌 곳이 높게 되는 이치와 같다.

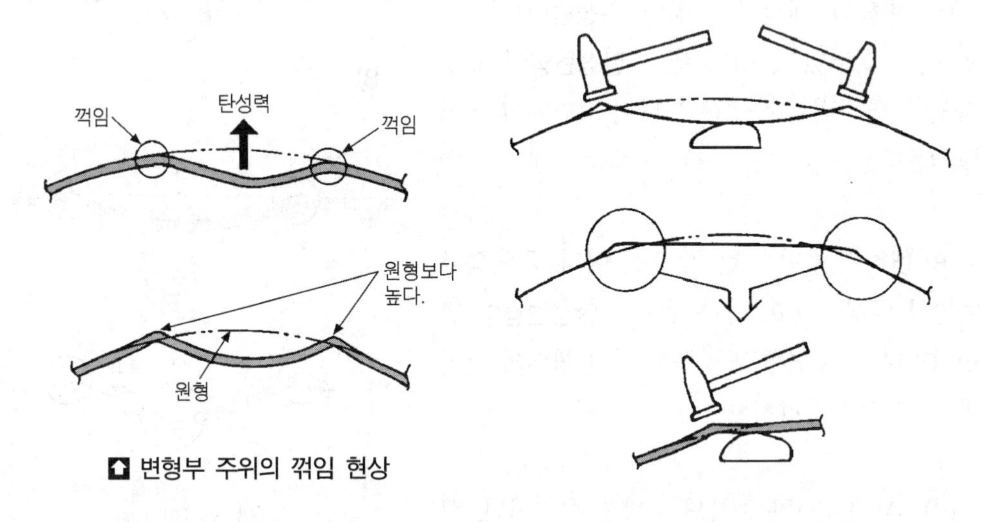

변형부 주위의 꺾임 현상

변형부 주위의 꺾임 수정

수정 방법은 변형부 중심에 돌리를 대고 밀어 올리면서 해머로 소성변형이 발생한 곳을 가볍게 두드려 주면 평면에 가깝게 복원이 된다. 어느 정도 되돌린 상태에서 돌리를 각(角) 부분에 가까이 대고 해머로 각(角) 부위를 두드리면서 원래의 면으로 마무리 수정을 한다. 이 때 사용하는 해머는 마무리용 해머를 사용하는 것이 용이하다. 이는 늘어난 표면 주위를 해머링하여 수축과 수정을 동시에 이루어지게 하기 위해서이다.

③ (다) 부분

이 부분은 탄성변형이 있는 곳으로 (가)와 (나)의 변형 원인인 소성변형을 제거하면 원래의 상태로 돌아가는 성질을 가지고 있다. 따라서 수정 과정에서 이 부분에 늘어남이 발생하기 쉬우므로 무리한 힘을 가하지 않는다.

③ 대충 펴기 순서

수정에 있어서 중요한 점은 변형된 패널을 눈으로 원래의 형태로 추정할 수 있어야 한다. 간단한 방법은 반대편의 손상이 없는 동일부와 동일 차종의 동일부를 확인하는 방법이다. 항상 변형된 차체 패널과 원래의 패널의 형태를 비교, 판단하는 훈련을 해야 한다.

대충 펴기 작업 순서는 다음과 같다.

프레스라인(角) 수정 → 면 수정 → 홀 수정

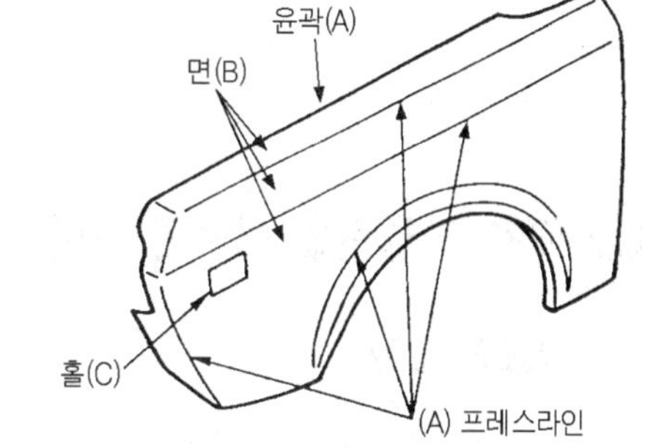

수정작업의 순서는 변형의 역순이다.

아래 그림은 외력을 받아 소성변형이 발생되기까지의 과정을 나타낸 것이다.

① 외력을 받아 변형이 시작된다. 외력을 받은 부분에 탄성변형이 발생한다. 이 상태에서 외력을 제거하면 변형은 사라진다.

② 외력을 더 가하게 되면 주변이 국부적으로 도막의 갈라짐이 생기고, 작은 꺾임이 생긴다. 이 부분은 영구변형된 소성변형부이다.

③ ②보다 외력을 더 가하게 되면 꺾임이 커지고 동시에 외력이 가해진 중심부에 패널이 늘어나는 현상이 나타난다.

④ 외력을 제거하게 되면 변형된 부분에 남아있는 탄성의 영향으로 변형부가 약간 올라간다. 이 때 변형된 주변에 영구변형이 있는 부분은 원래 형태보다 올라오는 현상을 보인다.

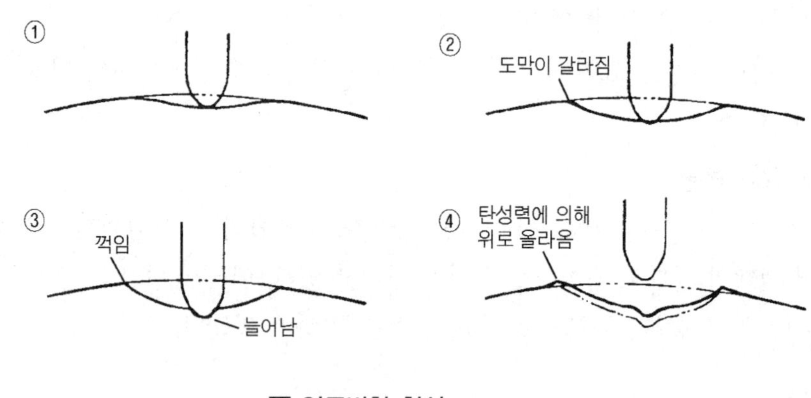

영구변형 현상

수정 순서는 영구 변형된 곳부터 해머링에 의해 원래의 형태로 되돌린다. 그러나 해머링 시 탄성변형부에 새로운 변형(늘어남)을 만들게 되므로 주의하여야 한다.

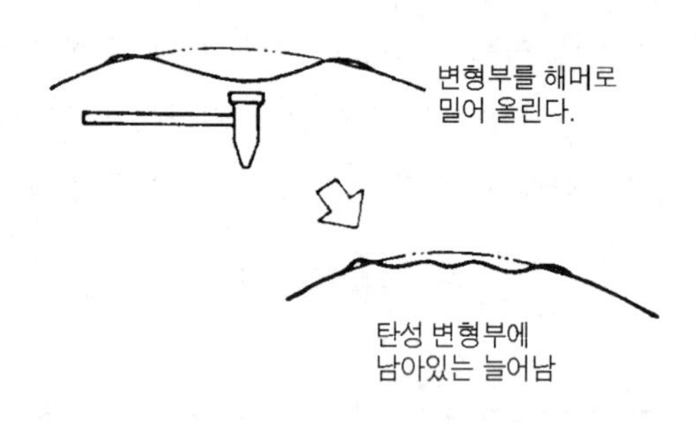

수정작업 순서

4 해머와 돌리를 사용한 대충 펴기

(1) 부품의 고정

부품을 떼어내어서 작업을 할 경우에는 부품을 잘 고정하는 것이 확실한 작업을 하기 위한 조건이다. 불안정한 상태에서는 힘을 가할 때 부품이 달아나고 움직인다.

바닥에서 작업할 때 아래에 BOX나 두꺼운 천을 깔고 부품에 손상이 없게 한다.

(2) 작업 순서

① 패널 내측의 변형부 중심에 돌리를 대고 표면에서 변형부 주변의 탄성변형 부를 가볍게 두드리면서 돌리를 밀어준다. 돌리의 힘이 부족하면 해머로 두드린 부분이 변형되면서 효과가 없다. 변형부를 해머와 돌리로 심하게 가격하면 패널이 늘

어나서 수정이 곤란하기 때문에 주의해야 한다.

② 소성변형부에 돌리를 가깝게 두고 소성변형 부를 수정한다. 이 경우 해머의 타력과 돌리의 압력 변화의 크기를 잘 조정하여야 한다. 사용할 해머는 마무리용 해머를 사용한다. 수정 순서는 해머 오프돌리를 기본으로 한다.

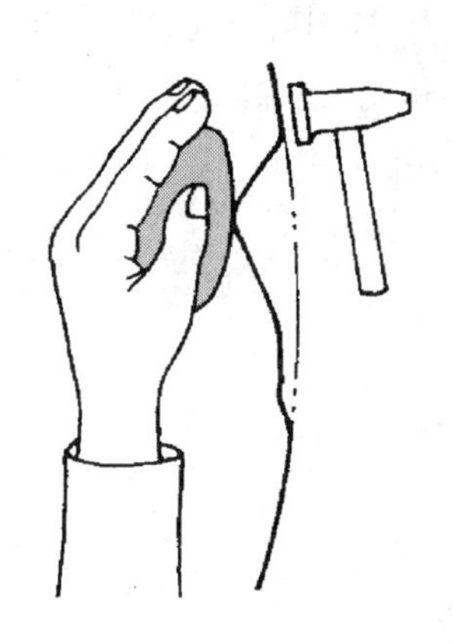

변형부 중심에 돌리를 대어줌

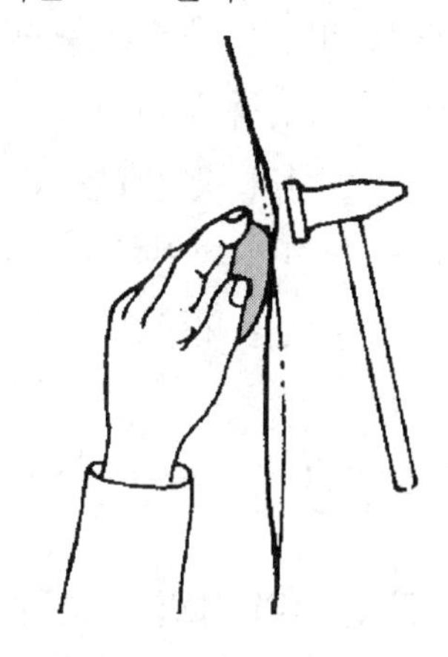

소성변형부 수정

③ 변형부 주위는 해머링을 사용하여 전체의 변형을 균일하게 한다. 타순은 한쪽부터 원을 그리면서 수정한다. 일부분만 수정하면 국부적으로 변형을 만들기 쉽다.

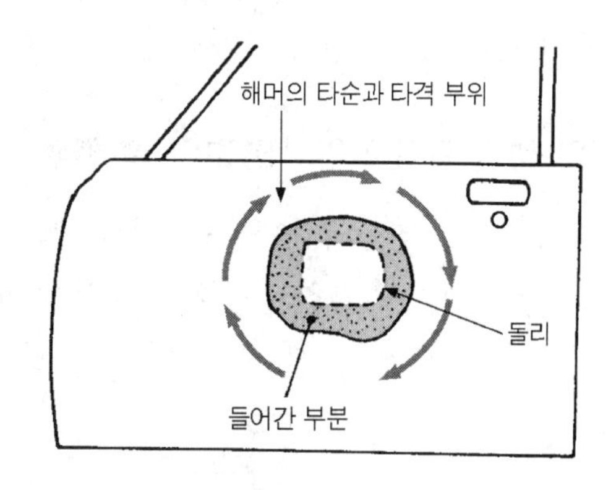

해머의 타순과 타격부위

5 라인 치즐을 사용한 프레스라인의 대충 펴기

자동차의 프레스 라인은 작은 변형에도 눈에 잘 띄기 쉽고, 미관상으로도 좋지 않기 때문에 작업자에게 주의를 요하는 부분이다.

프레스 라인의 수정은 라인 치즐(넓은 정)을 사용하는 경우가 많다. 일반 치즐은 통상 패널의 절단과 2장의 패널을 제거할 때 주로 사용하지만 여기서는 날의 폭을 넓게 하여 해머의 타력을 분산시켜 패널의 절단되지 않게 고안한 것을 사용한다.

6 라인 치즐의 적당한 사용법

① 바닥 작업에서는 패널 아래에 두꺼운 천이나 고무 등이 적당하고, 바닥면은 요철이 없는 평탄면 이어야한다.

② 프레스 라인을 가격할 때 프레스 라인을 벗어나지 않게 주의한다.

③ 라인 치즐의 폭에 비해 변형부위 면적이 클 때에는 한 번에 작업하지 않고 끝부분부터 천천히 작업하는 것이 바람직하다.

④ 프레스 라인의 판별이 곤란할 경우는 라인 상부 근처를 샌드페이퍼로 가볍게 연마하고 눈으로 확인한다.

7 라인 수정법

(1) 변형부의 면적이 정의 폭보다 좁은 경우

라인치즐을 변형부 중앙에 두고 해머로 친다. 변형부에 가한 힘이 과하여 원래의 형태보다 높아지면 수정이 곤란하므로 주의하지 않으면 안 된다.

(2) 변형 폭이 라인 치즐보다 클 경우

이 경우는 변형 부 중앙부터 직접 작업하지 않고 끝 부분부터 천천히 작업을 진행한다. 변형 부 확인 후 최초의 변형 부 중앙에 라인 치즐을 대고 가볍게 가격한다. 간혹 변형의 상태에 따라 되돌아 갈 때도 있다.

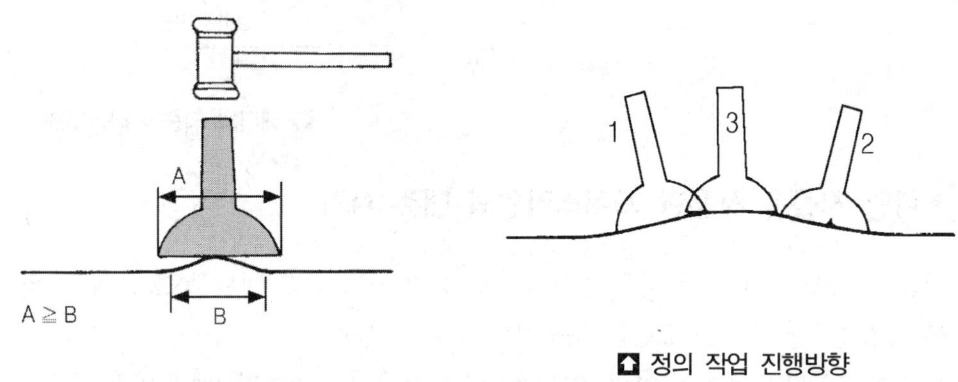

변형량과 정의 크기

정의 작업 진행방향

(3) 변형의 폭이 정의 폭에 비해 2.0 ~ 2.5 배 이상 넓을 경우

이 경우는 ②의 방법으로도 수정이 가능하지만 시간이 많이 걸릴 수 있다. 작업 효율을 높이기 위해 수정 면에 깨끗한 나무를 대고 패널 내측에서 대충 되돌린 후 라인 치즐로 수정해준다.

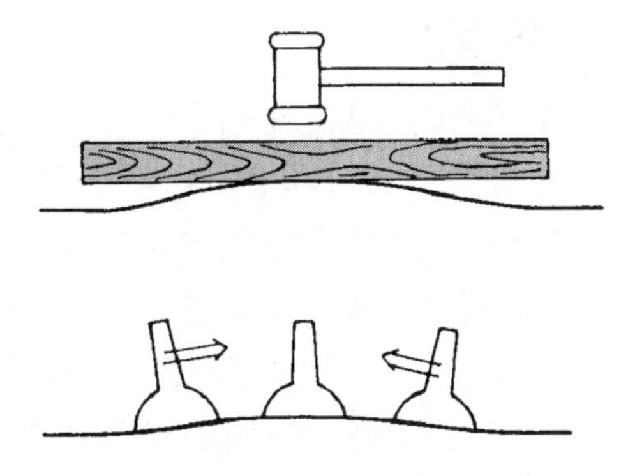

변형의 폭이 넓을 경우 수정방법

8 핀, 와셔 용접기에 의한 대충 펴기

(1) 도막제거

핀, 와셔를 패널에 확실히 용접하려면, 표면의 도막과 부식을 제거하고, 전기가 쉽게 흐르게 하여야 한다. 도막 제거는 용접 부분과 어스를 댈 부분의 2개소가 필요하다.

용접 부분은 다음 작업인 퍼티작업을 고려하여 도막제거 면적을 변형부보다 약간 넓게 연마하고, 어스는 전류의 손실을 줄이기 위하여 용접부와 근접한 곳에 설치한다.

(2) 용 접

핀, 와셔를 패널에 용접시키기 위해 다음의 항목에 주의한다.

변형이 넓은 곳은 와셔의 수를 조정한다.

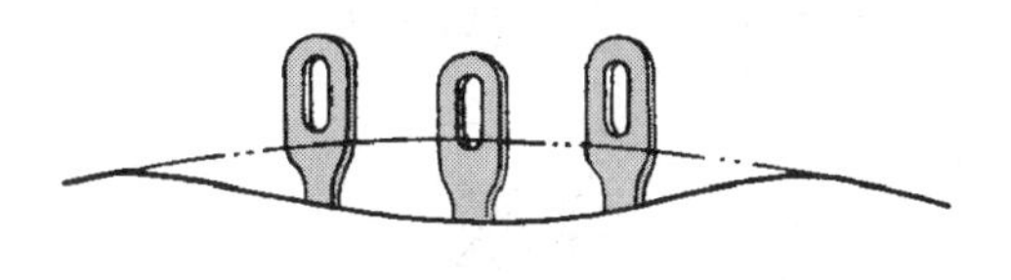

와셔 용접

① 용접할 면의 도막과 부식을 확실하게 제거한다. 확실하게 제거하지 않으면 패널과 전극사이에 불꽃이 발생하고, 패널에 구멍이 생기는 원인이 되기 쉽다.

② 핀과 와셔는 패널 면에 놓고 가볍게 누른다.

③ 핀과 와셔의 용접 방향은 인출 방향과 일치한다.

④ 변형이 큰 경우는 용접 시킬 와셔의 수를 조정한다. 동일 장소에 2 ~ 3번 용접하면 패널이 경화되고, 구멍이 생기는 원인이 되기 때문에 주의한다.

(3) 인출 방향

핀과 와셔를 인장할 때 다음의 항목에 주의한다.

① 인출방향은 용접방향과 동일 방향에서 인출한다.

② 비스듬한 방향으로의 인장은 용접부가 떨어지는 원인이 된다.

③ 변형의 형태에 따라 당기는 힘을 조정한다.

㉠ **좁고 깊은 변형** : 강한 힘으로 단숨에 인장한다. 이 방법은 변형이 없는 다른 부위에 영향을 줄 우려가 있으므로 해머와 함께 사용하는 방법이 안전하다.

㉡ **넓고 얕은 변형** : 약한 힘으로 천천히 인장한다. 강한 힘은 용접된 부분이 부분적으로 퍼지면서 튀어 올라온다.

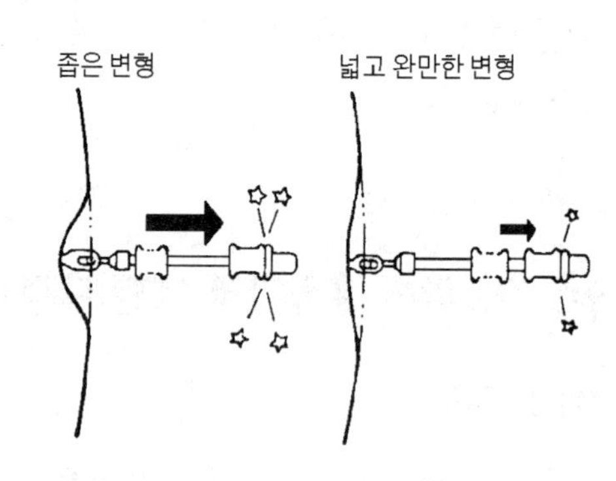

슬라이딩 해머를 이용한 인출방법

④ **해머와 함께 사용**

핀과 와셔를 당기면서 변형 부(소성변형)를 해머로 가볍게 두드려준다. 이 방법은 해머 오프 돌리의 응용으로서 핀과 와셔가 돌리의 역할을 한다.

⑤ **인출 순서**

인출은 일반적으로 변형부 끝부터 중앙을 향해 수정한다. 중앙으로부터의 수정은 변형을 되돌리기 위해 큰 힘이 필요하고 부분적인 패널의 솟아오름이 생긴다.

하나씩 인장하는 것 보다 몇 개를 동시에 인장하여 대충 원래의 형태로 되돌리고 최종 마무리는 하나씩 인장하는 것이 효율적이다.

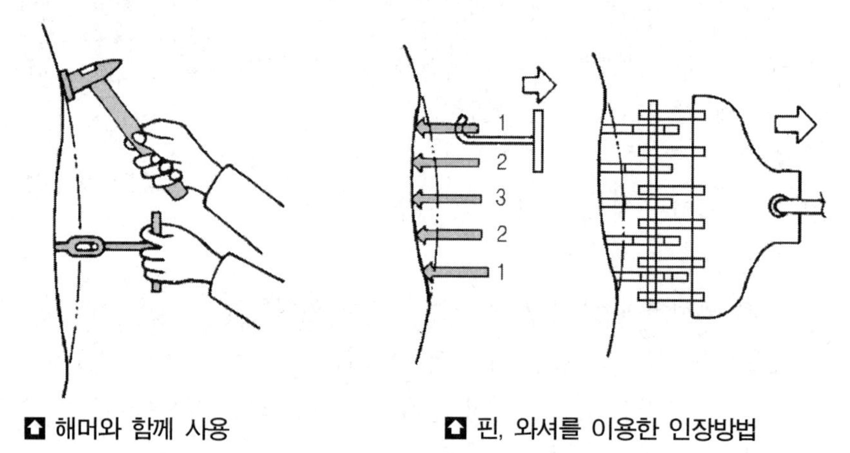

해머와 함께 사용 　　　 핀, 와셔를 이용한 인장방법

⑥ 핀, 와셔의 제거

핀의 제거는 커팅 플라이어를 사용하고, 와셔는 후크를 와셔의 구멍에 걸어 돌리면서 제거한다.

⑦ 용접부의 연마

핀과 와셔를 제거한 다음 용접부 표면에 거스러미가 발생한다. 이 때 표면을 샌더로 연마하면 된다. 연마할 때 필요 이상의 압력을 가하면 패널의 감소를 일으킴으로 주의한다.

6 수축작업(열처리)

❶ 패널이 늘어난 곳을 찾는 방법

해머와 돌리에 의한 수정 작업 시에도 패널의 감소가 발생될 수 있다. 그렇게 되면 원래의 패널에 비해 표면이 볼록해진다.

패널의 변형 시 발생한 늘어남을 원래의 면적과 동일하게 되돌리는 수정방법을 수축작업 이라고 한다.

이렇게 변형된 부분을 찾는 방법은 시각, 촉각, 공구 등의 사용을 먼저 배우고, 늘어난 부분을 찾는 방법은 이 중에 촉각이 큰 비중을 갖는다.

① 수정 전에 변형 형태를 생각한다

변형부에는 늘어남이 생기고, 수정 후에도 이런 현상이 남아 있다.

② 손바닥의 감각으로 볼록한 곳을 찾는다

이 방법은 요철을 찾는 방법과 동일하며, 정상적인 면에 손바닥을 가볍게 대고 수정면을 통과하면서 볼록한 곳을 찾아낸다. 수정면 부근에 인접한 프레스 라인 부근과 부품의 끝 부분의 형태를 확인한다. 수정면의 늘어남을 완전히 제거하지 않으면 그 영향으로 다른 부분이 변형될 수도 있다.

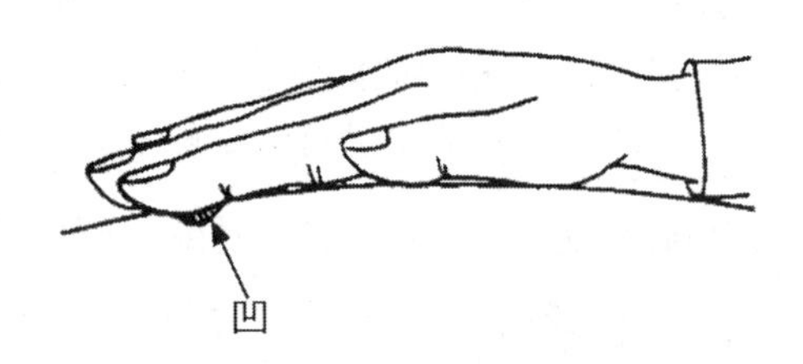

▲ 손바닥 감각으로 찾기

③ **늘어난 곳 찾기**

늘어남이 큰 곳의 수정 시 면 전체를 몇 개소로 구분하여 손으로 먼저 눌러본다. 늘어난 양이 크면 [빼꼰빼꼰]하는 소리가 난다. 늘어난 장소 이외의 변형 개소는 늘어난 장소가 변형과 동시에 다른 부분에 변형을 발생시킬 수 있다.

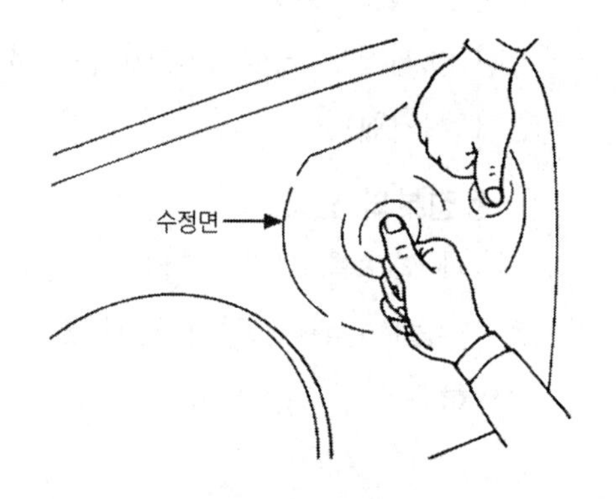

늘어난 곳 찾기

2 수축 작업의 종류

수축 작업에는 다음의 3종류가 있다.

① 산소 - 아세틸렌 가스 용접기에 의한 수축
② 전기에 의한 수축
③ 해머와 돌리에 의한 수축

3 가스 용접기에 의한 수축

(1) 수축의 원리

가스 용접기를 사용한 수축은 강판의 열 변형(팽창, 수축)을 이용한다.

다음 그림은 가열하여 수축하는 작업을 설명한 것이다.

① 손상되면서 늘어난 패널
② 변형된 패널의 중심에 토치를 대고 가열하면 패널의 내부조직이 열을 받아 팽창함과 동시에 연화가 시작된다.
③ 계속 가열하면 팽창과 연화가 촉진되어, 주위가 넓게 부풀어 오른다.
④ 고온에서 급냉하면 연화, 팽창된 패널의 조직이 급속히 수축을 시작한다. 가열부위 주위의 차가운 부분은 조직의 변화가 없이 수축력에 저항하는 힘이 발생한다.

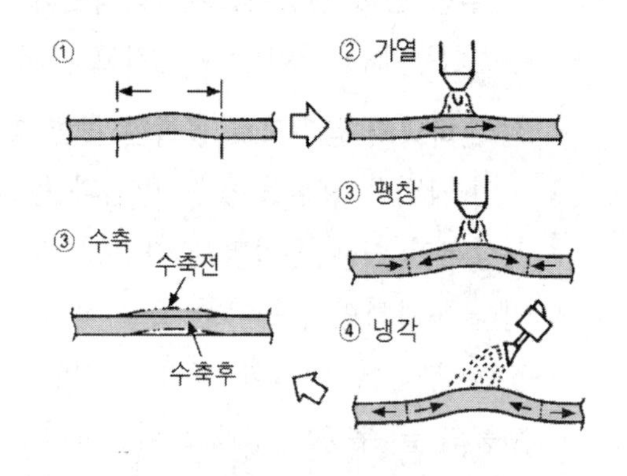

가스 용접기에 의한 수축

⑤ 가열 - 급냉의 결과, 늘어난 주변이 수축하고, 손상을 받기 전의 형태로 돌아간다.

(2) 해머의 역할

가열에 의해 팽창, 연화된 패널은 냉각효과에 의해 수축되고, 수축을 촉진하기 위하여 해머가 중요한 역할을 한다. 팽창, 연화된 패널의 안쪽 뜨거운 곳을 해머로 두드려 패널의 조직을 압축하고 수축시킨다. 여기에서 해머의 역할은 패널을 평탄하게 하고, 연화된 조직을 압축하고 늘어난 패널을 수축하는 역할을 한다. 따라서 늘어난 패널을 수축할 때 해머를 사용하여 수축과다 현상이 발생하지 않도록 주의가 필요하다.

(3) 불꽃의 조정과 가열방법

수축작업에 사용하는 불꽃은 중간 불꽃이다. 중간 불꽃으로 수축 작업시 유의사항이다.

① 변형부의 중심이 적당하다.
② 다른 곳(변형되지 않은 곳)에 불꽃을 가하지 않는다.
③ 패널에 직각으로 토치를 접근 시킨다.
④ 백화와 토치의 간격은 3~5mm정도가 좋다.
⑤ 가열온도는 불꽃이 닫는 부분이 담적색 또는 황적색(800 ~ 900℃)으로 변색되는 정도가 적당하다.
⑥ 동작은 신속하고 실시한다.
⑦ 토치는 사용 후 소화한다. 계속 작업을 할 경우는 토치 스탠드를 사용하여 작업에 방해가 되지 않게 하고, 이 때 불꽃은 차량을 향하지 않게 주의한다.

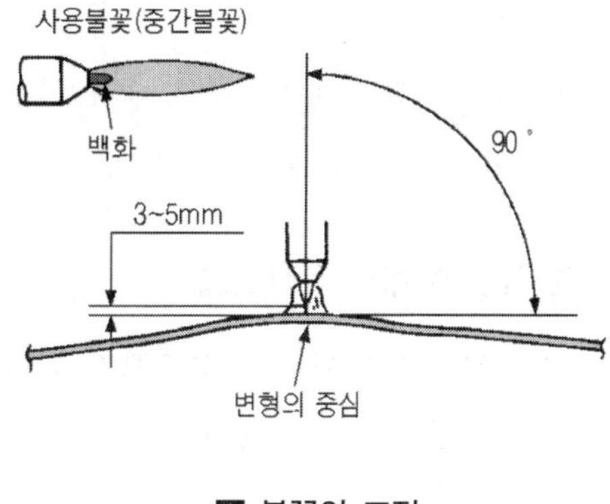

불꽃의 조정

(4) 해머의 타순

해머와 돌리를 사용하여 가열 부위를 수축한다. 가열한 주변부터 일정방향으로 가격하고 늘어난 패널을 중심으로 모아(그림①, ②) 최종적으로 중심부를 가격함으로써 기본작업이 이루어진다.

해머링은 패널이 열을 받아 종료될 때까지 효과가 조금씩 떨어지므로 빠른 동작을 필요로 한다. 해머의 타력 및 돌리의 밀어 주는 힘은 부드러워야 한다. 만약 밀어주는 힘이 강하면 패널이 늘어나는 원인이 된다.

변형의 형태에 따라서, 위의 순서와 역순으로 수정한다.

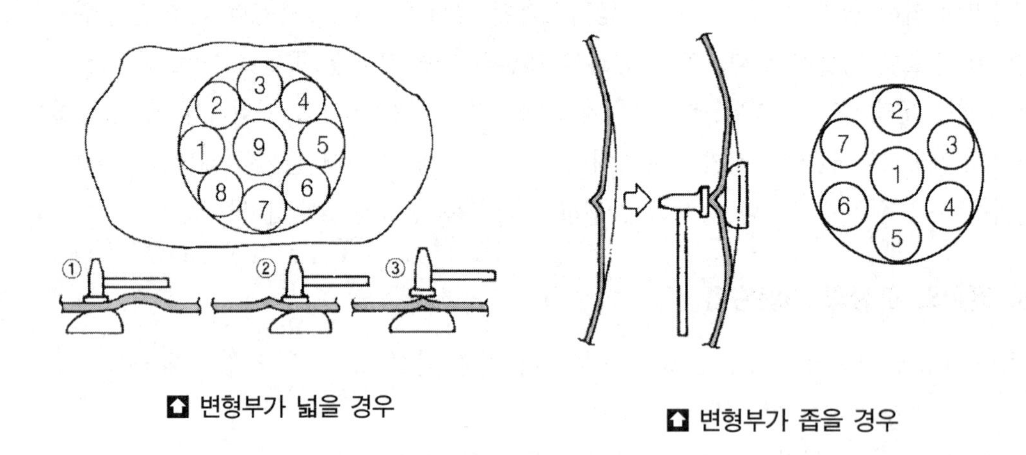

변형부가 넓을 경우

변형부가 좁을 경우

(5) 냉 각

패널의 수축은 냉각 속도와 온도에 따라 다르다.

냉각 작업 시 유의점이다.

① 패널이 열을 받았을 때 냉각시킨다(분무기로 빠르게 냉각시킨다).

② 젖은 걸레와 스펀지는 물이 흐르지 않을 정도로 한다.

(6) 과도한 수축의 처리방법

늘어난 부분을 과도하게 수축하면 다음과 같은 현상이 발생하기 쉽다.

① 수축량이 늘어난 양보다 크다.

② 주변에 주름이 생긴다.

③ 과도한 수축의 처리는 온 돌리로 수축된 곳을 다시 늘여야 한다. 이 경우 타격은 가벼운 힘으로 지나치게 늘어나지 않도록 주의한다.

(7) 가스 용접기에 의한 수축 방법

① 늘어난 부분의 중심을 부풀어 오를 때까지 가열하여

② 나무 해머로 두드려 수정한 후 젖은 걸레(또는 분무기)로 급냉한다.

③ 급냉 시킨 후 해머링으로 마무리한다.

④ 이 과정을 반복해서 신속한 작업으로 수축작업을 해주는 것이 좋다.

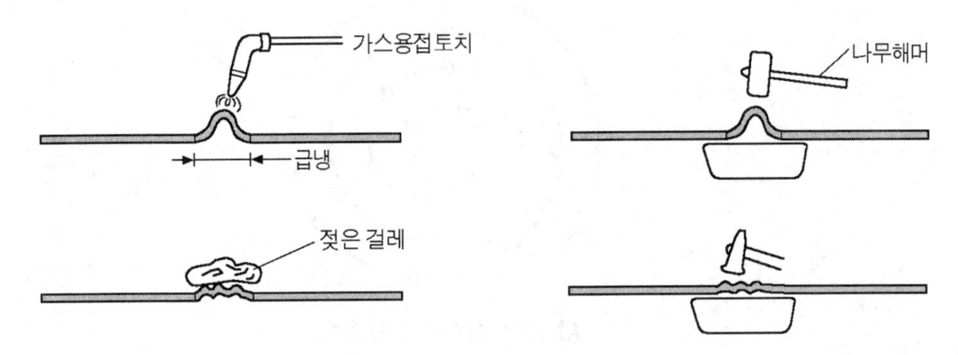

가스 용접기에 의한 수축작업

4 전기에 의한 수축

(1) 원 리

기본적으로 가스 용접기를 사용하는 경우와 같고 열원으로 전기를 사용한다. 사용하는 기계는 핀, 와셔 용접기의 전극부를 수축용 어댑터로 교환하여 사용한다.

(2) 특 징

① 항상 일정하게 열을 가할 수 있지만, 가스 용접기는 불꽃의 크기, 패널과의 거리, 가열 시간의 조정이 불가피하다.
② 조작이 간단하고 시간이 짧다.
③ 가열 면적이 적고 수축할 장소를 적절하게 수축할 수 있다.
④ 순간적인 고온(약 1,000℃)상태이므로, 상온에서도 냉각 효과가 있다.
⑤ 열원이 전기이므로 패널에 (+), (−)의 전극이 필요하다.

(3) 기계의 조작과 가열법

전극은 도막을 제거한 패널을 가볍게 누르고 스위치를 넣으면 전류가 흐르고 자동적으로 정지한다. 전류의 저하를 막기 위해 어스의 위치는 작업 장소 근처에 도막을 완전히 제거하고 설치한다.

넓은 범위를 수축작업 할 경우 그림처럼 외측에서 내측을 향하고, 간격은 점점 좁혀간다.

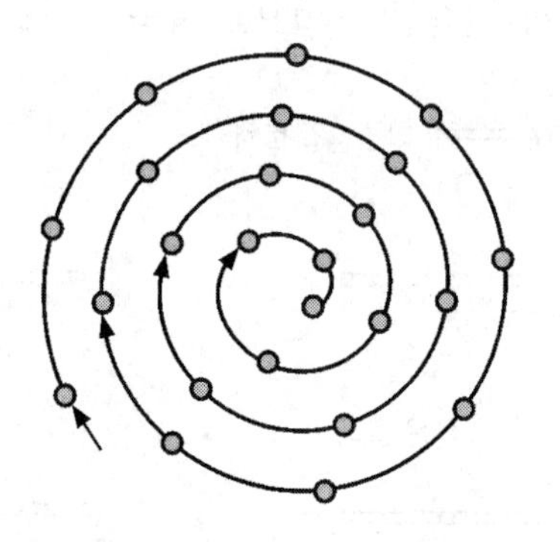

넓은 범위의 수축 작업

수정 작업에 있어서 유의점은 다음과 같다.

① 같은 장소를 여러 번 가열하지 않는다(고온에 의해 패널이 경화되기 쉽다).

② 작업의 용이성을 위해 지나친 사용은 주의한다.

③ 늘어남이 없는 부위는 사용하지 않는다(수축효과가 높기 때문에 작업 전보다 큰 변형이 생길 수 있다.).

④ 수축 종료 후 표면을 샌더로 연마할 때 지나친 힘을 가하면 변형될 우려가 있다.

5 해머와 돌리에 의한 수축

① 원 리

수축에 사용되는 해머의 면과 돌리의 표면에는 줄눈과 같은 눈이 있다. 패널의 늘어난 부분은 해머의 타력에 의해 조여 들면서 수축한다.

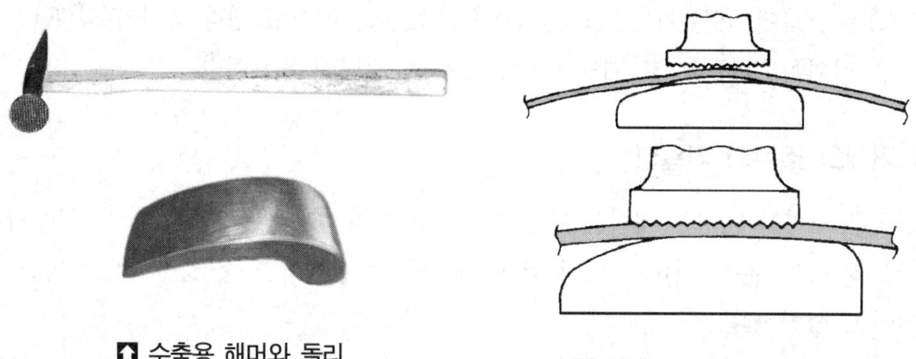

수축용 해머와 돌리

해머의 차력에 의한 수축

7 정형, 마무리 작업 확인 방법

❶ 마무리 면의 기본 형태

패널 수정 작업에서 마무리 작업은 정확도가 요구되는 만큼 소요되는 시간도 많다. 그러므로 판금퍼티, 폴리퍼티와 같은 보조 재료를 효율적으로 사용하여 작업 시간을 단축할 필요가 있다.

해머, 돌리의 사용과 종료 시기는 변형의 형태, 작업자의 재능에 따라 약간 다른 수 있지만 어떤 경우에도 다음의 항목을 유의하여야 한다.

(1) 원래의 면보다 낮게 수정한다

오른쪽 그림은 수정 종료 후 패널의 표면이다.

① ⓐ 그림 : 좋은 예

수정면의 요철이 균일하고, 원래의 면보다 낮게 마무리 되었다. 이 정도의 요철은 판금퍼티 와 폴리 퍼티로 평탄하고 매끈하게 수정할 수 있다.

② ⓑ 그림 : 나쁜 예

화살표 부분이 부분적으로 원래의 형태보다 높고, 이 상태에서 도장작업을 하게 되면 표면에 볼록한 면이 남아 있으므로 재수정이 필요하다.

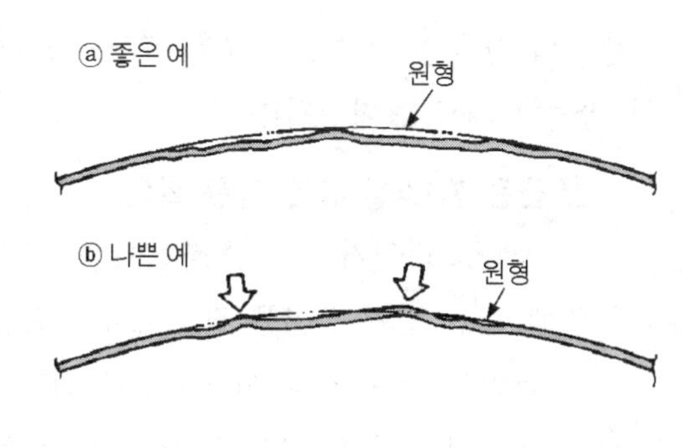

🔲 수정 후 패널의 표면상태

(2) 기준면은 손상되지 않은 면으로 한다

요철을 판단하기 위해 비교할 면이 필요하다. 수정 부 주위의 표면을 자세히 관찰하고, 도막 표면과 강판 표면을 구별한다. 다음 그림의 화살표 부는 강판의 원형보다 높고, 도막 원형보다 낮게 마무리 되어 있다. 이 상태에서 도장을 한다 해도, 강판의 원형보다 높

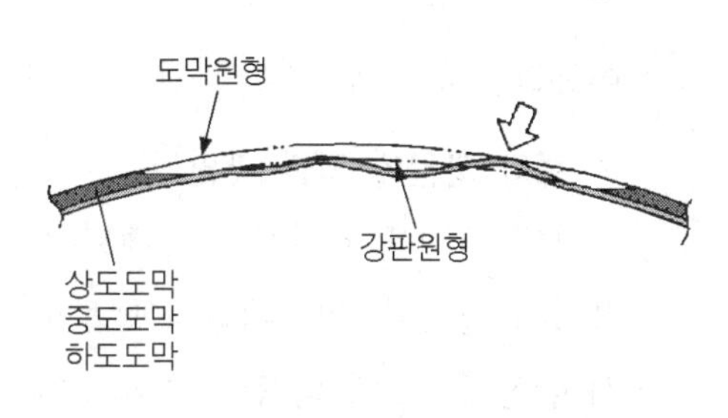

🔲 수정 부 주변의 표면 관찰

은 면은 도장 후 충분한 도막을 얻지 못한다. 따라서 패널의 수정 면은 강판이 손상 되지 않은 면으로 한다.

② 수정 작업 종료의 요점

(1) 패널에 가하는 힘

수정면을 손가락으로 누를 때 힘이 패널 전체로 분산되며, 부분적인 울렁거림이 없어야 한다.

(2) 판금퍼티의 도포가 1회에 가능한 량

1회에 판금퍼티가 적당한 량은 3 ~ 5mm 정도이다. 그 이상은 퍼티 건조 시 수축이 발생하고 다시 퍼티를 도포해야 할 가능성이 높다.

(3) 패널 요철의 확인

변형의 확인은 숙련자의 경우 촉감에 의한 판단이 가능하지만, 비 숙련자는 공구에 의한 방법이 빠르고 확실하다.

① 곧은 자(강철자)에 의한 확인

프레스 라인가 프레스라인에 근접한 부분, 또는 평면이 많은 장소에서의 요철의 확인은 곧은 자를 사용해 확인한다.

곧은 자는 수정 면보다 긴 것을 사용하고, 변형 부는 중앙과 양쪽에 변형이 없는 면에서 확인한다. 확인의 순서는, 최초에 변형이 없는 면부터 순차적으로 이동하면서 자와 패널의 간격을 확인한다.

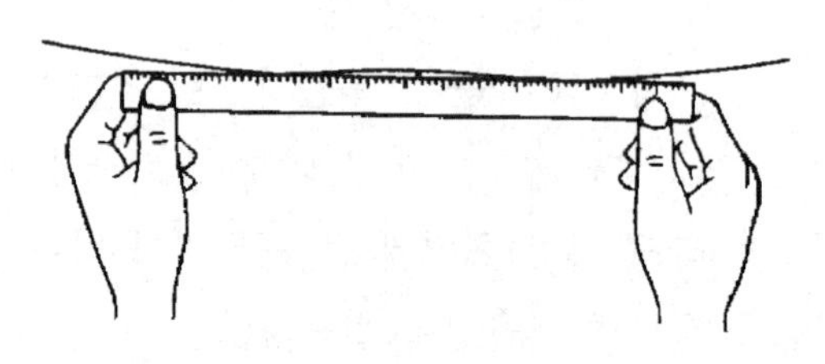

▲ 곧은 자(강철자)에 의한 확인

② 보디 파일에 의한 확인

보디 파일은 일반적으로 패널의 요철을 찾기 휘해 사용하고, 패널의 연마에는 사용하지 않는다. 외판패널의 대부분의 두께가 0.7 ~ 0.8mm정도로 얇다. 수정과정에서 발생되는 요철의 연마는 패널이 평탄해지지만, 과다하게 연마하면 패널이 감소하고, 그 결과 강도 부족의 원인으로 연결될 수 있다.

㉠ **보디파일의 사용** : 요철의 확인 작업에 사용되는 보디파일은 중간 눈을 사용한다. 보디파일은 비스듬한 방향으로 작업하고, 보디파일의 눈이 패널을 손상하지 않도록 주의한다.

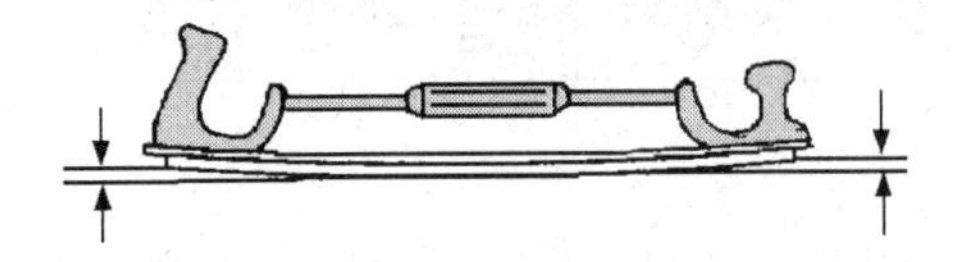

보디파일의 사용

㉡ **보디파일의 조정** : 보디파일을 강판에 붙이면 보디파일의 양쪽에 약간의 간격이 있도록 조정한다.

(4) 요철의 재수정

요철의 확인 후 잘못된 부분이 있는 경우는 해머와 돌리로 재수정이 필요하다. 여기서 발견된 변형은 미세한 변형이기 때문에 재수정 시 강한 힘은 금물이다. 수정의 목적은 원형보다 높은 변형을 낮게 하기 위해서이고, 주된 작업은 다음과 같다.

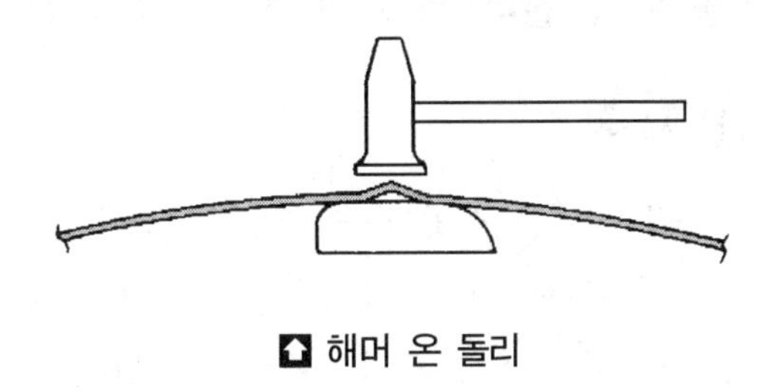

해머 온 돌리

① **조금 튀어나온 곳** - 해머 온 돌리로 수정한다.
② **완만하게 튀어나온 곳** - 변형부 중앙부를 두드린다.
③ **완만한 요철** - 해머 오프 돌리로 수정한다.

(5) 마무리

재수정 후 패널에 남아있는 해머 자국 등은, 파일과 더블 액션 샌더로 제거하고 퍼티를 도포할 준비를 한다.

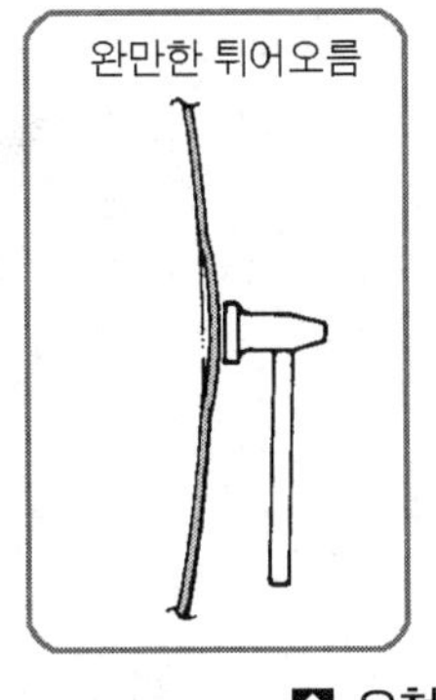

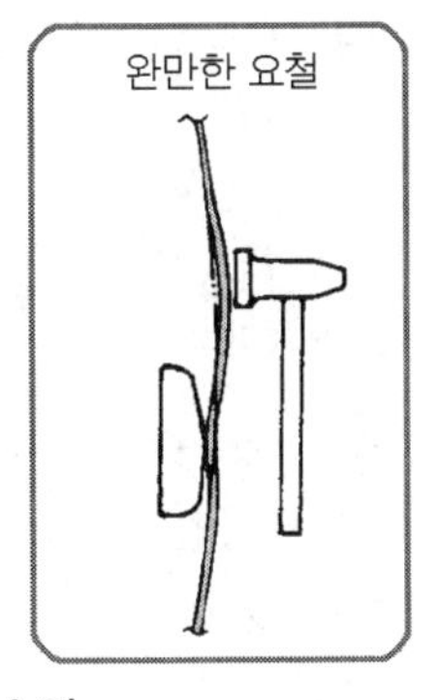

요철의 재수정

8 용접된 패널 교환 작업

패널 교환 작업에는 프런트 펜더와 도어, 후드 등의 패널 류와 같은 조립 부품(볼트 온 패널)의 패널 교환과 용접되어 접합된 용접 패널의 교환 작업이 있다.

용접 패널의 교환에는 리어 앤드 패널(백 패널)과 같이 서비스 부품 형태 그래도 교환 가능한 부품과 쿼터패널과 사이드 실 같은 서비스 부품을 절단해서 접합하는 부품이 있다.

본 교재에서는 리어 앤드 패널(백 패널)과 쿼터 패널의 교환 작업과정을 예로 설명한다.

1 리어 앤드 패널(백 패널)의 교환 작업

(1) 제 거

차체 패널은 스폿 용접으로 접합되어 있는 경우가 대부분이다. 손상 패널을 교환할 때에는 스폿 용접 개소를 제거함으로써 작업시간의 단축을 도모한다.

대충 절단은 변형 패널을 미리 절단해서 용접 부분을 외부로부터 공구류의 사용을 쉽게 하기 위한 작업이다.

다음 그림은 리어 앤드 패널 어퍼의 대표적인 단면 형태에 드릴 작업을 보여주고 있다. 이 경우는, 드릴의 본체와 패널이 부딪쳐 작업 효율이 저하되기 때문에, 그림의 WW 부분을 절단하는 것이 작업하기에 편리하다.

① 장착 부품의 제거는 최소 부품으로 수리 시간의 단축을 도모한다.

② 리어 앤드 패널을 단독으로 교환할 경우에는 에어 톱을 사용하는 것이 다른 부품에 미치는 영향이 적다.

③ 절단할 곳은 가능한 한 용접 부위에 가

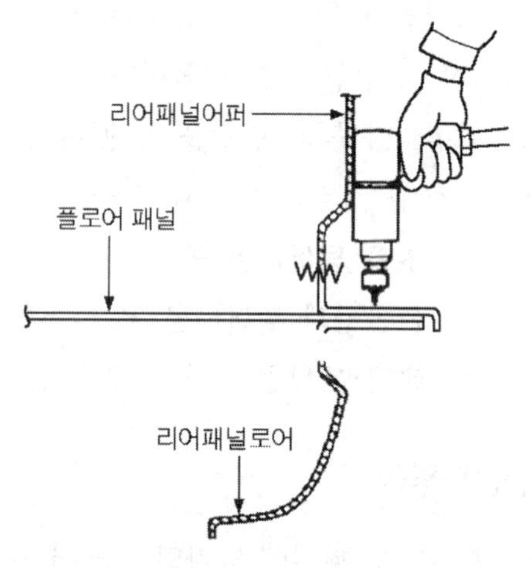

공구류의 사용을 쉽게 하기위한 대충절단위치

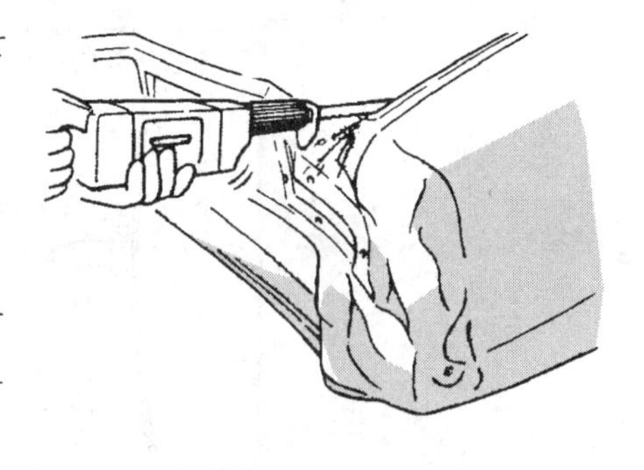
에어톱을 사용한 절단

깝게 절단한다.

절단 방법은 절단할 곳, 패널의 두께, 패널의 구조에 따라서 사용하는 공구를 적절히 사용함으로써 작업의 효율을 높인다. 절단용 공구에는 여러 종류가 있지만 다음의 3종류가 일반적으로 많이 사용된다.

① **에어 톱** : 절단면이 깨끗하며, 비교적 두꺼운 패널의 절단이 가능하지만 소음이 크다.

② **에어 치즐** : 절단속도가 빠르고, 면 변화가 많은 곳에 적합하며 소음이 크다.

③ **산소 - 아세틸렌 가스 절단기** : 절단 속도가 빠르지만 불꽃이 날리고, 절단면이 깨끗하지 못하다.

(2) 스폿 용접 점의 확인

스폿 용접점은 표면에 도막과 언더코트, 실링제 등으로 확인이 곤란한 경우가 있으므로 산소 - 아세틸렌 가스 용접기를 사용하거나 실러 제거 패드를 사용해서 도막이나 실러 등을 벗겨 낸 후 와이어 브러시로 깨끗하게 제거해 준다.

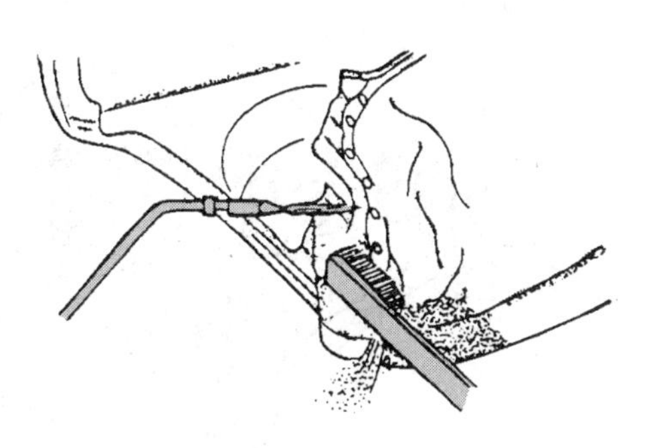

용접점의 확인

① 산소 - 아세틸렌 가스 용접기를 사용해서 용접점을 확인하고자 할 때에는 패널이 변색 되게 가열해서는 안 된다.

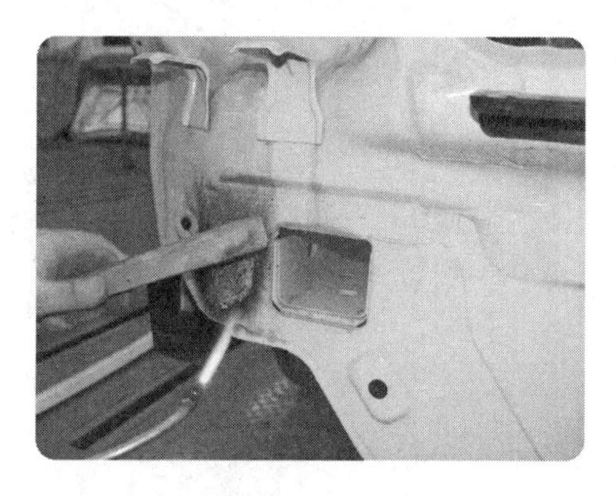

용접점의 확인

② 실러가 도포되어 있는 부위는 스크레이퍼 등으로 제거해 준다.

③ 도막을 제거해도 용접점이 확인되지 않는 경우에는 그림처럼 정 또는 (−)드라이버를 패널 사이에 넣어서 확인한다.

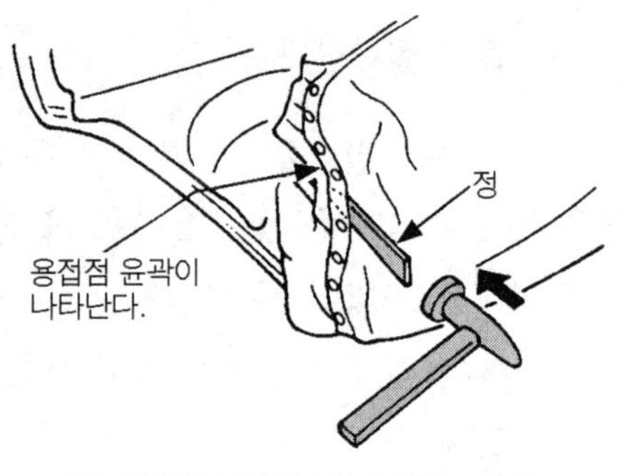

▣ 용접점이 확인되지 않는 경우

(3) 용접 점의 제거

① **핸드 펀치로 가격** : 핸드 펀치로 너겟의 중앙을 정확히 가격을 한다. 이 작업이 불완전하면 작업 중에 드릴이 미끄러지는 원인이 된다.

② **용접 점을 드릴로 제거** : 드릴을 패널 면에 직각으로 세우고, 날 전체로 패널을 제거한다.

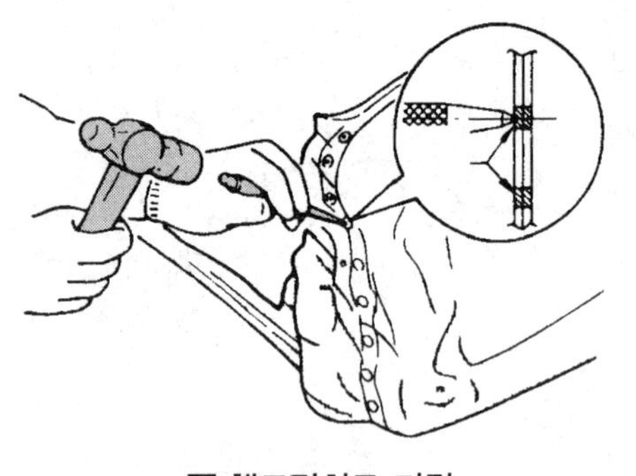

▣ 핸드펀치로 가격

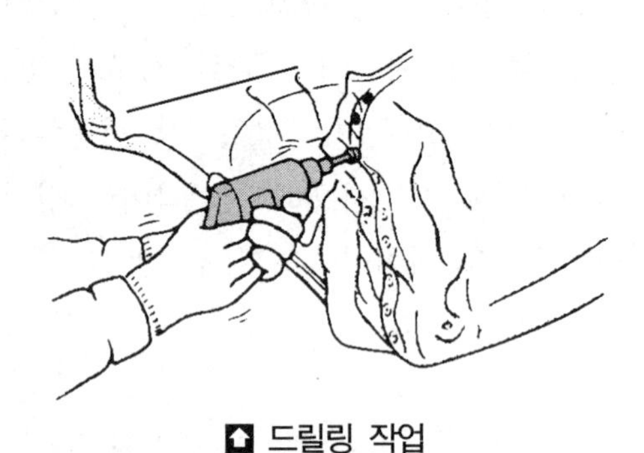

▣ 드릴링 작업

(4) 변형 패널의 제거

남아 있는 너겟을 제거하지 않은 경우에는 남아 있는 부분은 다시 드릴로 제거한다. 무리하게 정으로 제거하면 모재에 상처를 입힐 수 있으므로 주의한다.

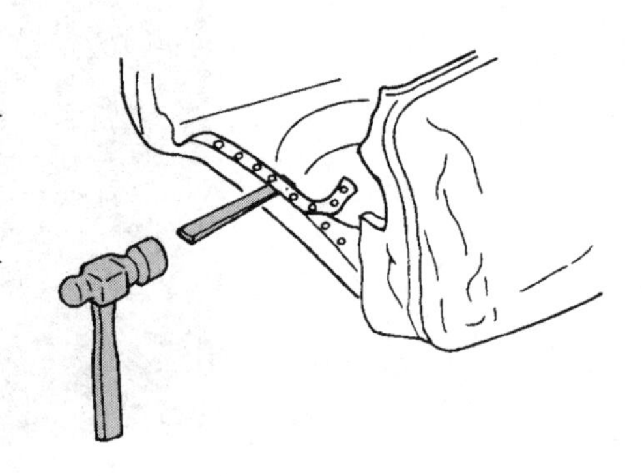

▣ 잔여 패널의 제거

① **용접 자국의 연마** : 모재에 남아 있는 너겟을 샌더로 제거한다. 과다한 연마는 하지 않으며, 작업 부 주위가 연마되지 않게 한다.

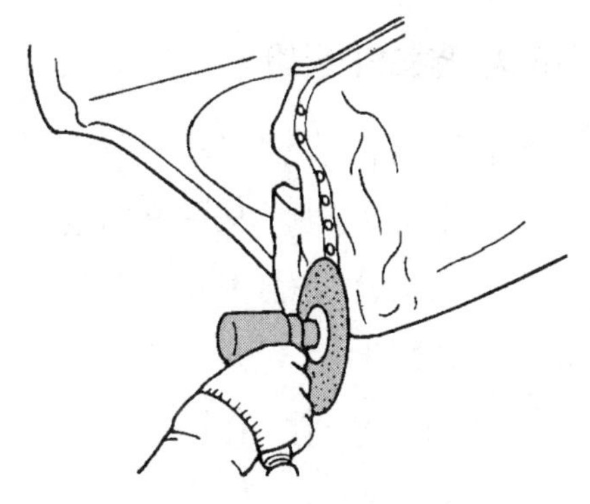

거스러미 연마

(5) 변형 패널의 수정

주위 패널의 손상 면 및 새 부품의 용접면을 해머와 돌리를 이용해서 수정해 준다.

① 작업 면은 새 부품과 맞추어 확실히 수정한다. 변형이 있는 상태에서 용접하면, 틈이 생겨 용접 불량의 원인이 된다.

② 용접면의 도막과 부식을 제거하고 과다한 연마는 하지 않는다. 사용공구는 디스크 샌더와 벨트샌더를 사용하는 것이 비교적 패널의 변형이 적다.

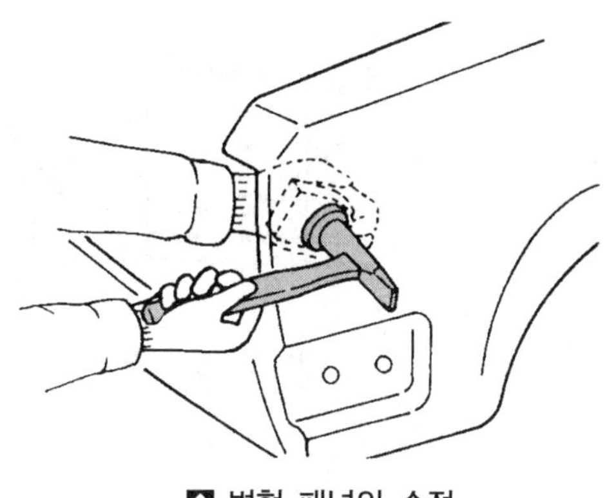

변형 패널의 수정

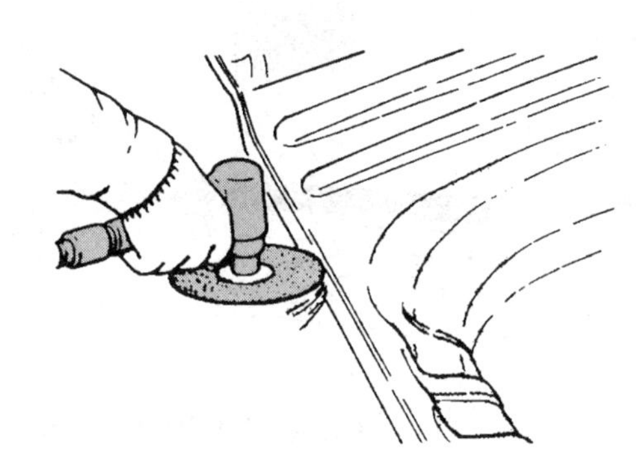

용접면의 구도막 제거

③ 작업 후에는 차량에 남아 있는 도막과 불순물을 제거한다. 도막이나 불순물을 제거하지 않고 그대로 방치하게 되면 철분이 부식되어 모재를 침식시킬 우려가 있다.

작업 부위 청소

(6) 새 부품의 준비

용접할 부위의 도막을 연마한다.

① 도막은 양면 모두 연마한다.

② 용접할 부분 이외의 부분을 연마하지 않는다.

③ 패널을 깍지 않는다.

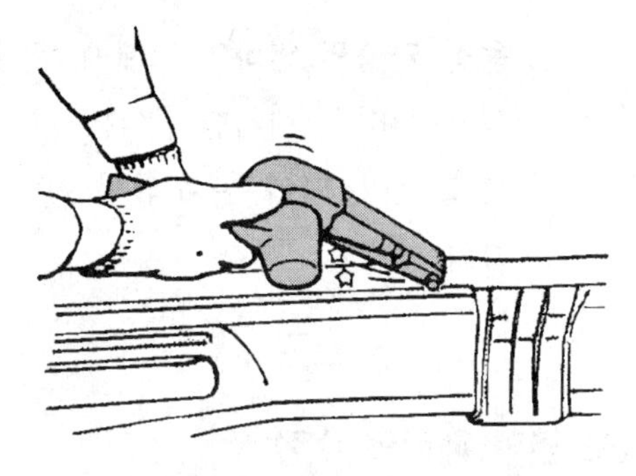

신풍패널의 용접면 구도막 제거

(7) 스폿 용접 실러 도포

새 부품 및 모재의 양면에 스폿 용접 실러를 도포한다.

① 스폿 용접 실러는 적정부위에 얇게 도포하고, 희석제의 사용은 스폿 용접 실러의 취급 설명서를 참고한다.

② 도포 후 건조한다. 불충분한 건조 상태로 용접하면, 용접 불꽃이 발생한다.

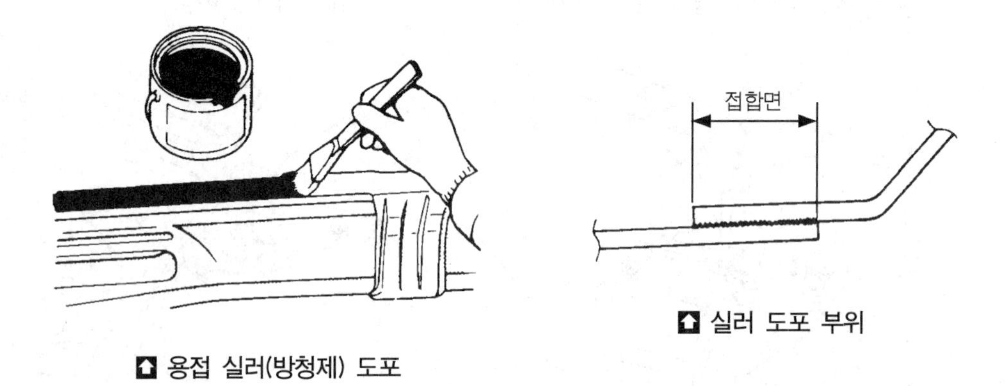

용접 실러(방청제) 도포

실러 도포 부위

(8) 새 부품의 부착

새 부품의 부착시의 위치 결정은 치수 계측에 의한 방법과 설치 조정하는 방법이 있다. 외판 패널의 위치 결정은 외관상의 마무리가 요구되므로, 설치 조정하는 방법이 주로 사용된다. 조립할 때에는 패널 끝의 플랜지부분을 겹친다.

① 패널 주위 여러 곳을 바이스 플라이어로 고정한다.

② 트렁크 리드를 조립하고 점검한다.

(9) 용 접

① **용접 암, 전극 팁의 선택과 전극 팁의 정형**

㉠ 건 암은 필요이상으로 길어도 사용이 불편하다. 그리고 팁은 용접 시에 패널과 접촉이 없도록 선택한다.

㉡ 용접 위치와 용접 순서에 맞추어 암과 팁을 준비한다.

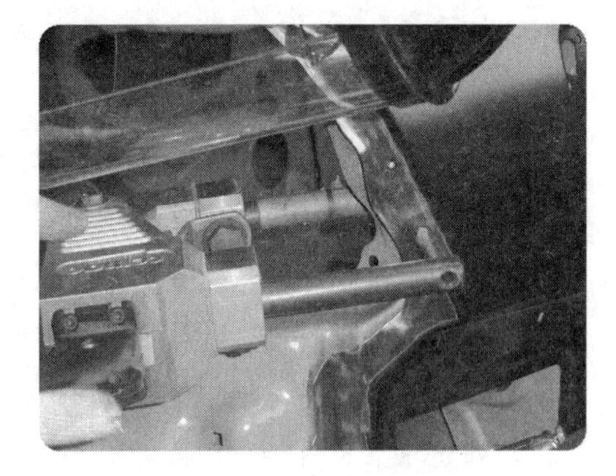

◘ 용접암, 전극 팁의 선택

② **시편 테스트**

용접 작업은 차량의 강도와 안전성에 영향을 미치므로 용접 전에 반드시 모재와 같은 재료로 시편 테스트를 하여 강도를 확인하며, 용접 조건이 변한 정도를 확인한다.

③ **용 접**

㉠ 용접부위는 바이스 플라이어로 고정한다.

㉡ 스폿 용접의 폭은 같은 폭으로, 타점 수는 메이커 타점 수의 1.3배 이상으로 설정한다.

㉢ 용접 패널의 총 두께가 3.0mm이상의 경우와 3매 이상의 경우에는, 스폿 용접을 지양하는 것이 좋다.

㉣ 연속 용접은 할 수 있는 한 지양하는 것이 좋다. 어느 정도의 용접 후 팁이 냉각 될 수 있는 시간적인 여유를 준다.

(10) 방청처리

차체수리 작업 시 방청처리는 아래와 같이 나누고, 용접전의 스폿 용접 실러와 패널 용접 후의 보디 실러의 도포법을 알아본다.

① **패널의 용접 전** : 보디 실러, 스폿 용접 실러

② **패널의 용접 후** : 보디 실러, 언더 코트

③ **도장 후** : 방청 왁스

(11) 보디 실러의 도포

보디 실러는 패널의 접합면으로 물과 흙의 침입을 방지함과 동시에, 접합면의 부식이 발생되지 않게 하기 위한 목적으로 사용한다.

① 패널 접합면의 부식의 경우 패널 접합면의 가장 자리는, 일반 면보다 도막이 얇다. 그리고 각 부분이 예각이므로 충격에 의해 도막이 갈라지기 쉽다. 이런 이유로 부식 발생의 우려가 크다.

② 보디 실러 도포면은 이물질이 없이 항상 깨끗한 상태이어야 한다.

③ 보디 실러는 튜브 타입보다 건 타입이 도포면의 마무리가 깨끗하다.

④ 노즐의 구멍은 작게 해서, 도포 후 손가락 및 주걱으로 마무리 하는 것이 비교적 깨끗하다. 마무리 시에는 실러가 패널의 가장자리 표면으로 나오지 않게 한다.

2 쿼터 패널의 교환 작업

기본적인 작업 순서는 앞에서 설명한 리어 앤드 패널(백 패널)의 교환 작업 방법과 동일하다. 용접 패널의 교환 작업 중 현재 작업 현장에서 가장 많이 이루어지고 있는 교환 작업이 쿼터 패널의 교환 작업이다. 실제적으로 손상된 쿼터 패널의 교환 작업 방법에 대해 살펴봄으로써 실무에 응용될 부분이 무엇인지 익혀나가기 바란다.

다음 그림과 같이 손상된 쿼터 패널이 있다. 수정작업하기에는 너무나 많은 시간이 걸릴 뿐만 아니라 복원수정이 상당히 어렵기 때문에 패널을 교환해야 한다.

쿼터 패널의 교환 작업

쿼터 패널을 교환하기에 앞서 가장 먼저 무엇을 해야 하는가 생각해보자.

(1) 관련 부품들의 탈거

쿼터 패널을 교환하기 전에 교환 작업과 관련된 부품들을 떼어내야 하는 작업이 우선되어야 한다. 그림에서와 같이 리어 범퍼와 리어 콤비램프, 뒷 유리, 트렁크 리드, 내장부품 및 시트류, 트림류를 포함한 리어 도어까지 작업에 영향을 미칠 수 있는 관련된 모든 부품들을 먼저 탈거해준 후 배선 및 관련된 전기장치 등은 깨끗하게 정리하여 둔다.

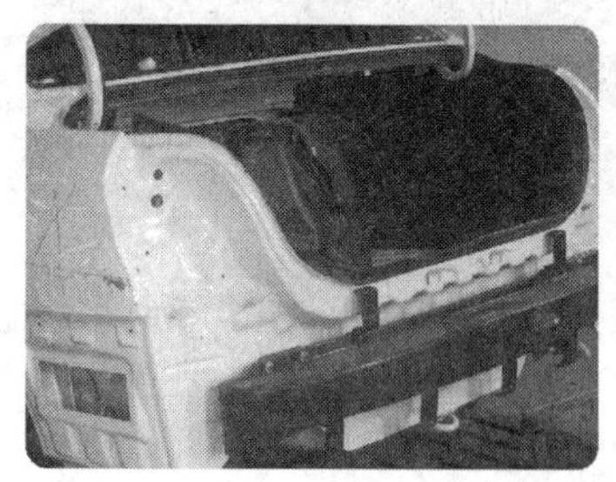
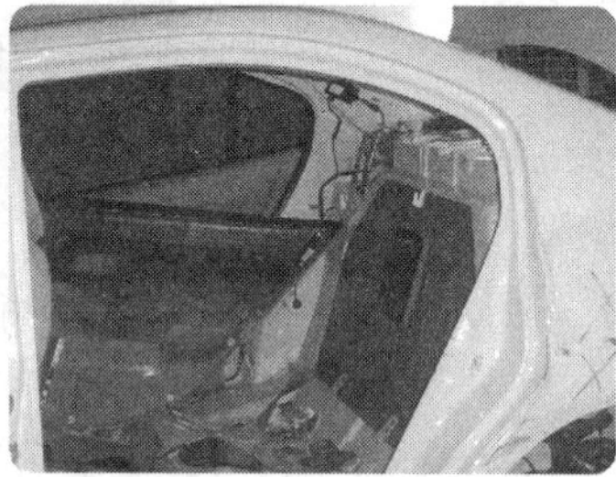
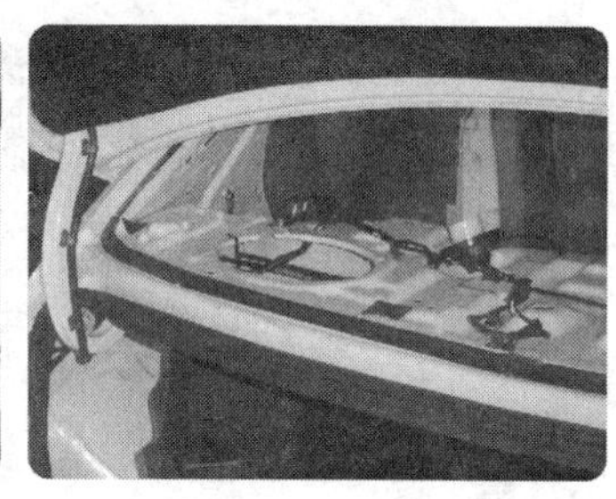

관련 부품들의 탈거 및 제거 작업

(2) 차량의 보호

작업을 시작하기 전에 작업에 직접 영향을 주는 부품을 제거한 후 차량에 남아 있는 부품과 작업에 관계되지 않는 외판 패널류와 시트 등을 덮어서, 용접 불꽃과 그라인더 연마 시에 발생하는 철분 등으로부터 보호한다.

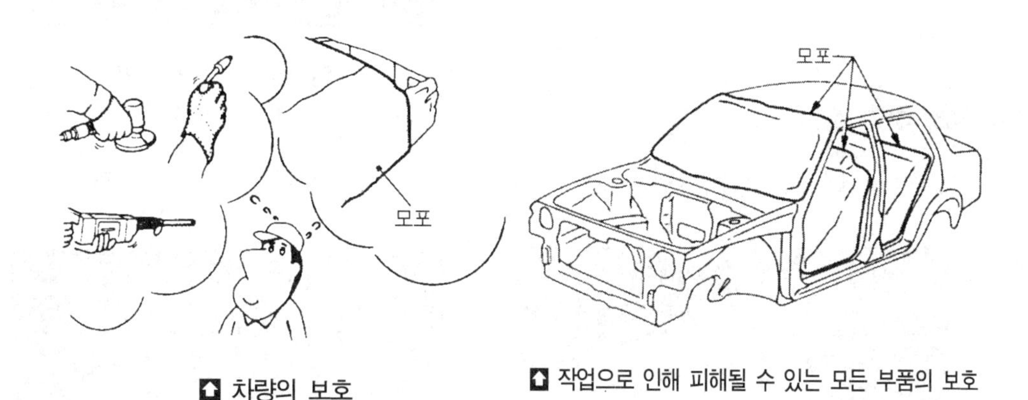

차량의 보호

작업으로 인해 피해될 수 있는 모든 부품의 보호

(3) 기초 정형 작업(대충 복원)

교환하고자 하는 준비 작업이 모두 끝이 난 후 본격적인 교환 작업을 진행한다. 가장 먼저 변형된 부위를 슬라이드 해머 등의 수정용 기구를 사용해서 내판패널을 포함한 외판패널의 손상된 부분을 원래의 위치로 대충 복원 작업을 실시한다.

휠 하우스 부분은 외판 패널뿐만 아니라 내판 패널까지 함께 변형되어 있기 때문에 패널을 절단하기에 앞서 내판패널까지 대충 복원시켜 줌으로써 패널 탈거의 용이성과 외판 패널의 탈거 후 내판 패널의 정형작업이 쉬워진다.

기초 정형작업

어느 정도의 위치까지 수정을 한 후에 리어 도어와 트렁크 리드와의 간격과 단차를 확인 한 후 이상이 없을 때 손상되어진 쿼터 패널의 외판패널을 떼어내는 작업을 시작한다.

(4) 절 단

연료 캡 내측의 휠 하우스를 교환하는 경우에는, 안전상 다음의 항을 주의한다.

① 작업 전에 충분히 환기 시킨다.

② 연료 캡을 확실히 닫아서 가스가 새어 나오지 않게 한다.

③ 연료 캡 주위를 절단 할 때는 연료 캡이 손상 되지 않게 한다.

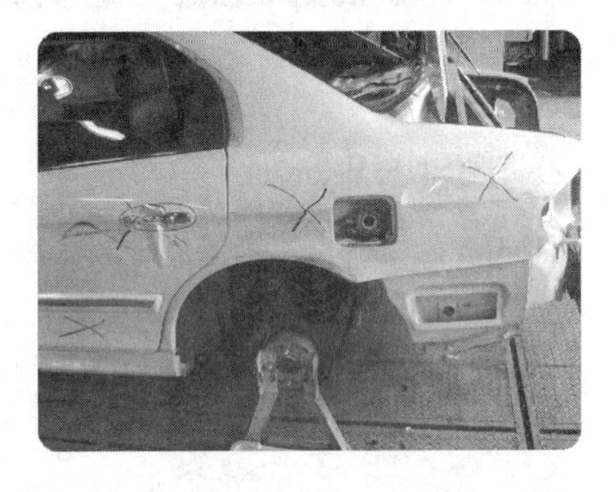

연료 캡 부의 작업

(5) 필러 부의 절단

필러부의 절단은, 절단할 부분과 30 ~ 50mm정도 겹치게 여분을 두고 절단한다.

필러 상단부위의 절단

필러 하단부위의 절단

① 절단위치는 필러 내부의 보강판이 없는 위치를 선택한다.

② 필러의 내부구조를 잘 알 수 없는 경우에는 그 차종의 [차체수리 지침서]를 참고하여 필러의 구조를 파악한다.

③ 절단위치는 손상이 없는 곳 또는 복원이 용이한 곳으로 한다.

④ 절단 부위 주위에 홀이 있는 경우에 그 홀을 남겨서 절단하는 것이 새 부품을 부착하는 작업에 있어서 용이하다.

⑤ 절단할 곳은 용접될 부분에 외부로부터 공구류의 사용을 쉽게 할 수 있는 곳을 선택하여 절단한다.

⑥ 패널을 절단할 때에는 많은 절단용 공구가 사용될 수 있지만 에어톱을 이용한 절단이 깨끗한 절단면을 얻을 수 있어서 가장 많이 사용되고 있다.

(6) 절단할 장소에 따른 수정 방법

절단할 곳은 손상 상태에 따라 오른쪽 그림과 같이 C PILLER ①, ②에서의 작업이 일반적이고 ③은 특별한 작업 방법이다.

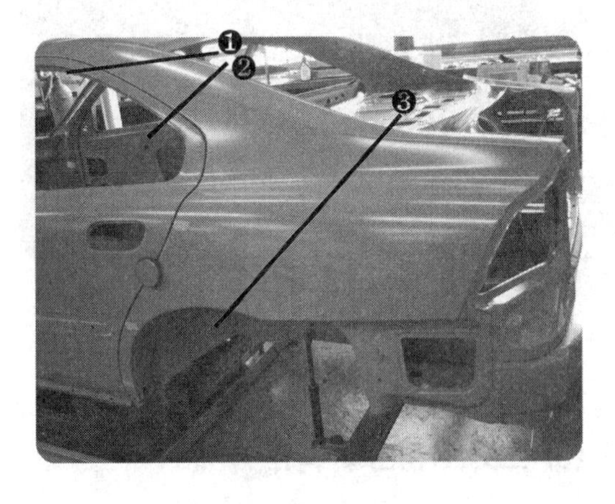

절단 부위

주요 특징은 다음과 같다.

① **루프 용접부의 절단**

루프 끝의 브레이징 용접 부를 따라서 쿼터패널을 절단한다. 신 부품을 스폿 용접할 수 있는 형태로 절단하여, 차량의 루프하단으로 밀어 넣고, 인너패널의 작업 홀을 통해서 스폿 용접한다.

② **특징**

㉠ 작업성이 좋다.

㉡ 보수부위가 루프와 가깝기 때문에 도장 작업 시에 작업 범위가 루프까지 확대된다.

③ **필러의 중간 절단(2/3 지점)**

루프로부터 사이를 두고, 필러의 중간에서 새 부품을 탄산가스 아크 용접으로 맞대기 용접을 한다.

④ **특 징**

㉠ 도장 작업 시 작업 범위가 필러부를 벗어나지 않기 때문에 이 부분에서의 절단이 가장 많이 이루어진다.

⑤ **쿼터 패널의 중간을 절단**

손상을 받은 부분을 탈거하고, 패널의 중간에서 신 패널의 중간과 연결한다.

⑥ **특 징**

용접 거리가 길기 때문에 용접 작업 시 숙련을 요구한다. 용접 후 마무리에 시간이 많이 걸리므로 잘 사용되지 않는 방법이나 간혹 사용하는 경우도 있다.

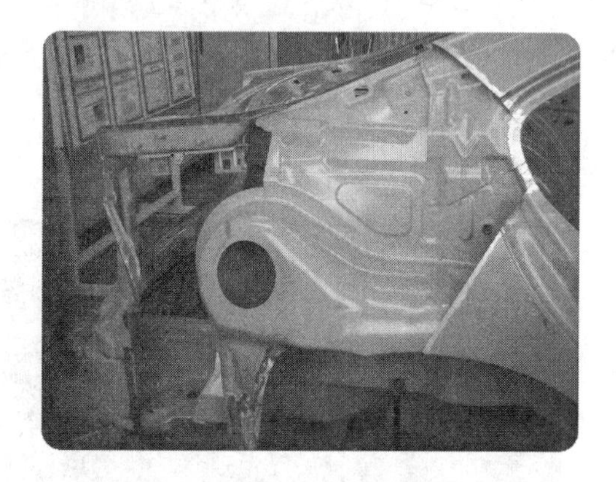

쿼터 패널의 절단

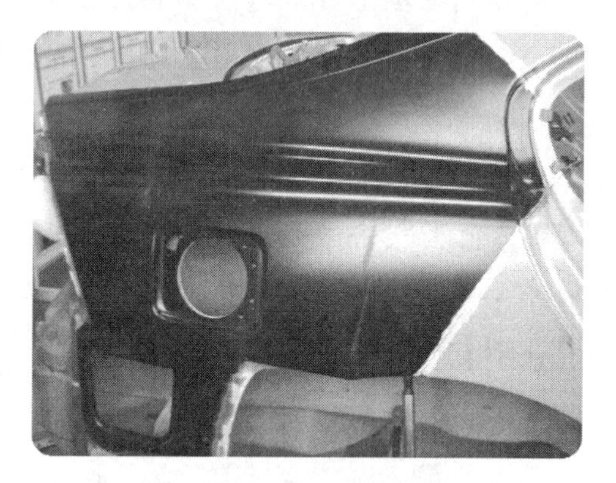

신품 패널의 부착

(6) 스폿 용접점의 확인

회전 와이어 브러시로 용접점 확인

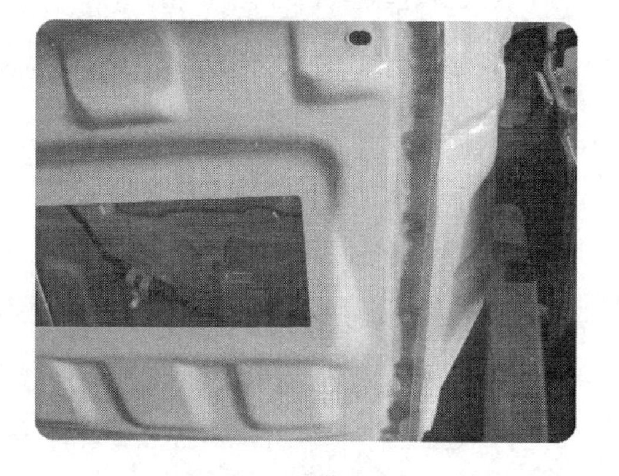

용접점 확인

에어 톱을 이용해서 절단하고자 하는 위치에서 절단이 이루어지고 나면 스폿 용접된 부분을 스폿 드릴 커터와 드릴을 이용해서 스폿 용접 점을 탈거한다. 스폿 용접은 패널 표면에 도포된 도막으로 인해 육안으로 확인은 가능하지만 정확한 너겟의 크기확인과 정확한 드릴 작업을 하기 위해 도막을 벗겨내는 것이 좋은 방법이다. 회전 와이어 브러시를 사용하여 패널 표면에 도포된 도막을 벗겨낸다. 도막을 벗겨냄으로 인해서 탈거하고자 하는 용접 점의 위치 파악 및 정확한 드릴링 작업이 가능해진다.

① 스폿 드릴 커터를 사용한 탈거 작업

스폿 용접점을 탈거하기 위해서 사용되는 공구에는 스폿 드릴 커터와 일반 드릴이 주로 사용된다. 현재 정비 현장에는 이 두 가지 공구가 가장 많이 사용되고 있다. 스폿 드릴 커터의 드릴 타입은 정확한 드릴링 작업이 가능하며, 내판 패널에 상처를 주지 않고 내부패널에 거스러미 및 너겟 자국이 남지 않게 마무리 할 수 있다.

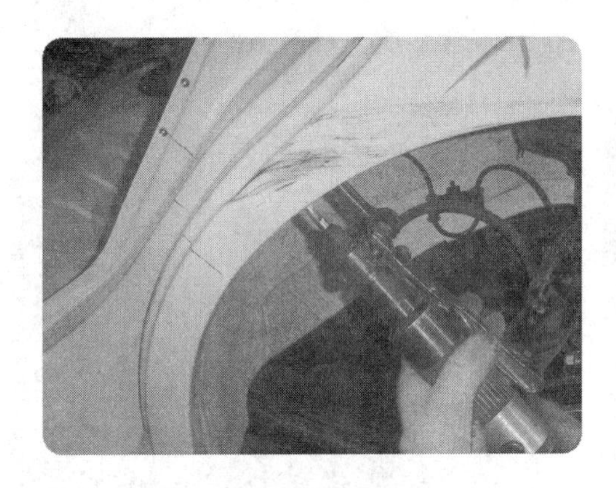

스포트 드릴 커터 작업

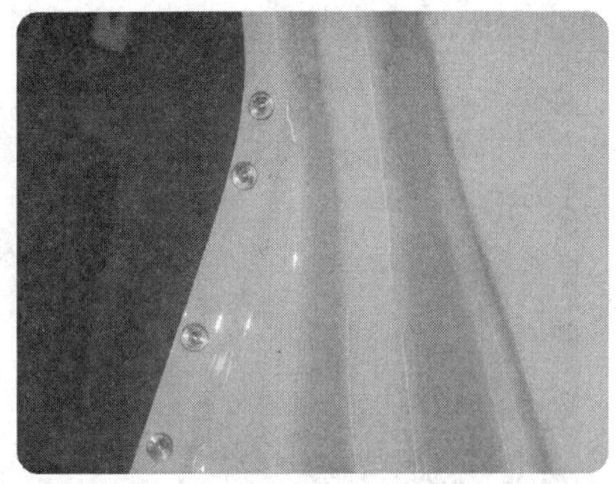

드릴링 작업된 모습

② 일반 드릴을 사용한 탈거 작업

스폿 드릴 커터를 사용해서 탈거할 수 없는 부분에는 일반드릴을 이용해서 탈거작업을 병행해준다. 일반 드릴에 사용되는 드릴 날의 경우 스폿 드릴 커터 타입의 드릴 날을 사용함으로써 내판 패널에 상처를 주거나 깊게 드릴링 작업되어 내판 패널에 구멍을 만들어 버리는 작업을 방지할 수 있어야겠다.

일반 드릴 날을 사용할 경우 내판 패널을 그냥 관통해서 구멍을 만드는 경우가 많이 발생하며, 패널을 탈거할 때에도 잔여 너겟이 외판패널에 그대로 붙어 있어 탈거 작업에 많은 어려움을 준다.

일반 드릴 작업

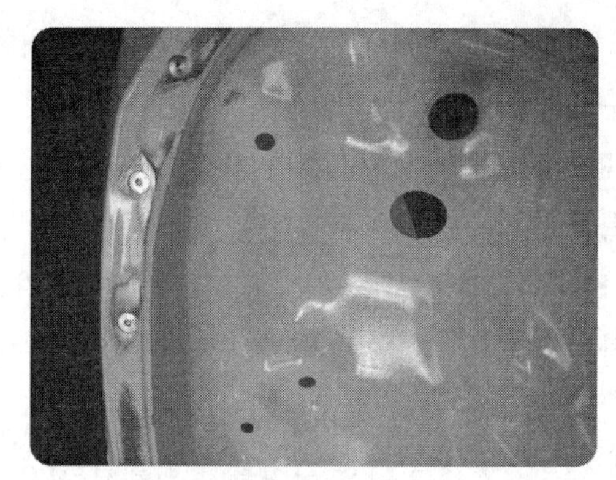

드릴링 작업 모습

(7) 교환 패널의 탈거 작업

차체에서 패널을 탈거하기 위해서 사용되는 공구에는 주로 해머와 정이 사용된다. 해머와 정을 사용해서 교환하고자 하는 쿼터 패널을 차체에서 떼어낸다.

해머와 정을 사용한 탈거 작업

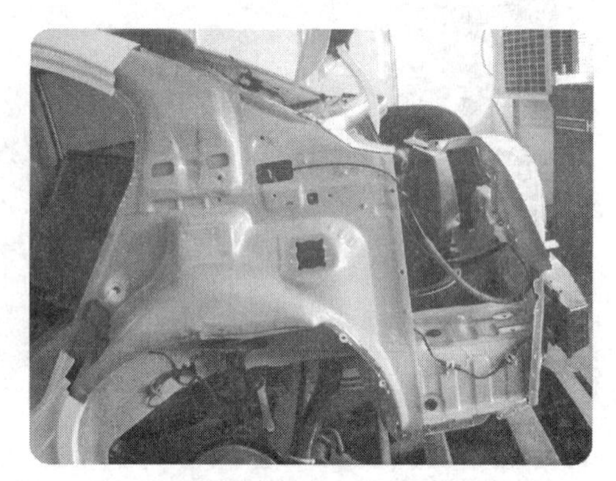

교환 패널의 탈거

(8) 잔여 패널의 연마

교환 패널의 탈거 후 내판 패널에 남아 있는 잔여 거스러미 및 너겟은 에어 그라인더 및 샌더 등을 이용해서 깨끗이 연마해 준다. 이때 내판 패널에 부식 및 이물질이 잔존해 있다면 동시에 제거해 주어야 한다.

잔여 거스러미 연마

(9) 내측 패널의 수정

패널 접합면의 정형 및 부품 주변의 변형 개소를 해머와 돌리를 이용해 수정해 준다.

(10) 신(新)품 패널의 준비

내판 패널의 연마와 수정이 모두 끝이 나면 신품 패널에 대해서 치수 조정 작업을 실시한다. 신품 패널도 절단하고자 하는 위치와 범위를 결정하고 에어 톱을 이용해서 절단작업을 실시한다. 신품 패널을 절단 할 때에는 차체에 남아 있는 패널보다 조금 더 여유를 두고 절단한다.

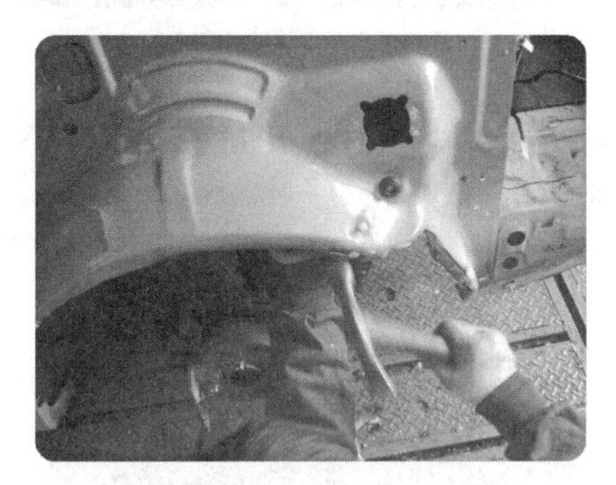

손상되어진 내판 패널의 수정

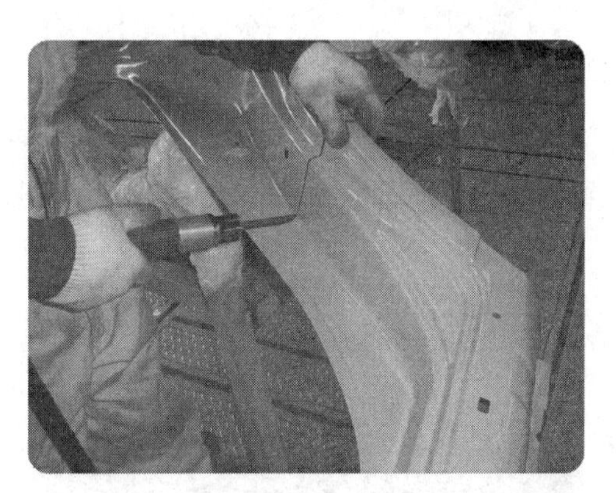

신풍 패널 준비

(11) 임시 차체 부착

절단 작업이 이루어진 신품을 차체에 남아있는 패널위에 임시 고정해 준다. 바이스 플라이어를 이용해서 교환 위치에 적당하게 부착시킨다.

신풍 패널의 임시고정

(12) 리어 도어 및 트렁크 리드 부착

쿼터 패널의 신품을 차체에 임시 고정시킨 후 관련된 부품인 리어 도어와 트렁크 리드를 차체에 부착 시킨다. 그림에서처럼 리어 도어를 먼저 차체에 부착시킨 후 쿼터패널 신품을 차체에 부착 할 수도 있고, 쿼터 패널 신품을 먼저 차체에 임시 고정한 후 리어도어를 차체에 부착시킬 수도 있다.

부품의 설치 조정

(13) 단차 및 프레스 라인의 조정

리어 도어 및 트렁크 리드를 차체에 부착한 후 리어도어와 쿼터 패널, 쿼터 패널과 트렁크 리드와의 단차 및 프레스 라인을 조정해 준다.

도어의 단차 및 프레스라인 조정

상단 부위의 라인 조정

하단 부위의 라인 조정

트렁크 리드와의 단차 조정

(14) 교환 부품과 겹치는 부위 절단 작업

차체에 남아 있는 잔여 패널보다 신품을 조금 더 여유 있게 절단하는 이유는 패널이 맞대어 지는 범위를 최소화하기 위해서이다. 패널의 맞대어 지는 범위가 최소화 되는 것은 다음 후속 공정인 용접 작업을 쉽게 하기 위해서 이다. 치수 조정을 잘못하여 절단면이 넓어진 경우에는 용접 작업의 어려움뿐만 아니라 패널이 용접 열에 의한 변형 또한 크기 때문에 차체에 발생되는 녹의 발생 범위와 강도면에서도 상당히 취약할 수 있으므로 주의를 해야 하는 부분이다.

신품 패널은 차량 측의 부품과 겹치는 부분이 30~50㎜정도 되게 새 부품을 절단한다.

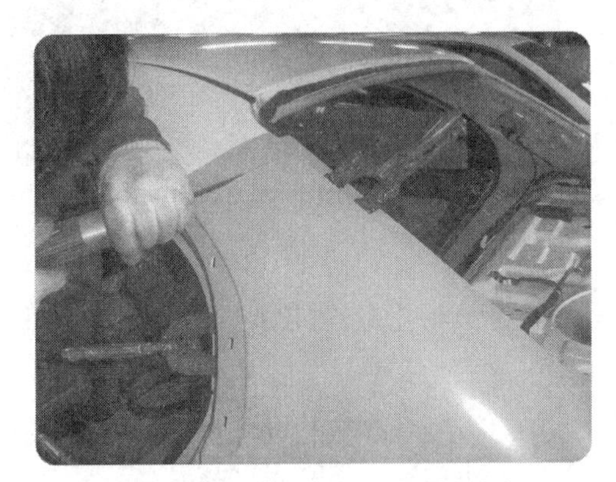

상단부위의 겹쳐진 부위 절단

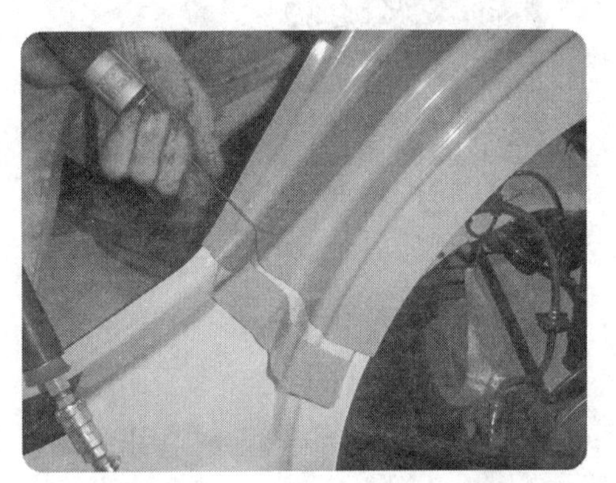

하단부위의 겹쳐진 부위 절단

① 겹치는 부분이 너무 넓으면, 조립 시 위치의 확인이 곤란하다.
② 힘을 주어서 새 부품이 변형되지 않게 한다.

신품 패널의 잔여 패널 탈거

(14) 차체 잔여 패널 탈거 작업

① 겹쳐진 부위를 탈거하고 나면 차체에 나머지 잔여패널이 남게 된다. 남아 있는 잔여 패널을 스폿 드릴 커트를 이용하여 탈거해 준다.

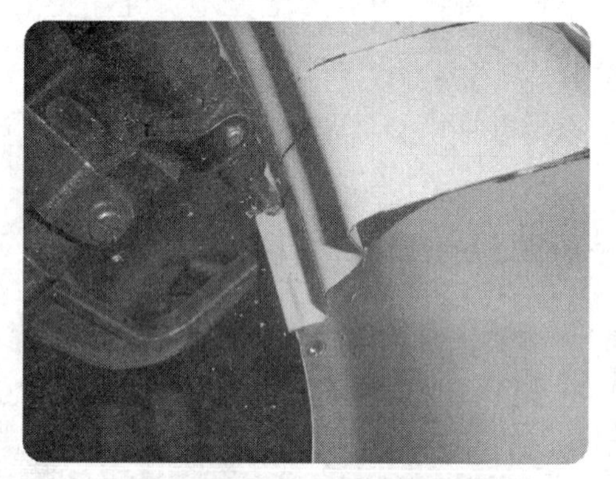

상단부위의 잔여패널 탈거

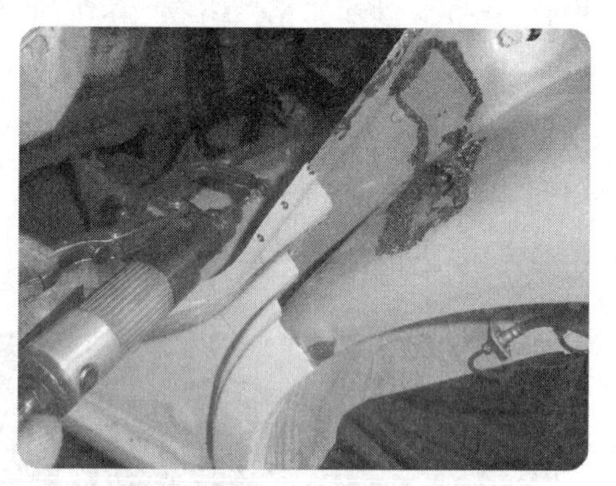

하단부위의 잔여패널 탈거

② 스폿 드릴 커터로 잔여패널의 홀을 뚫은 후 해머와 정을 이용해서 차체에서 잔여 패널을 떼어낸다.

③ 잔여패널을 떼어낸 후 잔여패널에 대한 거스러미와 너겟의 잔여 량을 에어 그라인더로 깨끗하게 연마해준다.

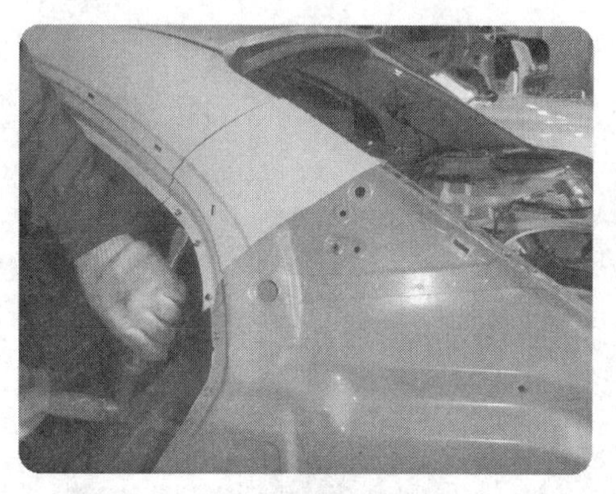

해머와 정을 사용한 잔여 패널 탈거

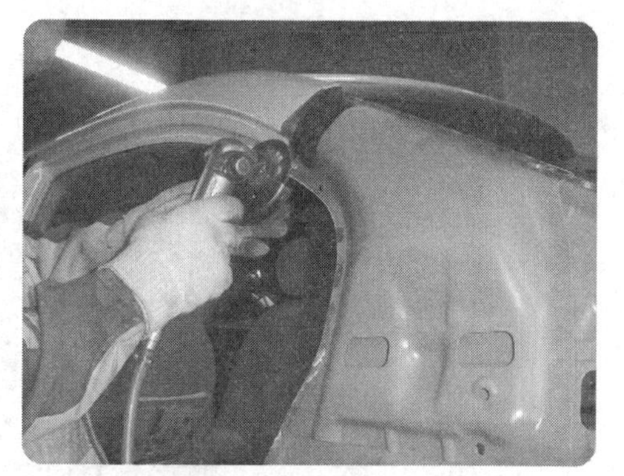

잔여 거스러미 연마

(15) 신품 패널 부착 전 준비 작업

신품 패널을 차체에 부착시키기 전에 선행되어야 할 작업이 있다. 스폿 용접되어질 부분에는 패널 면에 전착되어 있는 도막을 모두 벗겨내어 줘야 하며, 스폿 용접되어지는 부분을 제외한 나머지 부분은 탄산가스 아크 용접으로 플러그 용접 되어질 부분에 홀 펀치를 이용해서 홀을 만들어야 하며, 맞대기 용접되어 지는 부분에 도포된 도막도 깨끗하게 연마해 주어야 한다. 신품 패널에서의 준비 작업이 완료되면 부착되어지는 차체에도 회전 와이어 브러시와 에어 샌드를 이용해서 도막을 모두 벗겨 내어준다.

① 플러그 용접용 홀

홀 펀치를 이용해서 플러그 용접용 홀을 낸다.

㉠ 플러그 용접용 홀의 수는 각 차종별로 차이가 있으므로 차체수리 지침서를 참고한다.

㉡ 일반적으로 제거한 스폿 용접점 보다는 많아야 한다.

㉢ 용접할 판원에 비해 너무 큰 홀이나 너무 작은 홀은 용접 시 용접 불량의 원인이 된다.

㉣ 통상적으로 판원이 1.0㎜ 미만에서는 ϕ5 ~ 6㎜, 1.0 ~ 1.6㎜에서는 ϕ6 ~ 8㎜정도로 한다.

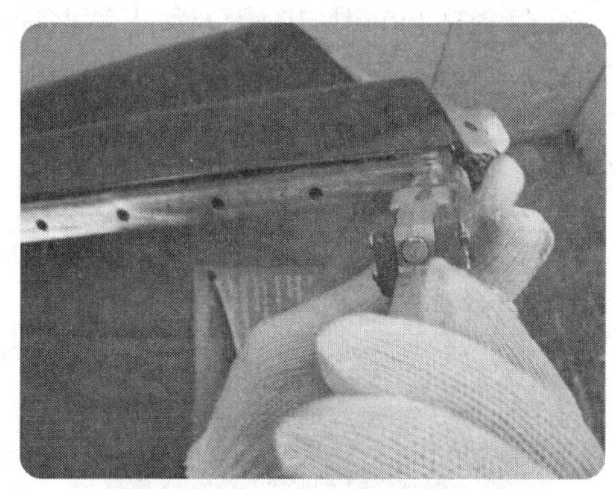

▣ 플러그 용접 홀 가공

② 도막의 제거

도막의 제거는 용접되어지는 신품 패널 부분과 차체 부분에 회전와이어 브러시와 에어 샌더를 이용해서 깨끗하게 연마해 준다. 과도한 연마는 패널의 강도에 영향을 주므로 주의해야 한다.

스폿 용접이 되는 면은 표면 패널과 내측 패널의 양면 모두 도막을 제거해 준다.

▣ 차체 패널의 용접면 도막제거

▣ 신품 패널의 용접면 도막제거

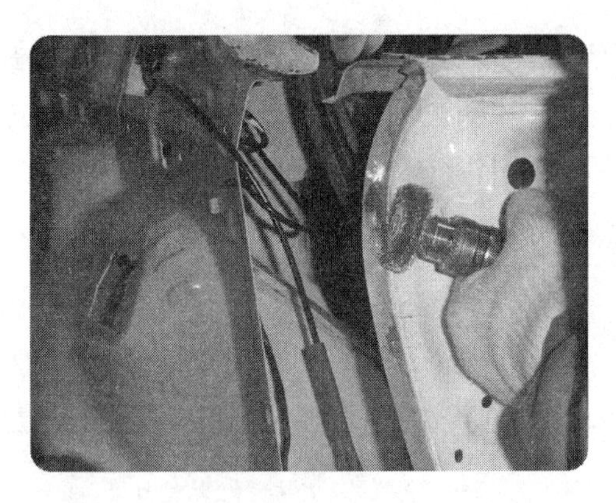

회전 와이어브러시를 사용한 차체 패널의 용접면 도막 제거

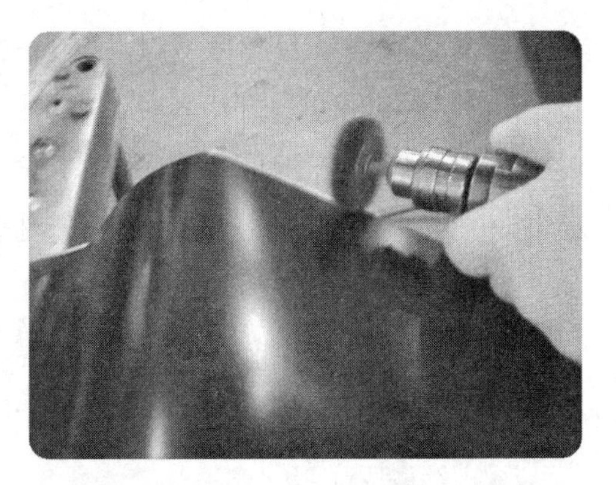

회전 와이어브러시를 사용한 신품 패널의 용접면 도막 제거

③ 방청 처리 작업

도막을 제거한 차체와 신품 패널 면의 모든 용접면에 방청제를 도포해 준다. 방청제를 도포할 때 패널 외부로 도포되지 않도록 주의한다.

차체 용접 부위 방청제 도포

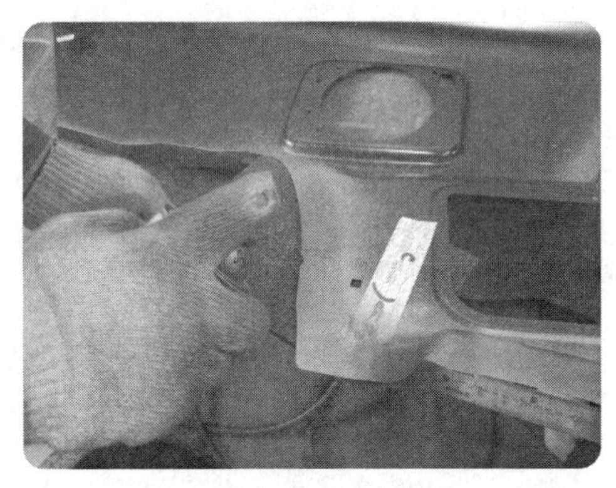

신품 패널의 용접부위 방청제 도포

(16) 신품 패널의 재 부착

차체에 부착되어 용접되어질 신품 패널을 다시 부착할 때에는 차체에 정확하게 고정될 수 있도록 해주어야 한다. 신품 패널을 부착할 때에는 패널 주위를 여러 곳으로 나누어서 바이스 플라이어로 고정해 주며, 때로는 철판 피스를 사용해서 고정해 주기도 한다.

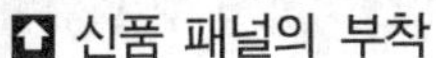
신품 패널의 부착

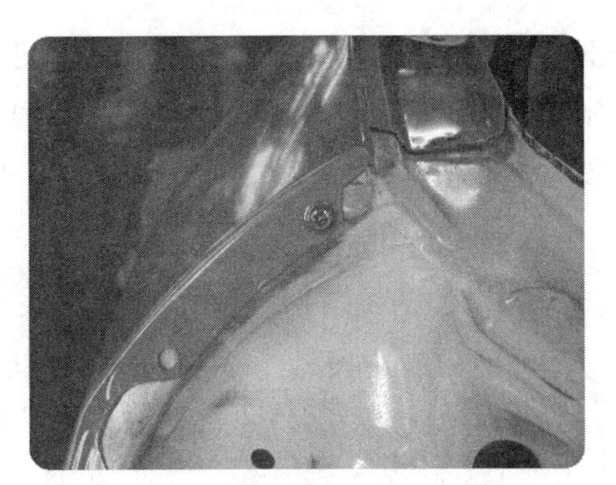

임시 고정

(17) 치수 재조정

차체에 정확하게 신품 패널을 부착한 후 다시 한 번 트렁크 리드와 리어 도어와의 단차 및 프레스 라인을 재조정한 다음 리어 콤비램프와의 부착과 함께 패널과의 간격과 단차를 확인한다. 이 부분에서 치수 및 현물 맞춤에서 제대로 맞추어지지 않았다고 판단이 될 경우에는 주로 사용되고 있는 공구인 턴버클 및 포터 파워를 활용해서 프레스 라인 및 단차와 간격을 정확하게 맞추어 주어야 한다.

부품의 설치 조정

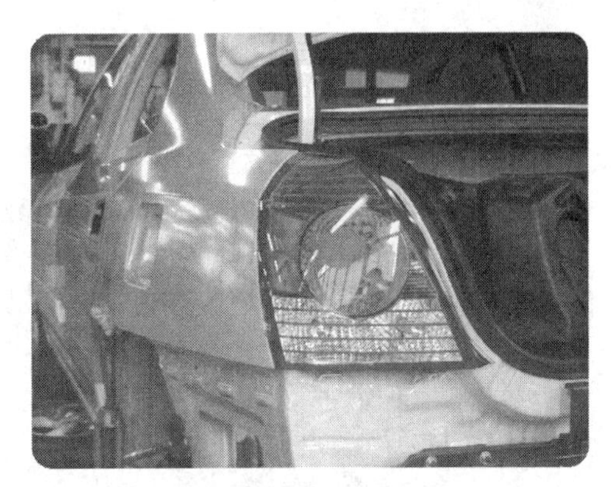

현물 맞춤

(18) 용접 작업

모든 치수 조정 작업이 끝이 나면 마지막 공정인 용접작업을 진행한다. 현장에서 주로 많이 사용되는 용접 방법이 탄산가스 아크(CO_2) 용접과 스폿 용접이다. 탄산가스 아크 용접과 스폿 용접의 병행은 차체 패널 교환 작업 시 반드시 이루어져야 할 작업이다. 용접 작업은 차체수리 작업의 50% 이상을 차지하는 중요한 부분이기 때문에 탄산가스 아크 용접 방법과 스폿 용접 방법에 대해서 잘 익혀두는 것 또한 중요한 일이다.

① 패널 임시 고정(가접)

치수 조정 및 현물 맞춤 작업에서 조정이 된 단차와 간격을 유지하게 하고 패널의 움직임으로 인해 발생할 수 있는 미세한 변형을 방지하기 위해서 탄산가스 아크 용접으로 패널을 임시 고정해 준다. 임시고정 작업을 할 경우에는 맞대기 용접되어 지는 부분의 가접과 플러그 용접 될 부분의 가접으로 패널 전체적인 면을 돌아가면서 한 포인트씩 가접을 해 주면 패널의 변형을 방지할 수 있다.

가 접

② 가접의 요령

절단 면의 프레스 라인을 정확히 맞춘 후 가접을 해 준다.

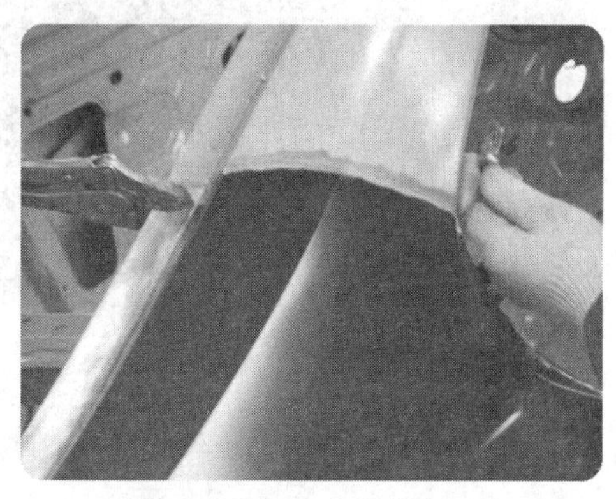

절단면의 프레스라인 조정

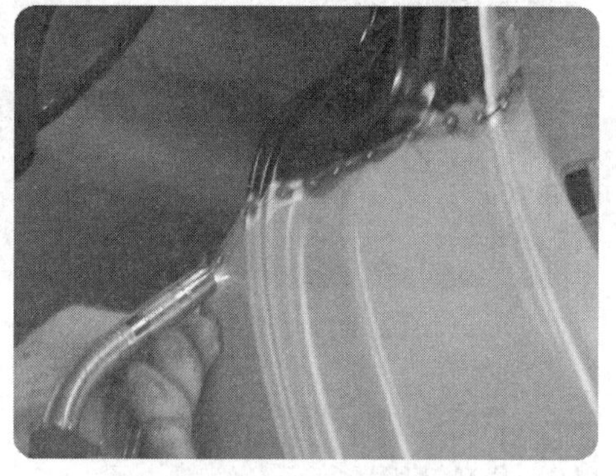

순차적으로 가접

㉠ 프레스 라인은 넓은 정으로 플랜지 아래 부분을 가볍게 치고, 드라이버 및 톱날 등으로 틈새 및 단차를 맞춘다.

㉡ 가접의 경우 프레스 라인을 정확히 맞추어서 가접 후 면을 가접한다.

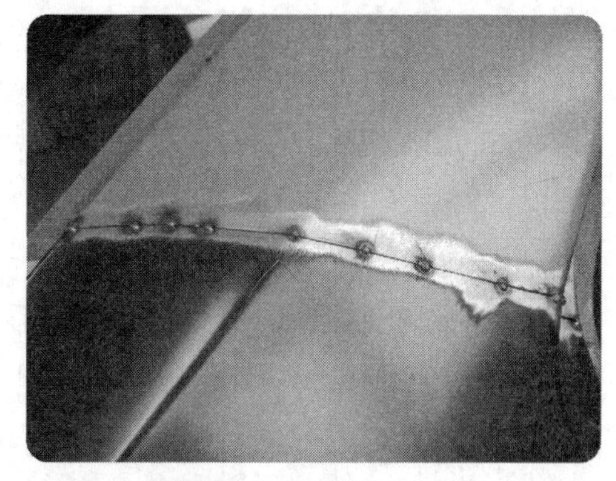
프레스 라인의 가접

③ **패널 면을 가접한다.**

패널 면의 단차는, 드라이버 등을 사용하여 단차를 조정하여 가접한다.

㉠ 일반적인 가접의 거리는 15 ~ 30 ㎜가 적당하다.

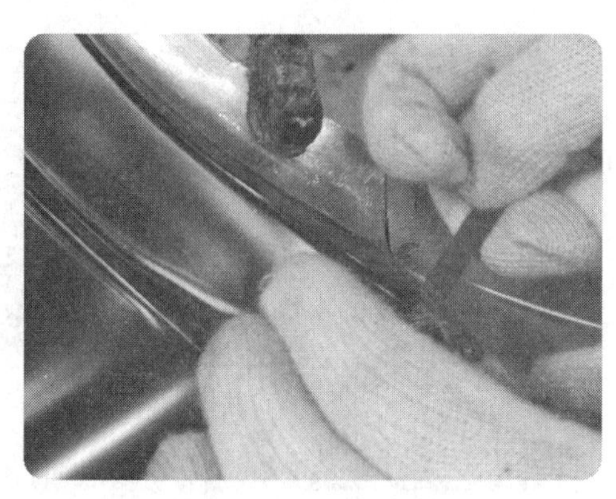
패널 면의 단차 조정

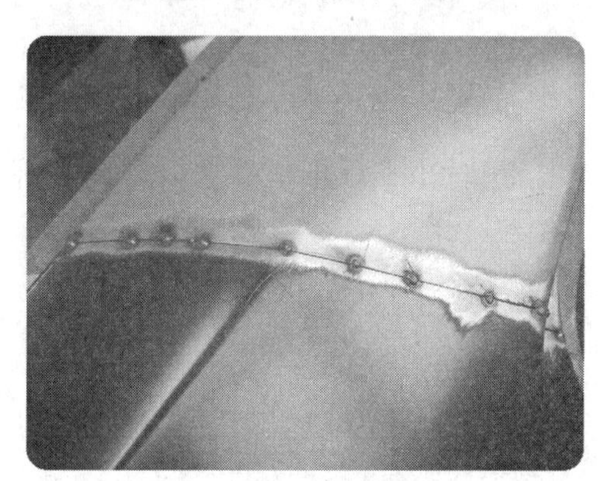
패널 면의 가접

④ **플러그 홀 용접**

패널 전체에 임시적인 고정 작업이 끝이 난 후 플러그 용접되어지는 부분에 플러그 용접을 진행한다. 플러그 용접 홀의 가접 부위를 포함해서 플러그 용접을 마무리 한다.

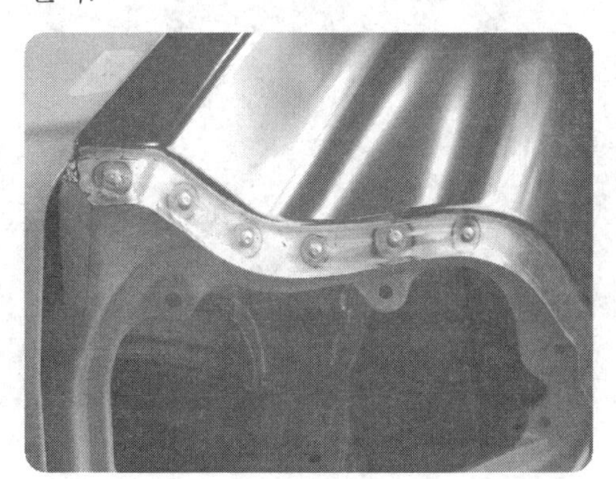

플러그 용접

플러그 용접을 진행할 때에는 바이어 플라이어를 사용해서 패널을 정확하게 밀착시킨 상태에서 용접을 진행한다.

바이스 플라이어로 정확하게 밀착

⑤ **실물 맞춤**

임시고정 및 플러그 용접이 끝이 난 후 리어도어와 트렁크 리드와의 단차와 간격을 다시 한 번 확인해 본다. 패널 전체적인 면에 가접을 통해 패널의 형태가 변형되지 않도록 고정을 한 상태이기 때문에 열에 의한 변형은 극히 드물게 나타난다.

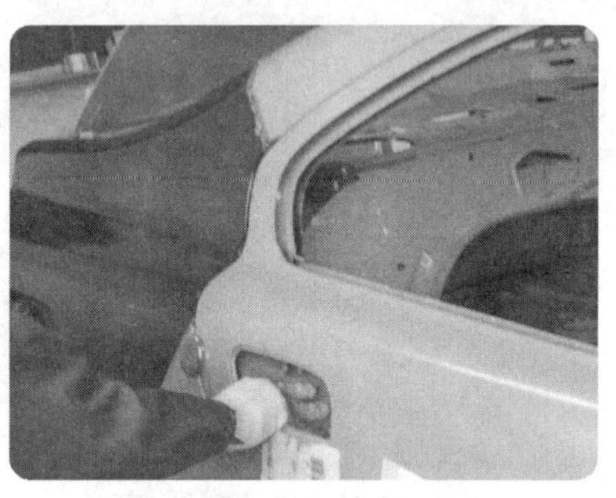
부품의 단차와 간격 확인

⑥ **스폿 용접**

탄산가스 아크 용접으로 임시고정 및 플러그 용접이 끝이 나고 실물 맞춤을 통해 패널의 단차와 간격을 확인한 후 스폿 용접으로 용접되어질 부위에 스폿 용집을 실시한다. 스폿 용접을 실시하기 전 용접 위치와 용접 순서에 맞추어 용접암과 전극 팁을 선택한 후 용접을 진행한다. 스폿 용접을 진행할 때에도 바이스 플라이어로 패널을 밀착시켜준다.

스포트 용접

패널의 밀착

⑦ **스폿 용접 전 준비사항**

스폿 용접 뿐만 아니라 모든 용접 작업에서 가장 중요한 것은 용접을 시작하기 전 시편을 이용한 용접조건의 설정이다. 용접하고자 하는 패널의 두께와 재료가 같은 시편을 가지고 정확하게 용접조건을 설정한 후 용접을 해야만 한다. 용접조건의 설정 없이 용접을 진행하면 용접 결함과 동시에 용접 불량상태가 될 수 있다. 용접 작업은 차량의 강도와 안전성에 영향을 미치므로 반드시 용접조건을 설정하여 강도를 확인해야만 한다.

⑧ **시편 용접 결과 확인**

두 장의 시편을 가지고 용접 한 후 양쪽으로 힘을 가하여 시편을 떼어낸 후 일반적으로 한쪽 시편 면에 홀이 생기면 상태가 양호하고, 홀이 없는 경우에는 용접조건을 재조정하여 시편 용접을 해야 한다.

시편을 떼어내었을 때 발생된 홀의 크기가 3㎜ 이상이면 정상적인 용접조건이라 볼 수 있다.

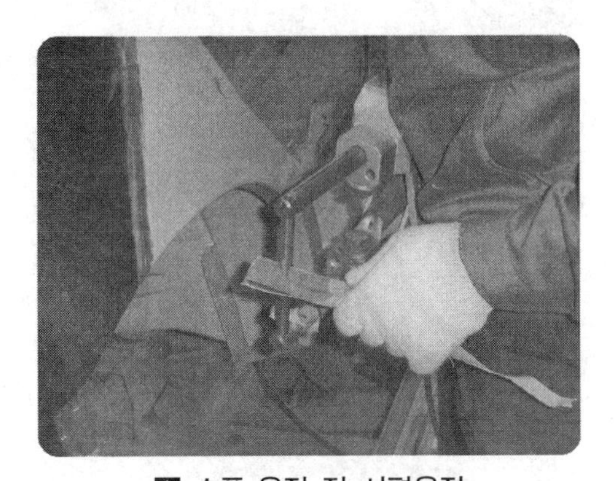

스폿 용접 전 시편용접

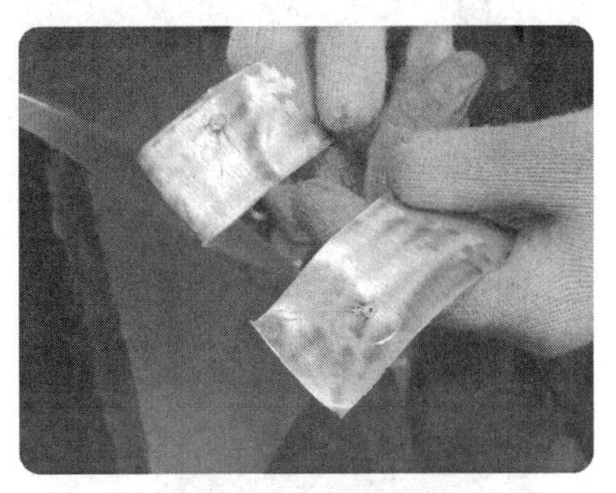

시편 용접 결과 확인

⑨ **본 용접**

시편 시험 결과 용접 조건이 정확하게 맞추어졌을 때에는 차체에 스폿 용접을 진행한다. 스폿 용접을 진행할 때 패널 형태와 위치에 따라서 용접 암과 전극 팁의 모양을 달리해서 용접을 진행한다.

본 용접

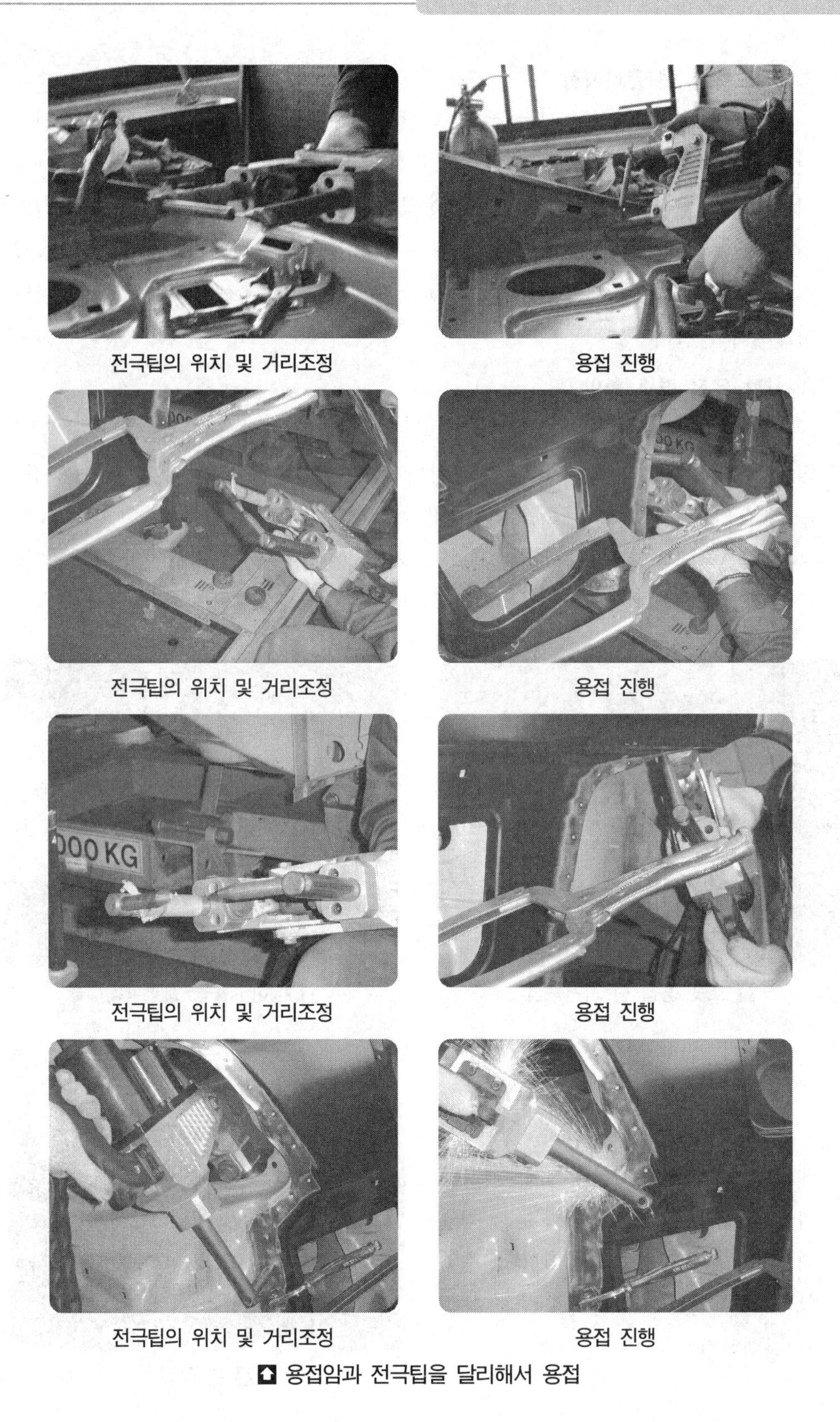

전극팁의 위치 및 거리조정

용접 진행

전극팁의 위치 및 거리조정

용접 진행

전극팁의 위치 및 거리조정

용접 진행

전극팁의 위치 및 거리조정

용접 진행

용접암과 전극팁을 달리해서 용접

⑩ **거스러미 제거**

스폿 용접이 끝이 난 후 전극 팁으로 인해 패널 내측에 발생된 거스러미를 정을 사용해서 깨끗이 제거해 준다.

⑪ **맞대기 용접 부의 가접 연마**

스폿 용접이 모두 끝이 난 후 용접 작업의 마지막 공정인 맞대기 되여 지는 부분의 용접을 진행한다. 맞대기 용접을 시작하기 전에 미리 가접된 부분의 돌기를 에어 그라인더를 사용해서 깨끗이 연마해 준다.

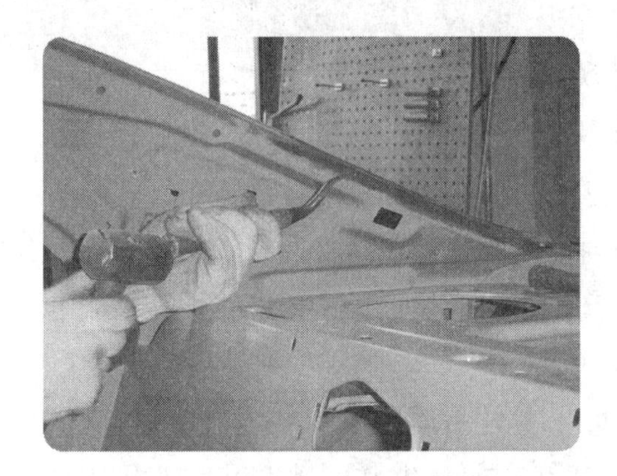

패널 내측의 거스러미 제거

맞대기 용접부의 가접 연마

⑫ **맞대기 용접부의 연속 용접 전 시편 용접**

가접 부위의 연삭을 마치고 맞대기 용접 부위에 연속 용접을 진행하기에 앞서 반드시 시편 용접을 통해서 용접 조건을 설정해 주어야 한다. 시편 용접을 통해 용접 조건을 제대로 맞추지 않고 용접을 진행할 때에는 용접 결함 및 용접 불량의 원인으로 패널에 또 다른 변형을 줄 수 있으므로 본 용접 전에는 반드시 시편 용접을 통해 용접 조건을 정확하게 설정해 주는 것이 중요하다. 가접을 할 때에도 마찬가지로 용접 조건을 맞춘 다음 가접을 해주는 것이 좋다.

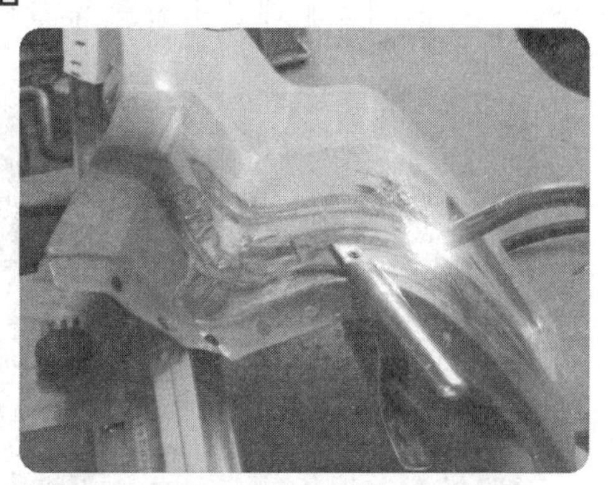

용접 전 시편 용접

⑬ **맞대기 용접 부위의 연속 용접**

용접 조건이 설정된 후 맞대기 용접되어 지는 부위에는 연속 용접으로 용접을 진행한다. 연속 용접은 보통 길이가 30 ~ 40㎜정도의 길이로 계속해서 용접을 진행해 나가는 것을 말하는데 어느 정도 숙련이 되면 끊어서 용접하기 보다는 일률적으로 단번에 용접을 진행해 나갈 수 있게 된다. 현재 현장에서 이루어지고 있는 용접의 형태 중 하나가 점용접으로 맞대기 용접을 진행하는 형태이다.

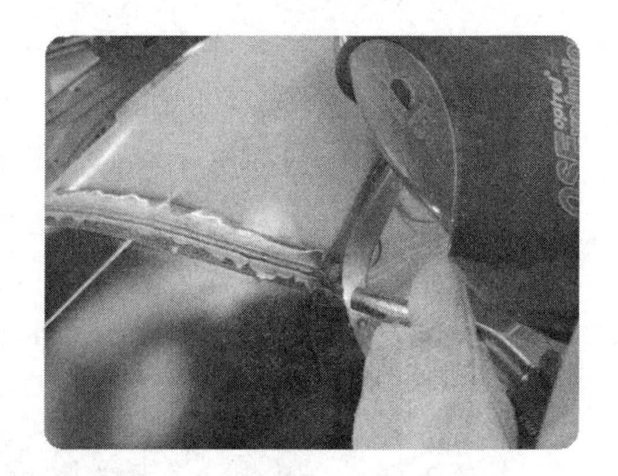

맞대기 용접

용접의 장단점을 볼 때 어떤 형태로의 용접이든 모두 장단점은 있다. 하지만, 점용접으로의 용접은 균일하게 백 비드의 형성이 어렵기 때문에 연속 용접으로의 용접보다 강도가 약해질 수 있다.

연속으로 진행되는 용접이 점용접 보다 훨씬 유리한 것은 패널에 전달되는 열 영향이 점용접으로 용접할 때 보다 적게 발생된다는 것이다. 점용접 보다 용접 속도가 훨씬 빠를 뿐 아니라 패널이 열에 의한 변형이 훨씬 더 적게 나타난다는 것이다.

㉠ 플랜지 끝 부분의 용접은, 녹아 흘러내리는 것을 방지하기 위하여 패재 패널을 내측에 대고 용접을 해 준다. 용접 후에는 샌더로 연마하여 제거한다.

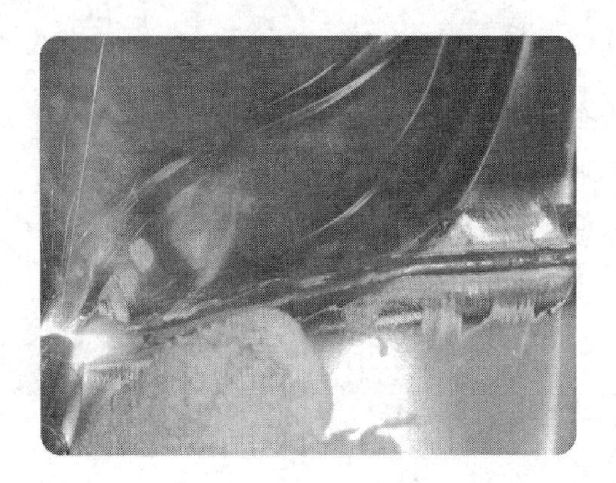

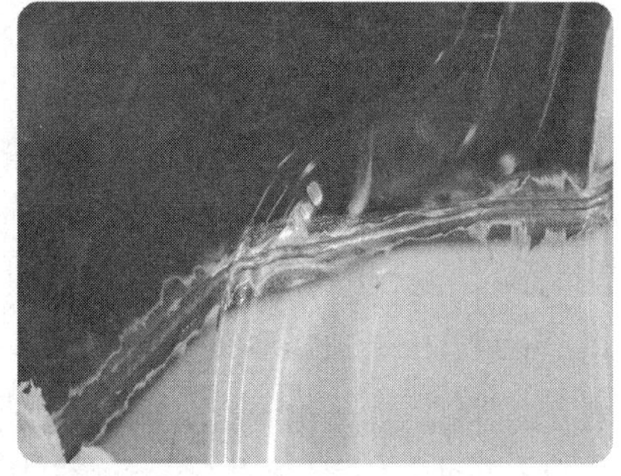

하단부 맞대기 용접 부의 연속 용접

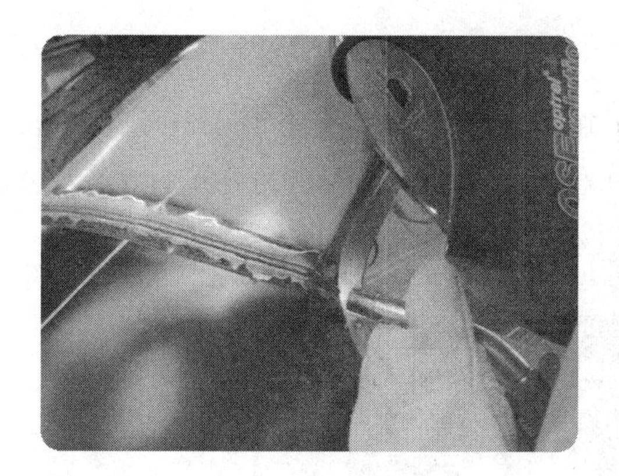

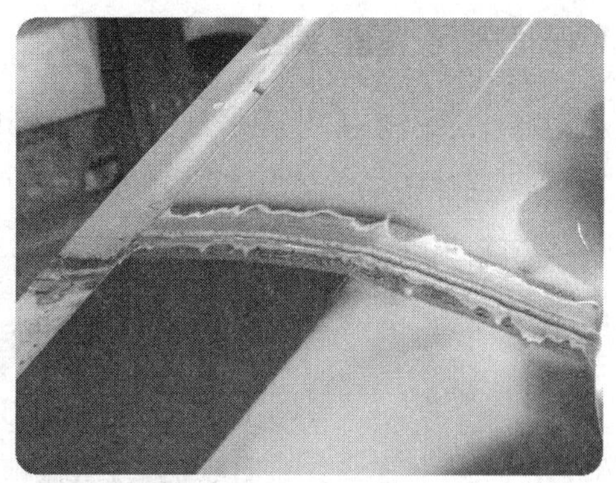

상단부 맞대기 용접부의 연속용접

(19) 용접부의 마무리

① 맞대기 용접, 플러그 용접 부위의 마무리

맞대기 용접, 플러그 용접 부위의 표면을 샌더로 연마한다.

㉠ 용접부를 과다하게 연마하면 강도가 저하된다.

㉡ 플러그 용접부는 디스크 샌더를 사용하지 않고 벨트 샌더를 사용해 마무리 한다.

용접 부위 연마

벨트 샌더

디스크 샌더

(20) 전체적 실물 맞춤

전체적으로 용접 작업이 모두 끝이 나고 용접 된 부위의 연삭작업이 끝이 난 다음 리어 도어와 트렁크 리드와의 간격과 단차를 마지막으로 확인해보고 정상적인 간격으로 작업이 완료되었다면 도장 작업으로 차량을 넘기기 전에 방청처리 작업을 진행한다.

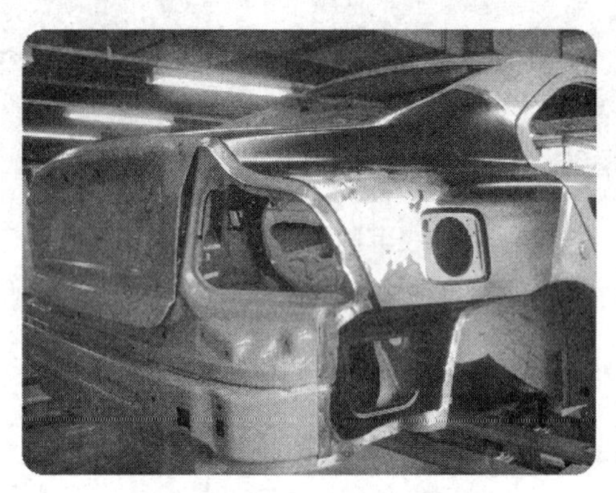

쿼어패널 교환작업 완료

(21) 방청 처리

① **패널 용접 후의 방청처리** : 용접되어진 패널의 접합면과 쿼터패널 내부에 보디 실러를 도포한다. 실러를 도포하기 전 도포면의 이물질을 반드시 제거한 후 도포해 준다.

② **언더 코트 도포** : 패널을 정형한 부위 즉, 휠 하우스 면과 쿼터 패널 내측 부위에 언더코트를 도포해 준다. 도포할 곳의 이물질 등을 제거하고, 불필요한 곳에 언더 코트의 부착을 방지하기 위해 박스나 마스킹 페이퍼로 가려준다.

③ **도장 후의 방청 처리** : 도장이 곤란한 용접부의 패널 내측은 도장 작업 후 방청왁스를 도포해 준다.

㉠ 인너 패널의 내측에 있는 홀을 통하여 도포해 준다.

㉡ 노즐은 용접한 곳을 향하고, 패널의 접합면부터 방청제를 충분히 도포한다.

5 보디 각 부분별 교환작업

이번 장에서 소개하는 보디의 각 부분별 교환 작업은 사고 난 부위를 수정한 후에 절단 이음 하는 작업 방법들이다. 프런트 사이드 멤버를 비롯해서 리어 앤드패널의 절단 위치와 교환되는 위치 등을 확인할 수 있다. 한 차종을 통해 각 패널을 교환하는 작업 위치와 방법들에 대해 알아보지만 이 방법만으로도 충분히 어느 위치에 어떤 방법으로 부분별 패널 교환 작업이 이루어지는지 학습할 수 있을 것이다. 이번 장에서 소개하는 보디 각 부분별 교환 작업을 통해 교환되어 지는 부분과 방법들에 대해서 어느 정도 정확하게 정립되어지기 바란다.

1 프런트 사이드 멤버(Front Side Member)

프런트 사이드 멤버

1 프런트 사이드 멤버의 부분탈거

1) 본 차량의 경우 프런트 사이드 멤버의 부분 교환이 필요한 경우 손쉬운 작업을 위해서 멤버의 전면부는 별도의 절단 없이 스폿 용접부(18개)와 MIG lap 용접부(1개)의 제거만으로 탈거가 가능하다.

프런트 사이드멤버 인너 부위

프런트 사이드멤버 아우터 부위

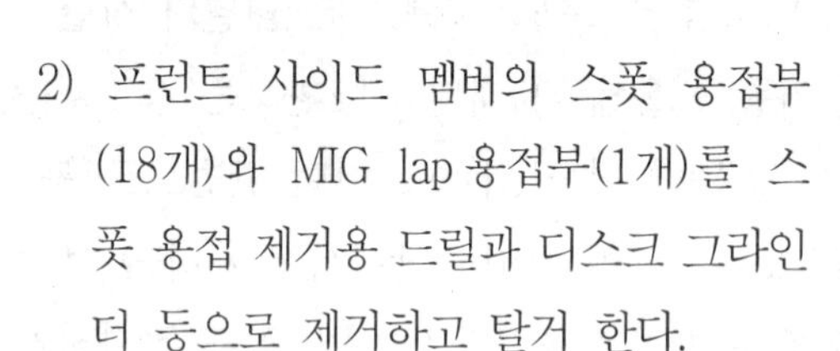

2) 프런트 사이드 멤버의 스폿 용접부(18개)와 MIG lap 용접부(1개)를 스폿 용접 제거용 드릴과 디스크 그라인더 등으로 제거하고 탈거 한다.

3) 프런트 사이드 멤버를 부분 탈거하고 멤버교정 후 탈거부위의 요철을 디스크 그라인더 등으로 제거한다.

프런트 사이드멤버 부부탈거

4) 신품 프런트 사이드 프런트 멤버를 준비한다.

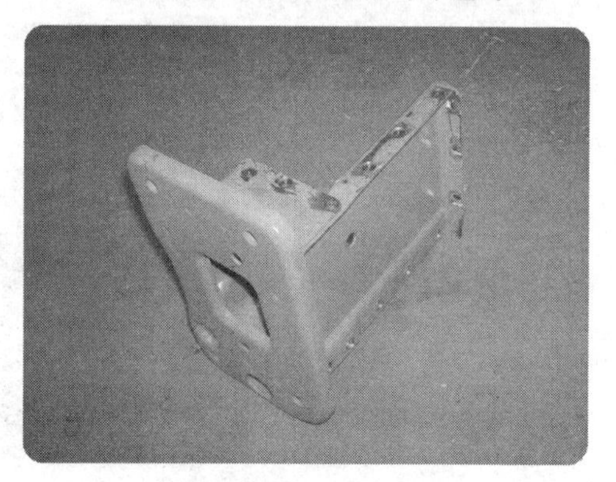

탈거된 사이드 멤버

5) 신품 프런트 사이드 프런트 멤버를 차체에 클램프 등으로 고정하고 측정한 후 용접한다.

프런트 사이드 멤버 부착

작업 완료

6) 용접부를 디스크 그라인더 등으로 연삭한다.

7) 방청작업을 한다.

★ RH측의 멤버 부분교환도 위의 작업공정과 동일하다.

2 펜더 에이프런 인너 프런트 패널과 펜더 에이프런 어퍼 멤버

1 펜더 에이프런 인너 프런트 패널과 펜더 에이프런 어퍼 멤버의 탈거와 부착(LH)

1) 펜더 에이프런 어퍼 멤버(LH)를 부분 탈거하기 전에 펜더 에이프런 이너 프런트 패널 어셈블리를 탈거한다.

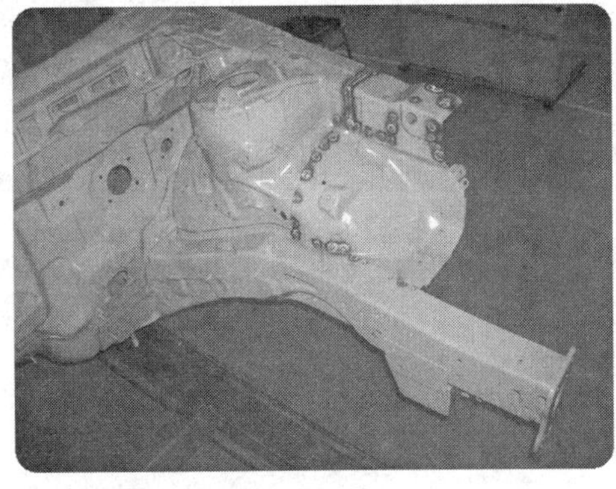

펜더 에이프런 인너 프런트 패널

펜더 에이프런 얽어 멤버

펜더 에이프런 이너 프런트 패널 어셈블리의 탈거를 위해 패널을 고정하고 있는 스폿 용접부(33개)를 스폿 용접 제거용 드릴 등으로 제거하고 탈거한다.

2) 펜더 에이프런 어퍼 멤버를 부분탈거 하기 위해서 절단 위치를 선정한다. 펜더 에이프런 어퍼 인너 멤버의 절단부위는 기준점으로부터 250mm지점으로 한다.

3) 펜더 에이프런 아우터 멤버의 절단부위는 기준점에서부터 190mm지점으로 한다.

펜더 에이프런 어퍼 멤버

펜더 에이프런 아우터 멤버 절단부위

4) 에어 톱 등을 이용해서 지정한 절단부를 절단하고 펜더 에이프런 어퍼 멤버를 탈거한다.

5) 탈거 부위의 요철을 디스크 그라인더 등을 이용해서 제거한다.

펜더 에이프런 어퍼 멤버 탈거

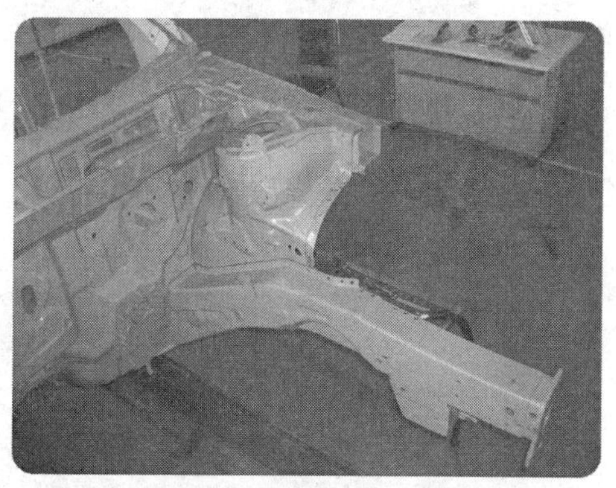

탈거 부위 요철 제거

6) 신품 펜더 에이프런 어퍼 멤버를 차체에 장착하기 알맞게 재단한다.

7) 멤버를 차체에 클램프 등으로 고정하고 측정한 후 MIG용접을 실시한다.

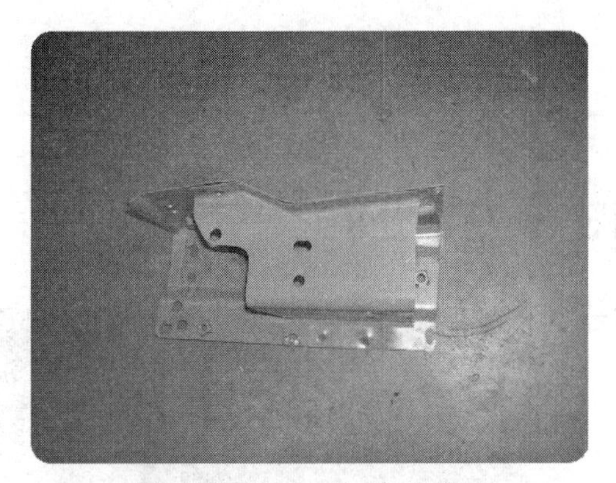
펜더 에이프런 어퍼 멤버

펜더 에이프런 어퍼 멤버 용접

8) 용접부위를 디스크 그라인더 등으로 연삭한다.
9) 패널 접합부에 도막을 제거하고 용접용 방청제를 도포한다.
10) 신품 펜더 에이프런 이너 프런트 패널 어셈블리를 차체에 장착하기 위해 준비한다.

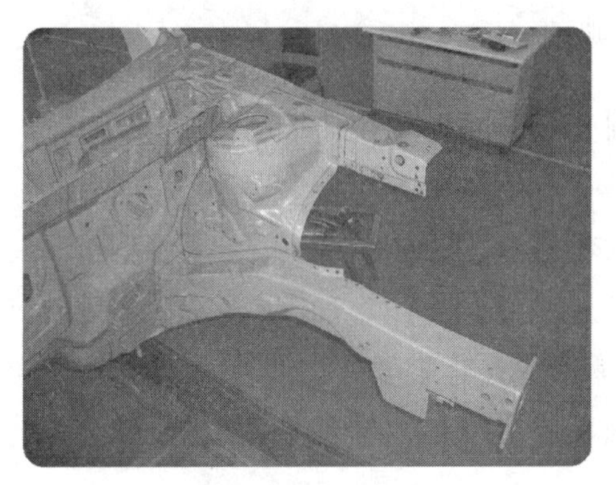
용접 부위 연삭

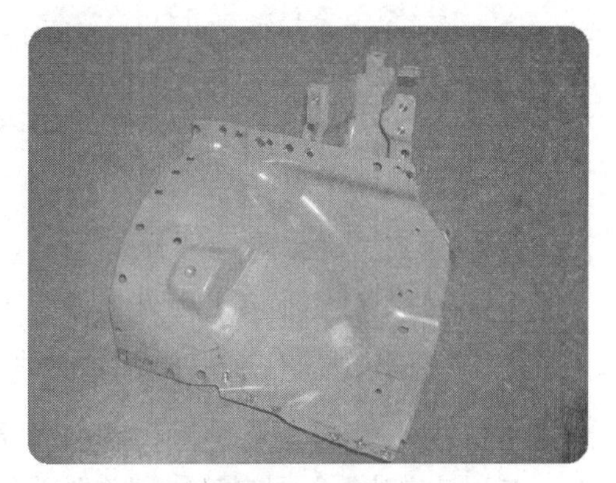
도막제거 및 방청제 도포

11) 펜더 에이프런 인너 프런트 패널을 차체에 클램프 등을 이용해서 고정하고 용접한다.
12) 용접부위를 디스크 그라인더 등으로 연삭한다.
13) 방청작업을 실시한다.

★ RH측의 작업공정도 LH측과 동일하다.

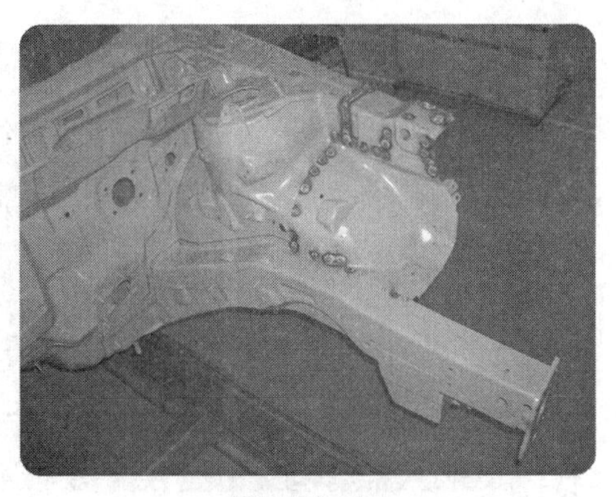
작업 완료

3 사이드 실

❶ 사이드 실을 탈거하기 위해서 절단 할 지점 선정

1) 프런트 필러 부위의 절단지점은 기준점에서 55mm 지점으로 한다.
2) 센터 필러 부위의 절단지점은 기준점에서 70mm 지점으로 한다.
3) 절단지점은 기준점에서 110mm 지점으로 한다.
4) 지정한 절단지점을 에어 톱 등으로 절단한다.

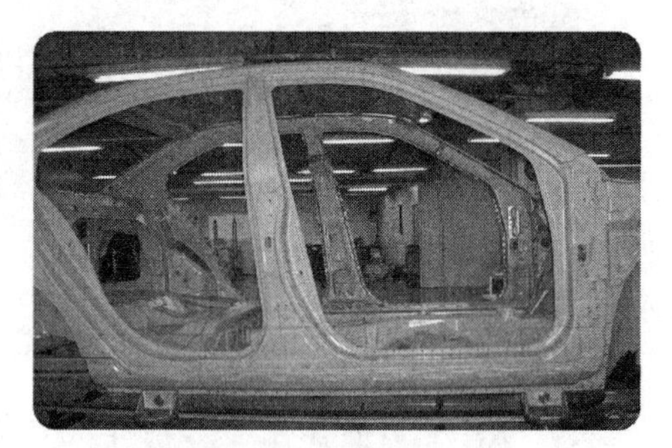

사이드 실 절단지점 선정

★ 사이드 아우터 패널만 절단하고 그 외에 다른 패널의 손상은 없어야 한다.

5) 스폿 용접부(85개)를 스폿 용접 제거용 드릴을 이용해서 제거한다.
6) 패널을 탈거한다.
7) 패널 탈거부위에 요철을 디스크 그라인더 등으로 제거한다.
8) 패널 접합부에 용접용 방청제를 도포한다.
9) 신품 사이드 실 패널을 차체에 장착하기 알맞게 재단한다.
10) 신품 사이드 실 패널을 차체에 클램프 등으로 고정한다.
11) 차체치수를 참고하여 측정한다.
12) MIG용접을 한다.

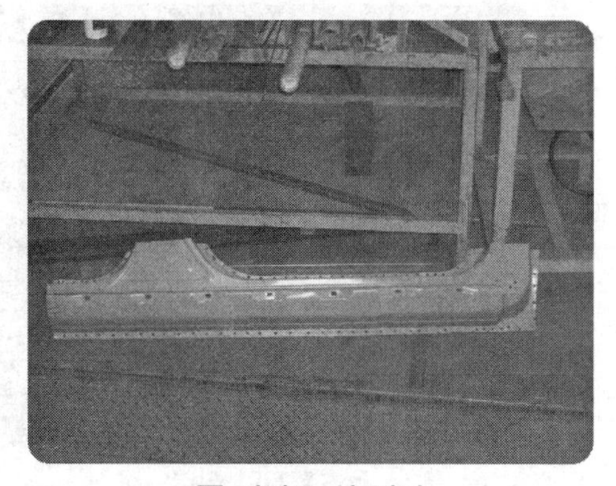

사이드 실 탈거

신품 사이드 실 차체에 장착

13) 용접부위를 디스크 그라인더 등으로 연삭한다.

14) 방청 작업을 한다.

신품 사이드 실 차체 고정

측정 및 용접

4 프런트 필러

❶ 프런트 필러의 탈거 및 장착

1) 먼저 프런트 필러의 탈거에 방해가 되는 카울 사이드 아우터 패널을 제거하여야 한다.

2) 코올 사이드 아우터 패널을 고정하고 있는 스폿 용접부(18개)를 스폿 용접 제거용 드릴 등을 사용하여 제거한다.

3) MIG 플러그 용접부(9개)를 드릴 등을 사용해서 제거한다.

4) 패널을 차체에서 분리한다.

프런트 필러의 탈거

카울 사이드 아우터 패널 제거

5) 프런트 필러를 중심으로 양쪽에 커터 파워를 설치한다.

6) 상단부의 절단은 기준점에서 140mm지점과 240mm지점을 에어 톱 등으로 절단한다. 사이드 아우터 패널만 절단하고 그 외에 다른 패널의 손상은 없어야 한다.

7) 스폿 용접부를 제거한다.

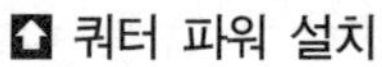
쿼터 파워 설치

상단부의 절단 지점

8) 폭 100mm의 사이드 아우터 패널을 탈거한다.

9) Reinforcement를 절단한다.

10) 기준점에서 190mm지점을 권장한다.

11) Reinforcement만 절단하고 그 외에 다른 패널의 손상은 없어야 한다.

12) 하단부는 기준점에서 15mm지점과 75mm지점을 에어 톱 등으로 절단한다. Side outer panel만 절단하고 그 외에 다른 패널의 손상은 없어야 한다.

13) 스폿 용접부를 제거한다.

아우터 패널 탈거

하단의 절단 지점

14) 폭 60mm의 Side outer panel을 탈거한다.

15) Reinforcement를 에어 톱 등으로 절단한다.

16) 기준점에서 45mm지점을 권장한다.

17) Reinforcement만 절단하고 그 외에 다른 패널의 손상은 없어야 한다.

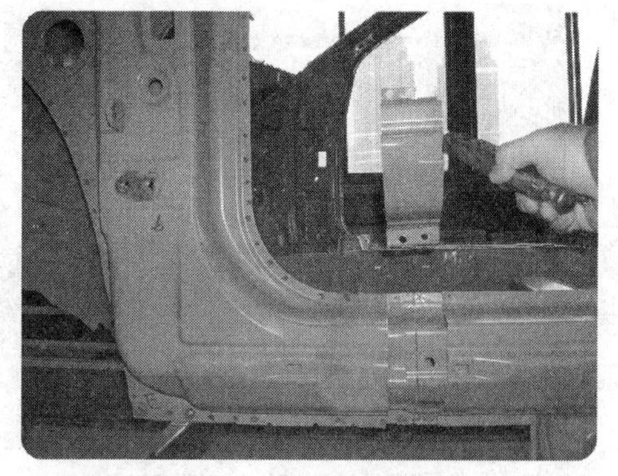

사이드 아우터 패널 탈거

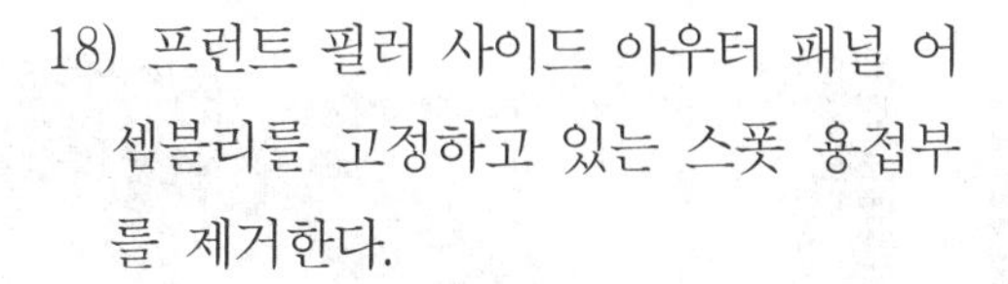

18) 프런트 필러 사이드 아우터 패널 어셈블리를 고정하고 있는 스폿 용접부를 제거한다.

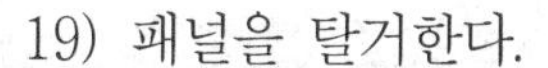

19) 패널을 탈거한다.

스포트 용접 후 제거

패널 탈거

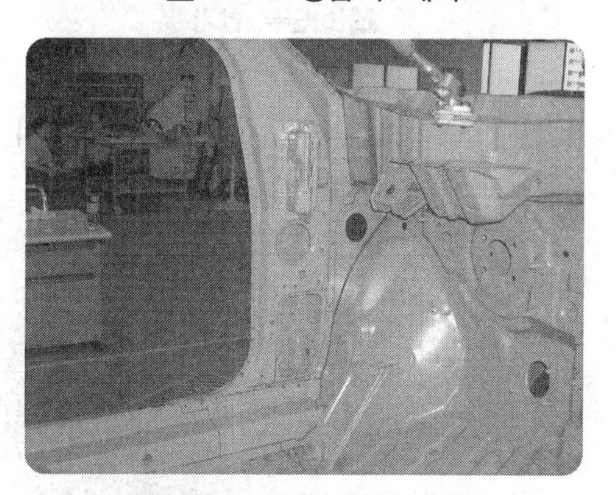

인너 패널의 절단 지점

20) 프런트 필러 사이드 인너 패널의 탈거를 위해서 절단할 지점을 정한다.

21) 상단부는 기준점에서 210mm지점을 에어 톱 등으로 절단한다.

22) 하단부는 기준점에서 100mm지점을 에어 톱 등으로 절단한다.

23) 프런트 필러 사이드 인너 패널을 고정하고 있는 스폿 용접부를 제거한다.

상단부의 절단작업

상단부 탈거

하단부 탈거

스포트 용접부 제거

24) 내측의 MIG lap용접을 제거한다.

내측의 MIG lap 용접 제거

25) Front pillar side inner panel을 탈거 한다.

26) 탈거 부위에 해머링을 한다.

27) 탈거 부위에 요철을 디스크 그라인더 등으로 제거한다.

28) 탈거 부위에 용접용 방청제를 도포 한다.

29) 신품 Front pillar side inner panel을 차체에 장착하기 알맞게 재단 한다.

프런트 필러 탈거

30) 신품 Front pillar side inner panel을 차체에 클램프 등으로 고정한다.

31) 차체치수를 참고하여 정 위치에 패널이 장착 되었는지 측정한다.

32) Front pillar side inner panel을 차체에 용접한다.

33) 용접부를 디스크 그라인더 등으로 연삭한다.

34) 패널 접합부에 용접용 방청제를 도포한다.

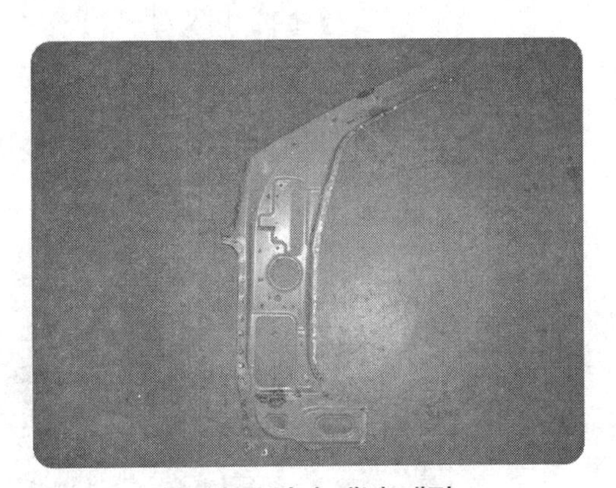

신품 인너 패널 재단

사이드 인너 패널 장착

35) 신품 Front pillar side outer panel assembly를 준비한다.

36) 신품 패널을 차체에 장착하기 알맞게 재단한다.

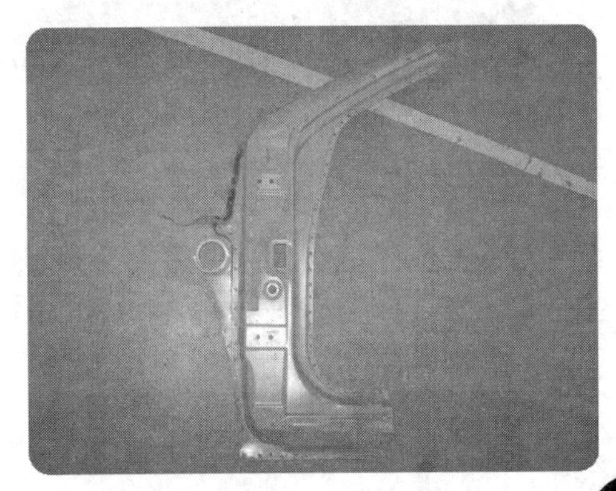

프런트 필러 패널 절단

37) 신품 패널을 차체에 클램프 등으로 고정한다.

38) 차체치수를 참고하여 정 위치에 패널이 장착 되었는지 측정한다.

39) 패널을 용접한다.

40) Reinforcement의 정상적인 장착을 위해 탈거 했던 상·하단부의 100mm와 60mm의 Side outer panel을 장착한다.

41) 용접부를 디스크 그라인더 등으로 연석한다.

신품 패널 장착

측정 및 용접

42) 방청 작업을 한다.

사이드 아우터 패널 장착

방청 작업

43) 신품 Cowl side outer panel을 준비한다.

44) 패널을 차체에 클램프 등으로 고정한다.

45) 용접을 한다.

46) 용접부를 디스크 그라인더 등으로 연삭한다.

47) 방청 작업을 한다.

카울 사이드 아우터 패널 준비

고정 및 용접

5 센터 필러

❶ 센터 필러의 탈거 및 장착

1) 사이드 아우터 패널을 부분탈거 한다.
2) 상단부는 기준점에서 100mm지점과 220mm지점을 에어 톱 등으로 절단한다.

★ 사이드 아우터 패널만 절단하고 그 외에 다른 패널의 손상은 없어야 한다.

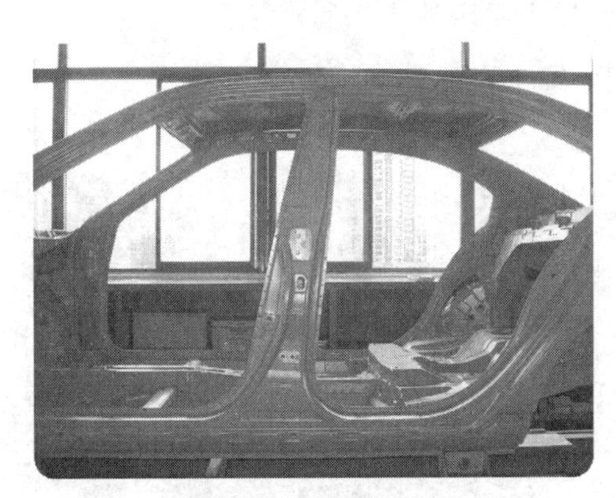

센터 필러의 탈거

상단부 절단 지점

3) 스폿 용접부를 제거하고 패널을 탈거한다.

4) 기준점에서 170mm지점을 절단한다.

★ 사이드 아우터 라인포스먼트만 절단하고 그 외에 다른 패널의 손상은 없어야 한다.

5) 하단 앞쪽은 기준점에서 100mm지점과 200mm지점을 절단한다.

★ 사이드 아우터 패널만 절단하고 그 외에 다른 패널의 손상은 없어야 한다.

상단 절단 부위 탈거

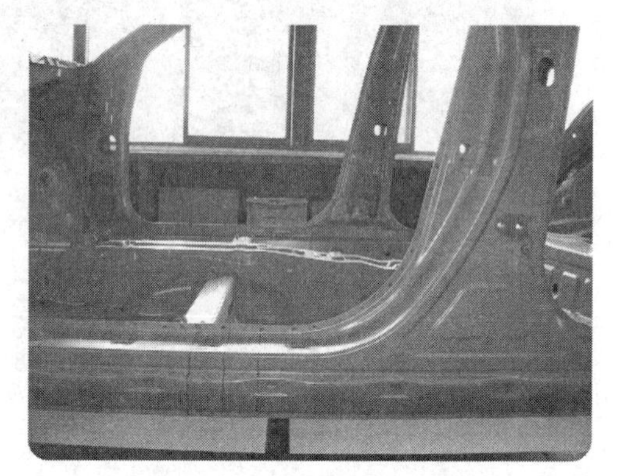

하단 부위 전면 기준점

6) 스폿 용접부를 제거하고 Side outer panel을 부분탈거 한다.

7) 기준점에서 150mm지점을 절단한다.

★ 사이드 아우터 라인포스먼트만 절단하고 그 외에 다른 패널의 손상은 없어야 한다.

8) 하단 뒤쪽은 기준점에서 80mm지점과 180mm지점을 절단한다.

★ 사이드 아우터 패널만 절단하고 그 외에 다른 패널의 손상은 없어야 한다.

사이드 아우터 패널 탈거

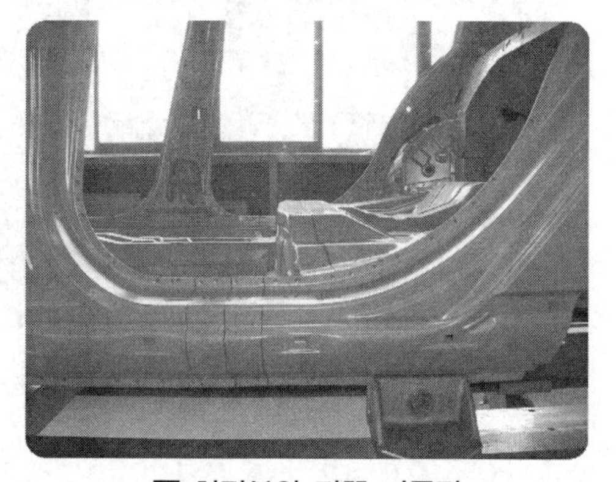

하단부위 뒤쪽 기준점

9) 스폿 용접부를 제거하고 Side outer panel을 부분탈거 한다.

10) 기준점에서 130mm지점을 절단한다.

★ 사이드 아우터 라인포스먼트만 절단하고 그 외에 다른 패널의 손상은 없어야 한다.

11) Side outer panel assembly를 탈거하기 위해서 스폿 용접부(86개)를 제거한다.

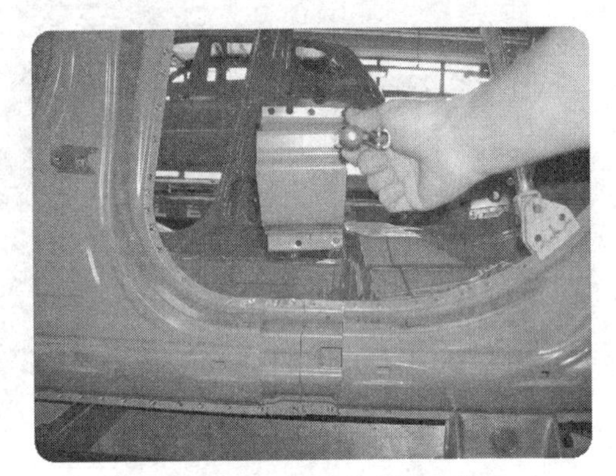

스폿 용접부 제거 및 탈거

스폿 용접부 제거

12) 내측의 스폿 용접부(4개)는 10mm 스폿 용접 제거용 드릴을 사용한다.

13) Center pillar side outer panel assembly를 탈거한다.

내측 스폿 용접부 제거

센터 필러 아우터 패널 탈거

★ 상단부의 탈거는 그림과 같아야 한다.

상단부의 탈거

14) Center pillar side inner panel의 탈거

15) 탈거하기 위해서 절단위치를 정한다.

16) 상단부는 기준점에서 55mm지점을 절단한다.

인너 패널 탈거

상단부의 기준점

17) 하단 앞쪽은 기준점에서 200mm지점을 절단한다.

18) 하단 뒤쪽은 기준점에서 220mm지점을 절단한다.

★ 사이드 인너 패널만 절단하고 그 외에 다른 패널의 손상은 없어야 한다.

19) Side inner panel을 고정하고 있는 MIG lap 용접(4개)과 스폿 용접부를 제거한다.

20) 패널을 탈거한다.

21) 패널 탈거 부위의 요철을 디스크 그라인더 등으로 제거한다.

22) 패널 접합부에 용접용 방청제를 도포 한다.

인너 패널의 절단

인너 패널의 탈거

23) 신품 Center pillar inner panel을 차체에 장착하기 알맞게 재단한다.
24) 신품 Center pillar inner panel을 차체에 클램프 등으로 고정하고 측정한다.
25) MIG 용접을 한다.
26) 용접부를 디스크 그라인더 등으로 연삭한다.
27) 패널 접합부에 용접용 방청제를 도포한다.

신품 인너 패널 재단

신품 인너 패널 장착

28) 신품 센터 필러 사이드 아우터 패널 어셈블리를 차체에 장착하기 알맞게 재단한다.
29) 신품 센터 필러 사이드 아우터 패널 어셈블리를 차체에 클램프 등으로 고정한다.
30) 차량치수를 참고로 측정한다.
31) MIG 용접을 한다.

신품 아우터 패널 재단

신품 아우터 패널 장착

32) 부분탈거 했던 Side outer panel을 장착하여 MIG용접을 한다.
33) 용접부를 디스크 그라인더 등으로 연삭한다.

34) 방청작업을 한다.

35) 방청제를 도포한다.

36) 실러를 도포한다.

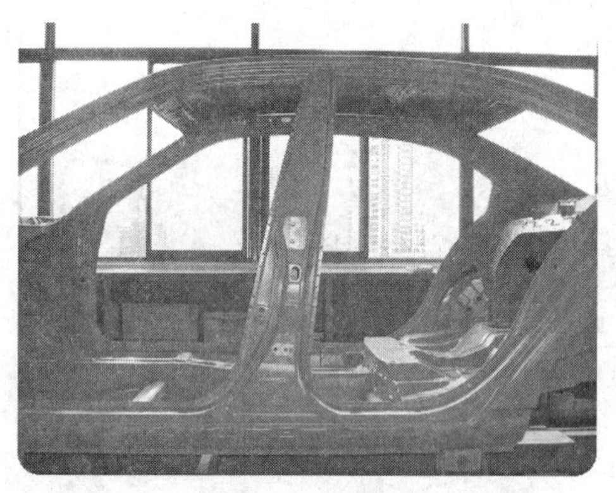

고정 및 측정

MIG 맞대기 용접

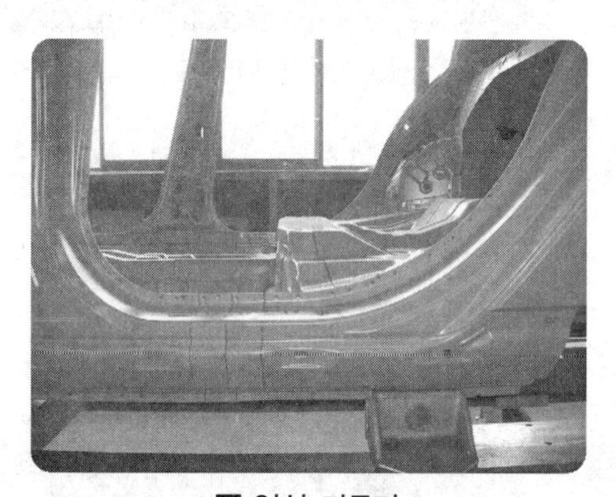

연삭 마무리

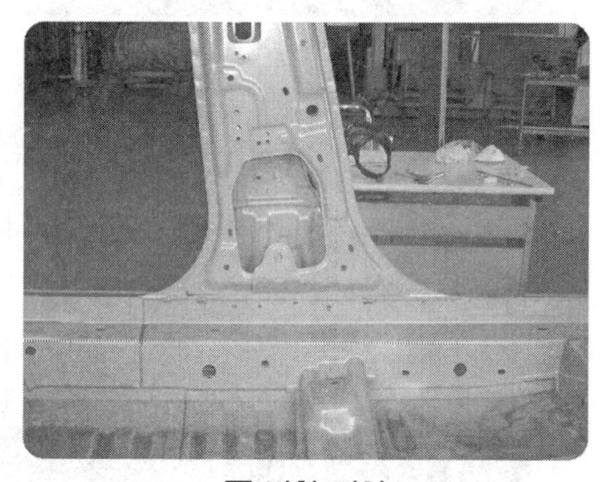

방청 작업

6 쿼터 패널(Quarter panel)

1 쿼터 패널의 탈거

1) 쿼터 패널을 탈거하기 위해서 절단 할 위치를 선정한다.

2) 상단부는 기준점에서 140mm지점을 절단한다.

★ 사이드 아우터 패널만 절단하고 그 외에 다른 패널의 손상은 없어야 한다.

쿼터 패널의 탈거

상단부의 기준점

3) 하단의 Side sill부위는 기준점에서 175mm 지점을 절단한다.

★ 사이드 아우터 패널만 절단하고 그 외에 다른 패널의 손상은 없어야 한다.

4) Quarter panel을 고정하고 있는 스폿 용접부를 스폿 용접 제거용 드릴 등을 이용해서 제거한다.

하단부의 절단지점

스폿 용접부위 제거

드릴링 작업

플랜지 부위 드릴링 작업

백 패널 용접 부위 드릴링 작업

5) 패널을 탈거하고 디스크 그라인더 등을 이용해서 패널 탈거부위에 요철을 제거한다.

6) 신품 Quarter panel을 차체에 장착하기 알맞게 재단한다.

패널 탈거

신품 패널 제작

7) 패널 접합부에 용접용 방청제를 도포한다.

8) 패널 접합부 중의 일부분은 실러를 도포하여야 한다.

9) 신품 Quarter panel을 차체에 클램프 등을 이용해서 고정하고 치수를 측정한 후 용접한다.

접합부중의 실러 도포 작업

신품 패널의 장착

10) 용접부를 디스크 그라인더 등으로 연삭한다.

11) 방청작업을 실시한다.

고정 및 측정

용접 및 마무리

7 리어 램프 컴플릿 패널, 백 패널 & 리어 사이드 멤버

❶ 리어 램프 컴플릿 패널(Rear lamp complete panel)의 탈거

백 패널 및 리어 사이드 멤버 탈거

1) 양쪽 리어 램프 컴플릿 패널을 고정하고 있는 스폿 용접부(48개)를 스폿 용접 제거용 드릴을 사용해서 제거한다.
2) 리어 백 컴플릿 패널을 탈거한다.
3) 백 패널(Back panel)을 고정하고 있는 스폿 용접부(52개)를 스폿 용접 제거용 드릴 등을 사용해서 제거한다.
4) 백 패널을 탈거한다.
5) 패널 탈거 부위의 요철을 디스크 그라인더 등으로 제거한다.
6) 패널 접합부에 용접용 방청제를 도포한다.
7) 리어 사이드 멤버(Rear side member)를 부분탈거하기 위해서 절단위치를 선정한다.
8) 기준점에서 80mm지점을 에어 톱 등으로 절단한다.
9) 멤버(Member)를 고정하고 있는 스폿 용접부(12개)를 스폿 용접 제거용 드릴 등을 이용해서 제거한다.
10) 리어 사이드 멤버(Rear side member)를 부분 탈거한다.

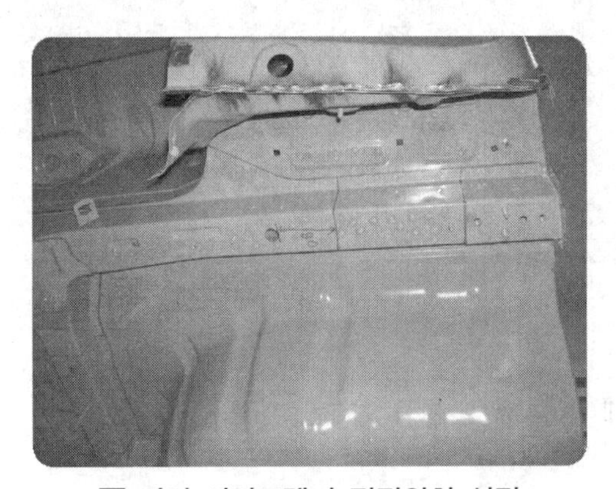
리어 사이드멤버 절단위치 선정

백 패널 탈거

11) 탈거부위의 요철을 디스크 그라인더 등으로 제거한다.

12) 멤버(Member) 접합부에 용접용 방청제를 도포한다.

13) 신품 리어 사이드 멤버를 차체에 장착하기 알맞게 재단한다.

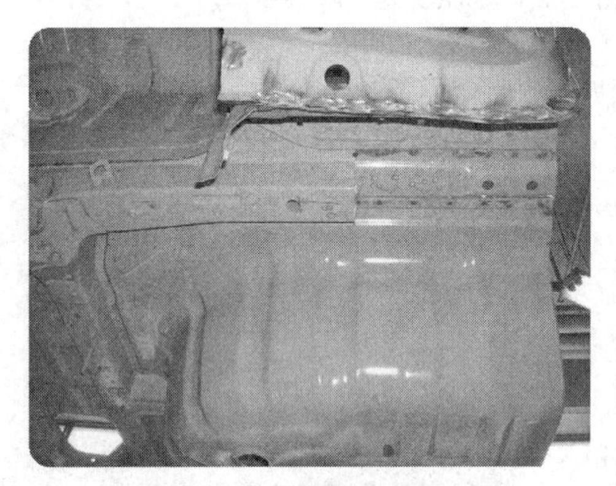
리어 사이드멤버 부분 탈거

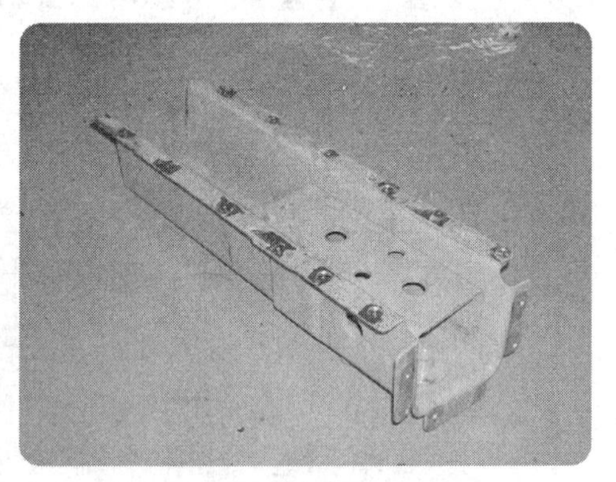
리어 사이드멤버 재단

14) 신품 리어 사이드 멤버를 차체에 클램프 등으로 고정한다.

15) 차량치수를 참고하여 측정한다.

16) MIG 용접을 한다.

17) 용접부를 디스크 그라인더 등으로 연삭한다.

18) 신품 Back panel을 준비한다.

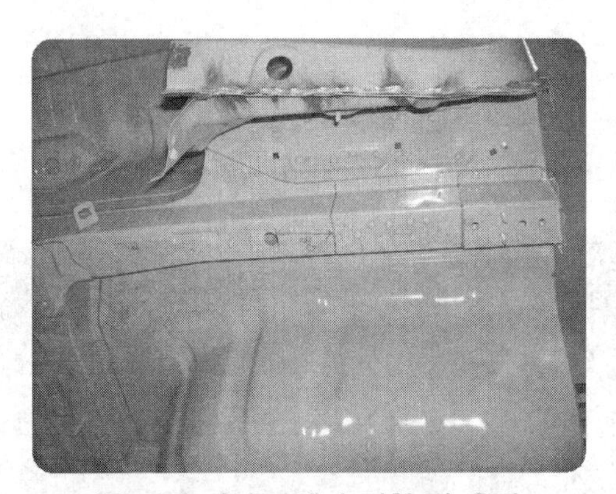
리어 사이드 멤버 장착 및 용접

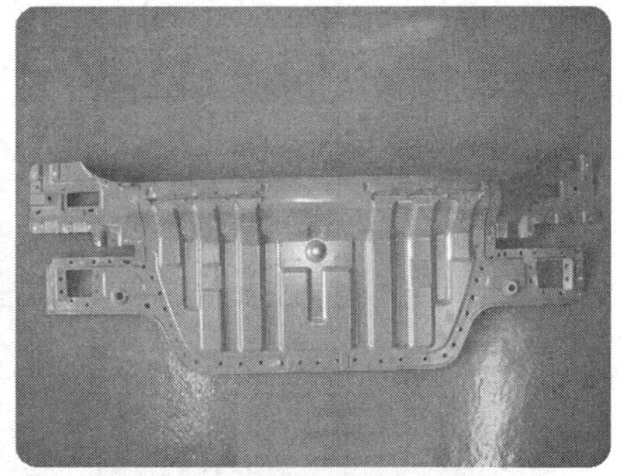
백 패널 재단 및 장착

19) 신품 백 패널(Back panel)을 차체에 클램프 등으로 고정한다.

20) 차량치수를 참고하여 측정한다.

21) MIG용접을 한다.

22) 용접부를 디스크 그라인더 등으로 연삭한다.

⬆ 용접 및 연삭

23) 신품 리어 램프 컴플릿 패널(Rear lamp complete panel)을 준비한다.

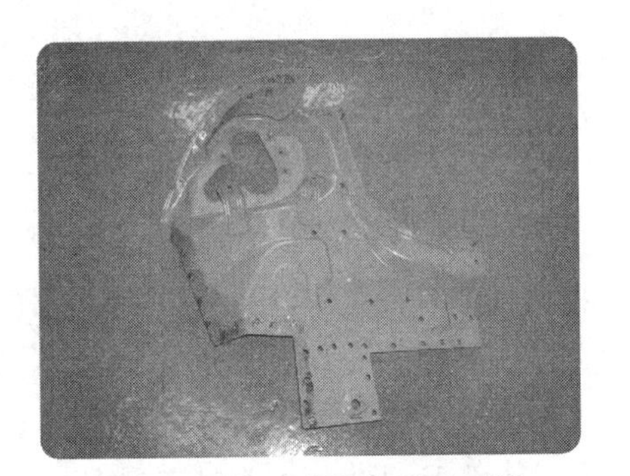

⬆ 리어 램프 컴플릿 패널 절단

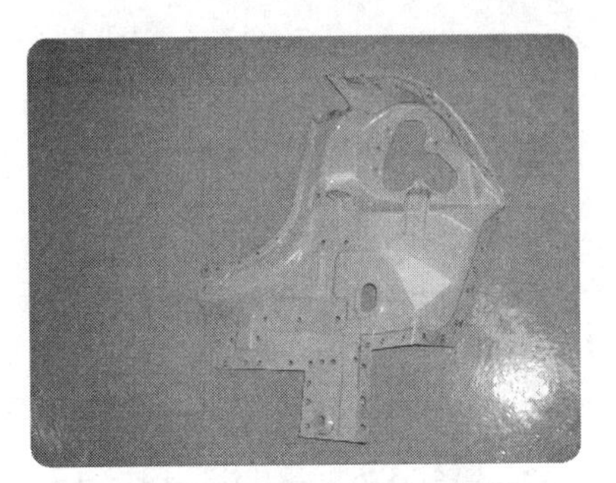

⬆ 리어램프 컴플릿 패널 방청작업

24) 신품 리어 램프 컴플릿 패널을 차체에 클램프 등으로 고정한다.

25) 차량치수를 참고로 측정한다.

26) MIG 용접을 한다.

27) 용접부를 디스크 그라인더 등으로 연삭한다.

28) 방청작업을 한다.

29) 실러를 도포한다.

⬆ 장착 및 측정

⬆ 용접 및 연삭 마무리

6 프레임 수정

1 개발의 의미

프레임은 근본적으로 자동차의 기초가 되기 때문에 몸체와 기계적인 부분이 더 첨가가 되어야 하며 프레임의 전면 및 후면, 끝부분이 충돌 시 힘의 흡수를 위해 만들어졌고, 차량의 속도가 빨라지면서 충돌의 사고도 심각해짐으로써 프레임은 승객의 보호를 위해 힘을 흡수하는 구조로 개발되었다.

프레임의 강성은 줄이고 유연성을 증대시킴으로써 충격을 흡수하는 부분을 많이 형성하여 아코디언처럼 찌그러지는 부위를 많이 증대 시켰다는 것이다.

2 프레임 형식

프레임은 보디 및 주행에 필요한 각종 장치와 기구를 부착시킨 자동차의 골격 부분이다. 모든 자동차에는 프레임과 보디가 각각 떨어져 있어서 프레임의 위에 보디가 얹혀 있는 형식인 페리미터 형과 독립된 프레임을 사용하지 않고 프레임을 보디의 한 부분으로 해서 조립한 구조인 모노코크 형으로 구분되어 진다.

페리미터형(분리형)

모노코크형(일체형)

3 프레임 형태에 의한 분류

프레임의 형태에 의한 분류로 나누어 보면 대표적으로 H형 프레임, X형 프레임, 백본형 프레임, 플랫폼형 프레임, 스페이스형 프레임 등으로 분류할 수 있다.

(1) H형 프레임

H형 프레임은 프레임이 사다리 모양을 하고 있기 때문에 사다리형 프레임이라고도 한다. 사이드 멤버의 단면은 ㄴ 형, ㄷ 형, 또는 ㅁ 형으로 되어 있고, 이것들을 연결하는 자재 즉, 크로스 멤버도 똑같은 단면의 파이프 등을 사용하고 있다.

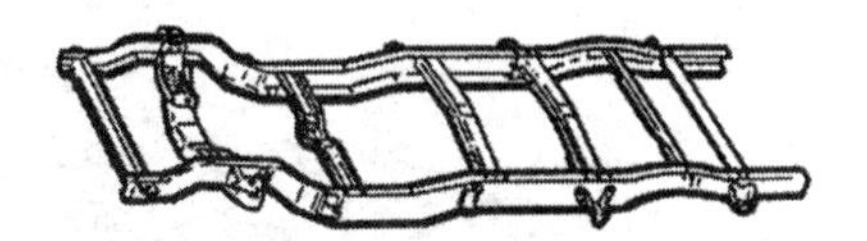

H형 프레임

H형 프레임은 SUV차량이 생산되기 이전에 고급형 승용차에 적용되었다가 현재는 주로 모노코크 보디가 주류를 이루고 있기 때문에 적용된 차량은 거의 없다.

(2) X형 프레임

X형 프레임은 두개의 사이드 멤버의 간격을 중앙에서 오므려 X형으로 한 것으로 프레임이 비틀렸을 경우 X형제가 구부러짐으로 해서 강성을 얻을 수 있는 구조로 되어 있다.

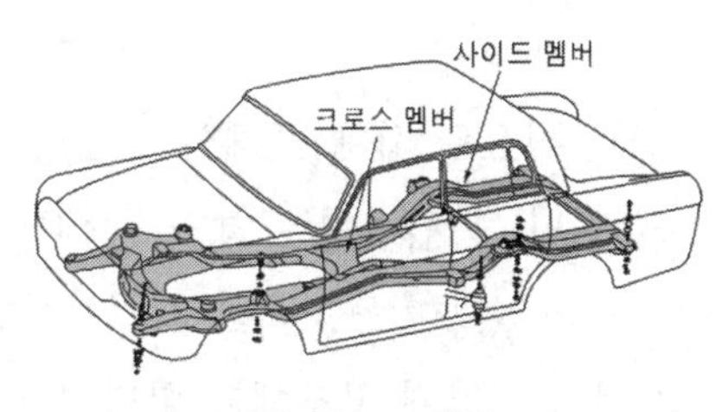

X형 프레임

(3) 백본형 프레임

백본형 프레임은 한 개의 굵은 상자, 또는 강성이 높은 강관, 단면의 배골(背骨)로 만들어져 있고 엔진 및 서스펜션을 부착시키는 크로스 멤버는 좌우로 튀어 나오도록 한 구조로 되어 있다. 현재는 잘 생산되어지고 있지 않지만 엘란 프레임의 형태가 백본형 프레임 형태이다. 참고로 엘란 보디는 플라스틱 보디로 이루어져 있다.

백본형 프레임

(4) 플랫폼형 프레임

플랫폼형 프레임은 그림과 같이 보디의 바닥판부분이 프레임과 같이 용접되어 있고 이 위에 상부 보디가 얹혀져 있는 것을 말한다.

(5) 스페이스형 프레임

스페이스 형 프레임은 스포츠카와 레이싱 카 전용의 형식으로서 항공기와 같은 골조 형태로 되어 있어 가장 가볍고 강성도 있다.

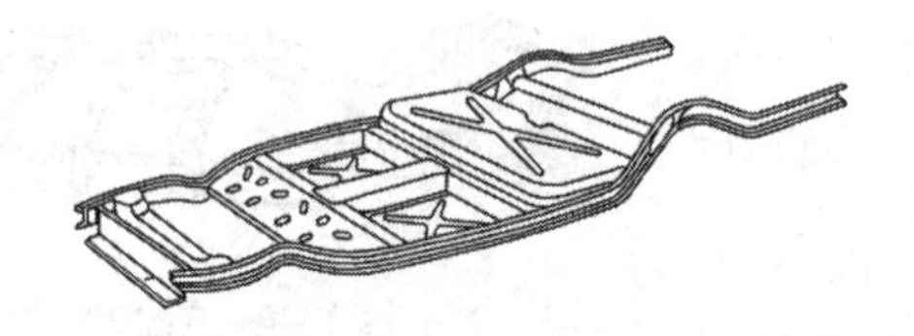

플랫폼형 프레임

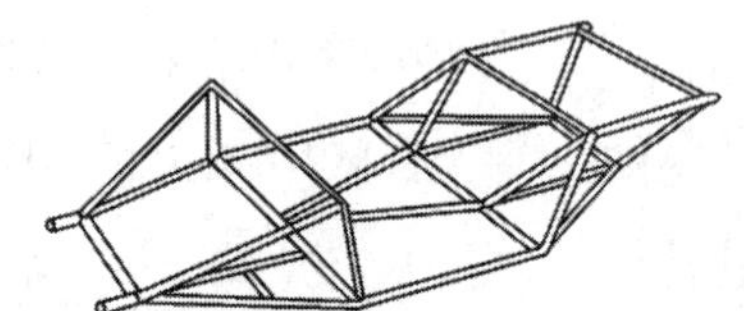

스페이스형 프레임

4 차체 구조의 분류

일반적으로 차체 프레임 구조는 독립적인 프레임 형태와 차체 일체형인 두 분류로 나누어진다. 독립적인 프레임 형태(페리미터형 프레임)는 차체와 프레임이 서로 독립적으로 되어 있으며 구조적으로 나누어져 있는 것을 말한다. 그와 반대로 차체 일체형은 프레임 전체가 차체 구조에 포함되어 있는 형태로서 단순 차체 구조라고 말하며 현재의 모노코크 보디를 말한다.

독립적 프레임 형태는 충돌 시 충격을 단단한 프레임이 흡수할 수 있도록 설계되어지며 차체 일체형은 충격이 전 구조에 분산되어 흡수 할 수 있도록 설계되어 진다. 엔진, 서스펜션, 조향장치와 같은 운전을 위해 필요한 기계장치들이 직접 차체에 조립되어 있는 일체형 차체와는 대조적으로 독립형 차체에서는 엔진, 서스펜션, 조향장치 등이 프레임에 조립되어 있다.

더욱이 차체와 다른 여러 가지 장치들을 지탱하는 프레임은 충돌 시 충격을 흡수 할 뿐 아니라, 도로에서의 진동을 감소시킨다. 프레임형 차체에서 가장 중요하게 고려해야 할 것은 바로 무게이다.

독립적 프레임 형태

엔진, 서스펜션, 조향장치가 프레임에 조립됨

5 페리미터형 프레임의 특징

프레임의 재질은 열간 압연 강판을 사용하며, 프레임의 모양은 'C' 형 또는 '박스형' 빔으로 만들어지며, 차체는 프레임의 루버 마운팅 위에 결합 되어진다.

페리미터 프레임형 자동차의 특징은 다음과 같다.

① 도로 주행 시 진동은 프레임을 거쳐 감소되어서 차체에 전달되기 때문에 편안한 승차감을 느낄 수 있다.

프레임의 재질

루버 마운팅

② 차체와 프레임 사이에 루버 마운팅이 있기 때문에 진동으로부터 차단되어 있어 자동차 실내가 조용하다.
③ 충돌 시 엄청 많은 충돌에너지를 흡수 할 수 있는 능력이 있다.
④ 비포장 주행 시 차체 하부 표면을 프레임이 보호를 한다.
⑤ 조립 시 서스펜션과 파워 트레인 파트는 프레임 차체에 재빨리 조립할 수 있다.
⑥ 프레임은 두꺼운 시트 메탈(열간 강판 약 1.3 ~3.2㎜)로 만들어 무겁다.
⑦ 프레임과 차체는 분리되어 있기 때문에 자동차를 측면에서 보면 땅(지면)과 많이 분리되어 있음을 알 수 있다.

6 모노코크 보디

모노코크 보디는 독립된 프레임을 사용하지 않고 보디의 한 부분으로 하여 조립한 일체 구조(단체 구조)로 되어 있다.

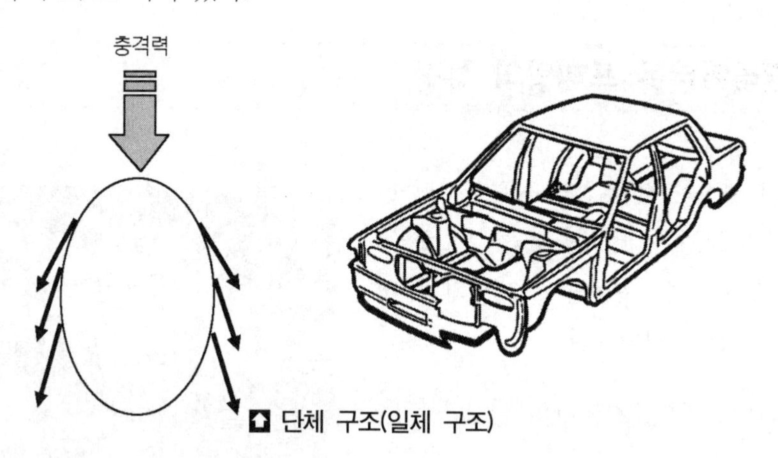

단체 구조(일체 구조)

모노코크란 달걀과 같은 한 물체의 껍데기라는 의미로서 모노코크 보디는 보디 표면의 외판과 라멘 구조(철골구조)의 상자형 상호 용접된 구조로 응력을 각 구조물로 분산시키며, 차실 부위를 비교적 튼튼히 해서 그 앞뒤 부분에서 충격의 에너지 대부분을 흡수하도록 되어 있는 구조로 이루어져 있다.

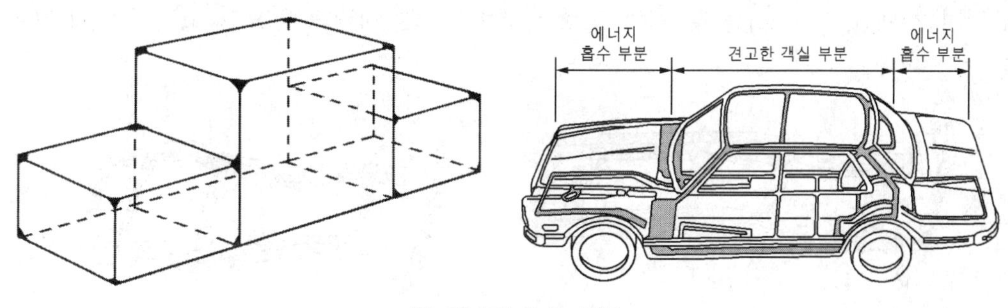

에너지 흡수 부분

7 트럭의 프레임 형태

트럭의 프레임 형태에는 평행 H형(사다리형) 프레임과 단 붙임 평행 H형 프레임 및 A형(앞이 가는 사다리형)프레임으로 나누어진다.

(1) 평행 H형 프레임

평행 H형(사다리형)프레임은 평행 사다리 형 프레임이라고도 하며, 좌우의 사이드 멤버의전 길이가 평행으로 되어 있고, 그 사이를 몇 개의 크로스 멤버로 연결을 시킨 구조로 중형, 대형 트럭 및 트랙터에 많이 사용되고 있다.

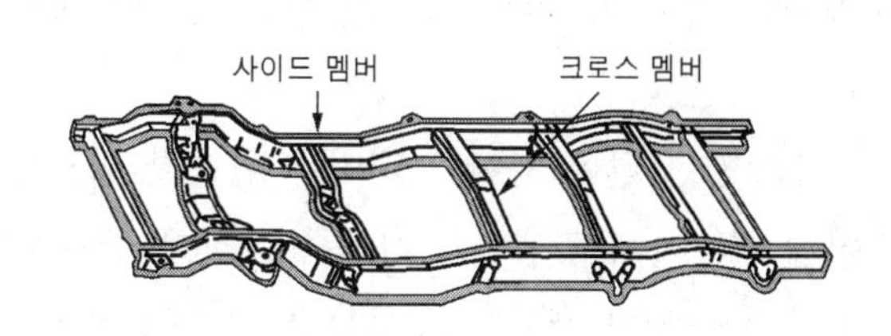

평행 H형 프레임

(2) 단 붙임 평행 H형 프레임

단 붙임 평행 H형(사다리형)프레임은 단 붙임 평행 사다리 형 프레임이라고도 하며 좌우 사이드 멤버는 전 길이가 평행으로서 앞쪽만이 단의 붙임이 되어 있고, 이 부분의 좌우 사이드 멤버의 폭은 좁은 것도 있고, 넓게 편 것도 있으며, 이 사이를 몇 개의 크로스 멤버로 접속시킨 사다리 형으로 되어 있다.

(3) A형 프레임

A형(앞이 가는 사다리형) 프레임은 좌우 사이드 멤버의 앞 끝이 가늘고 평행으로 되어 있지 않으며, 그 사이를 몇 개의 크로스 멤버로 접속시키고 있으며 소형 트럭에 많이 사용되고 있다.

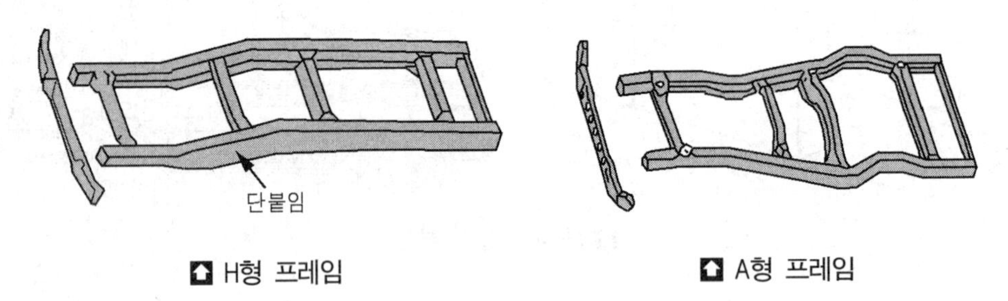

H형 프레임　　A형 프레임

8 프레임의 파손과 변형의 원인

프레임의 손상 범위와 손상 정도를 정확히 파악하려면 외관으로만 볼 것이 아니라 이론적인 계통을 세워서 조사하는 일이 무엇보다 중요하다.

프레임의 점검 방법으로 프레임의 파손이나 변형의 원인은 ① **충돌**, 굴러 떨어진 사고와 ② 극단적인 **굽음 모멘트의 발생** ③ 부분적인 **집중 하중**으로 인한 발생 등의 세 가지를 들 수가 있다.

프레임의 한쪽 사이드 멤버를 단순한 빔으로 생각할 경우 사이드 멤버의 휠 베이스사이에서는 사이드 멤버의 아래쪽은 잡아 당겨지고 위쪽은 압축을 당하게 되어, 이 결과 아래쪽은 균열이 생기고 윗부분은 만곡이 생기게 된다.

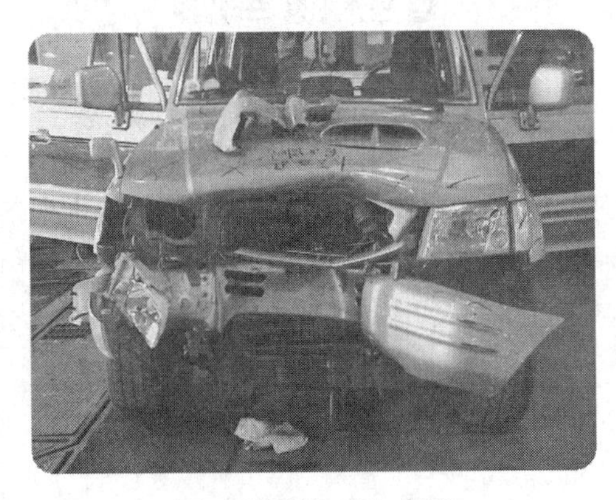

프레임의 파손 형태

프레임의 점검

9 프레임 점검 방법

프레임에 균열이 생긴 장소나 상태의 점검은 보통 육안으로도 점검이 가능하나 육안으로 판정이 어려울 때는 다음과 같은 방법으로 점검을 실시한다. 자기 탐상법, 침투 탐상법, 유침 탐상법, 염색 탐상법 등으로 점검을 실시한다.

10 페리미터 형 프레임의 손상 진단

페리미터 형 프레임의 손상진단은 프레임의 형식, 판 두께 및 그 구조, 충돌시의 하중 분포 상태, 가해진 외력의 요소 및 분포상태 등의 관련성을 고려하여 손상 진단을 해야만 한다. 가해진 외력의 작용점이 앞면 중앙부에 집중한 경우와 사이드 멤버의 끝일 때에 프레임의 변형에도 차이가 생긴다는 것도 기억하기 바란다.

프레임의 손상 절단

(1) 정면충돌의 경우

① 프레임의 앞부분 및 전면부 멤버의 변형과 파손의 점검
② 각 사이드 멤버의 양 옆면의 변형과 외판의 파손 점검
③ 사이드 멤버, 크로스 멤버의 점검(프레임의 변형에 따라 금이 가는 등의 손상을 받는 경우가 있음)
④ 보디의 이동으로 인한 부착 부분의 손상 유무 점검 등이 있다.

(2) 후면충돌의 경우

① 각 사이드 멤버의 양 옆면의 꺾임과 변형의 점검
② 프레임 상단부의 꺾임 점검
③ 보강판(받침대), 크로스 멤버, 사이드 멤버의 점검
④ 각 부착 볼트의 점검 등이 있다.

후면 충돌의 경우

(3) 페리미터 형 프레임의 손상 부위

페리미터 형 프레임도 모노코크 형 보디와 같이 충돌 손상 시 안전을 위해 쉽게 손상되어지는 부분이 있다.

전면 킥업 부위

후면 킥업 부위

11 보디 프레임 수정용 장비

(1) 가반식 유압 보디 잭

가반식 유압 보디 잭은 다음 그림과 같이 펌프, 스피드 커플러, 램(유압 실린더), 어태치먼트 등으로 구성되어 있다.

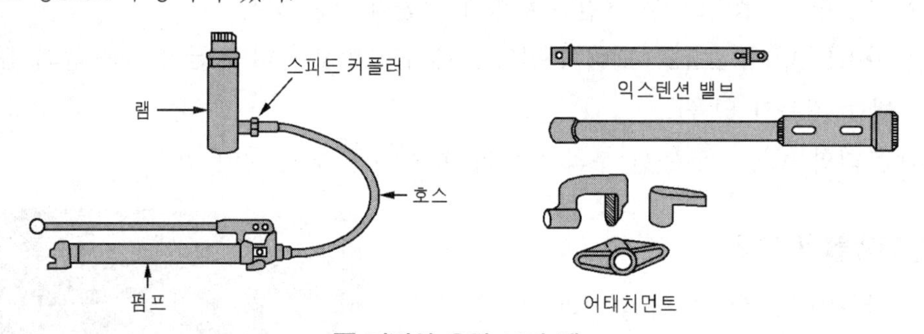

가반식 유압 보디 잭

보디 프레임 수정용으로의 세트는 4톤 유닛(밴텀 유닛), 10톤 유닛(표준 유닛)이 일반적으로 사용 되고 있으며, 이외에도 트럭 프레임 등 중 작업에 쓰이는 20톤 유닛, 대형 트럭 프레임 수정기에 사용하는 50톤, 건설용 차량 등에 쓰이는 100톤 유닛 등이 있다.

그러면 가반식 유압 보디 잭의 각 구성품에 대한 구조를 살펴보자.

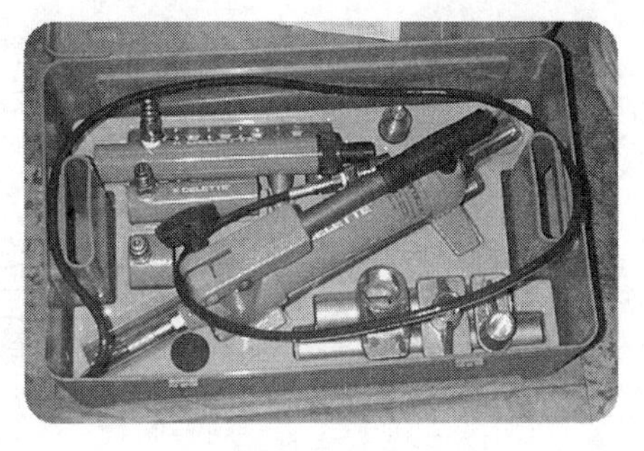

유압 펌프

① 유압 펌프는 램의 구동원이 되는 유압 펌프로 소형 경량 밴텀형, 표준형 중 작업용, 대형 펌프 및 기타 압축공기에 의해 구동되는 에어펌프 및 전동식 펌프 등이 있다.

② 고압 호스는 펌프와 램을 연결해 펌프에서 발생한 유압을 램으로 보내는 내압 내유성의 호스이다.

③ 스피드 커플러는 호스와 램을 연결하는 것이다.

④ 펌프의 유압을 받아 상하로 움직이는 플런저로서 램에는 미는 작업용, 잡아끄는 작업용, 좁은 데를 넓히는 작업용 또한 깊은 곳을 넓히는 작업용 등 그 종류가 많다. 표준의 10톤 램에는 스트록이 긴 롱 램, 스트록이 짧은 쇼트 램과 미제트 램, 펌프의 유압이 걸리면 거꾸로 오므려져 당기는 램 등이 있다. 기타 변형의 램으로는 웨이지 램과 스플리트 램 등 용도에 따라 여러 종류가 있다.

⑤ 램에 부착시키는 여러 가지 형상의 어태치먼트는 보디 각 부분의 복잡한 형상에 적합 하도록 여러 가지가 있다.

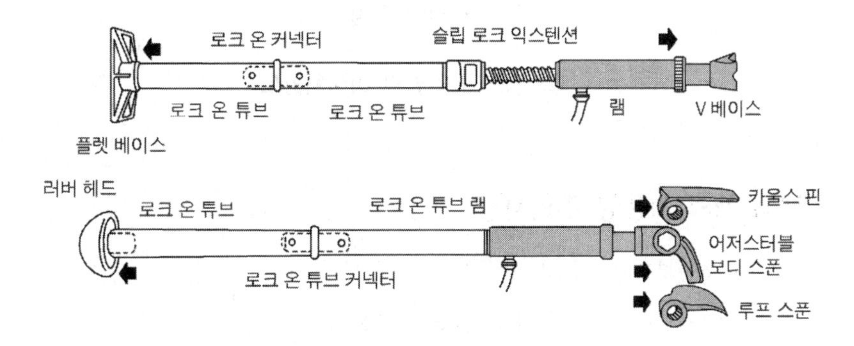

누르기 작업의 어태치먼트

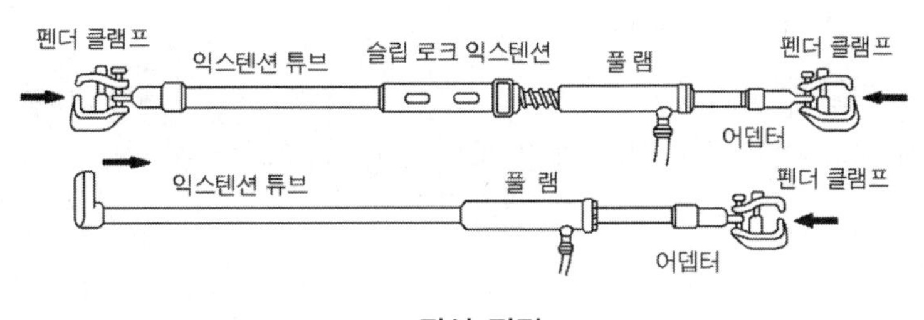

• 직선 당김

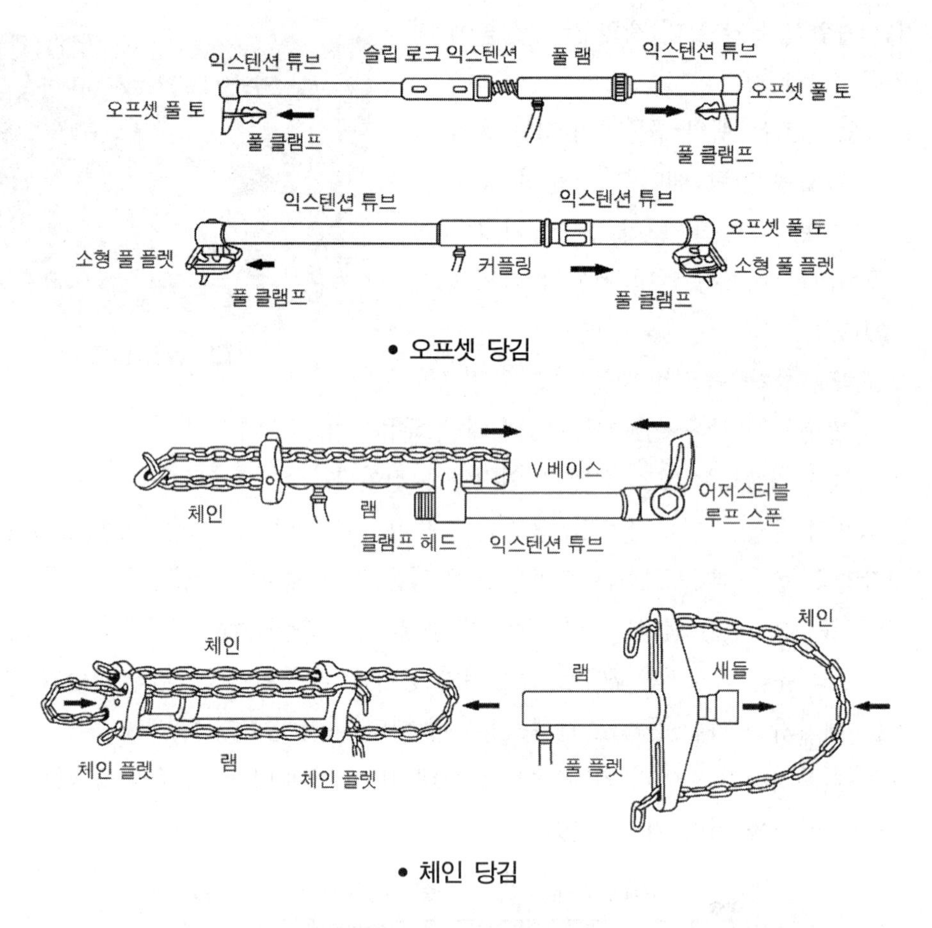

당기기 작업의 어태치먼트

(2) 유압 보디 잭의 사용상 주의사항

① 램에 무리한 부담을 주지 말 것

② 램 플런저가 늘어나면 유압을 올리지 말 것

③ 나사 부분을 보호할 것

④ 유압 계통에 먼지가 들어가지 않도록 할 것

⑤ 호스의 취급에 주의할 것

⑥ 고열에 의한 펌프 실린더의 패킹 등의 변질에 주의할 것

12 보디 프레임 수정기

차체수리 작업에 있어서 그 수리 작업이 내부로부터 밀어내는 작업에서부터 외부에서 잡아당기는 작업 방식으로 전환했기 때문에 보디 프레임 수정기로 수정하는 것이 가장 적당한 방법이라 하겠다.

보디 프레임 수정기에는 이동식 보디 프레임수정기, 폴 식 보디 프레임 수정기, 정치식(고정식) 보디 프레임 수정기, 바닥식(상식) 보디 프레임 수정기로 크게 나눌 수 있다.

① 이동식 보디 프레임 수정기

이동식 보디 프레임 수정기의 기본 구조는 그림에서 보는 바와 같이 한 개의 튼튼하고 긴 베이스 프레임이 있고 한쪽 끝에 피벗에 의지되어 움직일 수 있게 된 마스트를 장착하고 베이스 프레임과 마스트와의 사이에 유압 램을 부착시켜 놓았으며, 이 램에 유압이 가해지면 마스트가 기울면서 체인과 연결된 보디 패널을 끌어당기도록 되어 있다. 또한 본체는 캐스터가 달려있어 차체수정 작업을 할 차량까지 자유로이 이동시켜 사용할 수 있고, 작업장 바닥이나 기둥 등에 고정을 시키지 않고도 사용할 수 있는 이점을 가지고 있는 수정기이다.

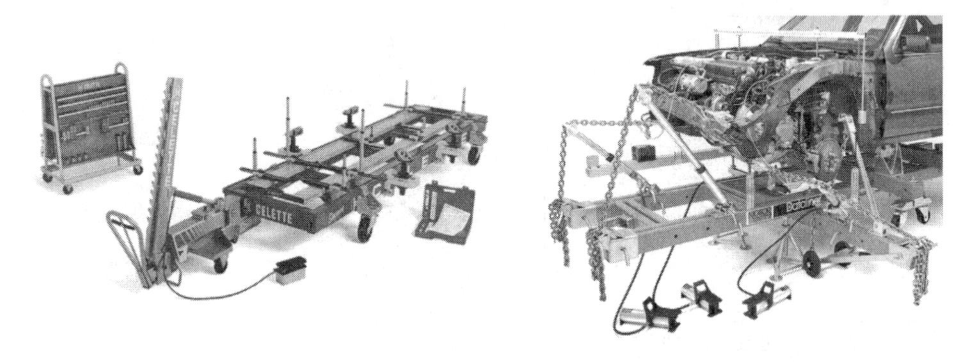

◘ 이동식 보디 프레임 수정기

부속 어태치먼트는 클램프, 보디 후크, 풀 플레이트, 기타 보디에 고정한 언더 보디 클램프 체인 및 보디를 받칠 세이프티 스탠드에 의하여 구성되어 있다.

대표적인 수정기로는 셀레트, 블랙 호크, 데이터 라이너, 카 -오- 라이너, 오토 로봇 등이 있다. 프레임 수정 장비로서 가장 많이 활용되고 있는 장비들이다.

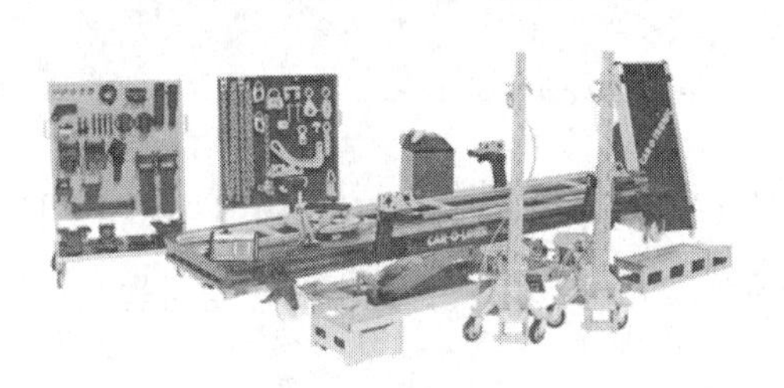

카-오-라이너

오토 로봇

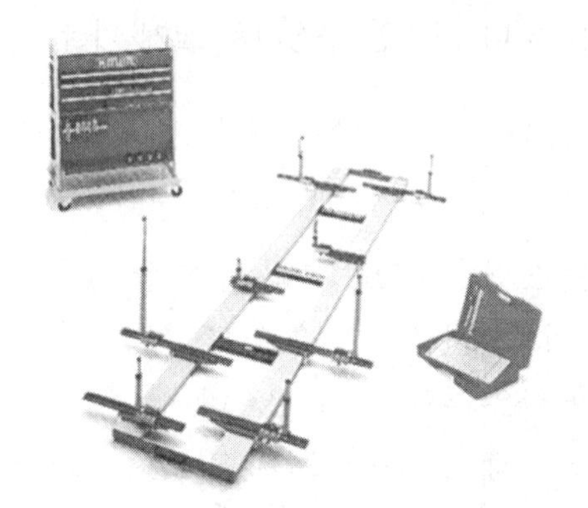

부속 어태치먼트

(1) 특 징

① 차종마다 전용 지그 브래킷이 사용되며, 이 전용 브래킷은 차체 고정과 계측이 동시에 이루어져 효과적이며, 정밀도가 높은 작업을 짧은 시간 안에 할 수 있다.

② 당기는 방향(각도)의 변경이 가능하다.

③ 벤치를 정반으로서 사용할 수 있으므로 언더보디의 정확한 높이의 측정이 가능하다.

(2) 폴 식 보디 프레임 수정기

폴 식 보디 프레임 수정기는 한 자루의 마스터 폴을 이용하여 체인 또는 와이어 케이블 등으로 보디나 프레임의 파손부분을 묶고 체인 또는 케이블을 윈치 유압 램 등으로 당겨 보디 패널과 멤버를 잡아당기는 작업을 하는 수정기로 폴을 세우는 방법은 바닥에 지주를 세워서 하는 방법과 폴 자체를 바닥에 고정시키는 방법의 두 가지가 있다. 폴의 이동은 이동식 보디 프레임 수정기보다 간편하게 사용하기 쉬우나 작업 면적이 넓고 바닥이 단단하고 튼튼한 지주(支柱)를 필요로 하는 것이 단점이다.

대표적인 수정기로는 오토폴 식, 코렉, 마이티, 오토패널 식 등이 있다.

폴식 보디 프레임 수정기

오토 폴식

(1) 특 징

① 언더 보디 부위의 높이 치수의 측정이 어렵다.

② 작업에 숙련을 요한다.

③ 작업 시간이 오래 걸린다.

3 정치식(고정식) 보디 프레임 수정기

정치식(고정식) 보디 프레임 수정기는 수정하려는 차량의 전체 프레임과 보디를 다룰 수 있는 장비를 갖추고 있는 것이 특징이다. 이 장치를 가지고 차체를 고정시켜 보디 프레임의 수정 가공 및 뒤틀린 프레임의 수정 가공, 뒤틀린 프레임의 측정을 할 수 있는 기능을 가지고 있다.

다시 말해서 프레임을 여러 곳에서 직접 고정시킬 수가 있음으로 해서 차체 전체의 밸런스가 잡히기 때문에 대파한 부분의 수리에 있어 강력한 압력을 가할 수가 있으며 또한 프레임이 수평으로 놓인 수정기 위에 놓이게 되므로 작업과정에서도 중간 측정이 용이하고, 검사 장치는 프레임의 각 부분의 길이, 높이, 옆이 굽은 것, 세로로 굽은 것, 비틀린 것, 휠 얼라인먼트 및 휠 베이스 등의 측정검사가 되도록 되어 있는 수정기이다.

대표적으로 피트(pit)식과 틸트(tilt)식으로 구분을 할 수가 있다. 틸트식의 대표적인 것으로는 유 베이스, 보디 라이너, EZ 라이너가 있다.

유 베이스

EZ 라이너

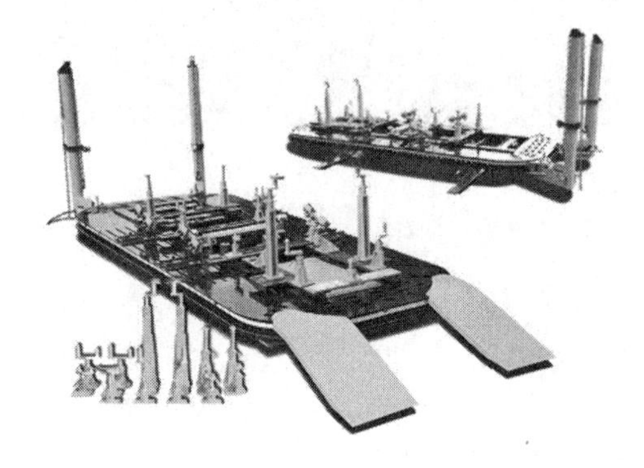

고정식 보디 프레임 수정기

(1) 특 징

① 강력한 타워가 수정을 하므로 작업 효율이 높다.

② 다른 수정 장비에 비하여 넓은 설치 공간이 필요하다.

③ 벤치를 정반으로 사용할 수 있으므로 언더 보디의 정확한 높이 측정이 가능하다.

④ 상식(바닥 식) 보디 프레임 수정기

바닥식 보디 프레임 수정기는 상식(床式) 보디 프레임수정기라 하며 정치식 보디 프레임 수정기와는 달리 이 수정기는 바닥에 묻거나, 바닥에 직접 부착시킨 레일에 차체를 고정시키는 한편, 끌어당기는 장치도 바닥레일에 같이 고정시켜 보디 프레임을 수정하는 바닥식 보디 프레임 수정기이다.

이 수정기는 차체를 유지하는 스탠드, 두 곳 이상을 동시에 끌어당길 수 있는 장치 및 4개소 이상을 고정할 수 있는 앵커장치와 보디 프레임의 이상을 측정하는 게이지로 구성되어지는 수정기이다. 현재는 거의 사용되고 있지 않다.

상식(바닥식) 보디 프레임 수정기

13 모노코크 형 보디와 페리미터 형 보디에 발생하는 이상 상태

(1) 모노코크 형 보디에 발생하는 이상 상태

모노코크 보디는 얇은 강판제의 많은 패널의 결합체이기 때문에 어느 한계를 넘지 않는 충격을 받았을 경우에는 그 충격이 보디 전체까지 미치지 않는다.

즉, 앞부분으로부터의 충격은 프런트 보디에서 흡수하고 뒷부분으로부터의 충격은 리어보디에서 흡수하도록 설계되도록 되어 있으며, 측면으로부터의 충격은 로커 패널, 루프, 사이드 프

모노코크형 보디의 이상상태

레임, 센터 필러 및 도어가 충격을 흡수하지만 어느 한계를 넘은 충격은 플로어 패널과 루프 패널의 변형을 일으키기가 쉽다.

각 부분의 이상상태를 측정하기 위해서는 언더 보디 부분의 앞에서부터 뒤에까지 4곳의 위치에서 좌우로 두 곳, 8곳을 측정 기준점으로 설정하고 이 부분에 부착시킨 계측기(프레임 센터링 게이지)에 의하여 각 부분의 이상상태를 측정한다.

(2) 페리미터 형 보디에 발생하는 이상 상태

페리미터 형 프레임은 앞뒤로부터의 충격에 대비하여 구부러진 프레임 사이드 레일과 토크 박스로 그 충격을 흡수시켜 중앙부위에 전파되지 않도록 구조가 설계 되어 있다. 그러므로 모노코크 보디의 경우와 같이 보디가 찌그러지거나 상하로 굽거나, 좌우로 굽는 등의 발생은 있으나 비틀리거나 꾸불꾸불 굽은 발생은 적다.

페리미터형 프레임

페리미터 형 프레임의 측정기준도 모노코크 형 보디의 경우와 같아서 프런트 프레임, 혼 보디 마운트 부착부분, 프런트 토크 박스 부근, 리어 토크 박스 부근 및 리어 크로스 멤버부분의 좌우 두 곳, 모두 8개소에 측정 기준을 설정하고 이 부분에 부착시킨 계측기에 의해서 이상 상태를 측정한다.

페리미터형 프레임의 측정기준

14 일반 프레임 기준선

일반적인 프레임 기준선은 다음과 같다.

① 타이어가 지면에 닿는 면
② 앞뒤 차축의 중심선(스핀들 높이)
③ 프레임의 중앙 하부 수평부분의 밑바닥
④ 프레임의 중앙 수평 부분의 윗면
⑤ 리어 스프링 브래킷 중심을 통한 선 등으로 기준선을 정할 수가 있다.

(1) 데이텀 라인 게이지

프레임 기준선 게이지 즉 데이텀 라인 게이지는 프레임 기준선에 의하여 프레임각부 높이의 이상 상태를 점검, 측정하기 위한 게이지를 말하며, 가상 기준선이다.

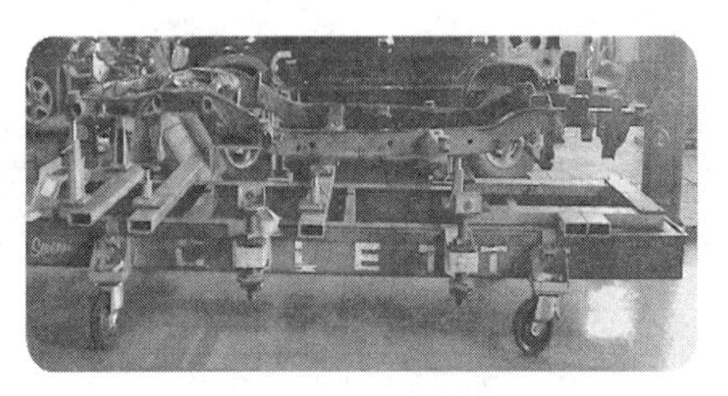

▲ 프레임 기준선

프레임 차트의 프레임 기준선으로부터 일정한 치수를 내어가지고 데이텀 라인 게이지의 수평 코드, 또는 수평 바에 치수를 옮기고 확인해 보았을 때 앞 뒤 네 곳이 일직선상에 있으면 프레임 각 부의 높이가 정상이라고 보아도 이상이 없을 것이다.

15 페리미터형 프레임 수정

(1) 앞부분 또는 뒷부분 수정

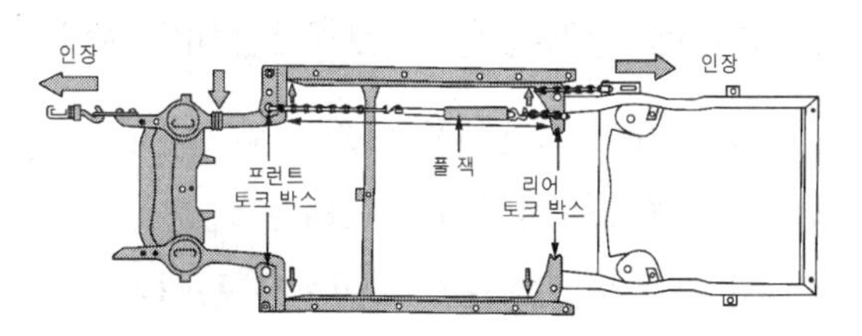

▲ 앞부분 또는 뒷부분 수정

앞부분 또는 뒷부분의 수정은 모노코크 보디와 비슷한 요령으로 한다. 프런트와 리어의 가벼운 손상일 때는 토크 박스로부터 각각 앞 또는 뒤에 변형된 곳이 생김으로 토크 박스에 앵커를 부착시키고 프레임의 앞 끝, 또는 뒤 끝에다 대고 당김 작업을 하는데, 이 작업을 할 경우 프레임이 옆으로 흔들리는 것을 방지하기 위해서 네 곳을 고정시킨 다음 파손 상태에 따라 끌어당기는 방향의 반대쪽에 고정점을 만들어 놓고 수정 작업을 한다.

(2) 서스펜션 크로스 멤버의 수정

페리미터 형 프레임에서 프런트 서스펜션 멤버는 하나로 용접이 되어 있어서, 가벼운 크로스 멤버의 변형이라 해도 프레임 수정기로 작업을 하는 것이 적당하다. 첫째로 밀려서 앞뒤로 이상 상태의 각이 된 멤버의 수정을 예로 들면 그림과 같이 중앙부가 밀려서 치수가 짧아진 멤버를 끌어내는 단순한 작업이 된다.

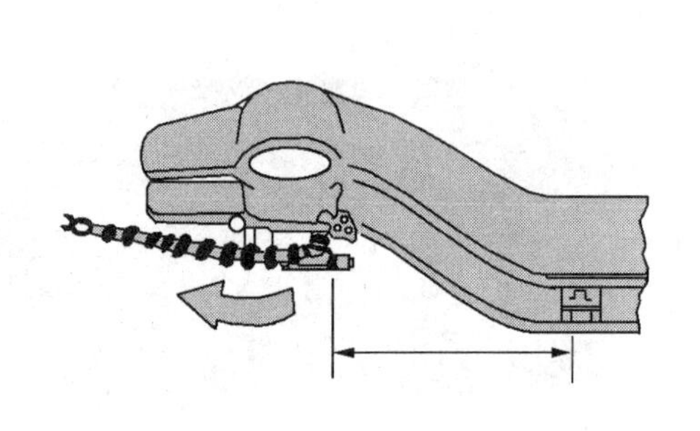

서스펜션 크로스 멤버의 수정

(3) 앞 카울 부위 수정

다음 그림과 같이 밀려서 앞 카울에 각도가 생긴 경우로써 멤버 아래쪽에 체인 및 후크를 걸고 끌어당기면 앞쪽이 일어나면서 적당한 위치와 각도로 수정이 된다.

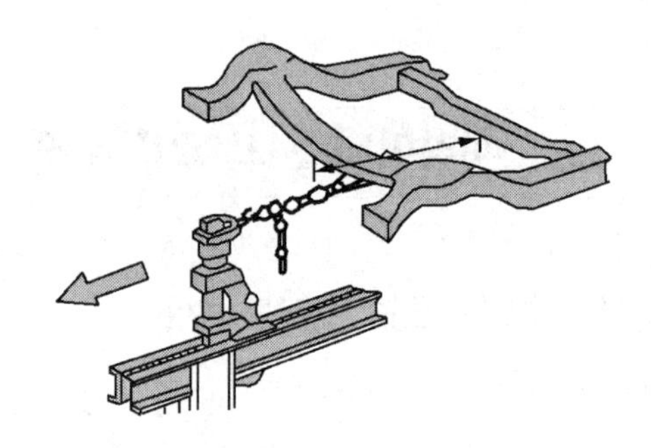

카울 부위 수정

(4) 캠버에 변형이 생긴 크로스멤버의 수정

그림과 같이 서스펜션 바의 캠버 각이 늘어난 상태 즉, 캠버가 마이너스 상태로 되었을 경우의 수정작업은 양끝의 어퍼 암과 프레임 수정기의 크로스 스탠드를 체인으로 묶어 중앙에 잭을 걸어서 수정을 하며, 좌우의 각도가 틀릴 경우에는 잭 포인트를 이동시켜 조정을 하면서 수정을 한다.

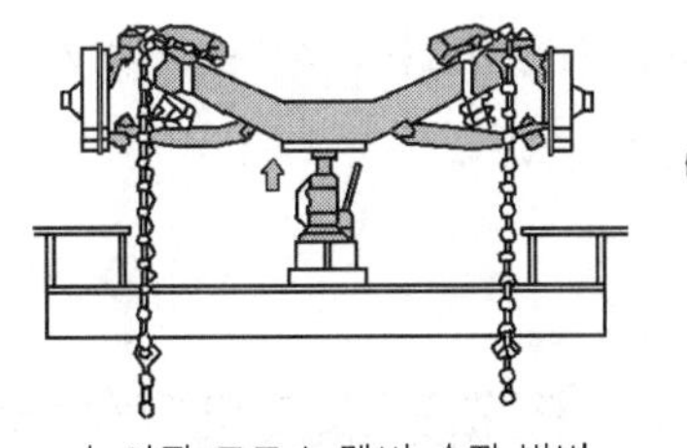

늘어진 크로스 멤버 수정 방법

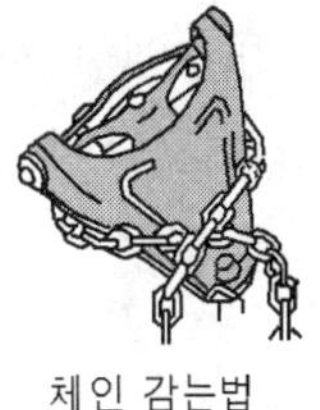

체인 감는법

캠버에 변형이 생긴 크로스멤버의 수정

(5) 다이아몬드 변형 수정

다이아몬드는 차체 구조가 직각을 유지하지 못하고 프레임 전체가 마름모꼴로 변형되어 있어 다이아몬드의 형태를 한다고 해서 명명된 파손 형태의 이름이다. 프레임 조합형에서는 많이 일어나는 변형이며, 모노코크 형 에서는 드물게 일어나는 변형이다.

그림에서 보듯이 다이아몬드 변형 상태는 한쪽 코너의 충돌에 의해 형성되는 것으로 한쪽 사이드 멤버는 충격에 의해 앞으로 밀리고, 다른 쪽 사이드멤버는 그대로 원래의 상태를 유지하고 있다.

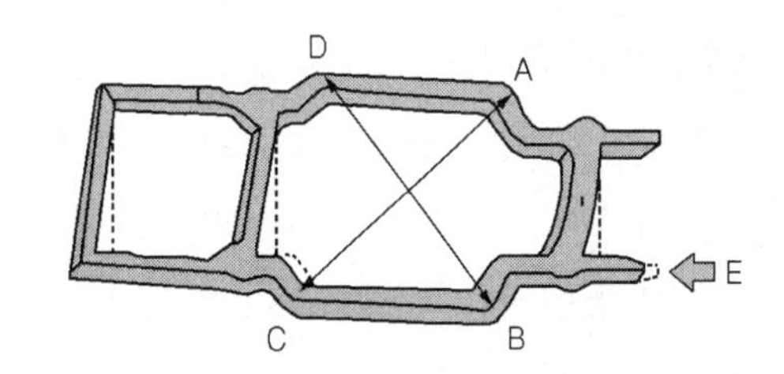

다이아몬드 변형 상태

이때 사이드멤버와 크로스 멤버와의 이르는 각은 수직 상태가 아님을 알 수 있다. 변형 수정에 앞서 다이아몬드 변형의 분석에 있어 빠른 방법으로는 차체수리 지침서를 참조하여 줄자 및 트램게이지로 측정하는 것인데 반드시 파손되지 않은 부위를 먼저 측정하고 나머지 파손부분을 비교 분석하는 것이다.

일반적인 방법으로는 차체 프레임의 중앙부에서 측정을 하는 것인데 사이드멤버에서 카울 지역으로 한 홀(구멍)을 선정, 다른 사이드멤버의 카울 지역의 구멍(뒷바퀴 바로 앞)을 선정한 후 측정을 하여 두 측정치를 비교하는 것이다.

이때 줄자 대신 트램 게이지로 점검할 수 있는데 트램 게이지의 이점은 줄자로 측정이 어려운 곳을 측정할 수가 있다는 것이다. 올바른 고정 및 설치가 다이아몬드 수정에는 필수사항이다. 그림에서 보듯이 우측 사이드 멤버가 뒤로 밀리면 앵커 및 풀링 타워 설치를 그림과 같이 하고, 앵커 포인트 1에서 그림과 같이 고정을 하게 된다. 만약 가능하다면 멤버 주위를 체인으로 두르고 또는 전용 고정 장치를 사용하여 견고히 물린 후 앵커 포인트 2에서 측면 보강을 하여 프레임이 옆으로 미끄러짐이 없게 한 후 같은 멤버 상의 앵커 포인트 3에서 체인으로 고정을 한다. 이렇게 함으로써 우측레일을 인장하더라도 대각선 상의 어긋남이 없어진다.

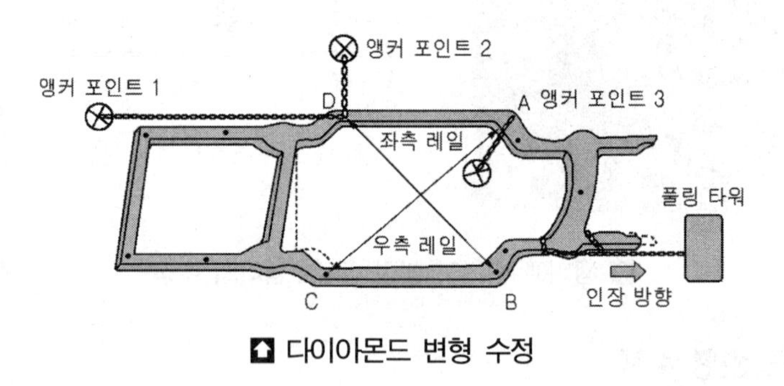

다이아몬드 변형 수정

프레임이 견고히 고정된 후 우측 멤버의 전면부에서 풀링 타워를 설치하여 당기면서 이때 연료 관계 라인 및 브레이크 라인, 와이어 등을 제거를 해야 한다.

메인 크로스 멤버 주위에 체인을 견고히 조여서 그 유압이 직선 방향으로 가도록 유도를 해야 하며, 인장 체인은 프레임과 꼭 수평 방향이 되도록 해야만 한다. 그렇지 않으면 인장 작업 중 체인의 파손과 또 다른 방향으로의 변형을 유발할 수 있으므로 주의를 요한다.

다이아몬드 변형의 수정 작업 중 인장을 할 때는 꼭 원하는 프레임 길이보다 3㎝ 정도 초과하게 인장함으로써 풀링 타워 해제 시 스프링 원복 현상으로 다시 정렬이 흐트러지는 일이 없도록 해야 한다.

프레임 수정 작업이 어느 정도 마무리 된 후 인장 타워를 해제하고 나서 다시 한 번 크로스 멤버를 점검해야 한다. 이러한 인장 작업 과정은 다이아몬드 변형이 교정될 때 까지 몇 번이고 반복을 해야 한다. 대각선을 측정한 후 서로 길이가 같거나 ±5㎜ 오차 이내이면 성공적인 교정이 이루어진 것이다.

(6) 트위스트 변형 수정

트위스트라 함은 모노코크 보디에서나 조합형에서나 둘 다 나타나는 변형으로 한쪽레일의 전면 부 혹은 후면 부가 올라와 있으면 반대편은 내려와 있고, 또 내려가 있으면 올라가 있을 때 이를 **트위스트 상태**라고 한다.

대파된 차량에는 반드시 트위스트 상태가 존재한다. 이때 트위스트 의 분석은 다이아몬드 변형과 마찬가지로 차체 중앙에서 해야 한다. 프레임 중앙부에는 카울의 바로 뒷부분에만 트위스트가 시작된다.

센터링 게이지로 측정했을 때 한쪽이 낮거나 높아 보이는 변형을 확인 할 수 있다. 프레임의 트위스트 변형을 교정하기 위해서는 올바른 교정 혹은 앵커의 연결 교정이 필요하다.

트위스트 교정 작업의 첫 번째 공정은 높이 올라가 있는 부분을 묶어 주는 것이다. 그림과 같이 A점을 체인으로 묶고 그 대각선 D점을 묶어 준다. 두 번째 공정은 그 반대편 레일의 낮은 부위에 잭이나 유압기를 놓고 작동을 한다(보통 10톤의 포트 파워 잭 사용). 압력을 가하기전 1㎝ 두께 철판을 잭 위에 받쳐야 한다.

왜냐하면 응력 집중으로 인한 철판의 파손을 방지해 주기 때문이다. 설치된 센터링 게이지를 보면서 잭을 두개다 동시에 가동하여 게이지가 평행할 때 추가로 평행 유지선보다 힘을 조금만 더 가하면서 수정을 한다.

그 후 유압을 해제하고 게이지가 정렬이 되었는지, 안되었는지 확인을 하며 낮은 부분이 올려 지고 높은 부분이 내려지면 성공적으로 트위스트의 교정이 끝이 난다.

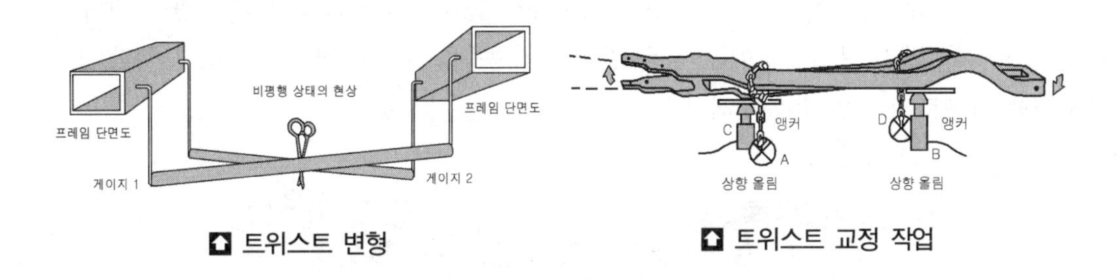

트위스트 변형　　　트위스트 교정 작업

(7) 새그 변형 수정

새그는 평균적으로 대부분 앞바퀴 바로 뒤의 카울 지역에 형성되며 이 현상은 프레임 조립형 혹은 모노코크 보디에서모두 형성되는 변형이라 할 수 있다. 새그가 일어난 사이드 레일의 전면 부는 솟아오르는 경향이 있다.

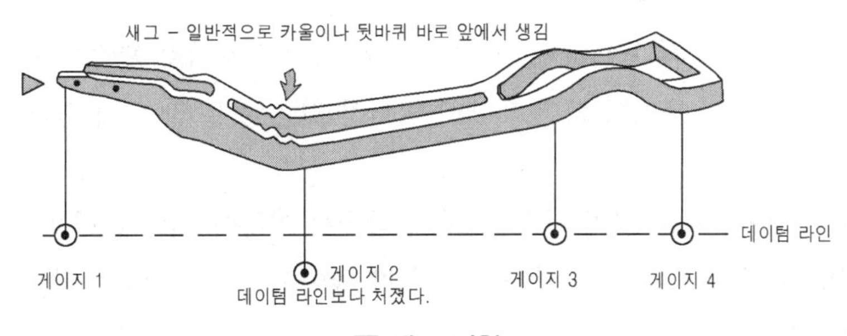

새그 변형

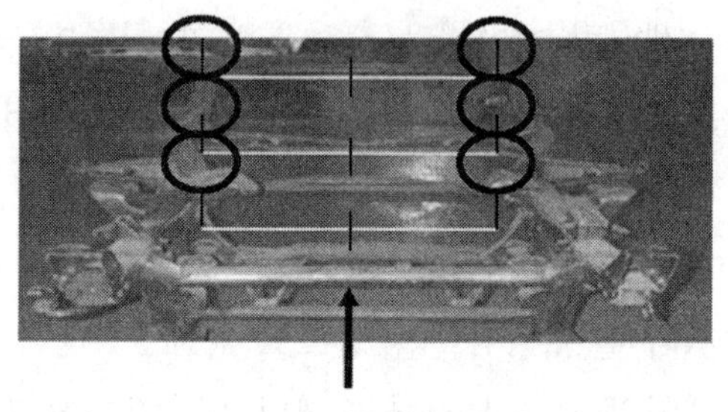
■ 새그 변형의 확인

새그 변형의 확인은 프레임에 거치한 게이지들은 차체치수도에서 지정하는 대로 설치를 하고 센터링 게이지가 밑으로 데이텀 라인 보다 처져 있으면 명확한 새그 변형이라 할 수 있다.

데이텀 게이지 전부와 일직선 면을 유지해야 하며, 중앙부에 거치된 것이 다른 두 개의 게이지보다 정렬이 어긋나면 새그 현상이 형성된 것이라 할 수 있다. 새그 변형을 수정하는 방법에는 몇 가지가 있는데 심각한 새그의 형태에서는 밀어 올리거나 잡아 늘이는 두 가지 방법을 병행하는 형태가 제일 좋다.

그림과 같이 전면 충돌인 경우는 앵커 A와 앵커 B와 앵커 D를 체인으로 고정해서 파손되지 않은 부위를 현 상태로 유지를 하고 앵커 D를 잡아 주어 밀어 올리는 힘이 전면 방향 힘으로 작용하도록 한다. 앵커 포인트 B에서 풀링 타워와의 받침대 철판을 대어 주기를 권한다. 앵커 포인트 C에는 잭을 받쳐서 작용을 시켜주는데 1㎝ 정도의 철판 또는 두꺼운 나무토막을 받쳐야 프레임에 손상이 가지 않는다.

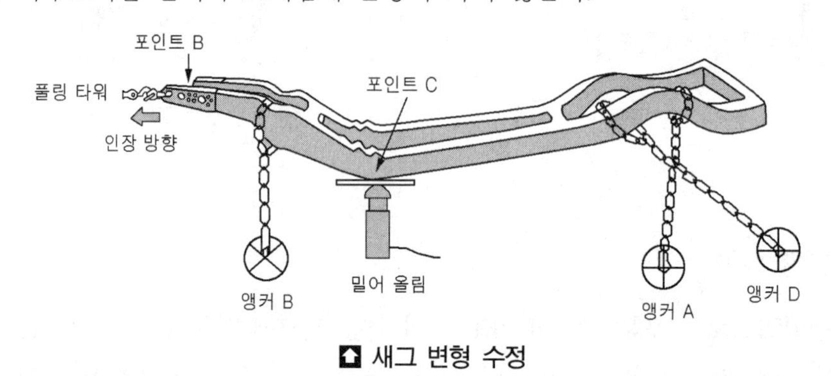

■ 새그 변형 수정

(8) 킥업(Kick - up) 변형 수정

킥업은 새그 변형과 유사한 변형으로 혼동되기 쉽지만 센터링 게이지를 걸어 측정하면 그림과 같이 게이지가 데이텀 라인 위에서 휘어져 있는 것을 알 수가 있다. 이럴 때 킥업된 변형이라 말한다.

킥업의 변형원인으로는 첫째, 충돌이 차체 밑에서 이루어졌을 때(비포장 도로, 구덩이 등에서) 킥업이 잘 발생된다. 둘째, 충돌지점이 높아서 펜더, 도어 등이 뒤로 밀렸을 때 킥업 변형이 잘 일어난다.

프레임의 킥업 변형은 전면 부, 후면부에서 자주 발생되는 변형으로 직접 충돌 파손이냐 또는 간접 충돌 파손이냐를 면밀히 조사해서 간접 충돌파손 부터 수정해야 한다. 킥업 변형은 아주 미세한 형태의 변형이나 그 구간도 아주 길게 형성되어 있기도 한다. 그래서 결코 육안으로 알 수 없을 때가 많다. 반드시 게이지를 설치해야 하며 센터링 게이지 및 데이텀 라인으로도 확인을 해야 한다.

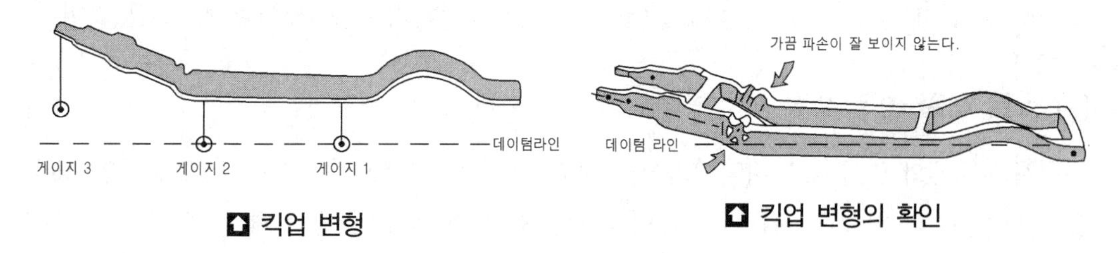

킥업 변형

킥업 변형의 확인

킥업 변형을 수정하려면 먼저 킥업이 어느 지점에서 시작 되었는가 또는 얼마나 프레임을 인장해야 하는가를 먼저 결정해야 한다. 그림에서 보듯이 포인터 C에서 잭으로 상향 인장력을 가하고 포인트 B와 앵커 B를 체인으로 비스듬히 연결 고정을 한다. 이때 앵커 A점이 위로 솟구치지 않게 체인으로 고정을 한다. 앵커포인트 A는 뒷바퀴 바로 앞부분 이어야 한다.

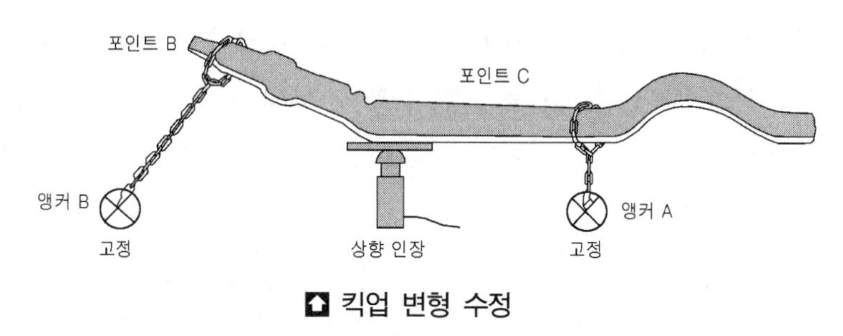

킥업 변형 수정

프레임으로부터 체인을 앵커에 걸 때 지면과 수직이 되게 걸어야 한다. 이 때 프레임 중앙부 지역에서의 체인은 크로스 멤버와 가까이유지를 해야 한다.

포인트 C지점에서는 1㎝ 두께나 1.25㎝ 두께의 판스프링을 상승 압출용 잭 위에 받쳐야 한다. 이 판스프링은 변형 지점에서 힘을 골고루 전달하는 역할을 하여 금이 가는 현상을 방지해준다. 만약 작업 중 급격히 꺾이는 부분이 생기면 압력을 적용시킬 때 열을 조금 가해 준다. 3번 게이지가 내려오는 걸 보면 잭의 압력을 좀 더 가해 원하는 위치보다 약간 더 낮추어야 한다. 그 때 압력을 해제하고 다시 게이지의 높이를 점검한다. 이런 공정을 올바르게 게이지가 정렬될 때 까지 계속한다. 그래서 데이텀 라인을 완전 정렬 시켜야 한다.

주의할 사항으로는 작업장 바닥에서 수정작업을 하는 것이다. 이것이 좋지 않은 작업 형태로 간주되는 이유는 완전한 수평을 이루는 작업장 바닥은 얼마 되지 않는다는 점이다. 구형 현가장치나 쇽업쇼버가 완전히 수평을 이루는 것은 드물기 때문이다. 또한, 킥업의 경우에는 스프링 포켓이 움직여서 차체 하중의 중심이 옮겨져 데이텀 라인과는 맞지 않기 때문에 항상 수정 작업에 있어서 수평을 유지하기 위한 노력을 해야 할 것이다.

(9) 쇼트 레일 변형 수정

매시(mash)와 버클(쇼트레일이라고도 한다)상태는 프레임 파손의 가장 일반적인 형태 중 하나이다. 이 변형은 조합형 프레임과 모노코크 형 둘 다 동일하게 이 현상이 일어난다. 쇼트레일의 변형 또한 전후면 레일의 충돌 결과이며, 그림에서 보듯이 멤버가 짧아지고 아코디언 형태로 밀려들었을 때의 변형으로 측정을 하는데 있어 A와 B점의 길이를 측정함으로 변형의 상태를 점검한다.

파손분석에 있어 직접 파손, 간접파손의 여부를 잘 살펴야 하며, 첫째로 대각선 측정을 하여 다이아몬드 변형이 형성되었는지 우선 점검을 하고, 이 분석을 위하여 항상 프레임 치수도를 사용해야 함을 명심해야 할 것이다.

길이의 측정을 양쪽 멤버와 비교하며 그림과 같이 뒷면이 충돌했을 경우 그때는 측정을 항상 차체 중앙에서부터 실시해야 한다. 만약 한쪽 멤버가 다른 쪽보다 짧으면 프레임을 면밀히 조사하여 응력집중이 어디에 형성되었는가를 생각하고, 이 과정은 몇몇 부분을 반드시 확인해야 한다.

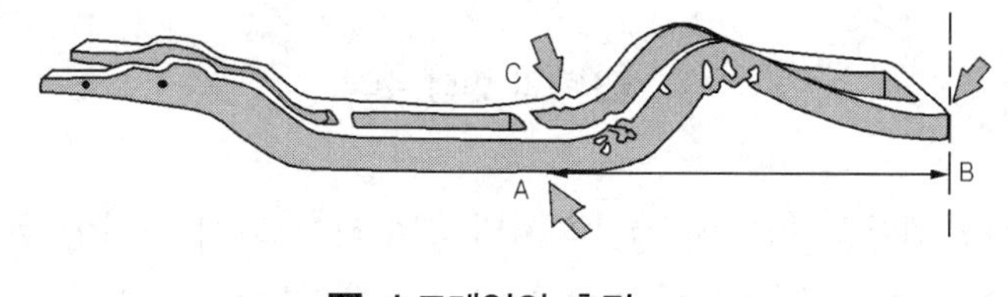

쇼트레일의 측정

먼저 어떤 형태의 파손인가를 확인하고, 올바른 프레임의 교정을 위하여 올바른 클램프 설치와 풀링 타워의 설치를 실시한다.

수정작업 시 프레임은 반드시 잘 고정되어야함은 물론 이때 고정시키는 앵커는 파손부위를 피해서 고정시켜야 한다. 그림과 같이 후면에 충돌된 경우 가장 강하게 고정할 지점은 카울 지역 양쪽이다. 포인트 2에 이동식 인장장치나 잭을 사용하는데 잭과 프레임 사이에 스프링 강을 끼우는 이유는 포인트 3 부분이 손상 되는 것을 방지하기 위해서이다.

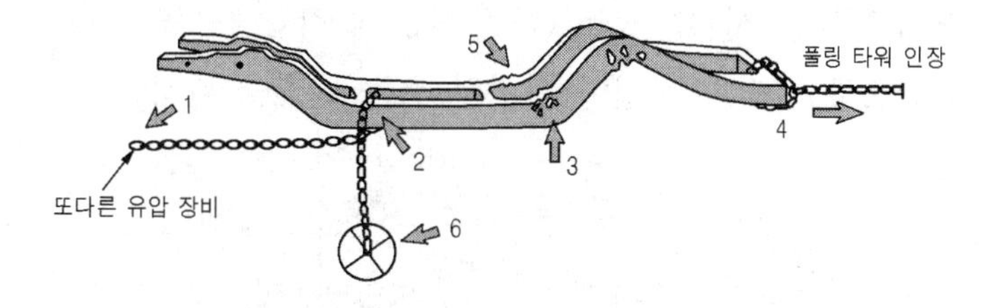

쇼트레일 수정

변형된 부분 쪽에 풀링 타워를 설치하고 나서 서서히 인장하기 시작하면 아코디언처럼 찌그러진 버클은 서서히 원래의 모습으로 돌아오기 시작을 한다. 이때 열을 가하여 꺾인 부분을 스스로 더 펴지도록 해야만 한다. 한 가지 주의할 점은 열을 가한 부분에 절대 물을 뿌려서 식히는 일은 없도록 해야 한다.

소성 변형 점을 교정할 때는 반드시 풀링 타워와 프레임의 거리를 최대한 확보한 후 작업을 하는 것이 중요하다.

프레임 인장작업이 이루어질 동안 앵커 포인트 1은 프레임을 잡고 있다. 앵커 포인트 6은 사이드 레일을 하단부에서 잡고 있는 가운데 3번 지점에서 유압을 작동시켜 올려준다. 프레임이 당겨질 때 포인트 3번은 그 지점에서 프레임 외곽 면이 변형하므로 그 지점만 교정하면 동시에 휠 하우징의 꺾임을 교정 할 수 있다. 최종적으로 뒷부분 끝인 혼 지역까지 계속 점검해서 교정을 해야 한다.

프레임 수정에서 항상 잊지 않아야 하는 것은 정확한 수정을 위해서는 계측 장비를 이용해 항상 측정해야 함을 잊지 않기 바란다.

(10) 스웨이 변형 수정

스웨이 파손의 상태는 판독하기가 쉽다. 주로 조합형(페리미터 형)및 일체형(모노코크형)에 생기는 가장 일반적인 형태의 파손 변형이다.

스웨이 파손 변형의 3가지 형태는 다음과 같다.

① **전면 스웨이변형** : 전면 프레임을 측면 쪽으로 충돌하여 옆으로 밀린 것

② **후면 스웨이변형** : 후면 프레임을 측면 쪽으로 충돌하여 옆으로 밀린 것으로 전면 스웨이 변형이나 후면 스웨이 변형은 센터라인을 중심으로 좌로 또는 우로 변형을 일으킨 것을 말한다.

③ **전면 및 후면 스웨이 변형** : 일반적으로 명명하기를 「바나나 변형」이라고 부르기도 하는데 이것은 사이드 멤버(측면부위)에 직접적으로 충격이 집중되면서 일어나는 현상으로 전면과 후면이 활처럼 휘는 현상을 말하는 것이다.

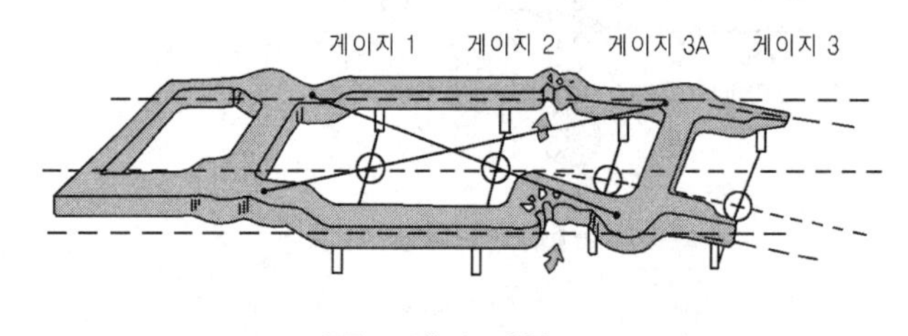

스웨이 변형

스웨이 변형을 가장 쉽고 정확하게 분석하는 방법은 프레임 센터링 게이지로 계측하는 것이다. 프레임 손상분석의 4요소에서 알 수 있듯이 스웨이 변형은 센터라인의 센터핀을 관찰함으로 어떻게 변형이 이루어졌는지 알 수 있다.

또한 센터 핀을 기준으로 필요이상으로 인장하는 사태를 방지하고 어떻게 계속 작업을 진행할 것인가를 계획하는데 용이하게 해주며, 또 다른 방법의 분석은 줄자 및 트램 게이지로 대각선을 측정하는 것이다.

그림과 같이 스웨이 변형이 발생되었을 때 게이지의 설치는 먼저 1번 게이지를 전면 프레임 부분에, 2번 게이지는 카울지역에, 3번 게이지는 전면 크로스 멤버 바로 앞부분에 설치를 한다.

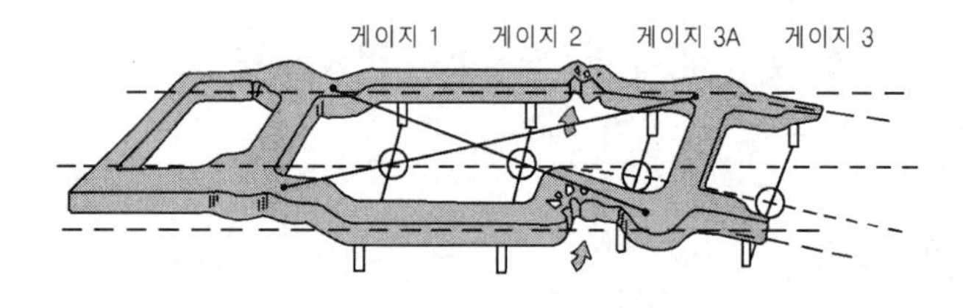

프레임 센터링 게이지 설치

게이지를 설치한 후 설치된 게이지가 제대로 정렬될 때까지 작업을 반복하면서 계속 반복해서 관찰을 해준다.

후면 스웨이 변형에서도 동일한 방법으로 관찰을 하며 전, 후면 스웨이변형 관찰에서도 마찬가지로 게이지를 설치하여 변형을 점검함으로써 사이드멤버가 얼마나 변형되었는지를 확인해야 하며, 또한, 트램 게이지로 사이드 멤버가 얼마나 짧아졌는지 함께 점검을 해준다.

사이드 스웨이 변형의 수정은 그림과 같이 두 멤버의 앵커 포인트 A는 프레임 교정 시스템에 양 멤버를 교정시키는데 스웨이가 시작된 지점에서 걸어야 한다.

체인 롤러를 사용하는데 이는 양쪽 레일에 동일한 압력을 전달하기 위해서이며 앵커 포인트 B에서 또다시 교정을 시켜줘야 한다.

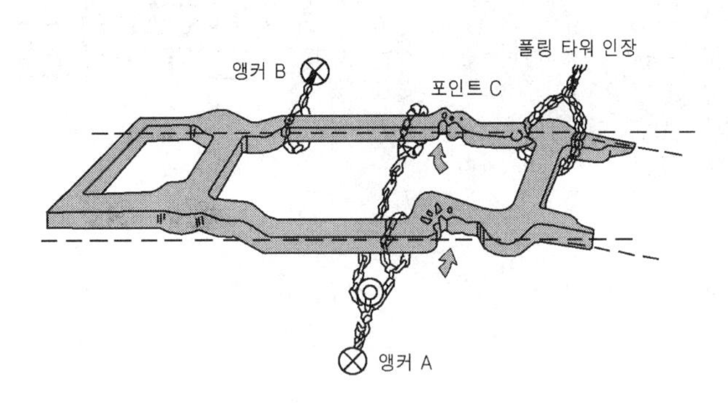

스웨이 변형 수정

포인트 C에서 풀링 타워를 설치하여 작업을 할 때 인장력의 방향과 수정방법은 프레임 타입에 따라 조금씩 틀린다는 점 또한 생각하기 바란다.

또 다른 방법은 그림과 같이 전면, 후면 동시에 스웨이가 생긴 경우 앵커 포인트 H (프레임 후면)에 설치 후 앵커 포인트 K에도 설치한다.(프레임, 전면, 사이드 멤버 후면)

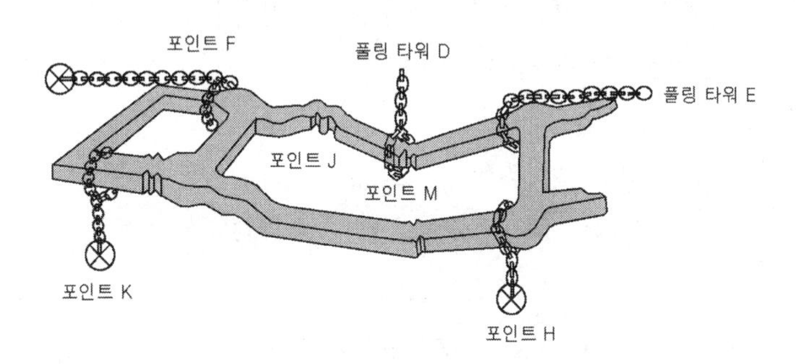

풀링 타워 설치

포인트 F와 J를 연결하고 사이드 레일의 포인트 D에(충돌지점)풀링 타워를 설치한다. 포인트 F에서 두 번째 풀링 타워를 포인트 M에 설치하고 D지점에 인장력을 가하고, 또 포인트 E에 인장력을 가한다. 앵커 포인트 K와 H의 실질적인 바나나 형상을 교정을 한다. 프레임의 센터 핀을 보면서 가로 길이를 고려해 가면서 복원수정이 완료될 때까지 반복 작업을 행한다.

7 알루미늄 패널 일반

1 일반 사항

알루미늄은 일반 스틸에 비해 밀도가 1/3정도 밖에 되지 않아 여러 가지 측면에서 장점이 많은 우수한 재료로 알려지고 있다. 하지만 한정된 강도와 내마모성 때문에 실용화에 많은 어려움을 겪고 있다. 특히 생산단가가 높고 에너지 집약적일 뿐만 아니라 가격변동도 심해 일부 고급차에 적용이 되고 있다.

(1) 배경

【표】 경량화 차량 등장 배경

21세기 환경 규제 강화 • 연비규제 • 배기가스 규제(CO_2)	➡	PNGV PROJECT(미국) • 초 저공해 • 연비: 34.5km/L 3리터카 개발(유럽) - 연비: 100km/3L	➡	차량 경량화 기술 엔진 효율 향상 구동계 효율 향상 새로운 동력원 개발 주행저항 저감

세계적으로 문제가 되고 있는 지구 온난화와 지구 환경 보호를 위한 배기가스 규제법과 미국의 연비규제강화법(CAFE)으로 세계 각국의 자동차 회사를 중심으로 연비향상 대

책으로 경량화에 대처하는 분위기가 형성되었다. 이에 따라 차체 재료를 기존의 스틸 강판에서 알루미늄으로 대처하기 위한 연구가 활발히 이루어지고 있다.

1980년대에는 후드, 펜더, 도어, 트렁크리드 등에 알루미늄 박판을 적용한 차체부품들이 실용화되기 시작했다.

(2) 특성

강판을 알루미늄으로 대치하면 최대 50% 이상의 중량감소의 효과를 달성할 수 있는 장점이 있지만, 가격이 강판의 약 4배 정도가 소요되는 단점이 있다. 그러나 차체의 경량화는 주행저항, 연비소비와 배기가스 배출 등을 감소시키며, 차체의 경량화에 따라 진동과 소음이 낮아지고, 차체의 관성이 경감되어 조정안전성, 동력성능 등의 질적 향상이 이루어져 그 파급 효과는 대단히 크다.

자동차용 알루미늄 합금 판재는 Mg첨가에 의한 균일한 연신량 향상을 꾀하면서 미량의 Cu첨가를 통해 프레스 성형 때 얻어지는 가공경화 효과가 도장 공정에서 소부연화 되지 않도록 하는 5,000계 합금(Al, Mg, Cu)과 도장 후 소부경화성(Bake Hardening)에 의한 강도 및 강성을 향상시키는 6000계(Al, Mg, Si)합금으로 크게 나눌 수 있다.

6,000계 합금의 경우 5,000계의 합금보다 강도가 떨어지고 소부경화 효과가 약하다.

강판은 알루미늄보다 외판 강성이 3배나 높다. 따라서 알루미늄의 외판 강성을 강판 수준으로 하려면 알루미늄의 두께를 강판보다 약 1.44배 정도 향상시켜야 한다.

① 스틸과 알루미늄과의 특성

성 질	알루미늄 합금	스 틸
비 중	2.7	7.8
용융온도(℃)	560 ~ 640	600 × 2.5
열전도율(℃)	0.28	0.28 × 0.57
탄성계수(kgf/㎟)	7000	7000 × 3
전도율 (%)	30	30 × 0.52

- 비중이 낮아 경량화가 가능하다.
- 재활용성이 우수하다.
- 탄성계수가 낮아 스프링 백 현상이 심하다.
- 반사율이 높아 Laser 용접이 어렵다.

- 도전률이 높아 Spot 용접이 어렵다.
- 소성변형비가 낮아 성형이 어렵다.
- 국부변형률이 작아(4%) 헤밍 등 2차 가공이 어렵다.

2 알루미늄 적용 기술의 중요성

경량화 대체 소재 적용 기술
- 알루미늄(50%↑) → 경량화 효과 큼
- 플라스틱(40%)
- 초고장력강(20%)

신공법 적용 기술(ULSAB) - 25%
- TWB, LASER WELD'G, 하이드로 포밍

알루미늄 소재는 자동차 부품을 줄이거나, 크기를 작게 하지 않더라도 연비를 향상시킬 수 있으며, 배출가스를 저감시킬 수 있다.

3 알루미늄 패널의 합금 별 소요 품목

【표】 알루미늄 합금의 계열별 적용 현황

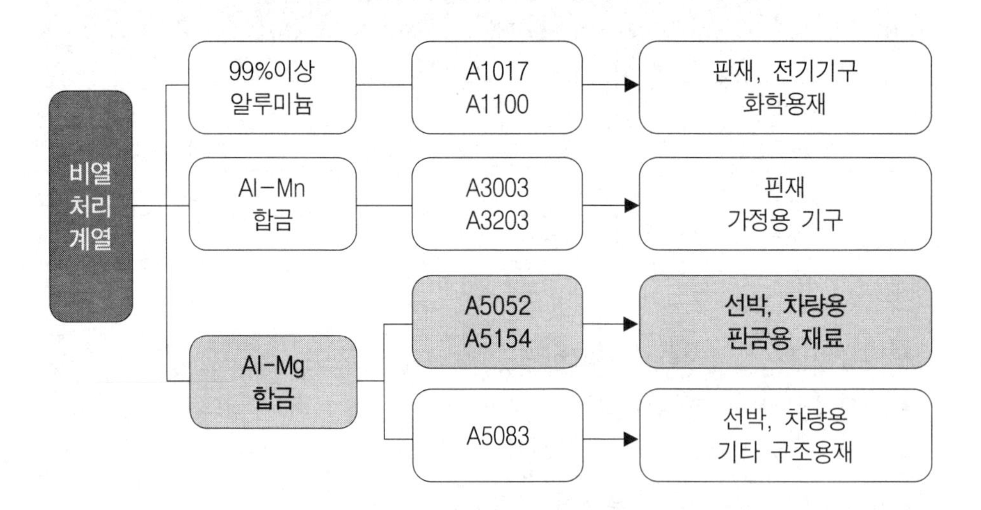

4 알루미늄 합금 패널의 기계적 성질

(1) 6000계의 경우

① AA5000계와 비교하면 성형이 어렵다.
② 시효경화성 항복 강도(내 덴트성)가 우수하다.
③ 소부경화(강성 우수)가 우수하다.
④ 프레스 후 표면 상태가 우수하다.

5 자동차용 알루미늄 패널의 종류

(1) AA5000계 합금

① **성분** : Al - Mg
② 비열처리용 합금
③ 고성형성 합금으로 열적 안정성이 있음
④ 5182-O 소재가 주로 사용되고, 차체 구조물에는 5754-O 소재를 적용함

(2) AA6000계 합금

① **성분** : Al-Mg-Si(Cu)
② 열처리용 합금으로 도장 공정 후 강도가 증가(소부 경화능, Bake Hardening)
③ 북미 6111-T4(고강도)를 적용하고, 유럽 6016-T4(고성형성)를 적용
④ 차체 내 · 외판으로는 0.85~1.20mm 사용하고, 차체 구조물로는 1~3mm 사용한다.

자동차용 알루미늄 합금 성분 및 특징

	Mg	Si	Mn	Cu	Fe
5182	4.70	0.20	0.40	-	0.25
5754	3.10	0.10	0.25	-	0.25
6009	0.55	0.80	0.30	0.30	0.20
6016	0.45	1.25	-	-	0.20
6111	0.80	0.65	0.25	0.80	0.25

TIP

① **AA5000계 합금** : 비열처리 합금으로 석출물(Mg)에 의한 강화와 가공에 의한 강화(가공경화)에 의한 고성형성 합금이다.
② **AA6000계 합금** : 열처리 합금으로 스탬핑 후 도장 공정 시 강도가 증가(소부 경화, Bake Hardening)하는 합금으로 열처리에 따라 T4, T4P 등으로 분류한다.
③ **AA6000계 판재 적용 시 유의점** : AA5000계 알루미늄 판재 대비 소부 경화 등이 있어 강성이 크므로 차체 내/외판 적용에 유리하다.

6 알루미늄 합금의 동향

AA6000계 소재는 재활용의 이유로 강도 및 성형성 모두 확보하는 방향으로 단일화 추세이다. 이에 따른 이유로는

① 소재 비용 절감　　② 소부 경화 후 고강도 내 덴트성 확보

③ 성형 시 스프링 백 감소를 위한 항복 강도 저감 및 헤밍성 확보로 성형이 어려운 인너 패널 등에는 AA5182와 같은 AA5000계 합금 적용한다.

④ 북미와 유럽지역의 예를 들면

- 북미 지역 : 강도 중심 → 6111계 사용.
- 유럽 지역 : 성형성 (제품 외관 스타일링) 중심 → 6016계 사용.

재료별 공법 비교

구 분		스 틸	알루미늄(유럽적용 방식)	특이 공법적용 사유
단품	성형가공	기계식	유압식	양산성 관련 사항
	전단가공	금형	레이저가공	실버(AL입자)
조 립		스폿용접	리벳(셀프피어스, 톡스)	재료특성 관련 스폿 용접 비효율
헤 밍		플랫헤밍 적용가	플랫헤밍 적용불가 - 롤러헤밍 적용	국부신율 부족
접착제 및 실러		M사-34-A외 다수	T사-5070외 다수	접착제사양 무관 (접착강도차이)
피막처리	조립	불필요	A사-2040	용접성, 접착성 향상
	도장	화성피막제(699-X)	A사-2840, G사 958	스틸 표면처리제 적용불가

8 알루미늄 패널 수정

1 알루미늄 패널수정

① 연마

알루미늄 패널은 비중이 일반 스틸 패널과 비교하면 약 1/3정도밖에 되지 않은 상당히 연한 재질이므로 패널 연마 시 연마재의 신중한 선택이 중요하다. 즉 현장에서 일반 스틸 연마용으로 많이 사용되는 연마제(디스크 페이퍼 #50 ~ #80)를 사용하는 것 보다는 연마제(디스크 페이퍼 #100 ~ #150)를 사용하는 것이 알루미늄 패널의 연마 후 패널 면에 나타나는 깊숙한 패임 흔적과 패널수정 종료 후 패널 두께 차이에 의한 강도가 보장되어 진다.

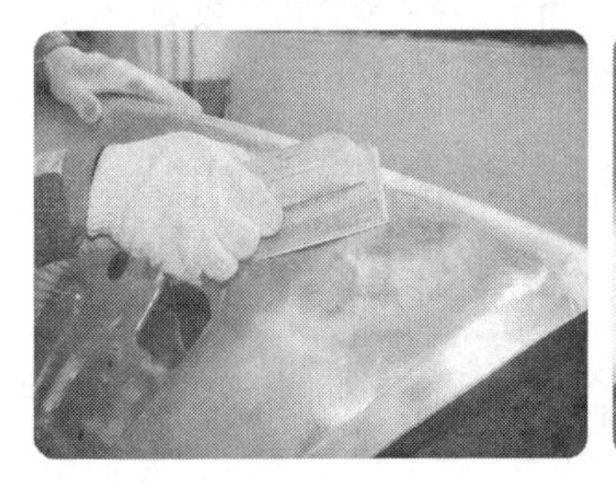

알루미늄 패널 연마

용도별 연마제 선택 기준			
연마작업	알루미늄 패널	용　도	스틸 패널
손상 분석	#320	초기 손상분석	#80
초기연마	#100 ~ #120 (부직포 갈색)	초기 연마	#50 ~ #80
마무리연마	#150 ~ #180 (부직포 적색)	단차 조정 마무리연마	#100 ~ #120

② 변형량 확인

알루미늄 합금 패널에서, 핸드 파일(#320 연마지)을 사용하여 변형 량을 확인하여 그림 검색을 한다. 그리고 핸드 파일을 이용하여 그림 검색을 할 경우 파일 작업에 숙련이 되지 않으면 작업이 어려우므로 신중히 작업을 해야 한다.

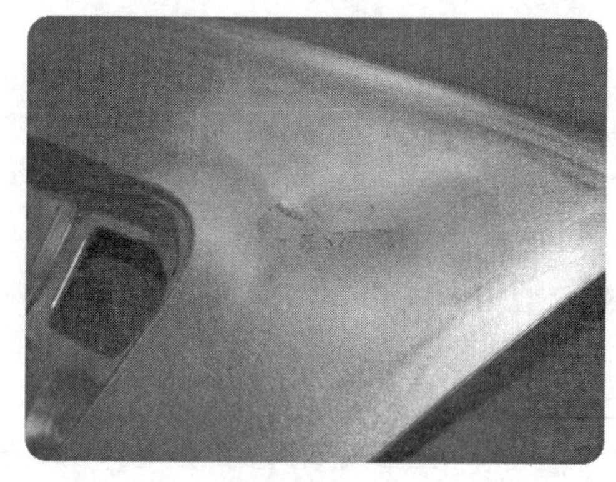

변형량 확인

③ 해머의 사용 기준

알루미늄 패널 수정 시 사용된 해머의 종류에 의해 선상된 패널의 복원에 상당한 영향을 미친다. 알루미늄 패널과 스틸 패널과 비교 시 알루미늄 패널의 비중이 스틸패널과 비교하면 약 1/3정도이므로 일반적인 스틸 패널 수정하듯이 해머링 작업을 실시하면 패널의 늘어나는 현상 및 해머링 작업과 동시에 발생되는 가공경화 현상이 발생된다.

이러한 가공경화 현상과 패널의 늘어나는 현상을 억제하기 위해서는 가급적 차체 패널과 동일한 재질의 해머를 사용하거나, 연한 재질의 해머 즉 알루미늄 또는 나무, 고무 해머를 사용하여한다.

그러나 위의 스틸 해머를 사용하여 패널수정을 할 경우에는, 가급적 해머링 작업 시 손목의 힘을 줄여 비교적 적은 힘을 사용하여야 하며, 패널의 늘어남 현상 및 가공경화 현상을 필히 확인하여야 한다.

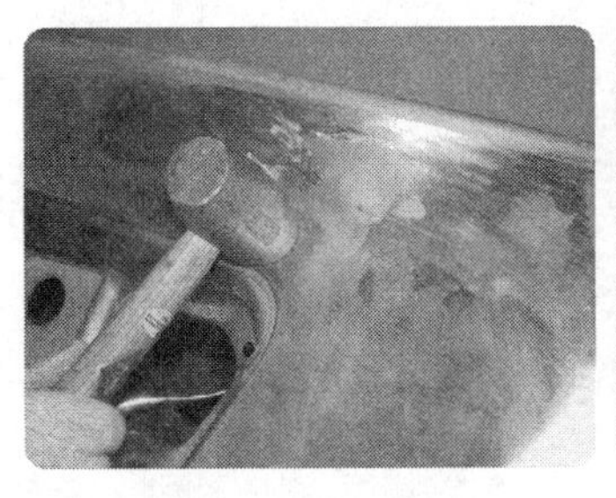
알루미늄 해머

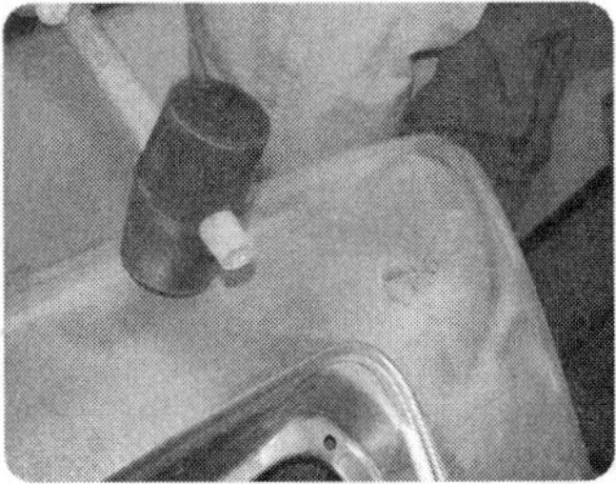
고무 해머

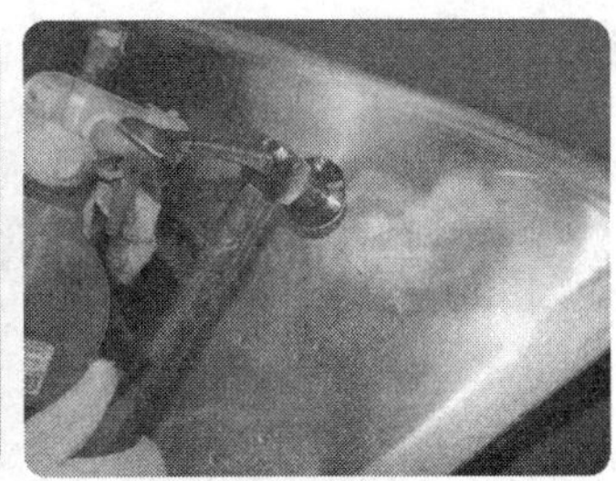
스틸 해머

TIP

- 알루미늄 : 알루미늄 해머 또는 나무, 플라스틱 해머 등을 사용
- 일반 차체(스틸) : 기본적으로 차체와 동일한 재질을 사용

4 가열 수정

변형이 적은 곳의 수리는 가열 수정하며, 가열방법은 수정부의 뒷면에 장갑을 낀 손을 대서 뜨겁다고 느껴질 정도의 온도까지 알루미늄 패널의 손상 부위 전체를 가스 토치나 히터 건 등을 사용하여 가열한다.

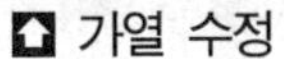
가열 수정

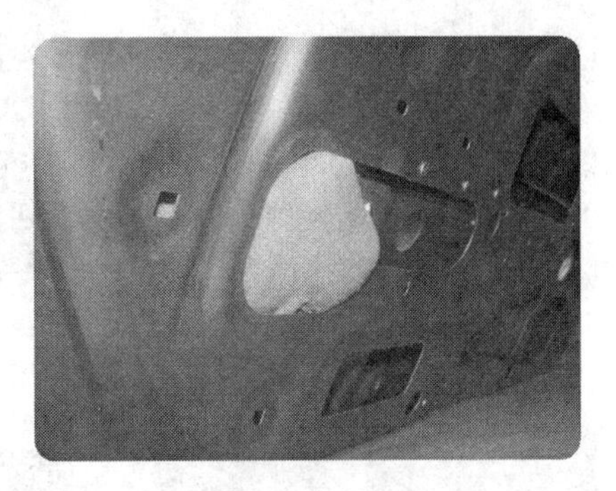
가열 방법

★ 저온에서 가열하지 않고 작업을 하면 알루미늄 패널에 균열이 일어날 가능성이 있으므로 특히 주의하여야 한다.

5 수축 작업

알루미늄 합금 패널의 풀림 온도는 약 250~300도 전후이나, 일반적이 스틸 패널과 달라 가열하면 패널의 변화되는 현상 즉 적열현상이 나타나지 않는 특징이 있다. 그러므로 이러한 알루미늄 패널은 가열 시 발생되는 현상 즉 패널 변형을 주의 깊게 살펴보면서 수정작업을 진행하여야 한다.

작업 현장에서 보다 수축작업을 원활히 진행하기 위해서는 열을 감지하여 색상이 변화하는 열 감지용 페인트 또는 일정한 열에 도달하면 스스로 녹아서 온도를 알 수 있게 하는 열 감지용 크레용 등을 활용하는 것이 수축작업에서 발생되는 문제점 등을 줄일 수 있다.

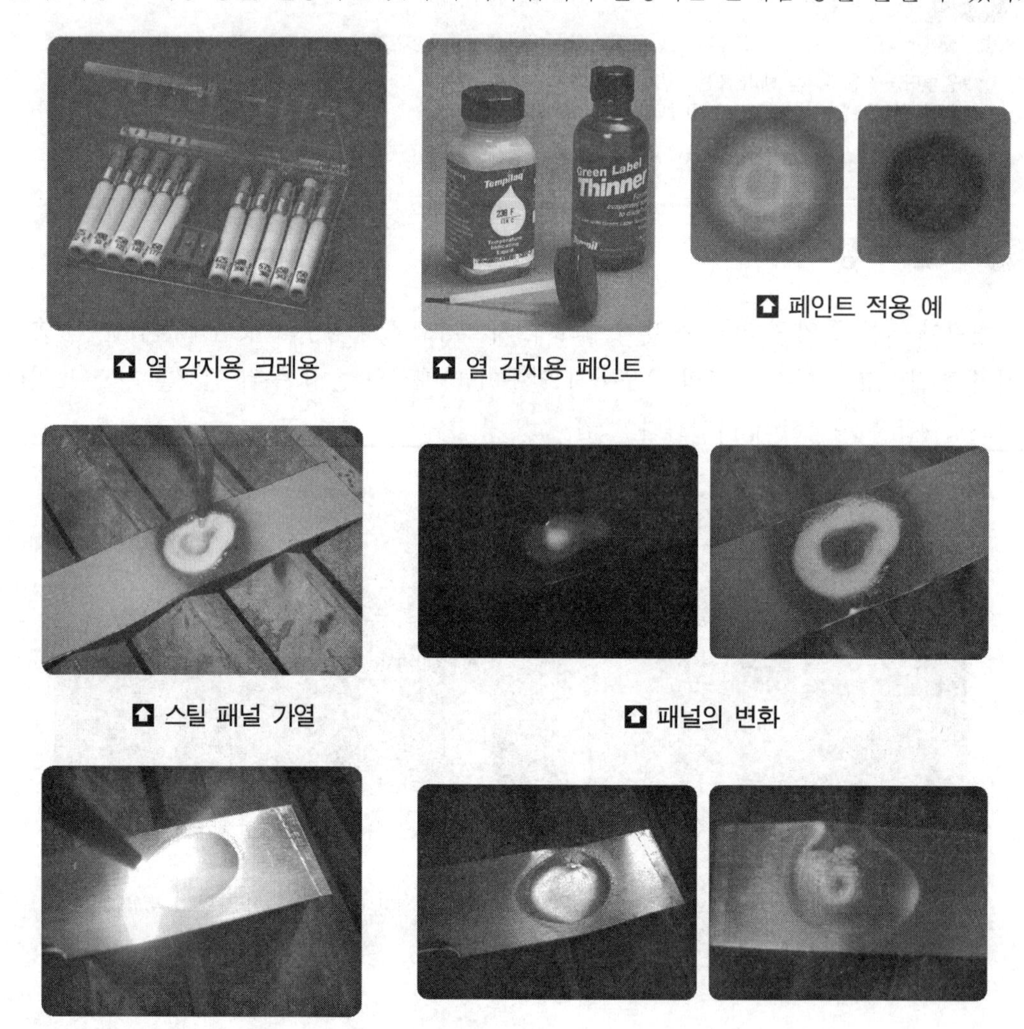

열 감지용 크레용

열 감지용 페인트

페인트 적용 예

스틸 패널 가열

패널의 변화

알루미늄 패널 가열

패널의 변화

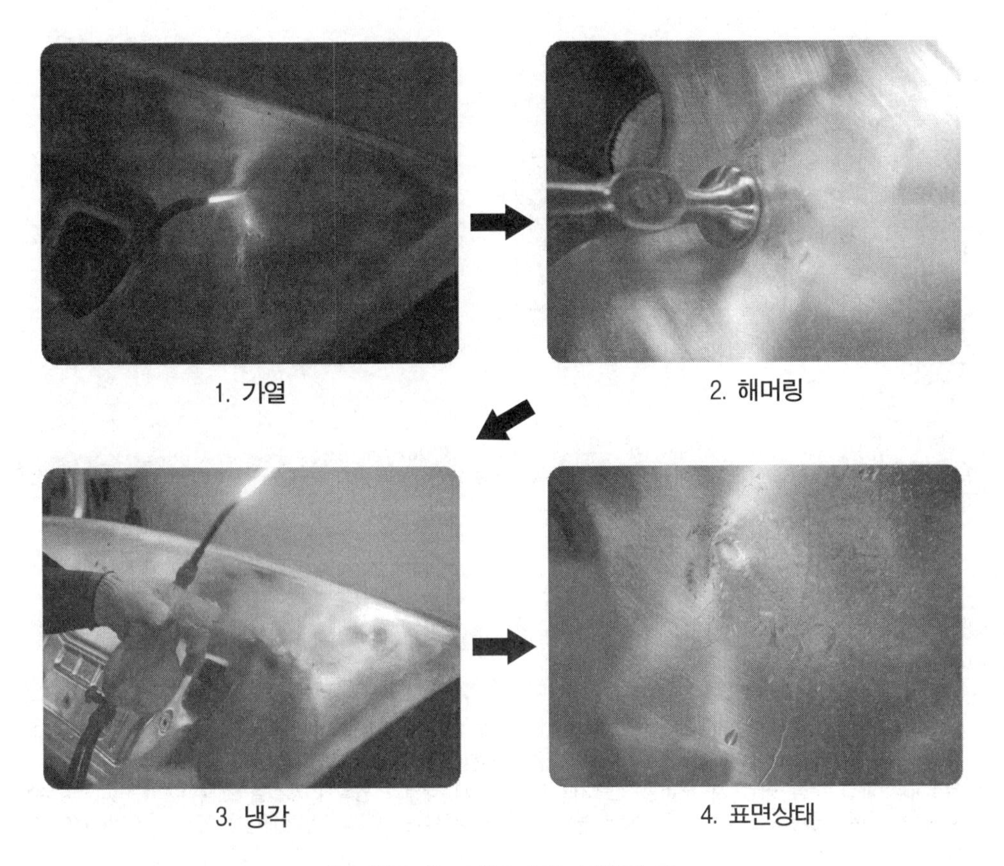

알루미늄 패널 수축 작업의 예

6 조립 시 주의사항

서로 다른 두 금속이 결합이 되어 지면 대기 중의 수분은 전해질의 성질을 가지게 되어서 각각의 금속은 전극에 의해 하나의 전지가 되고, 틈 사이에 수분 등이 부착 되면서 전기 회로가 형성이 된다.

위의 전기적인 성질에 의해 두 금속 사이에서 부식현상이 발생되는데 스틸과 알루미늄을 비교 하면 알루미늄이 먼저 부식된다. 이를 전위차에 의한 부식현상이라 한다. 이러한 전위차에 의한 부식현상을 방지하기 위해서는 반드시 알루미늄 패널과 일반 스틸패널의 접촉부 사이에 절연체(수지 와셔, 부식 방지용 실러) 등을 삽입 또는 도포하여 두 금속을 결합시켜야 한다.

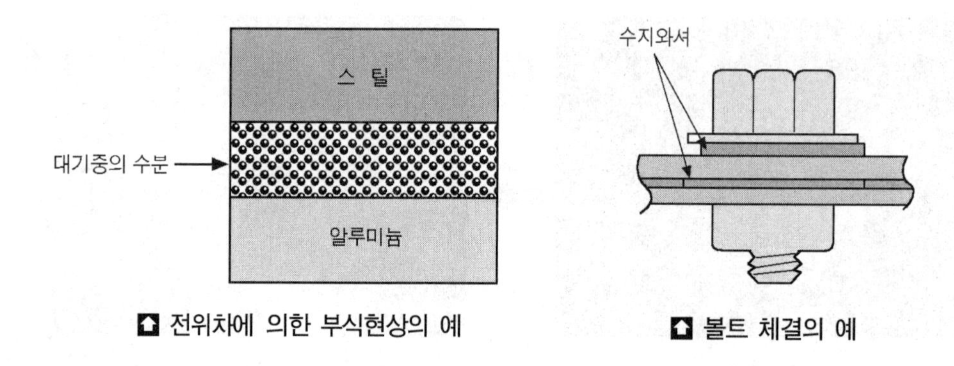

전위차에 의한 부식현상의 예

볼트 체결의 예

★ 스틸 패널과 알루미늄의 체결에서는 알루미늄이 먼저 부식된다.

TIP

- 알루미늄 패널은 비중이 일반 스틸 패널과 비교하면 약 1/3정도밖에 되지 않은 상당히 연한 재질이므로 패널 연마 시 #100~#180번 연마제를 선택하여 연마를 실시한다.
- 알루미늄 패널 수정 작업 시 해머링 선택시 가급적 차체 패널과 동일한 재질을 선택하여야 하며, 경우에 따라서는 나무, 플라스틱 또는 스틸 해머 등을 사용할 경우에는 패널의 변형현상을 반드시 확인하여야 한다.
- 알루미늄 패널의 수축작업 시 일반 스틸 패널과 달라 패널의 녹는 현상(적열현상)을 파악하기가 어렵기 때문에 신중히 작업을 실시하여야 하며, 패널의 특성상 열 전도율이 높기 때문에(일반 스틸 보다 약 2배 정도의 열 전도율) 신속히 작업을 실시하여야 한다.
- 알루미늄 패널과 일반 스틸 패널과의 부착 시 전위차에 의한 부식현상을 억제시키기 위해 수지와셔 또는 절연체를 삽입하여야 한다.

9 덴트 리페어

1 덴트(DENT)

덴트(DENT)란 패널 표면에 발생한 아주 작은 변형을 말한다. 차량을 운행하다 보면 운전자가 알지 못하는 사이에 크고 작은 변형들이 패널 표면에 적지 않게 나타나게 되는데 이것은 운전자의 잘못이 아니라 주위의 환경으로 인해서 발생하는 작은 변형들이 자주 발생되는 것을 확인할 수 있다.

비포장도로를 달리다가 날아오는 작은 돌멩이에 맞아서 패널이 패인 다든지, 할인 마트의 주차장에서 주차 하려 하는 차량에 의해 도어를 여는 순간, 패널 표면에 부딪쳐서 조그마한 변형이 발생하는 등 예상치 못한 부분에서 생길 수 있는 패널 표면의 작은 변형을 덴트라고 한다.

덴트라는 원어를 살펴보면 두들겨 생긴 표면의 움푹한 곳 또는 두드린 자국을 말한다.

덴트라는 말을 적당히 풀이하자면 요철(凹凸) 또는 굴곡(屈曲)이라고 하기도 한다.

덴트의 변형은 그 의미에서도 알 수 있듯이 도막의 손상이 없는 변형이라 할 수 있다.

2 덴트의 유형

덴트의 유형은 그림에서 보듯이 어느 장소를 불문하고 나타날 수 있는 변형으로 가장 많이 나타나는 곳은 패널 표면이라는 것이다. 이렇게 발생한 덴트 변형은 아주 미세하게 발생되었다 하더라도 차량의 외관상 보기 좋은 모습은 아닐 것이다. 또한, 덴트 변형은 한 곳이 아닌 여러 곳에 발생 될 수도 있다는 것이다. 예를 들어 프런트 도어의 상단 부위와 하단 부위에 여러 개의 덴트 변형이 있을 때 미관상 큰 차이가 있음을 알 수 있다.

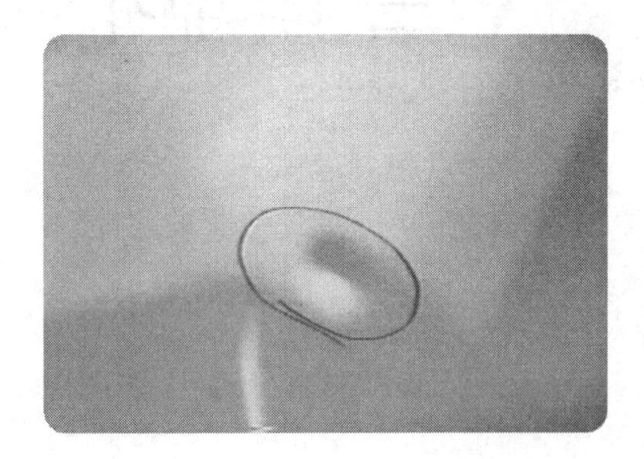
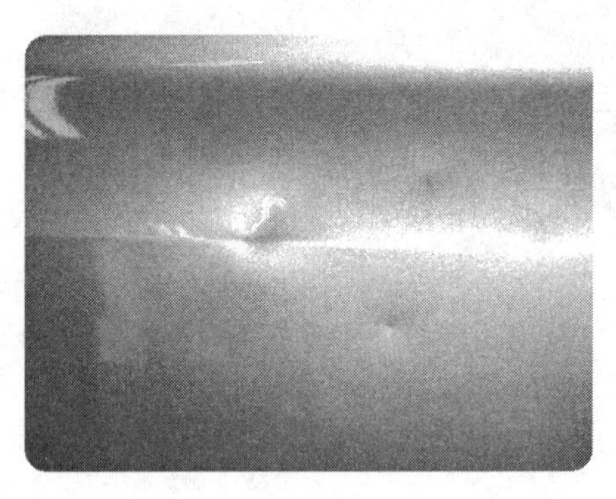

덴트 변형

그렇다면 이렇게 발생한 덴트변형을 어떻게 수정할 것인가?

3 덴트 변형

덴트 변형을 어떻게 수정할 것인가? 를 고민하지 않을 수 없다. 덴트 변형을 수정하는 것은 결코 쉽지 않기 때문이다. 그렇다면, 왜 덴트 변형의 수정이 어려운가? 를 한번 생각해 봐야 할 것이다.

위에서도 잠시 설명한 바 있지만 이번에는 덴트 리페어란 무엇인지 알아보자.

4 덴트 리페어(DENT REPAIR)

덴트 리페어란 도장된 패널 부분에 변형이 있는 경우에 도막 면에 상처를 남기지 않고 수정하는 방법이다. 즉, 도막의 손상 없이 변형된 부위를 원래의 상태로 복원시키는 수정 방법이다. 덴트 된 부위가 도막에 손상이 있어서는 안 된다.

이렇듯, 도막의 손상 없이 변형된 덴트 부위를 수정해야 함이 결코 쉬운 일은 아니라는 것이다. 단순하게 생각해서 변형된 부위를 패널 수정 작업과 동일하게 생각해서 도막을 벗겨내고 변형된 부위에 인출용 장비를 사용해서 수정하고자 생각한다면 그처럼 쉬운 방법은 없을 것이다. 또한, 해머와 돌리를 사용해서 패널 표면에 수정한 자국을 남기면서 수정한 후 도장작업이 이어진다면 또 다르게 해석할 수도 있는 부분이지만 덴트 리페어란 덴트 변형을 도막의 손상 없이 원래의 모습으로 그대로 복원해야 한다는 점이 수정 작업의 또 다른 한 방법이 된다는 것이다.

5 패널 수정과 덴트 리페어의 차이점

패널 수정이란 차량의 추돌이나 충돌에 의해 변형된 패널을 수정하는 것을 말한다. 즉, 패널을 수정하는데 있어서 사용되는 공구에는 해머와 돌리, 스푼을 사용한 타출 수정이 있고, 스터드(STUD) 용접기를 사용한 인출 수정이 있으며, 볼트 온 패널을 교환하는 작업과 용접된 패널을 교환하는 작업 등으로 나눌 수 있는 것이 패널 수정이다.

▲ 타출 수정

▲ 인출 수정

▲ 용접된 패널 교환

▲ 볼트 온 패널 교환

이와 반대로 덴트 리페어는 다양한 툴(TOOL)을 이용해서 덴트 변형을 수정한다. 물론 패널 수정과 같이 해머를 사용하지만 사용되는 해머가 다르며, 스푼(Spoon)을 사용하지만 스푼의 용도와는 조금 다른 툴을 사용한다는 것이다.

Tool을 이용한 수정

스푼의 용도는 변형된 부위를 밀어 올리는 역할과 해머의 밀받침 역할을 동시에 수행하지만 덴트 변형된 부위를 수정하는 툴의 역할은 덴트 변형을 밀어 올리면서 수정하는 역할을 하는 차이점이 있다. 또한, 덴트 툴은 미세한 변형 부위까지 수정해야 하는 어려움이 있기 때문에 툴을 사용한 변형 부위의 수정은 그렇게 쉬운 일이 아니다. 외판 패널의 변형된 모습을 원래의 모습으로 복원하기 위해서 사용되는 툴의 사용은 오랜 경험을 필요로 하는 연습을 필요로 한다. 왜냐 하면, 대충 펴기식 복원 방법이 아닌 조그마한 변형 부위까지 수정해야 하는 어려움이 있기 때문이다.

일반적으로 패널 수정은 패널 수정 작업 후에 퍼티 작업으로 표면을 평활 하게 해 줄 수 있지만, 덴트 변형의 수정은 퍼티 작업을 필요로 하지 않기 때문에 완벽한 복원이 되지 않으면 패널 표면에 남아 있는 변형을 쉽게 확인할 수 있다.

패널 표면에 조그마한 변형이 남아 있다는 것은 수정 작업이 제대로 되지 않았다는 미완성작업이 될 수 있기 때문에 그 만큼 어려운 작업이라 할 수 있다.

덴트 리페어 작업이라고 해서 무조건적으로 도막의 손상 없이 복원을 해야 한다는 것은 아니다. 덴트 변형된 부위를 수정하다 보면 도막의 손상이 있을 수도 있다. 이때는 퍼티작업과 함께 도장 작업으로 연계가 되어야 한다. 하지만, 원칙적으로는 도막의 손상 없이 복원해야 하는 작업이 덴트 리페어 작업이다.

덴트 리페어 작업 범위가 어디까지인가? 는 정확하지 않다. 분명히 패널 수정작업과 덴트 리페어 작업은 범위에 있어서 차이점이 있다는 것이다. 패널 수정 작업을 해야 하는 부위를 덴트 리페어 작업으로 수정하고자 한다면 그것은 시간적인 낭비임과 동시에 작업자의 수고가 2배로 증가하는 고생만 따를 뿐이다. 도막에 손상이 있다거나 도막에 손상은 없지만 패널 표면에 급격한 꺾임이 있다든지, 한번 이라도 수정 작업이 이루어져서 퍼티가 도포된 곳은 사실상 덴트 리페어 작업으로는 곤란한 부분이다.

단지, 패널 수정하는 부분에 즉, 퍼티 작업이 들어가는 도장 공정 속에 퍼티의 양을 최소화하고 작업시간의 단축을 위해 덴트 리페어 작업이 병행이 된다면 가능한 일일지는 모르지만 단순히 덴트 리페어 작업만으로 억지 수정은 반드시 피해야 할 사항임을 명심해야 한다. 도장 작업이 필요한 수정 작업은 반드시 도장 작업을 하는 것이 훨씬 좋은 작업 방법임을 명심하자.

덴트 리페어 작업은 도막에 손상이 가지 않아야 하는 조건도 있지만, 그만큼 빠른 시간 안에 작업을 마쳐야 하는 시간의 신속성 또한 무시하면 안된다.

생각해 보자. 요즘처럼 모든 것이 빠르게만 돌아가는 시장 경쟁 속에서 퀵 서비스(quick service)란 어색한 단어가 아니다. 자동차를 수리하고 수정하는 부분에서도 마찬가지이다. 시간적인 업데이트(update)를 위해 덴트 리페어 작업으로 고객의 차량을 수정하고자 할 때 패널 수정과 같은 시간이 소요된다면 어떻게 될까? 그것은 생각해 보지 않아도 나올 수 있는 답인 것임을 알 것이다.

덴트 리페어 작업은 차체 수정 및 패널 수정과 같은 어느 정도 일정 부분의 시간의 소요가 필요한 작업이 아니라 몇 분 만에 수정 작업을 완료해야 하는 경 수리 작업 부분에 속하는 것이다.

덴트 리페어 작업 또한 경 수리 부분과 중 수리 부분으로 나눌 수는 있지만 소요되는 시간만큼은 퍼티 공정이 들어가는 도장 작업과 차이가 있음을 분명히 인식할 필요가 있다. 그렇기 때문에 결코 쉬운 작업은 아니다. 하지만, 결코 쉬운 작업이 아니라고 해서 반드시 어려운 작업은 또한 아니다. 왜냐하면, 얼마만큼 열의와 성의를 가지고 연습이 되었느냐에 따라 쉬울 수도, 어려울 수도 있다는 것이다.

모든 것은 연습을 얼마나 했으며, 얼마나 노력을 했느냐에 따라 성패가 좌우된다.

10번 수정 연습을 한 사람과 100번 수정 연습한 사람과의 차이는 말로 설명하지 않아도 될 것이다. 물론 사람마다 각자가 가진 재능이나 역량이 다를 수 있다. 또한, 사람마다 가진 성격의 차이가 있기 때문에 쉽게 습득하는 사람이 있는가하면, 같은 내용이라 하지만 시간이 어느 정도 필요로 하는 사람이 있다. 각자가 가진 천성이나 생활 습관, 처해진 환경, 생각, 마인드(MIND) 등이 모두 다 다르기 때문이다.

하지만, 노력 하는 사람 앞에 어떠한 어려움이란 있을 수 없다 라고 본다.

서론 부분에서 결론적인 이야기가 나올 수도 있지만, 꾸준하게 열심히 연습과 실무를 병행하다 보면 언젠가는 모든 부위를 수정할 수 있는 기술자가 되어 있을 것이다.

하지 않고 앉아 있는 사람보다는 새로운 것을 찾아 떠나는 사람이 새로운 것을 발견한다는 것은 당연한 사실인 것이다.

6 덴트 리페어 툴(Dent Repair Tool)의 종류

덴트 리페어 툴(TOOL)은 그림에서 볼 수 있듯이 여러 가지 모양으로 제작이 가능하며, 여러 종류의 툴이 제작되어 사용되고 있다. 덴트 리페어 수정 작업을 위한 툴은 자동차 메이커가 다르듯이 툴 또한 어떤 모형으로 제작 되어 져야 한다는 표준 적인 데이터는 없다. 툴은 수량에 관계없이 사용하는 사람이 가장 편안하게 사용할 수 있는 것으로 제작하는 것이 가장 좋은 툴이 될 것이다.

다시 말해서 툴을 사용하는 사용자가 가장 잘 활용할 수 있는 것이면 가장 좋은 것이라는 것이다. 툴이 아무리 많아도 활용할 수 없다면 그것이 무슨 소용이 있겠는가? 물론 수량이 많다는 것은 그만큼 활용도가 높다는 것일 수도 있지만, 활용도가 높지 않는 툴의 개수 보다는 활용도가 높은 툴이 많음은 더 없이 좋은 공구가 될 것이다.

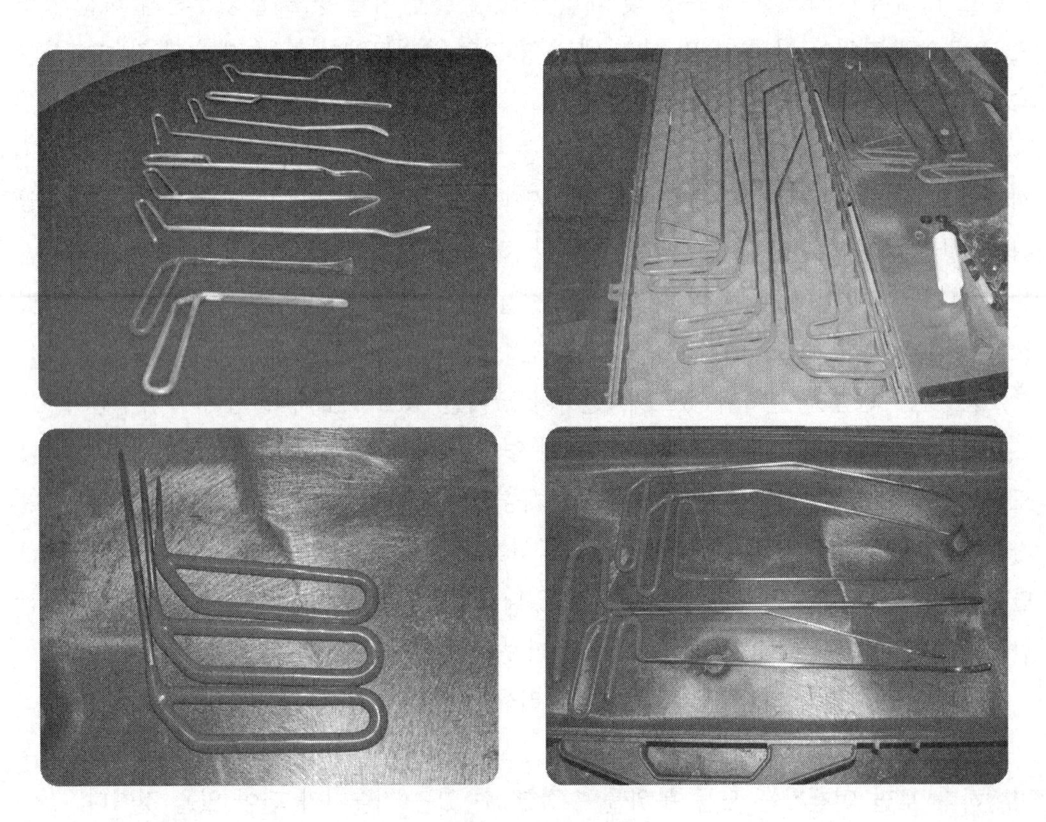

덴트 리페어 툴

또 한 가지 가장 좋은 툴은 이미 제작되어 활용되어 지는 툴도 많겠지만 각각의 차량에 맞는 툴이 가장 좋다는 것이다. 물론 중복되어 사용되는 툴이 없지 않아 있겠지만 중복되어 사용되는 툴이 많다는 것도 좋지만, 각각의 차량에 맞는 툴의 사용은 작업 시간의 단축은 물론 고객의 시간 또한 업데이트 하는 좋은 결과를 가져 올 것이다.

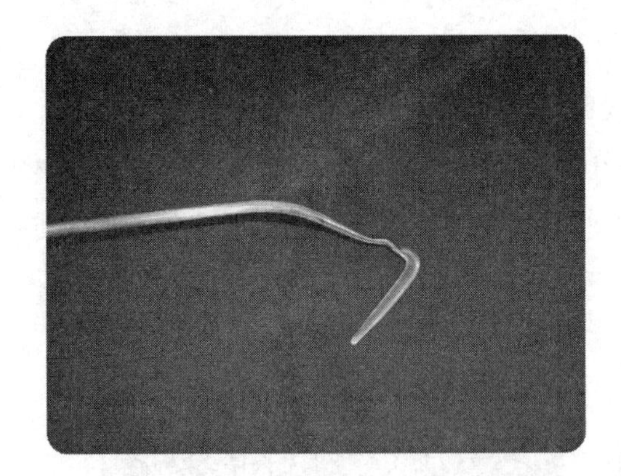

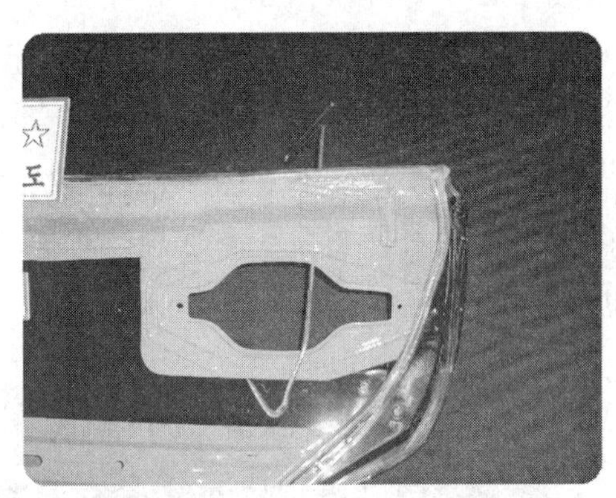

패널 형상에 맞는 툴의 사용

차종 마다 각각 다른 툴을 보유하고 있다면 작업 시간의 단축에 있어 시간적인 SAVE가 유리할 것이다. 차종 마다 조금은 다른 패널의 형태를 보유하고 있기 때문에 패널에 맞는 툴의 제작이 필요하다.

패널에 맞는 툴의 제작

예를 들면, 도어의 형태에 따라 도어의 인너 부위에 임팩트 바가 있기도 하고, 소음을 줄이기 위해 패드가 장착 된 부분, 2중 구조로 되어 있어 툴이 들어가지 않는 부위, 보강판이 있어 툴의 사용이 제한되는 부위 등, 여러 가지 구조로 된 도어의 형태에 따라 각각에 맞는 툴의 제작과 작업 방법의 개발은 실무 작업에서 병행이 되어야 할 것이다.

7 덴트 리페어 툴의 사용 방법

툴의 사용 방법은 어느 위치에 어떤 변형을 수정하느냐에 따라 달라지지만, 대체적으로 덴트 변형에 따라 사용되는 툴의 사용 방법은 다르다.

툴의 사용 방법에 있어 어떤 툴이 변형 부위의 작업에 있어 자신에게 가장 적합한 것인가를 꾸준한 연습과 실무 경험을 통해 습득하고 선택해야 한다.

동일한 TIP의 구조라고 할지라도 툴의 굵기나, 길이가 다른 것이 있기 때문에 툴의 사용방법은 지속적인 연습을 통해 제작된 툴의 사용 방법이 가장 좋은 툴의 사용 방법이 될 것이다.

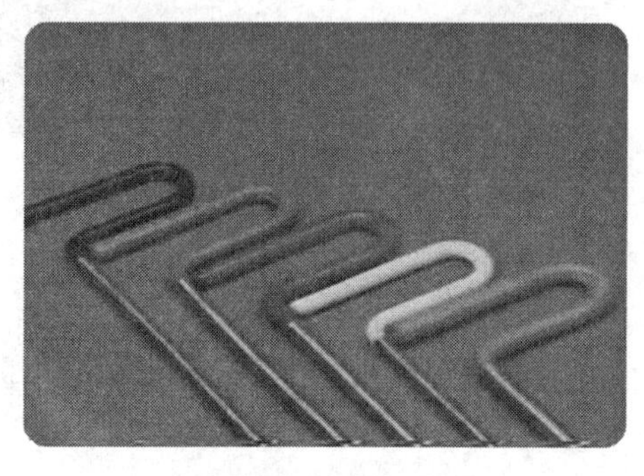

툴의 손잡이 형상

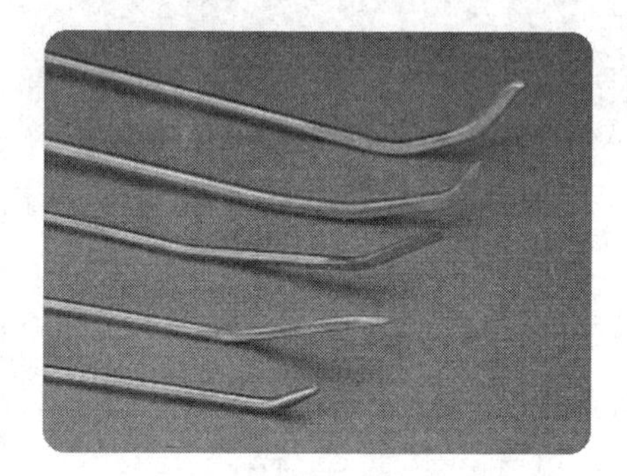

Tip의 형상

① **KNIFE TIP(나이프 팁)** : 끝이 날카로우므로 수정 작업 시 주의해야 한다. 잘못하면 수정 하는 패널 뒷면에 수정 자국이 생기거나 세운 줄처럼 미세한 자국이 패널 표면에 남을 가능성이 있기 때문이다.

② **CUTTER TIP(커터 팁)** : 나이프 팁과 마찬가지로 패널 표면에 미세한 자국이 발생할 가능성이 있으므로 수정 작업 시 주의를 해야 한다.

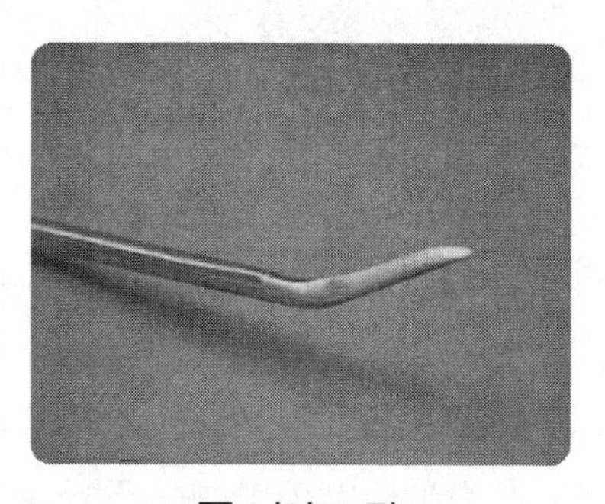

나이프 팁

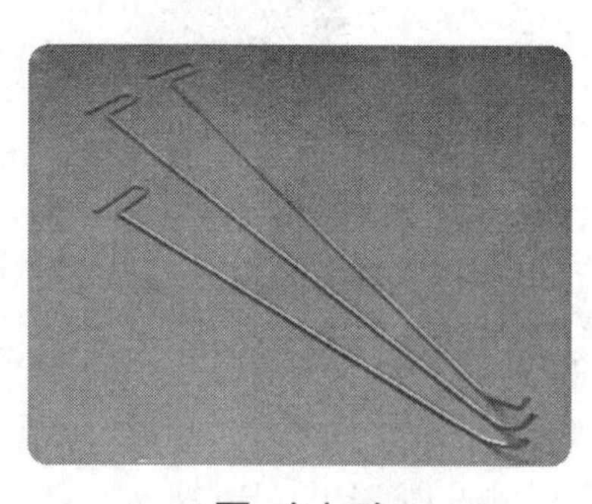

커터 팁

③ **BALL TIP(볼 팁)** : 끝이 둥글고 매끄러우며 부드럽기 때문에 손쉽게 작업이 가능하다. 가장 많이 사용되는 툴이며, 마무리용으로 사용된다.

④ **BLADE TIP(블레이드 팁)** : 각각의 길이가 다르며 초기 수정 작업 에 많이 사용된다, 수직선상의 패널 변형 면을 옆으로 밀어 낼 때 많이 사용된다.

⑤ **TRI POINT TIP(트리 포인트 팁)** : 두껍고, 단단한 패널 부위에 적합하다.

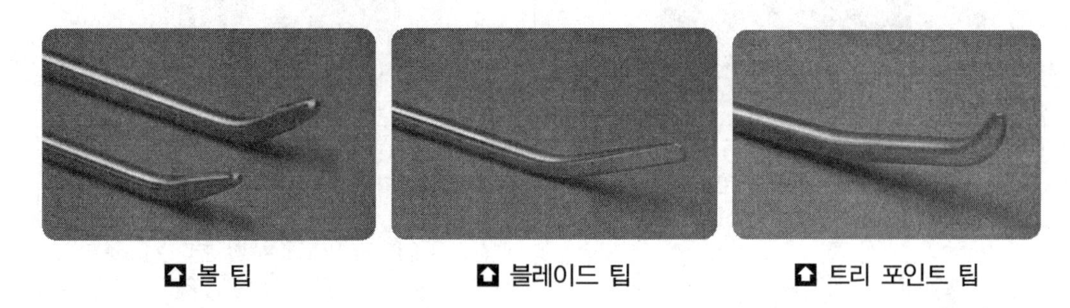

볼 팁　　블레이드 팁　　트리 포인트 팁

⑥ **제작된 툴의 모습**

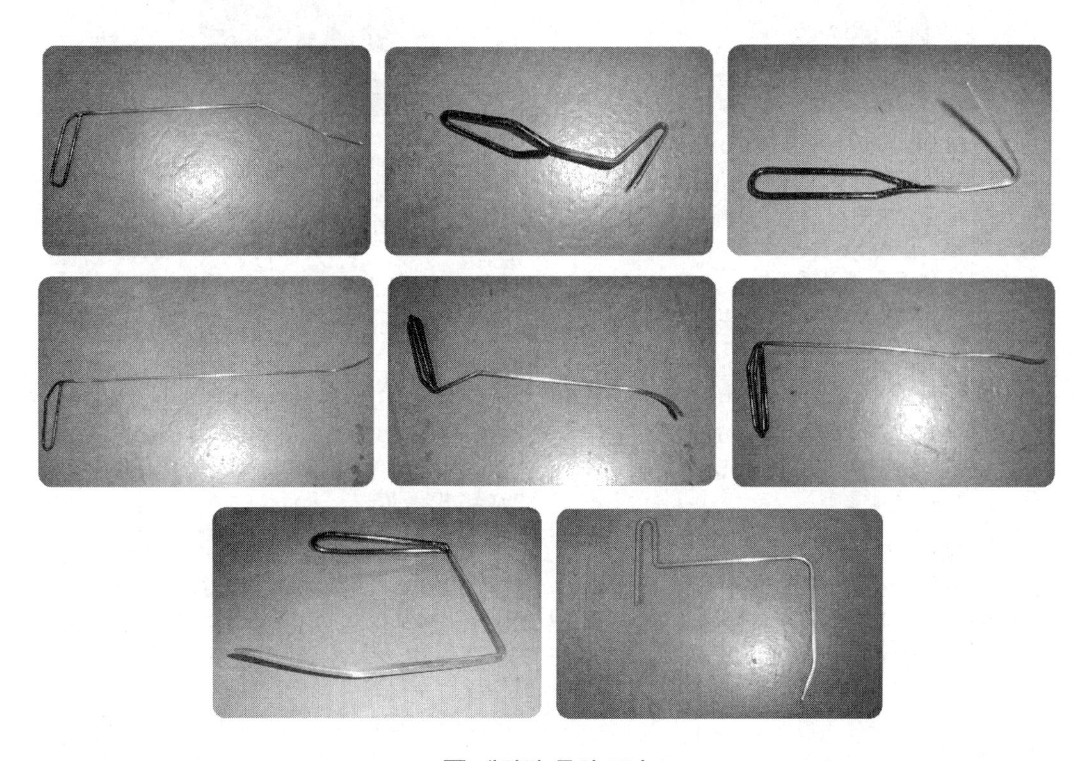

제작된 툴의 모습

8 덴트 리페어 보조 공구 종류

1. 고 리	2. 펀 치
	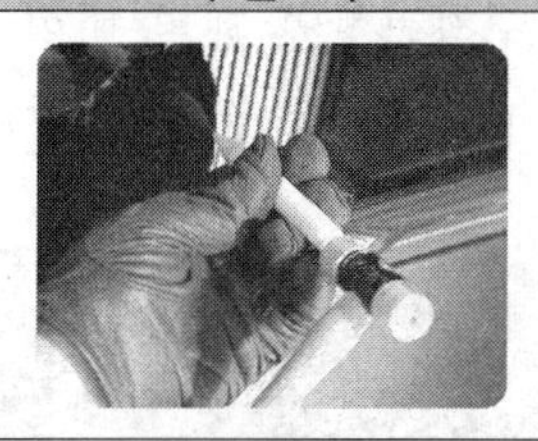
TOOL를 지지할 수 있는 곳에 고리를 걸어서 사용한다.	재질은 아크릴로서 패널이 솟아 오른 부위를 수정할 때 사용한다. 도장된 패널의 표면에 충격을 주는 공구이므로 항상 표면을 깨끗이 연마하여 도막에 상처를 입히지 않도록 해야 한다.
3. 해 머	**8. 콤파운드**
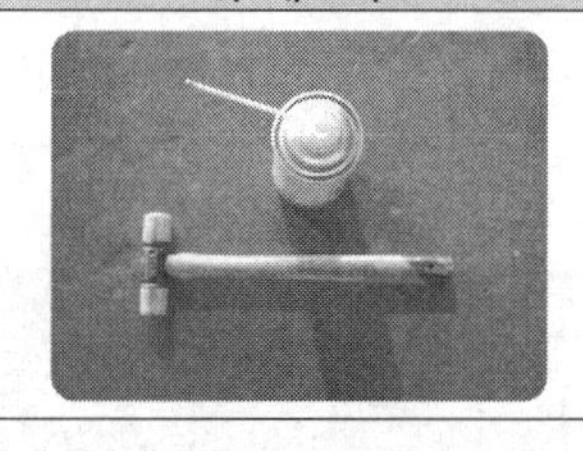	
해머는 최대한 가벼운 것이 좋으며, DENT 변형을 수정하는 해머는 펀치와 마찬가지로 패널 표면의 도막 면을 타격하는 공구이므로 해머의 마찰 면은 항상 깨끗이 관리하여 수정 작업 시에 도막에 상처를 입히지 않도록 해야 한다.	작업 전에는 변형 부위의 확인을 위해서 패널 표면을 깨끗이 하는데 사용 되며, 작업 후에는 수정 공구에 의해 미세한 상처 부위를 깨끗이 연마하는데 사용된다.
5. 테이프 및 장갑	**6. 연습용 작업대**
변형된 부위를 수정하기 위해 TIP끝 선단에 테이프로 감아줌으로써 패널 뒷면의 도막 손상을 방지하며, 장갑은 TOOL을 사용할 때 미끄러짐과 손을 보호할 수 있으므로 잘 미끄러지지 않는 가죽용 장갑을 사용하는 것이 좋다.	DENT 변형을 수정하기 위해서는 많은 연습이 필요하다. 도어 패널이나, 후드 패널 등을 이용해서 연습할 때 필요한 연습용 작업대이다. 작업대의 높이는 허리 선 높이로 연습하기에 가장 적당한 높이로 제작하면 된다.
7. 형광 작업등	**8. 왁스**
DENT 변형은 아주 국부적인 변형이므로 반드시 형광등을 이용한 수정 작업이 병행되어야 한다. DENT 수정 시 가장 필요한 보조 공구 중 하나이다.	TOOL 및 변형된 부위에 왁스를 도포해 줌으로써 TOOL의 움직임을 양호하게 할 수 있고, 변형된 부위에 도포된 왁스로 인해서 변형 부위를 조금 더 쉽게 수정할 수 있도록 해준다.

★ **보조 공구의 손질** : 해머의 손질과 같이 그 외의 덴트 리페어에 사용되는 공구에 대해서도 손질의 좋고 나쁨에 따라서 작업의 정밀도에 큰 영향을 미친다. 공구는 정기적으로 점검하여, 상처나 변형의 유무를 조사하여 깨끗이 다듬질 해 놓지 않으면 안 된다.

9 덴트 리페어의 표준 작업 순서

작업 순서는 손상부의 크기나 수정 부위에 따라 약간의 차이는 있지만, 기본적으로는 큰 차이가 없다. 여기에서 이야기 하는 작업순서는 대략적인 작업 순서이다.

변형 부위 확인

변형부위, 손상크기, 손상원인 확인 — 변형 부위가 어디이며, 손상의 크기가 어느 정도인지, 손상의 원인이 무엇인지에 대해 정확하게 파악할 필요가 있다.

수정 위치 확인 — 덴트 변형의 수정을 위해서는 수정 하고자 하는 위치가 수정 부위에서 가장 가까운 곳을 선택하는 것이 좋다. 너무 멀리 있으면 툴의 사용도 힘들 뿐만 아니라 수정되는 모습 또한 판단하기가 어렵다.

툴을 사용한 수정 위치 선정 — 툴의 사용에 있어서 패널 형태에 따른 툴의 사용 방법을 숙지해 두는 것은 중요한 일이다. 패널의 형태에 맞게 적절히 잘 사용해야 하며, 패널의 모든 공간을 잘 활용하는 것도 수정의 한 방법이다.

수정 공구 선택 — 변형부위에 따른 각각의 툴의 사용 방법이 다르다. 변형 부위에 맞는 툴의 사용으로 작업의 용이성과 편리성, 시간 단축의 경제성을 도모할 수 있다.

TIP 선단에 테이프 처리 — 숙련된 기술자라면 TIP선단에 테이프처리를 하지 않아도 되겠지만 숙련되지 못한 상태라면 TIP선단에 테이프 처리를 하는 것이 좋다. 테이프 처리를 하면 변형부위의 수정에 있어 확인 작업이 조금은 어려운 점이 없지 않아 있지만 패널 뒷면에 도포된 전착 도장 면의 손상을 방지하기 위해서는 반드시 선행될 작업이다.

빛을 이용한 수정 — 변형 부위를 확인하고 수정되는 모습을 확인하기 위해서는 형광 빛을 이용한 수정이 가장 좋은 방법이다. 경우에 따라서는 다른 빛을 이용할 수도 있지만 빛의 각도에 따라 변형 부위가 다르게 보이기 때문에 빛을 이용한 변형 부위의 파악에 신중을 기해야 한다.

수정 마무리 — 변형 부위를 수정한 후 패널 뒷면에는 방청제를 도포해 줌으로써 TOOL의 사용으로 인한 도막 벗겨짐에 따른 부식을 방지해 주고, 수정된 패널 표면은 컴파운드 및 광택 처리로 깨끗하게 마무리 해줌으로써 원래의 패널 표면과 동일하게 해준다.

10 수정 개소의 확인

모든 손상부가 덴트 툴을 이용한 수정이 가능하지는 않다. 비슷한 크기의 변형도 발생 부위에 따라 부품의 탈착이 필요한 것과 그렇지 않은 것, 수공구가 전혀 필요 없는 것 등이 있다. 그렇기 때문에 수정 개소의 확인에 의해 작업 방법을 판단해야 한다. 그 판단을 잘못하게 되면 불필요한 시간을 소비하게 된다. 따라서 수정 개소의 위치나 손상 부위를 확인 한다는 것은 그 손상 부위가 덴트 툴을 가지고 수정이 가능한지의 여부를 판단함과 동시에, 수정할 경우 가장 좋은 수정 순서를 결정하는 것이다.

어느 범위까지 수정이 가능하다, 가능하지 않다 라는 결론은 아직 내릴 수 없다. 왜냐하면 덴트 변형의 대략적인 기준은 있지만 그 대략적인 기준이 정확하지 않기 때문이다. 물론 툴이 들어가지 않는 곳의 수정 작업은 대단히 어려운 작업임에는 틀림이 없다.

하지만, 툴이 들어가지 않는 곳에 또 다른 수정 공구가 사용되는 것은 사실이다. 툴 대용으로 사용되는 공구에는 우리가 흔히 접할 수 있는 고무펌프(pump)가 있다. 일명 압축기라는 것이다.

이것은 덴트 변형을 수정하고자 사용하는 것이 아니라 패널의 넓은 평면 부위의 변형된 부위를 임시직으로 당겨내기 위해 사용하는 것이다. 이것을 사용해서 패널이 들어간 부위를 당겨 낼 수는 있지만 수정의 개념하고는 너무나 다르다는 것을 인식해야 한다.

이것으로 잘못 당겼을 경우에는 패널에 또 다른 변형으로 인해 울퉁불퉁한 표면을 만들어 더 보기 싫게 될 가능성이 많다.

또 다른 공구에는 우리가 잘 알고 있는 것 중에 하나로 에어를 사용하는 것으로 압축공기를 채워서 변형된 부위를 당겨내는 공구이다. 이것을 원어로는 PNEUMATIC 덴트 PULLER(뉴-매틱 덴트 풀러)라고 한다. 변형 된 부위에 압축 공기로 채워서 변형 부위를 잡아당기는 방식이다. 이 또한 펌프와 마찬가지로 변형된 부위를 임시적으로 당겨낼 수는 있지만 수정의 개념은 아니다. 반드시 알아야 할 것은 이 모든 보조용 공구들이 수정을 하기 위한 하나의 작업 공정이라는 것이다.

조금 더 손쉽게 수정하기 위해서 일차적인 수정 방법이라는 것이다. 일차적인 수정은 수정의 개념이 아니라 수정하기 위한 보조적인 역할을 한다는 것을 기억해야 할 것이다. 이렇게 일차적인 수정이 끝이 나면 다음 단계로 정확한 수정을 위해 반드시 툴을 사용한 마무리가 병행이 되어야 한다는 것이다. 항상 마무리 정밀 작업은 툴로서만 가능하다.

그렇다면 툴로서 수정이 불가능한 곳은 어떻게 수정을 해야 하는가? 의 의문이 남아있을 것이다. 툴이 들어가지 않는 곳은 툴이 들어갈 수 있도록 조치를 취해야 한다는 것이다. 그것이 어떤 방법이냐고 궁금해 할 수도 있지만, 실제적으로 덴트 변형을 수정하고자 한다면 취해야 할 방법 중 하나이다.

물론 생산된 차량 그대로의 모습을 유지시켜 주는 것이 무엇보다 중요하지만 덴트 변형을 수정하기 위한 임시적인 작업 방법에 있어서 크게 차량의 기계적 성질과 차량의 모습을 변경시키는 것이 아닌 수정하고자 하는 하나의 방법으로 작은 홀(구멍)의 생성이다. 하지만, 그것을 받아들이는 고객의 입장에서는 납득이 되지 않을 수도 있다. 어떤 방법으로 작업을 할 것인가는 모든 것이 작업하는 작업자의 선택에 달려 있다.

고객이 홀을 내는 것에 대해 신뢰하지 않는 다면 홀을 내지 않고 할 수 있는 작업 방법을 찾아야 할 것이며 홀을 가공해서 수정할 수밖에 없는 상황이라면 충분히 설명이 이루어지고 난 뒤에 작업을 진행해야 할 것이다.

결론을 내리자면, 여러 가지 작업 방법이 있다고 하지만, 툴의 사용이 익숙지 못한 상태에서 보조 공구를 사용하는데 익숙해져 있으면 안 된다는 것이다. 툴을 이용한 충분한 수정 상태가 되었을 때 보조 공구는 변형 부위를 수정하는데 크나 큰 역할을 할 것이다.

덴트 변형의 수정은 조그마한 수정 부위를 확인하는 것이 최우선이며, 변형된 부위를 어떻게 효율적으로 수정할 수 있느냐는 충분한 연습과 노력밖에 없음을 명심하자.

위에서도 잠시 언급했지만, 덴트 변형을 어느 정도의 범위까지 수정할 수 있느냐는 아직 결론적으로 이야기 할 순 없지만, 대략적인 기준은 정해져 있다.

(1) 덴트 리페어가 가능한 굴곡 부위의 대략적 기준

① 주위가 비슷하게 굴곡이 져 있는 곳으로서, 지름이 약 30㎜ 이내로 굴곡부의 높이와 깊이가 패널의 두께 정도의 것.(凹, 凸의 윗부분이 날카롭게 각이 져 있지 않은 것)

② 굴 곡부가 타원형으로 지름이 약 30㎜ 이내로 굴곡부의 높이와 깊이가 패널의 두께정도의 것.

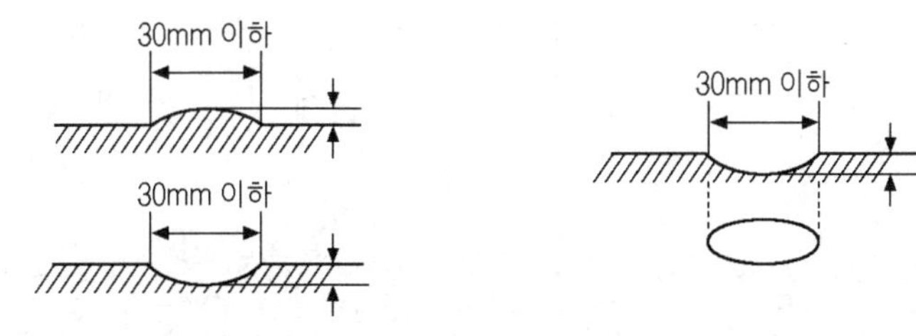

③ 굴곡의 정도가 ①, ②에 해당하고, 발생 위치가 폐단부나 강판이 2장 이상 겹치지 않는 곳.

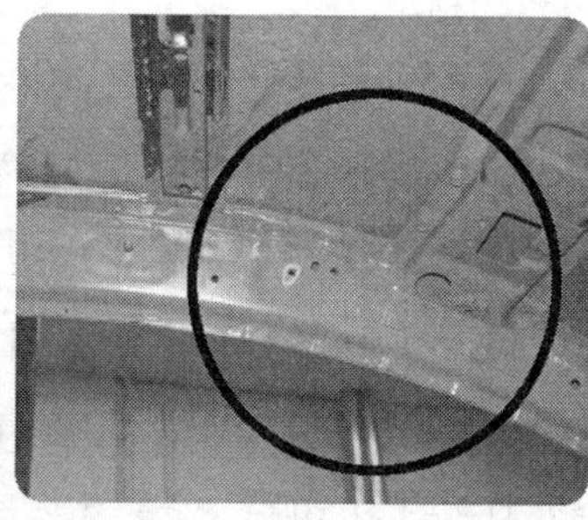

수정작업이 어려운 곳

(2) 손상의 확인 방법

큰 변형은 누가 보아도 쉽게 판단할 수 있지만, 문제는 잘 보이지 않는 작은 변형과 수정 작업이 끝이 난 후 패널에 남아있는 변형을 발견함이 중요하다. 패널의 변형을 확인하는 방법에는 다음의 방법 들이 있다.

덴트 변형은 패널 수정 작업과 달리 패널 표면에 미세하게 발생된 덴트 변형도 찾아내야 하는 어려움이 있다. 덴트 변형을 확인하기 위해서 다음의 방법들이 사용되지만 패널 수정작업의 확인 방법과는 조금의 차이점이 있다.

① 눈으로 확인(육안점검, 시각)

변형 부위를 비스듬하게 직시하면서 빛(자연 광, 형광 빛)을 이용하여 눈으로 확인한다. 눈으로 확인하기 전에 반드시 도막 표면에 부착되어 있는 먼지나 진흙과 같은 이 물질을 깨끗이 제거한다.

덴트 변형은 다시 한 번 말하지만, 아주 미세한 변형을 확인하는 작업이다. 수정하고자 하고자 하는 부위는 반드시 표면을 깨끗이 한 후에 작업에 들어가야 한다. 패널 표면에 먼지와 같은 이물질이나 흙과 같은 물질들이 묻어 있으면 빛의 분산으로 인해 변형 부위가 쉽게 발견되지 않을 뿐 아니라, 변형 부위의 위치 파악에도 어려움이 따른다.

★ 손상된 부위를 확인하기 위해서는 자연 빛 및 형광 빛을 이용해서 변형 부위를 확인하지만 DENT 부위를 수정하고자 할 때에는 반드시 이동형 형광등을 이용해서 변형 부위 확인 및 수정 작업을 진행 해야 한다. 변형 부위를 수정하고자 할 때에는 반드시 패널 표면을 깨끗이 해야 한다.

② **손으로 확인(촉각)**

패널 표면에 손바닥을 가볍게 대고 상하, 좌우로 움직여 손바닥에 닿는 감촉으로 변형을 확인한다. 손이 움직이는 방향은 손상이 없는 면에 손을 대고 손상 면을 통과 하여 손상이 없는 반대편 부분을 지나치면서 손바닥의 감각으로 변형을 확인한다.

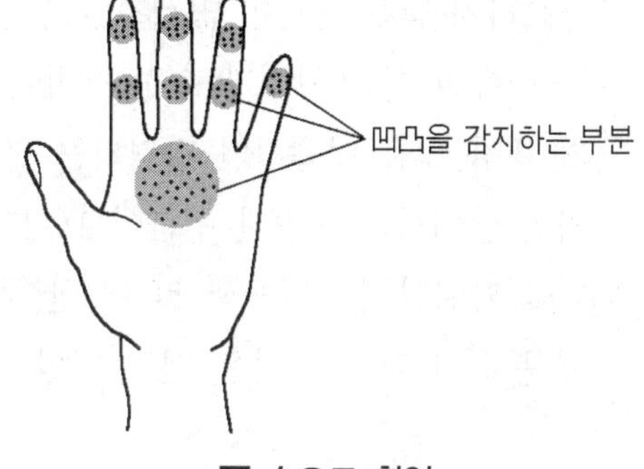

손으로 확인

덴트 변형의 수정이 끝이 난 후에 육안 상으로는 변형된 모습을 확인할 수 없다 할지라도 손바닥을 이용해서 변형 부위를 확인하면 미세하게 변형된 부분을 확인할 수 있다.

육안으로 확인해서 수정이 완료되었다고 생각이 든다면 다시 한 번 손바닥으로 확인해서 변형의 유무를 확인할 필요성이 있다. 왜냐하면, 육안으로 보았을 때 한쪽 방향으로서의 확인은 수정이 되어 있는 모습일지는 모르지만 형광 빛뿐만 아니라 주위의 여러 가지 사물들을 이용해서 변형 부위를 확인해 보면 변형되어진 곳이 표시가 난다.

이처럼, 이러한 부분까지 확인할 수 있는 기술자가 되기 위해서는 많은 시간과 노력이 필요한 것이다.

③ **형광 빛을 이용한 확인 방법**

형광 빛을 이용해서 확인 하는 각도는 빛을 이용해서 자세를 낮추고, 차량 보디 형태에 따라 몸을 움직이며 확인한다.

- 수평면은 25~40° 의 각도로 확인한다.
- 수직부는 20~40° 의 각도로 확인한다.
- 위의 각도를 기준으로 빛(조명)을 이용하면 굴곡부의 발견이 쉽다.

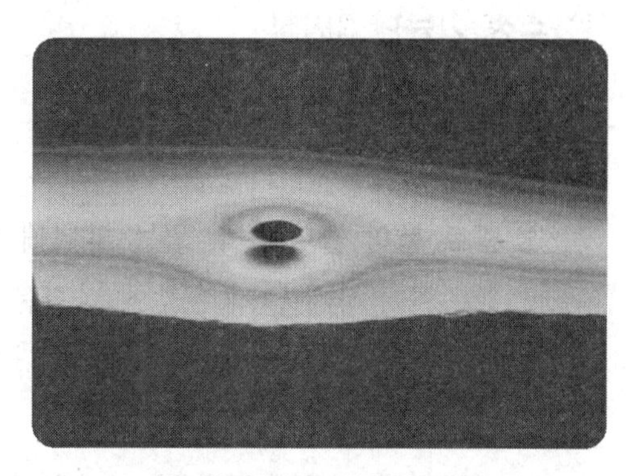
형광 빛을 이용한 방법

- 어두운 장소에서는 종횡의 형광등을 사용한다. 형광등을 이용할 경우에는 반사판을 검게 칠해 두면 그림자가 잘 나타나므로 굴곡의 발견이 쉽다.

형광 빛을 이용해서 변형 부위를 확인하는 작업이 가장 중요하다. 물론 어느 하나 중요하지 않은 부분이 없겠지만 수정 작업과 곧바로 연결될 수 있는 부분이 형광 빛을 이용한 확인 방법과 수정 방법이다. 자연 빛을 통해서 발견 되지 않은 변형 부위가 형광 빛을 이용하면 발견되는 부분이 적지 않다. 또한 도장된 칼라 색상에 따라 자연 빛에서의 변형된 부분이 보이긴 하지만 막상 수정하고자 할 때에는 툴의 움직임을 확인할 수 없는 색상들이 한 두 가지가 아니라고 봤을 때 형광 빛을 이용한 변형 부위의 확인 작업은 덴트 변형을 수정하고자 할 때 가장 중요한 역할을 한다.

11 덴트 리페어의 포인트

(1) 덴트 리페어의 난이도

덴트 리페어의 난이도는 변형의 크기나 발생 부위에 따라서 다르다.
크기가 일정한 경우, 발생 부위와 난이도는 아래와 같다.

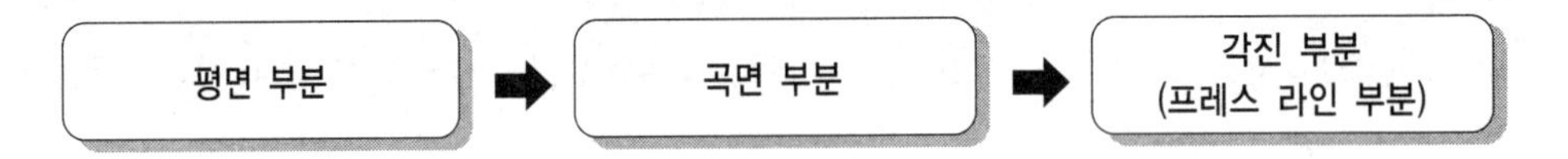

(2) 수정 가능한 3원칙

덴트 리페어는 변형 정도가 작다고 반드시 수정이 가능한 것은 아니다. 일반적으로 수정 가능한 3원칙은 다음과 같다.

① **덴트 툴이 들어갈 수 있는 부위에 변형이 있을 것** : 凸의 경우는 덴트 툴의 사용으로 수정하지 않기 때문에 상관은 없으나, 凹 부분은 凹부에 툴를 이용해서 수정을 해야 하기 때문에 중간에 폐 단면인 경우나 패널이 겹쳐진 2중 구조에는 수정이 어렵다.

② **지렛대의 이용이 가능한 부분일 것** : 수정개소와 근접한 패널이나. 보강판 등이 덴트 툴의 받침으로 이용되지 않으면 힘이 전달되지 않기 때문에 수정이 어렵다.

③ **보이는 부분일 것** : 수정 부위를 덴트 툴로 이동하면서 찾은 상황에서는 수정이 어려우므로 수정 상태를 눈으로 확인할 수 있는 부위에 변형이 있어야 한다.

위에서도 이야기 했지만 수정 가능한 3원칙은 대략적인 기준에 의한 것이다. 어느 부분을 어떻게 수정해 나가야 하며, 어느 범위의 어떤 변형까지 가능한지는 아직도 숙제로 남아있다.

12 덴트 형상

(1) LOW(로우) 변형

LOW 변형은 자연적인 현상으로 물체에 의한 변형과 아이들이 주차장에서 놀이를 하면서 패널 표면에 발생 시킬 수 있는 작은 변형을 말한다. 특히 요즘처럼 차량의 이동이 많은 쇼핑센터에서나 할인 마트점에서 주차할 때 발생할 수 있는 작은 변형이다.

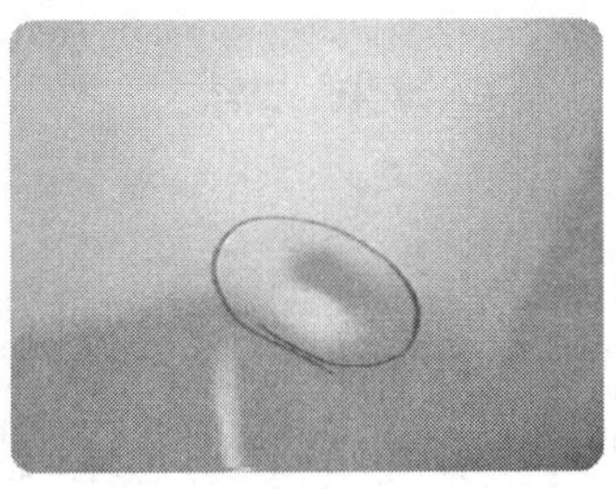

로우 변형

(2) HIGH(하이) 변형

HIGH 변형은 LOW변형의 반대 개념으로 패널 표면보다 더 높게 솟아 오른 변형을 말한다. 이러한 변형은 좀처럼 발생하지 않지만, LOW변형을 수정하다 보면 예상치 못한 곳에 이러한 HIGH 변형이 나타날 수 있으며, 덴트 변형이 여러 곳 발생되면서 LOW변형의 주위에는 전부 HIGH변형이 동시에 일어날 수 있다.

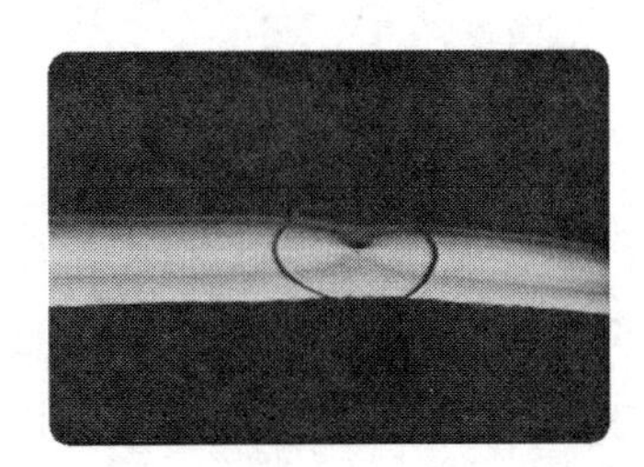
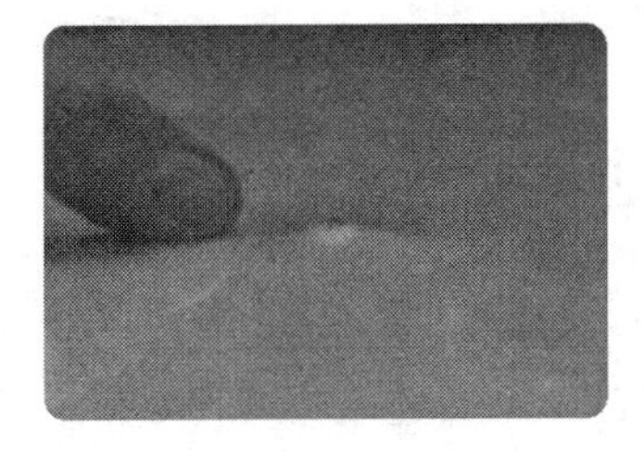

하이 변형

(3) CREASE(크리스) 변형

CREASE 변형은 종이를 접었다 폈을 때 접혀진 자국처럼 조금은 길게 변형된 것을 말한다. 둥근 원형처럼의 변형이 아니라 길게 각이진 것처럼 변형이 발생되었기 때문에 수정하기가 조금은 어렵다. 수정 범위가 어느 정도 이냐에 따라서 수정 여부를 판단 할 수 있겠지만 완벽하게 수정하기 까다로운 변형이다. 수정하기가 여간 까다롭지 않은 변형이지만 변형되었을 때보다는 보기 좋게 수정할 수는 있다.

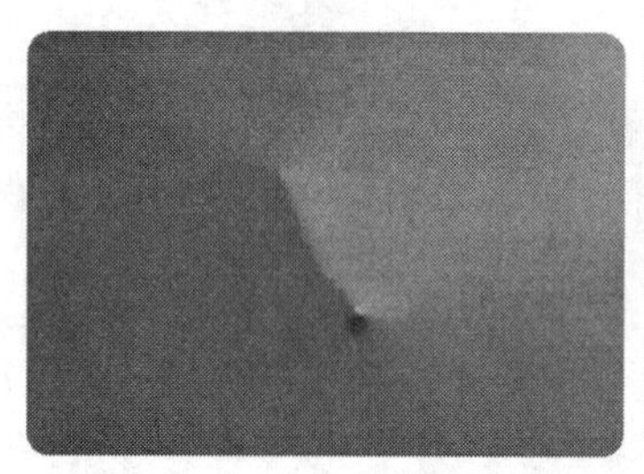
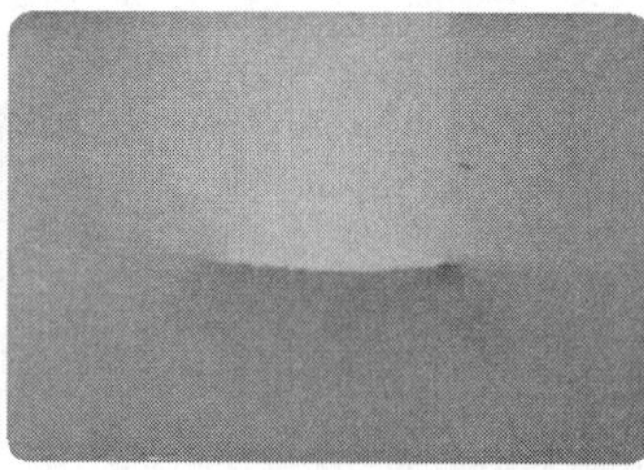
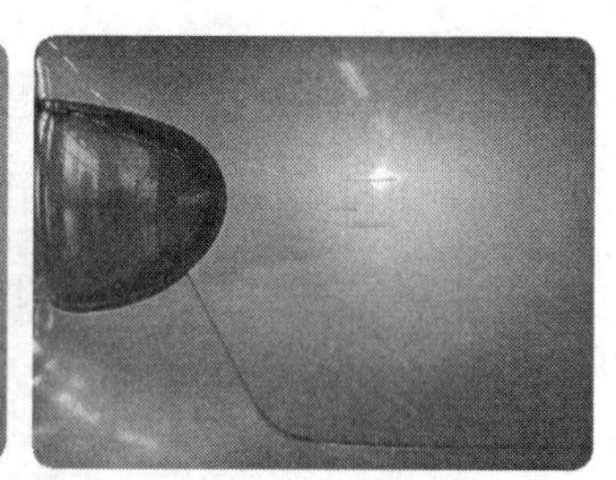

크리스 변형

(4) PEPPERED(페퍼드) 변형

PEPPERED 변형은 자연 현상인 우박 등에 의해 수많은 덴트 변형들이 발생하여 하나의 패널 표면에 다량으로 덴트 변형이 흩어져 있는 현상을 말한다. 이러한 덴트 변형들이 발생하였을 때 과연 어떻게 할 것인가? 그리고 어떻게 수정할 것인가도 하나의 과제이다.

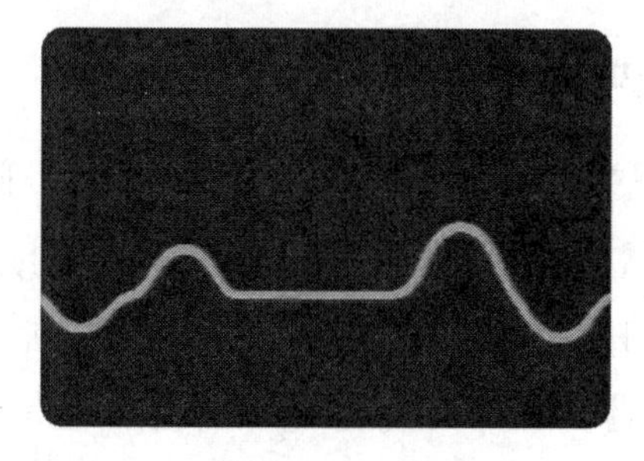

페퍼드 변형

(5) FLAT(플랫) 변형

FLAT 변형은 둥근 타원의 변형이 아니라 조금은 계단 형식으로 편평한 변형을 말한다. 이러한 변형은 강판의 성질 중 탄성의 성질을 조금은 잃은 소성의 변형과 동일하다 할 수 있다.

플랫 변형

13 변형 부위 확인 방법

보통 덴트 변형은 육안으로도 확인이 가능하지만, 일반적으로 형광 빛을 이용한 변형 부위의 확인이 가장 많이 사용되는 방법이다. 형광 빛의 확인으로 변형 부위를 파악하고 변형 부위를 수정해 나가야 하는 또 다른 하나의 작업 방법이라 할 수 있다.

아래의 그림에서 볼 수 있듯이 약간 둥글게 나타나 보이는 부분이 덴트 변형된 부분임을 알 수 있다. 또 한 가지의 방법으로는 단지 형광 빛뿐만 아니라 패널 표면의 변형 부위를 확인할 수 있는 어떤 물체도 상관은 없다. 패널 표면이 비추어져서 변형 부위를 확인 할 수 있다면 어떤 것이든 상관은 없지만 그것은 아주 오랜 경험이 축적이 된 상태에서만이 가능하고 숙련되지 못했거나 숙련된 기술자라 할지라도 형광 빛을 이용한 변형 부위의 확인이 가장 적합하다.

단지, 형광 빛은 여러 가지 색상이 있지만, 백색의 빛을 이용하는 것이 눈의 피로도를 줄이는데 가장 효과적이며, 시력 보호에도 상당히 도움이 된다. 오랜 시간 한 곳만을 응시하며 빛을 통한 수정 작업에 있어서 시력 보호 차원에서도 백색의 형광 빛을 사용하는 것이 가장 좋은 방법이다. 여러 가지 형형색색의 빛을 이용한 수정도 가능하겠지만 어느 정도의 색상을 가진 형광 빛은 오히려 눈의 피로 도를 증가시키며 시력 저하에도 영향을 미치므로 상당히 주의해야 한다.

그림에서처럼 LOW변형은 형광 빛을 이용해서 확인했을 때 넓게 퍼져 보이는 현상을 나타내며 아래 그림처럼 HIGH 변형은 형광 빛을 이용해서 확인했을 때 넓게 퍼져 보이는 현상이 아닌 모래시계 모양처럼 중간 부분이 좁게 모아져 있는 현상을 확인할 수 있다.

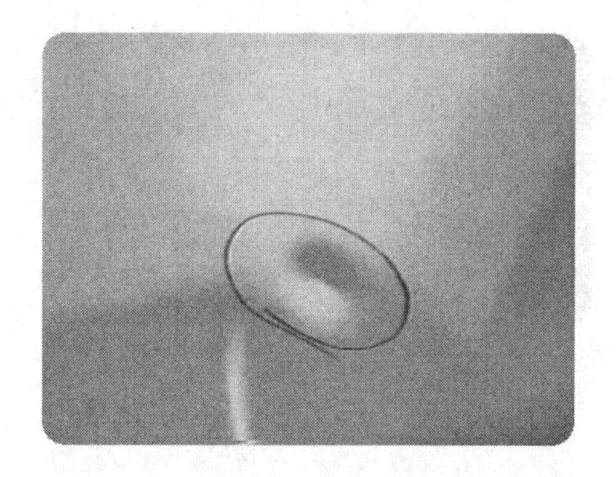

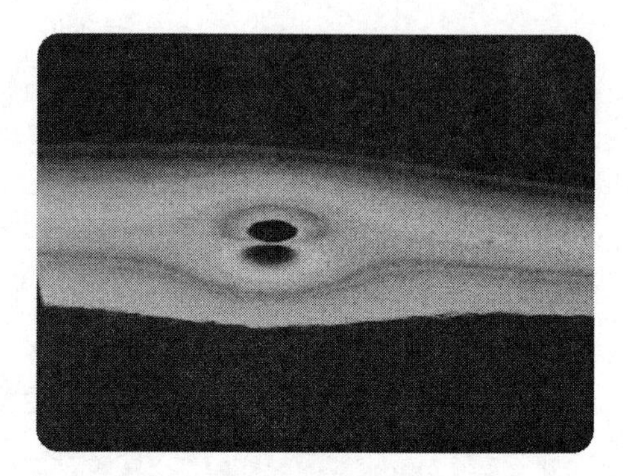

LOW 변형 확인

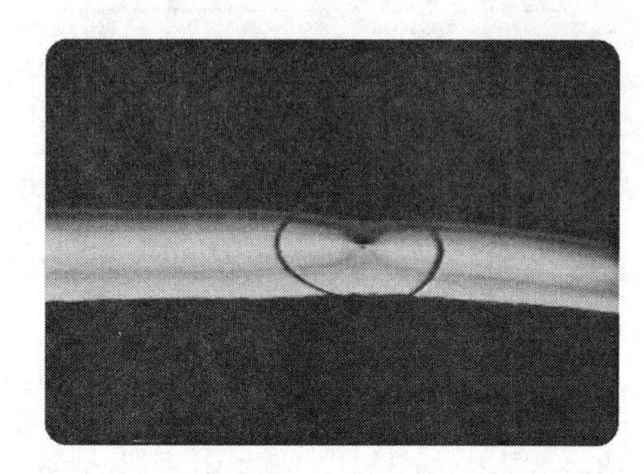

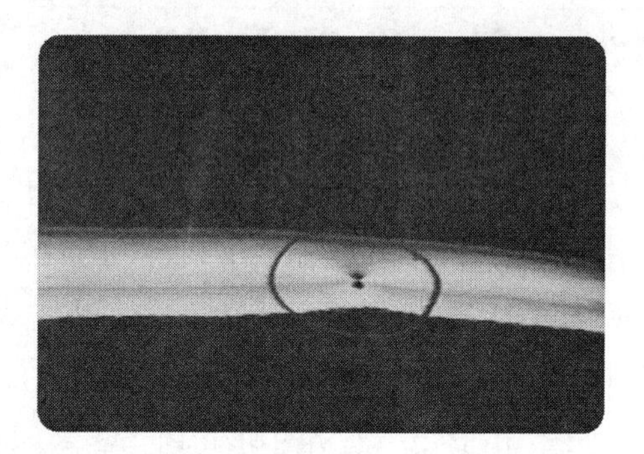

HIGH 변형 확인

위의 HIGH변형은 좀처럼 나타나지 않은 변형 이라고 해도 과언은 아니다. 대부분 LOW변형이 가장 주된 변형이라고 생각하면 된다. LOW변형의 범위가 어디까지이다 라고 정의를 내리기에는 어려운 부분이지만 덴트 변형은 거의 LOW변형 형태가 가장 많으며 그 다음으로는 CREASE변형과 같이 종이를 접었다 펼쳤을 때 나타나는 현상처럼 길게 패인 부분의 변형이 많다. HIGH변형은 LOW변형을 수정할 때 패널이 패널 표면보다 높게 돌출 되는 부분의 변형이라 해도 틀린 말은 아니다.

14 凹(요철, LOW) 변형의 수정

툴의 끝 부분을 凹 부분의 중심 가까이에 대고 지렛대의 원리를 이용하여 가볍게 힘을 가하여 凹 부분 주위부터 조금씩 밀면서 중심부로 접근한다. 도막 표면의 움직임을 보고 凹 부분에 툴의 끝부분이 닿아 있는지 확인하면서 손목 힘으로 툴을 조심스럽게 움직여

凹 부분을 밀어낸다. 한 번에 힘을 가하면 도막이 갈라질 위험이 있으므로 여러 번으로 분할하여 밀어낸다. 처음부터 너무 무리한 힘을 가하여 변형 부 중앙을 밀어 올리게 되면 도막의 손상뿐만 아니라 변형 부위 주변 부위가 솟아오르는 변형을 초래할 수 있으므로 항상 툴이 들어가는 방향을 기준으로 하여 변형 부위의 가장 먼 곳에서 가까운 곳으로 변형을 수정해 준다. 툴은 항상 툴의 전면 방향에서 상하로 움직이며 수정해 주는 것이 가장 좋은 방법이다. 툴을 좌우로 비틀면서 수정해 줄 수도 있겠지만 TIP선단에 맞추어진 툴의 방향은 항상 상하로 움직이는 것이 가장 안전하며 정확한 수정 방법이다.

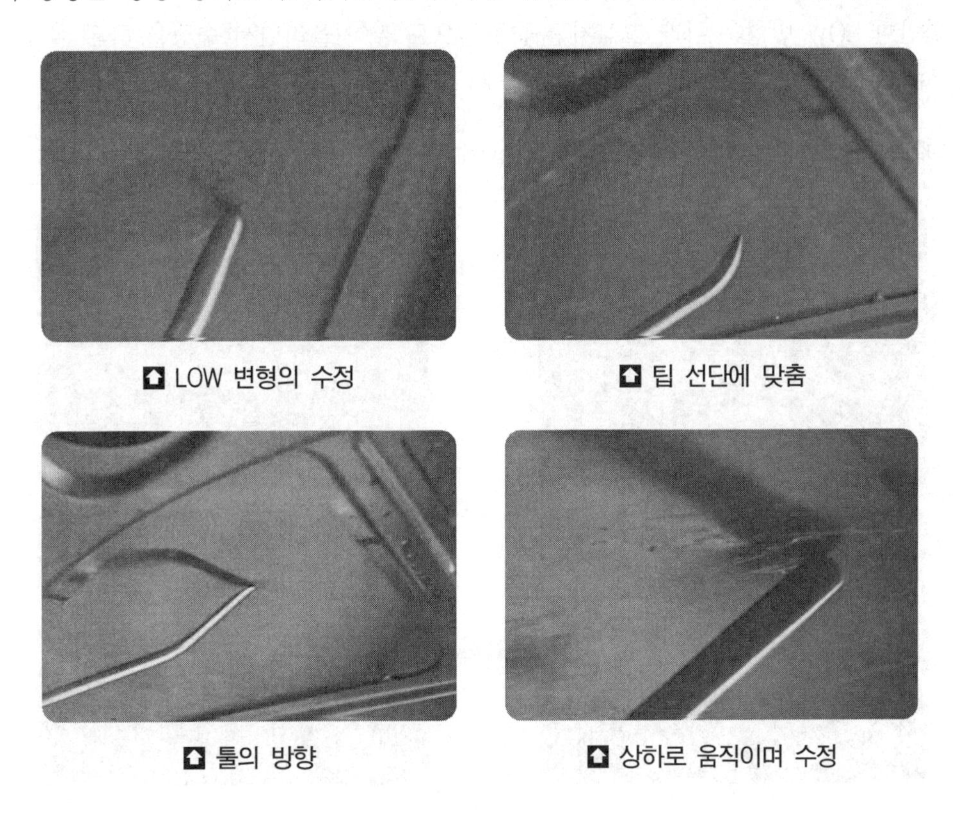

LOW 변형의 수정

팁 선단에 맞춤

툴의 방향

상하로 움직이며 수정

凹 변형을 수정할 때 주의할 사항은 절대적으로 凸 변형이 생기지 않도록 주의를 해야 한다. 凸 변형이 발생된다는 것은 변형된 패널이 수정이 되는 것이 아니라 또 다른 하나의 변형이 일어났음을 의미하기에 수정 작업이 곤란해진다. 凸 변형은 아주 작은 미세한 변형이라 할지라도 패널 표면의 또 다른 변형이 발생되었기에 수정한 부분이 확연하게 드러나게 된다. 凹 덴트 변형의 수정은 힘을 이용한 강제 수정이 아니라 툴을 사용한 미세 조정에 의해 수정되는 것이다. 강제적인 어떠한 힘으로의 수정이 아닌 정밀한 툴의 미세조정을 요구하는 작업이기에 그렇게 쉬운 작업은 아니다. 패널 수정 작업에 있어서 해

머와 돌리를 사용한 타출 수정에서 알 수 있듯이 덴트 변형을 수정함에 있어서 강판의 성질을 잘 알고 있는 것 또한 중요한 하나의 요소이다. 일반적으로 강판이 가지고 있는 성질 중에 탄성과 소성 부분을 잘 알고 있어야 할 것이며, 도장된 면을 도막의 손상 없이 수정해야 하는 작업이기에 도막의 성질 부분도 잘 알고 있는 것이 중요하다. 패널 표면에 전착된 도막의 성질과 강판의 성질을 잘 이해한 상태에서의 수정 작업은 무엇보다 중요하다.

주로 덴트 변형은 각진 변형 보다는 凹 변형처럼 완만한 원형 변형이 주로 많이 발생된다. 완만한 LOW 변형은 아래 그림처럼 순차적으로 밀어 올리면서 수정을 하되 절대적으로 무리한 힘을 사용해서 수정하면 안 된다.

아래의 그림은 LOW 변형을 수정할 때의 수정 순서이다.

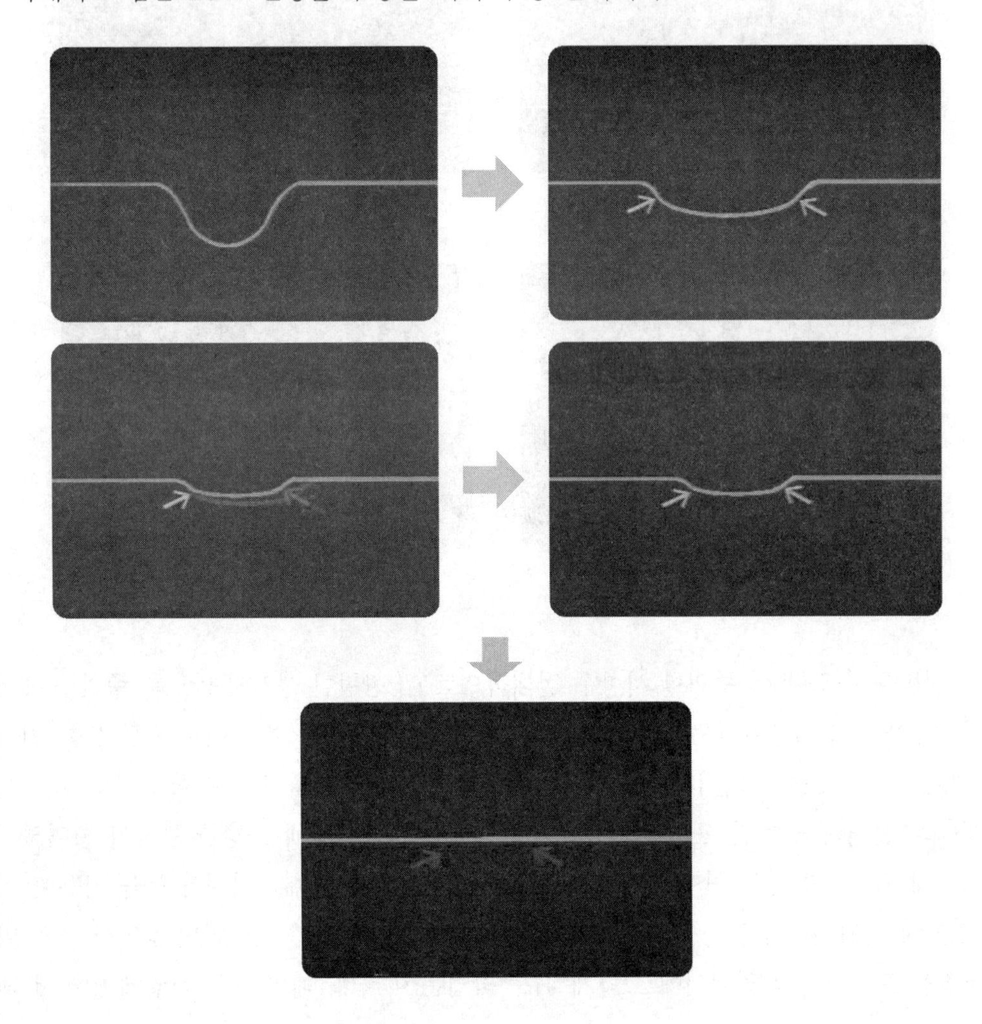

그림처럼 LOW변형은 툴을 이용해서 변형 부 중앙을 먼저 수정하는 것이 아니라 변형부 주변을 먼저 수정해 준다. 항상 자신의 위치에서 가장 먼 곳에서 가까운 곳으로 수정을 해 주어야 한다. 다시 한 번 말하지만, 덴트 변형의 수정은 단순에 패널 전체를 밀어오리는 작업이 아니라 변형된 부위의 아주 미세한 부분까지 한 POINT 한 POINT 툴을 이용해서 밀어 올려야 하는 수정 작업이기에 신중하지 않으면 안 된다. 또한, 인내심과 집중력을 가지고 수정하지 않으면 안 되는 부분이기에 인내심을 가지고 반복적인 연습과 노력이 뒷받침 되지 않으면 수정하기가 여간 어려운 작업이 아님은 사실이다.

LOW변형의 수정은 덴트 변형의 수정에 있어서 가장 기본이 되며, 가장 많이 발생하는 변형인 동시에 가장 많이 수정하는 작업이다. 때문에 LOW변형의 수정이 어떻게 이루어지는지에 대해서 살펴보기로 하자.

아래의 그림은 LOW변형을 수정해 나가는 과정이다.

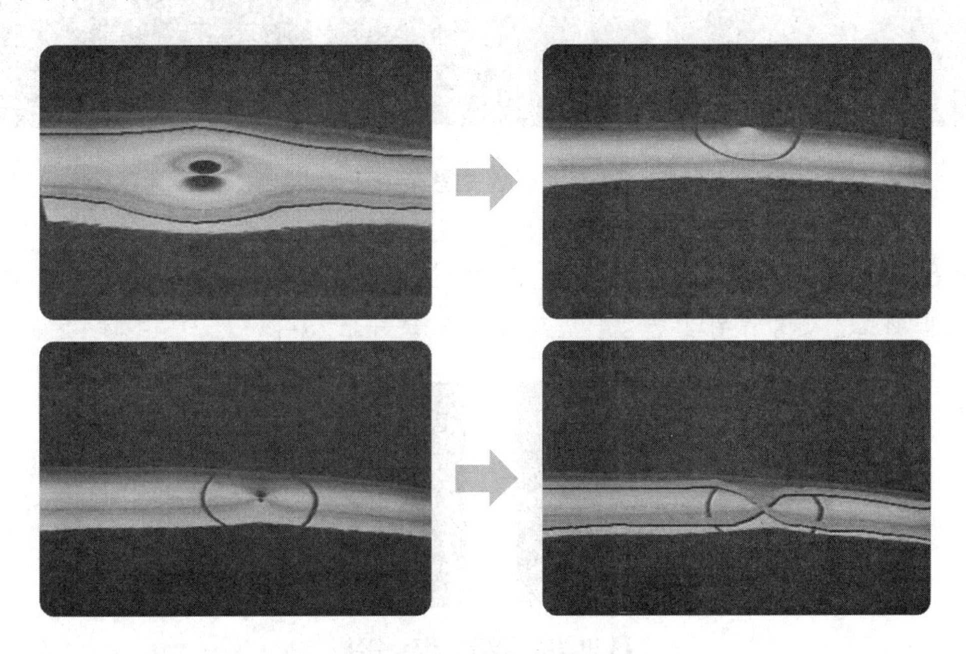

LOW 변형의 수정과정

형광 빛을 이용해서 수정할 때 그림처럼 하나의 형광 빛이 모래시계 모양으로 되었을 때 더 이상 밀어 올리지 않고 다른 주변 부분을 반복해서 수정해 주면 된다. 모래시계 모양이 생겼을 때 TOOL을 더 이상 밀어 올리게 되면 HIGH변형을 초래할 수 있으므로 반드시 모래시계 모양 이상으로 밀어 올리지 않도록 주의한다.

15 좁은 LOW변형의 수정

완만한 LOW 변형과 좁은 LOW변형의 수정 방법에는 별 다른 차이가 없다. 다만, 아래 그림처럼 좁은 LOW변형을 수정할 때 주의할 점은 바로 HIGH변형이다. 넓고 완만한 LOW 변형은 어느 정도 편평하게 수정하기가 용이하지만 좁은 LOW변형은 바로 패널이 솟아오르는 HIGH변형을 일으킬 수 있으므로 주의해야 한다. 변형 부위의 중앙을 수정하다 보면 변형 부 주위가 솟아오르는 HIGH변형이 바로 발생할 수 있으므로 주의해야 한다. HIGH변형의 발생은 도막이 깨어질 수 있으므로 주의해야 한다.

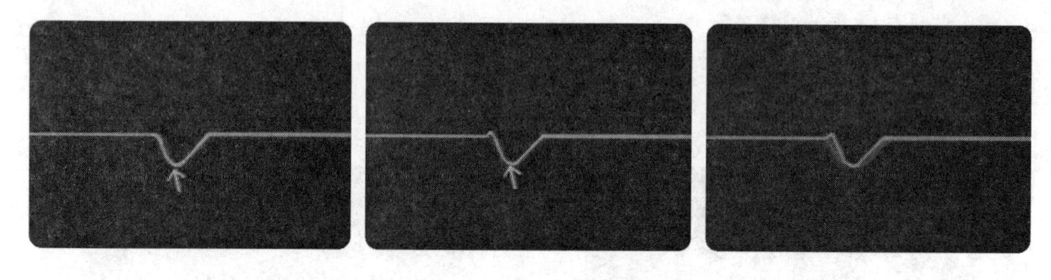

좁은 LOW 변형의 수정

좁은 LOW변형은 완만한 LOW변형의 수정처럼 변형 부위의 주위를 먼저 수정할 수도 있지만 때로는 변형 부위의 중앙을 먼저 수정해 줄 수도 있다.

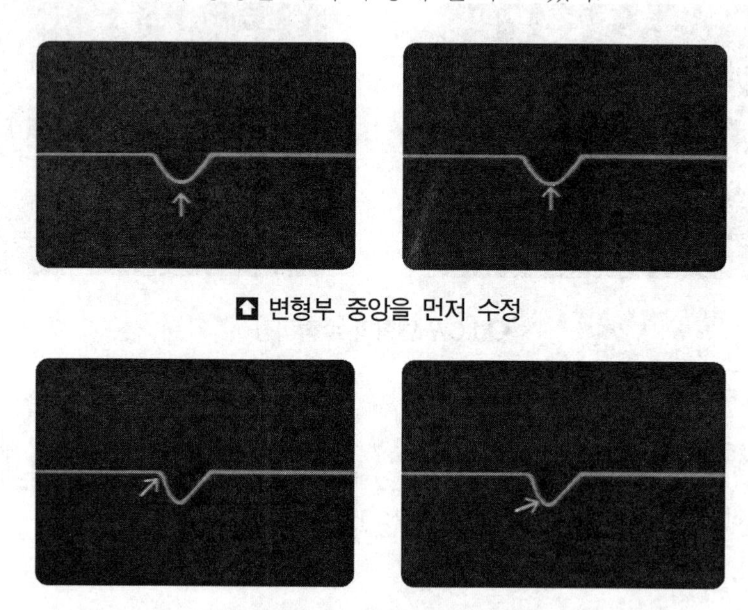

변형부 중앙을 먼저 수정

변형부 주변을 먼저 수정

16 凸(돌출, HIGH) 변형의 수정

① 凸 부의 정상을 해머나 펀치 등으로 가격하여 凸부 주위가 전체 면보다 약간 凹 되도록 한 뒤에 수정한다. 전체적으로 약간 들어간 상태에서 툴을 사용하여 凹 부분을 밀어 올리면서 수정한다.

② 凸 부위의 수정을 위해 해머의 밑받침 역할을 하는 수공구는 아크릴 재질로 만들어진 연석과 비슷한 종류로서 도장 된 패널의 표면에 해머로 힘을 가하여도 도막이 쉽게 손상되지 않는 성질을 가지고 있다.

③ 완만한 凸 의 경우에는, 해머로 凸의 중심을 가볍게 두드려 주위의 도막 면과 맞추는 방법도 있고, 凸 부의 중심부에 펀치를 대고, 가볍게 두드려 주위의 도막 면과 맞추는 방법도 있다.

凸 변형이라는 HIGH변형은 좀처럼 일어나지 않는 변형이라 해도 과언은 아니지만 패널면이 많이 솟아오른 변형은 언제든 있을 수 있다. HIGH 변형의 수정에서 가장 중요한 POINT는 위에서도 언급된 내용이지만 펀치를 이용해서 가볍게 두드려 줌으로써 패널 표면을 동일하게 해 줄 수도 있지만 좀처럼 쉬운 작업은 아니다. 그렇기에 가장 많이 사용되는 방법은 펀치를 사용해서 HIGH 변형을 좁은 LOW변형으로 만든 다음 다시 LOW변형을 수정하는 것과 동일하게 패널을 천천히 밀어 올려 주면 된다.

HIGH변형을 LOW변형처럼 낮추어 줄 때 너무 무리한 힘을 가하게 되면 예상치 못한 넓은 범위의 LOW변형을 초래할 수 있으므로 LOW변형을 수정하는 것과 동일하게 HIGH변형의 수정 또한 무리한 힘을 이용한 수정이 아니라 적절한 힘의 안배가 필요하다. HIGH변형을 LOW변형으로 만들어 줄 때에도 마찬가지로 HIGH부분의 중앙을 펀치를 사용해서 먼저 내려주는 것이 아니라 HIGH주변 부분을 시작으로 중앙 부분을 펀치 작업으로 조심스럽게 내려주어야 한다.

툴의 감각이 손에 익을 때까지 연습하듯이 펀치를 사용한 HIGH변형의 수정 또한 계속적인 반복 연습 만이 해머와 펀치를 적절히 사용할 수 있는 힘의 조화를 만들어 낼 수 있을 것이다.

아래 그림은 HIGH 변형을 수정하는 순서이다.

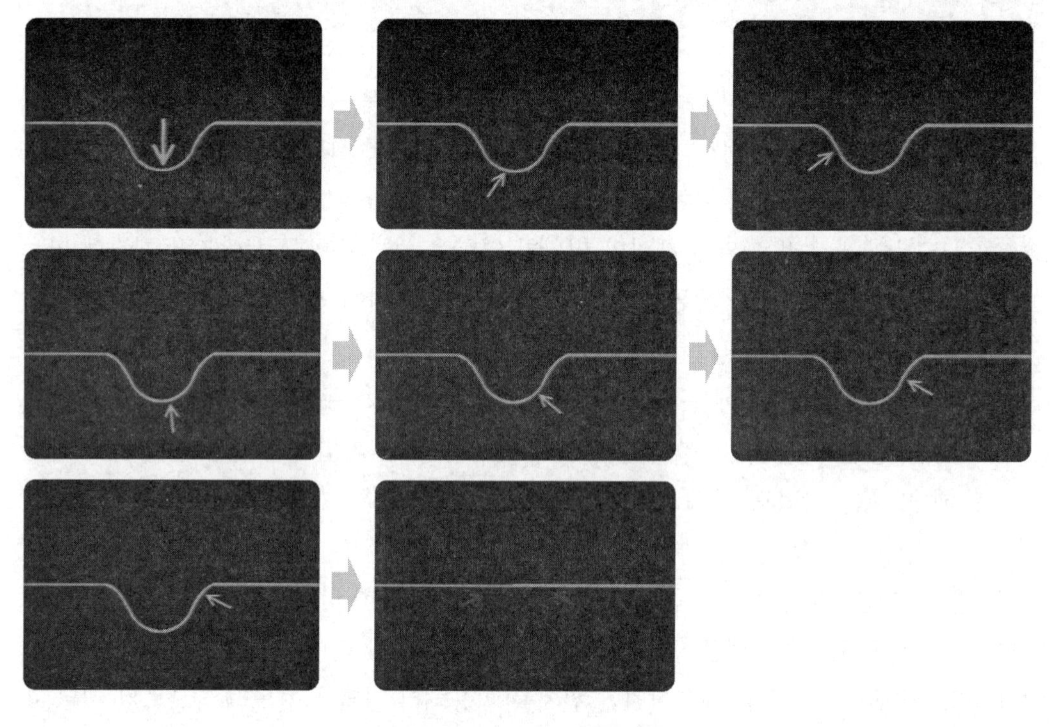

HIGH 변형 수정 순서

17 FLAT(플랫) 변형의 수정

플랫 변형의 수정 방법은 아래 그림에서 보듯이 HIGH 변형의 수정 방법과 동일한 방법으로 해머와 펀치를 사용해서 변형 부위의 주변을 패널 면 보다 먼저 낮추어 준 후 LOW 변형의 수정 방법과 동일하게 변형 부위를 천천히 밀어 올리면서 수정해 준다. 밀어 올리면서 수정함과 동시에 해머와 펀치로 패널 표면을 낮추어 주는 작업의 반복 작업으로 변형 부위를 수정해 나간다.

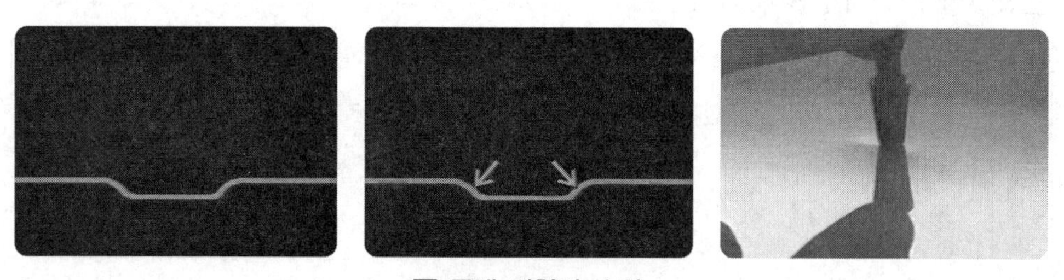

플랫 변형의 수정

18 단계별 연습 방법(기초 훈련)

1. 작업대 준비

2. 연습하고자 하는 패널 판에 바둑판 모양 선 그림

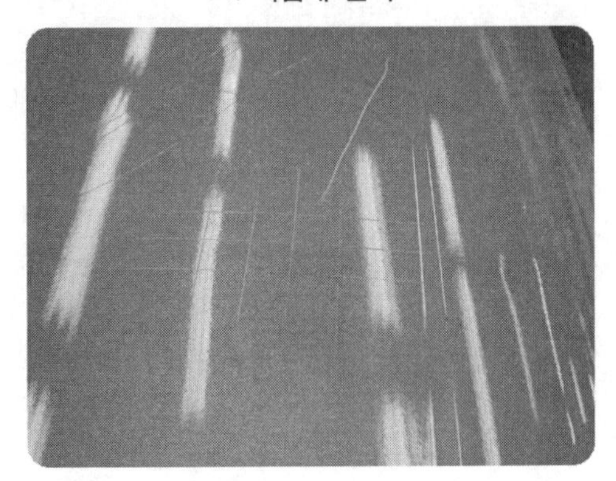

3. 꼭지점 위에 변형을 줌

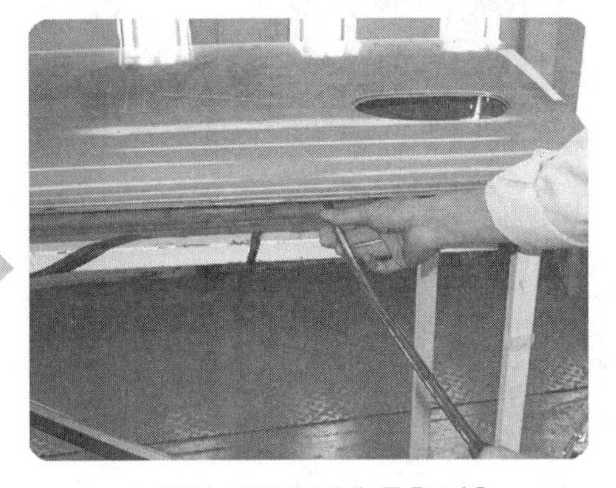

4. 변형 위치에 맞게 툴을 맞춤

5. 형광 빛을 이용해 변형부위 수정(밀어올림)

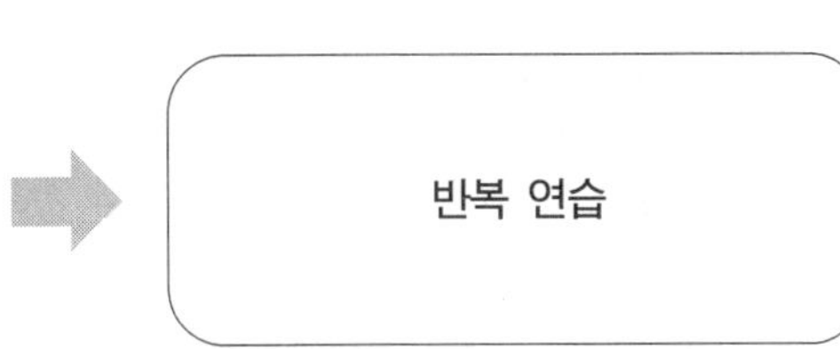

기초 훈련

19 결론

덴트 리페어 작업이란 도막의 손상 없이 외형을 그대로 복원해야 하는 고난도의 수정 방법이다. 꾸준한 연습과 노력 없이는 수정할 수 없는 부분임을 기억하고 꾸준한 노력과 연습의 반복만이 덴트 리페어 기술을 습득할 수 있는 좋은 지름길이 될 것이다.

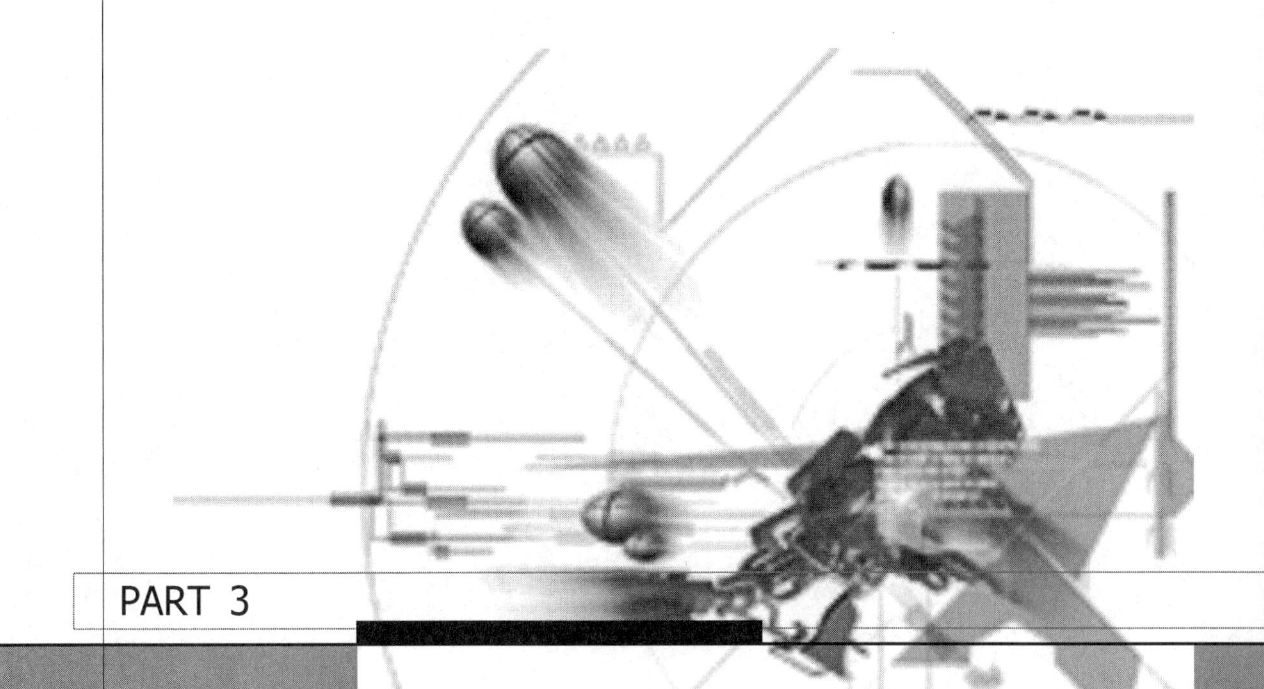

PART 3

차체 용접

1 MAG-CO_2용접

1 용접 장치의 구조와 역할

❶ MIG/CO_2 용접 장비의 주요 구성 요소

① 전원(Power Source)
② 와이어 송급기(Wire Feed Unit)
③ 용접 토치 혹은 건(Welding Torch or Gun)
④ 보호가스(Shield Gas)
⑤ 용접 와이어(Electrode Wire)

2 용접기의 일반적인 구조도

① **파워트랜스(전류기, 변압기)** : 용접에 필요한 220V의 전류를 정류기에서 교류를 직류로 변환하고, 변압기에서 용접에 적합한 10V의 전압으로 수정한다.
② **제어장치 :** 토치의 스위치로부터 신호를 받아서, 와이어의 송급 제어, 용접 전원의 개폐, 실드 가스의 공급, 정지한다. 와이어의 송급 제어는 와이어의 송급, 정지 및 송급 속도를 전류, 전압에 따라 제어하는 역할을 가지고 있다.

③ **와이어의 송급용 롤러와 모터** : 와이어를 용접전류 및 전압에 따라서 일정 속도로 송급한다.

④ **와이어 스풀** : 용접용 와이어를 감고 있다.

⑤ **토 치** : 와이어에 용접 전류를 흐르게 하여 아크를 발생시킴과 동시에 가스를 방출해 용접부에 실드 막을 형성한다.

⑥ **용접(트리거)스위치** : 와이어의 송급 및 정지를 행한다.

⑦ **어스 클램프** : (−)단자를 보디에 접촉하는 클램프

⑧ **가스 탱크(불활성 가스 봄베)** : 탄산가스(CO_2)와 아르곤 가스(Ar)를 보관하는 용기

⑨ **히터 레귤레이터** : 액체상의 가스가 기체로 될 때 발생하는 기화열에 의해 가스가 동결되는 것을 방지한다.

⑩ **토치 케이블** : 전선, 가스 호스, 와이어가 일체로 되어 있다.

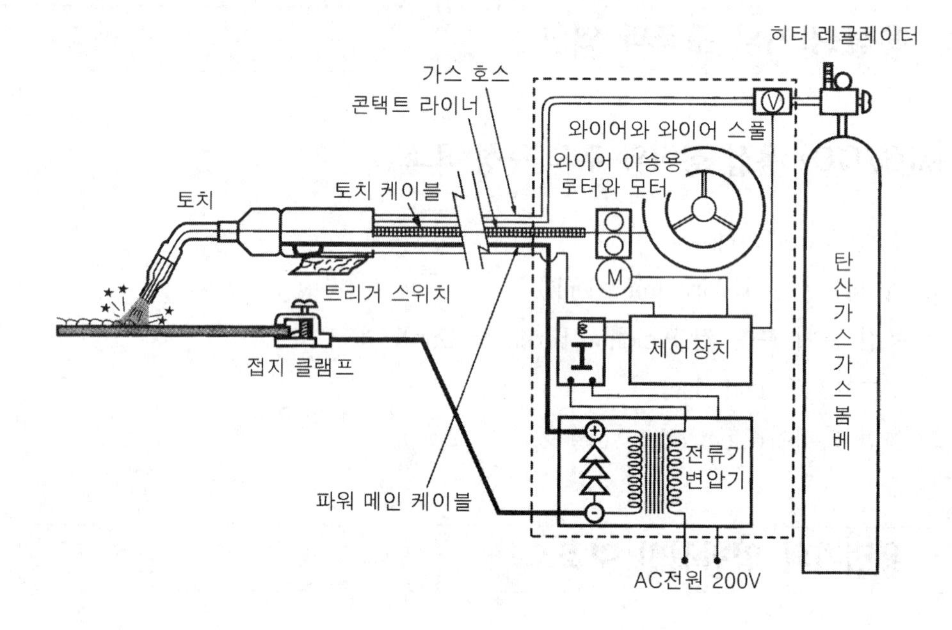

용접기의 구조

3 탄산가스 아크 용접 원리

탄산가스 아크 용접(CO_2 Gas Arc Welding) 혹은 CO_2 아크용접이라고 하며 코일(Coil)상으로 되어 있는 용접 와이어를 모터(Motor)에 의해서 용접 토치 까지 연속적으로 공급하여 콘택트 팁에 의해서 용접 전류가 와이어에 전도되어 와이어 자체가 전극이 되어 모재와의 사이에 아크를 발생시켜 모재와 와이어를 용융시켜 접합하는 용접법이다.

이때, 토치의 선단(Nozzle)에서는 용융금속이 대기 중의 산소, 질소의 영향을 받지 않도록 순수한 탄산가스 또는 여기에 다른 가스(Ar, He 등)를 다소 혼합한 가스를 내보내어 아크를 보호하는 작용을 하도록 하며 전극으로 사용하는 와이어는 솔리드 와이어(Solid Wire), 플럭스 코드 와이어(Flux Cord Wire)가 있다.

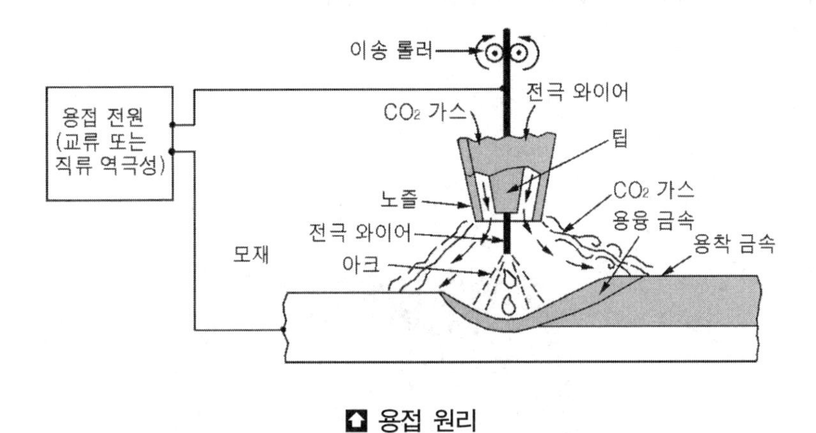

용접 원리

4 용접 전원

일반적으로 입력 208 ~ 230/460V, 60Hz의 교류(AC)를 변압기에서 낮은 전압으로 변경한 후 실리콘 정류기를 통해 직류(DC)로 바꾸어 MIG/CO_2 용접에 우수한 특성을 가진 정전압형(Constant Voltage)전원의 출력을 얻어 직류 역극성을 이용하게 된다.

① 정전압형 전원의 특성

MIG/CO_2 용접에 이용되는 정전압 특성곡선은 대개 100A 마다 2 ~ 3V씩 감소하는 형이 일반적이며 여기에서 어떤 조건의 변화로 아크 길이가 짧아지면(Vn), 아크 전류가

Im으로 증가하여 전극 용해율이 높아져 아크 길이는 즉시 정상길이(Vo)로 되고 따라서 아크 전류도 Io로 환원되며, 반대로 아크 길이가 갑자기 커지면(Vm) 아크 전류가 In으로 감소되어 전극 용해율이 낮아져 다시 아크 길이가 정상으로 환원되고 아크 전류도 Io로 되돌아가게 된다.

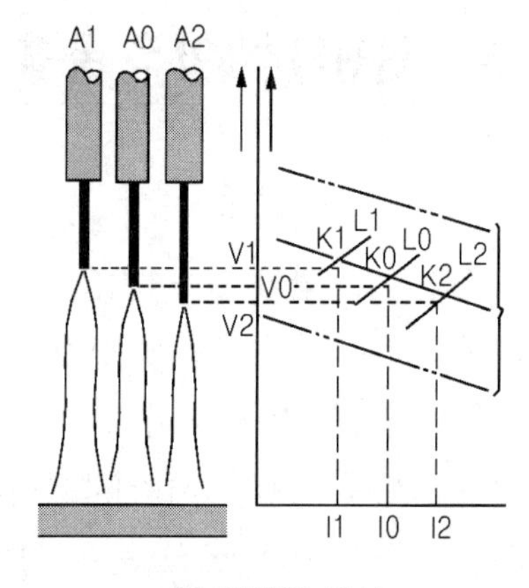

정전압 특성

5 와이어 송급 장치(Wire Feed Unit)

와이어 송급기는 용접 와이어를 와이어 스풀로 부터 케이블과 토치를 통해 아크 속으로 자동 송급 하는 장치이며, 와이어 공급 속도 조정기를 돌려 와이어 공급 속도를 조정하게 되는데 공급 속도는 와이어 직경에 대한 용접 전류와 비례한다.

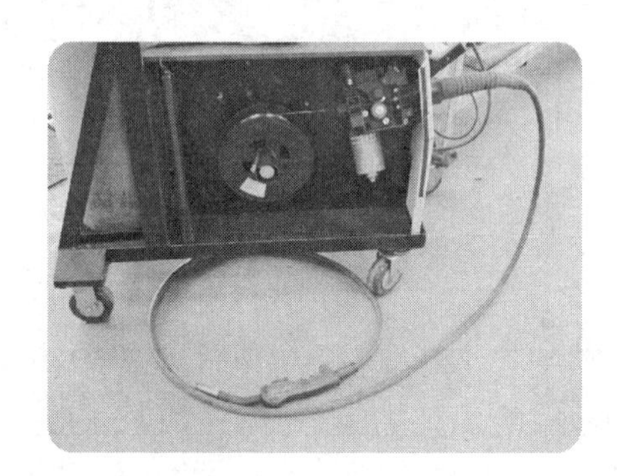

용접 와이어 구동장치

6 용접 토치와 케이블

용접 토치를 통해서 용접 와이어와 보호가스가 공급되며 전원으로부터 전류가 전도되어 아크를 일으키는 것이다. 토치에 있는 노즐과 가이드 튜브는 대개 동으로 되어 있으며, 용접 시에는 항상 규격에 맞는 것으로 청결히 사용하여야 한다.

❶ 토치 취급 시 주의사항

용접 중 토치 케이블은 가능한 직선으로 해서 사용해야 하며 부득이 원으로 사용할 경우에는 Ø 600 이상, 파형으로 사용할 경우에는 R 300 이상 되도록 한다.

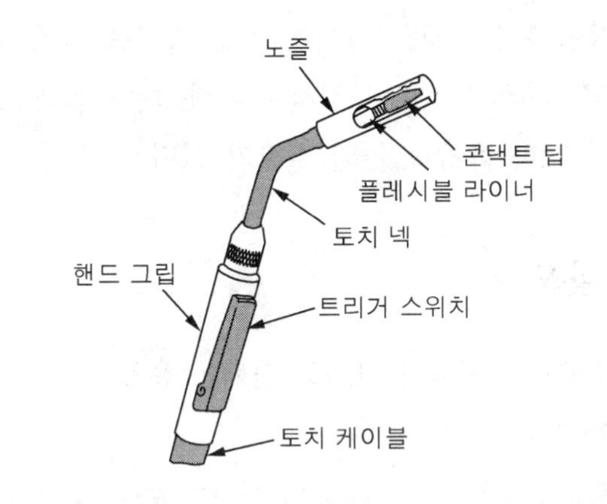

◘ 용접 토치

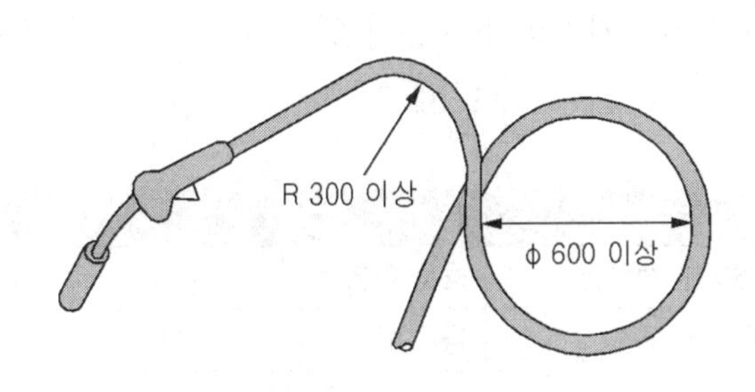

◘ 토치 케이블

7 보호 가스(Shielding Gas)

❶ 탄산가스의 역할

탄산가스는 용융부를 대기로부터 차단하고, 산화와 질화를 방지하는 역할을 하고 있다.

실드 가스에 의해 대기 중의 산소와 접촉을 차단하고, 연소를 억제함과 동시에 전류를 집중해서 용융부에 흐르게 하여 부분 적으로 열이 집중됨으로써 변형이 적게 용접이 이루어진다.

② 가스 공급 장치

보호가스의 공급은 일반적으로 8 ~ 15 ℓ/min의 유량을 필요로 하며, 대개 가스실린더의 압력을 상용 압력으로 감압 시켜 사용하는 레귤레이터(Regulator)가 장치되어 있다.

작업에 앞서 가스 유출량의 조정은 와이어 공급 속도를 0(Zero)에 놓고 트리거 스위치를 눌러 적정치의 실드 가스 흐름을 조절하게 된다. 대략 풍속 2.5m/sec 이상인 경우에는 작업에 따른 적정치 보다 유량을 높일 필요가 있다.

③ 가스의 종류와 용도

보호 가스에 의한 용접법에 있어서 가스의 선택은 용착금속과 모재의 성질, 그리고 용접 작업 진행의 형태에 따라 선택되어 진다.

불활성 가스 금속 아크 용접법(Inert gas metal arc welding, MIG Welding)에 대표적인 아르곤(Ar), 헬륨(He) 등 고온에서도 금속과 반응하지 않는 불활성 가스와 철강 용접에 유리한 깊은 용입의 특성과 저렴한 가격의 탄산가스(CO_2) 등이 있으며, 그 외의 목적에 맞게 특성을 살린 혼합가스 사용법이 있다.

보호가스	모 재	비 고
Ar 혹은 He	탄소강을 제외한 전체금속	용사 이행
Ar + 1% O_2	고합금강(크롬 - 니켈)	용사이행/용착용율을 높인다
Ar + 3% O_2	비합금강, 저합금강	용사이행/용착용율을 높인다
Ar + 5 ~ 10% H_2	고합금강의 자동용접	용사이행/H2입열을 높인다
Ar + 15 ~ 20% N_2	동	용사이행
Ar + 20%CO_2 + 5%O_2	비 합금강	단락 및 용사이행
CO_2	비 합금강	단락이행

④ 탄산가스 아크용접과 미그(MIG)용접의 차이

탄산가스 아크용접을 보통 미그 용접 이라고 부르고 있다. 그러나 엄밀히 말하면 잘못된 것이다. 미그 용접은 실드가스로 아르곤과 헬륨 같은 불활성 가스를 사용하는 용접을 말하고 어원은 아래와 같다.

① **미그 용접**(Metal Inert Gas Welding) : Inert Gas(불활성 가스)

② **매그 용접**(Metal Active Gas Welding) : Active Gas(활성 가스)

탄산가스는 활성가스이므로, 탄산가스 아크용접과 미그(MIG)용접을 구분하여 부르고 탄산가스 아크용접은 매그(MAG)용접이라고 부르는 것이 올바르다.

5 탄산가스(CO_2)의 저장

시중에서 판매되고 있는 액화 탄산 용기의 장입량은 25kg 또는 30kg이다.

액화탄산 1kg이 완전히 기화되면 상온 1기압 하에서 약 534ℓ 발생되므로 25kg들이 용기에서는 가스 량은 약 10시간 사용이 가능하다.

액화 탄산을 완전히 채운 탄산가스 용기의 압력과 내부 온도의 관계는 아래의 도표와 같다. 그러므로 용기의 온도 상승은 위험하므로 용기의 보관온도는 35℃이하가 되게 해야 하며 햇빛에 직접 쏘이거나 충격 등 난폭한 취급은 피해야 한다. 또, 밸브가 파손되면 고압의 가스가 심하게 새므로 병이 요동하면서 날아가는 예도 있다. 그러므로 운반 시 에는 반드시 밸브 보호용 캡을 씌워서 운반해야 한다.

8 용접 와이어

하나의 소모성 와이어 전극으로서 용도에 따라 차이는 있으나 대개 플라스틱 릴(Plastic Reel)에 감겨져 있고 와이어의 직경이 보통 0.6, 0.8, 0.9, 1.0, 1.2㎜ 등이 있으며 연강용인 경우 표면이 동으로 피복되어 부식을 방지하며 콘택트 튜브(Contact tube)로부터 전류 전도가 높아지고 약간의 탈산재 역할을 하며 전극 공급시 롤러(Roller)의 작동을 증가시킨다.

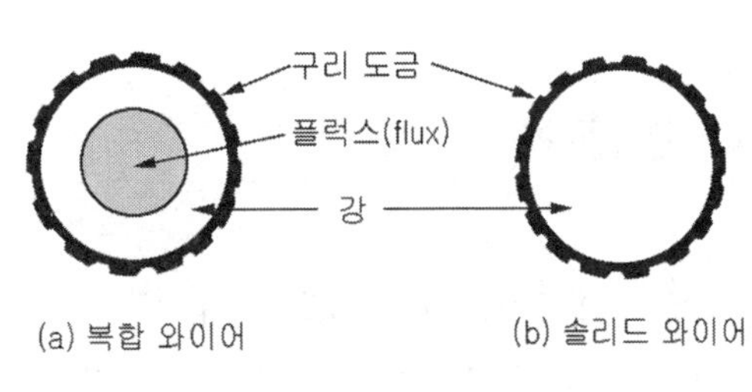

▲ 용접 와이어

9 탄산가스 아크용접의 특징

<table>
<caption>탄산가스 아크 용접의 장·단점</caption>
<tr><th>장 점</th><th>단 점</th></tr>
<tr><td>전류밀도가 대단히 높으므로 용입이 깊고 용접속도가 매우 빠르다.</td><td rowspan="3">바람의 영향을 크게 받으므로 방풍대책이 필요하다.(풍속 2m/sec 이상이면 반드시 방풍 장치를 해야 한다.)</td></tr>
<tr><td>용착효율이 높다.(약 95%)</td></tr>
<tr><td>용착 금속의 기계적 성질이 우수하다.</td></tr>
<tr><td>단락이행에 의해 박판(약 0.6㎜)까지 용접이 가능하다.</td><td>비드 외관이 다른 용접법에 비해 약간 거칠다.</td></tr>
<tr><td>전자세 용접이 가능하다.</td><td rowspan="3">적용 재질이 스틸 계열로 한정되어 있다.</td></tr>
<tr><td>용접 시간이 빠르므로 용접 시간을 줄일 수 있다.</td></tr>
<tr><td>용접 후의 처리가 간단하다.</td></tr>
</table>

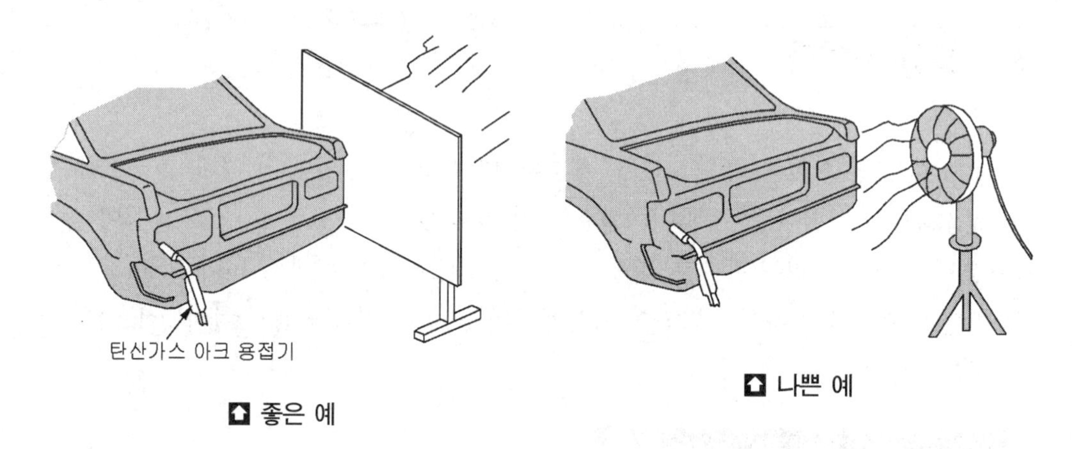

좋은 예

나쁜 예

10 용접 조건

충분한 용접결과를 얻으려면, 용접 전류, 아크 전압, 팁과 모재 간의 거리, 토치의 각도와 용접방향, 실드 가스의 양, 용접 속도 등의 조건 설정이 큰 요인이다. 그 중에 용접전류, 아크 전압, 실드 가스의 양 등은 용접에 따라 다르므로 사용 시에는 확인이 필요하다.

❶ 용접 전류

용접 전류는 모재의 용입 깊이 및 와이어의 용융 속도에 영향을 미치고, 용접 전류의 깊이에 따라 용입 깊이, 비드의 높이, 비드폭 등이 커진다.

용접 전류는 아크의 안전성과 스파크의 발생량에도 영향을 줄 수 있다.

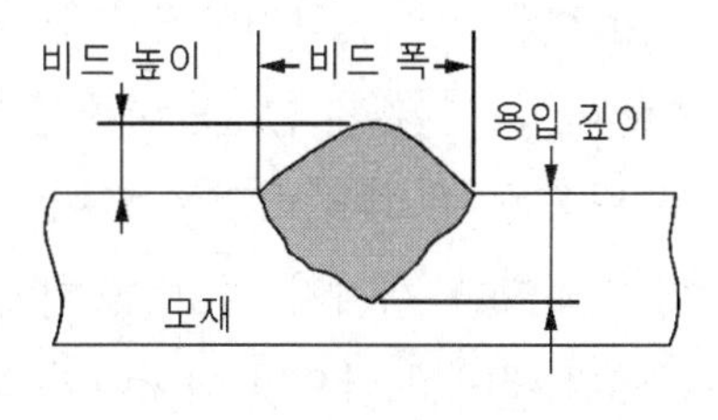

▲ 용접 전류

❷ 아크 전압

알맞은 용접 결과를 얻기 위해서는 적당한 아크의 길이(모재와 와이어 사이의 거리)가 필요하고, 아크의 길이는 아크 전압에 의해 결정된다.

용접음에 의한 아크 전압의 판단 아크 전압의 형태는 용접음에 따라 판단이 가능하다. 알맞은 전압의 용접음은 「지-지~」 하는 경쾌한 연속음을 발생하고, 부적당한 전압에서는 「팟, 팟」 또는 「팡, 팡」 과 같은 탁한 음이 난다. 「팟, 팟」 은 전압이 높고, 아크의 길이가 길며, 스패터가 많고, 용입이 낮다. 반대로 「팡, 팡」 은 전압이 낮고 와이어가 모재에 파고들고, 아크가 발생하지 않는다.

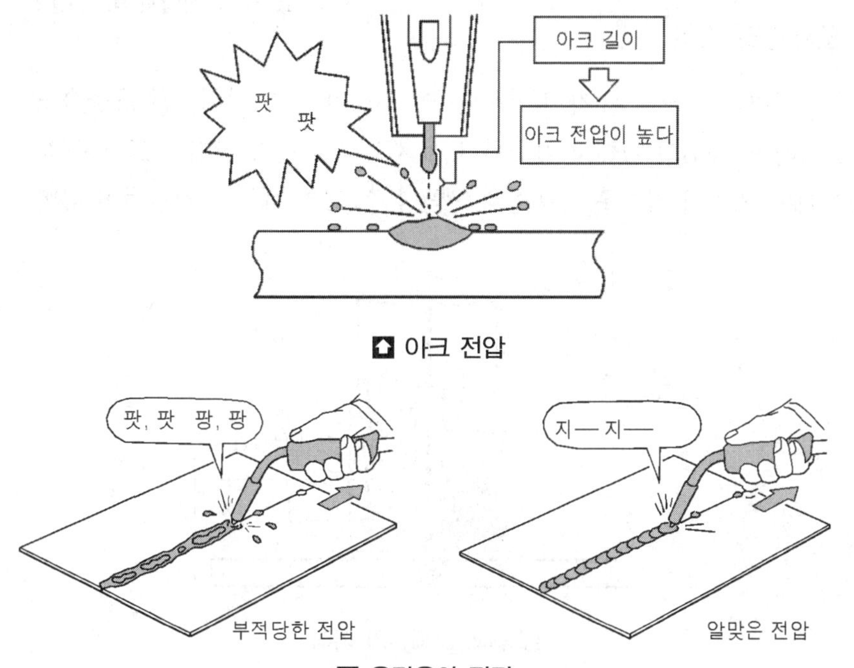

▲ 아크 전압

▲ 용접음의 판단

(1) 아크 전압과 와이어의 속도 관계

아크의 길이는 와이어의 녹는 속도와 송출 속도가 동일해야 일정한 아크의 길이가 유지된다. 와이어의 속도에 비해서 아크 전압이 강하면, 와이어의 용입이 빨라 와이어 끝에 큰 방울이 생긴다. 이것은 와이어가 모재까지 이르기 전에 결손 되어, 용접 부위 주위에서 스파크가 생기기 쉽고, 모재에 용입도 낮다.

일반 전압이 낮으면 와이어가 녹기 전에 모재에 파고들고, 아크가 발생하지 않는다. 따라서 와이어는 저항 열에 의해 끊어진다.

(2) 아크 전압과 비드의 관계

다음 그림은 아크 전압과 비드 형태를 그림으로 나타내고 있다. 아크 전압이 낮고, 아크의 길이가 짧으면 모재의 용입이 깊고, 폭이 좁고, 볼록한 비드가 생긴다.

반대로, 아크 전압이 높고, 아크 길이가 길면 모재의 용입이 낮고, 폭이 넓고, 완만하면서 조금 볼록한 비드가 생긴다.

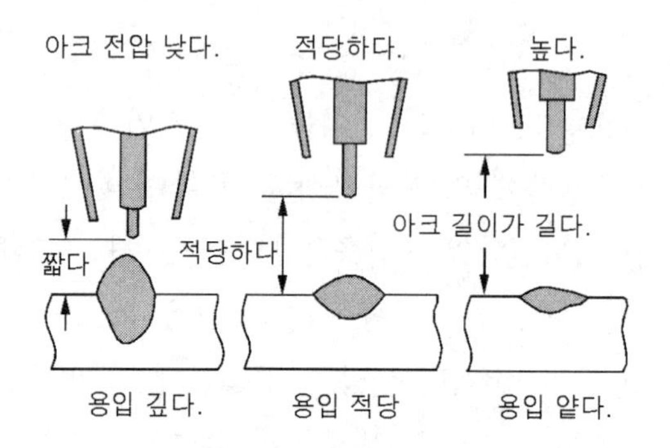

아크 전압과 비드 관계

(3) 팁, 모재간의 거리

일반적인 거리는 8 ~ 15㎜가 적당하다. 이 거리가 멀면 와이어의 용융속도가 빠르고, 전류가 감소하며, 용입의 깊이도 감소한다. 모재와의 거리가 멀면 실드 가스의 효과가 떨어지고, 반대로 거리가 가까우면 용접개소를 볼 수 없기 때문에 작업성이 나빠지기 쉽다.

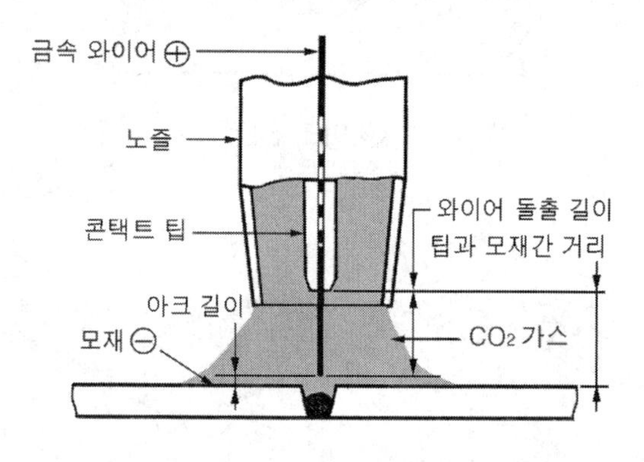

팁과 모재간의 거리

(4) 실드 가스의 양

실드 가스의 양이 많으면, 오히려 실드 효과를 얻지 못한다. 일반적으로 와이어의 직경의 10배를 더한 것이 표준적인 가스의 양 이며,노즐과 모재 간의 거리, 용접 전류, 용접 장소(바람의 유, 무)등에 따라 조정한다.

실드 가스가 부족하면, 용접부가 더 타게 되고 식은 후 표면이 페이게 된다. 용접면 주위는 부식이 발생하고, 적색으로 변색되는 일이 많다.

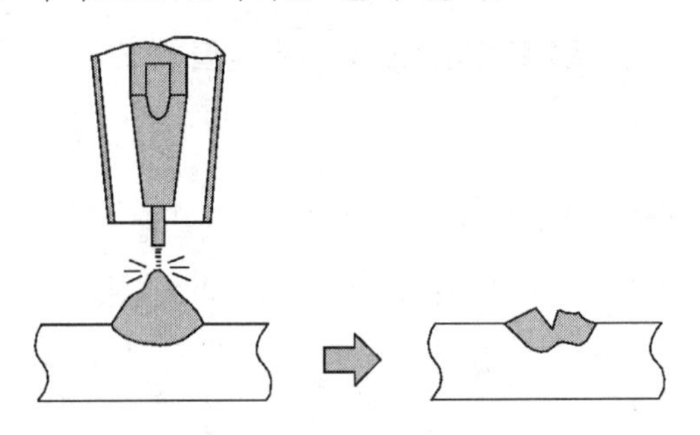

실드 가스의 양

(5) 토치의 각도와 용접 방향

① 토치의 각도

토치는 모재에 대해 10~30° 정도의 각을 유지한다.

토치는 아래보기 용접의 경우 전진법이 적합하며, 토치 노즐은 수직선에서 15~30° 기울여서 유지한다. 용접면과 팁 선단과의 거리는 약 5 ~ 10㎜정도가 적당하다. 너무 접근하면 번백(burn back)을 일으켜 팁 선단에서 와이어가 들러붙는다. 또 너무 떨어뜨리면 안정된 아크를 얻을 수 없다. 단락 아크 법에서는 와이어가 용융지의 전단(前端)에 닿도록 하여 겨누고 용해된 메탈이 앞으로 흘러가는 기분으로 운반한다.

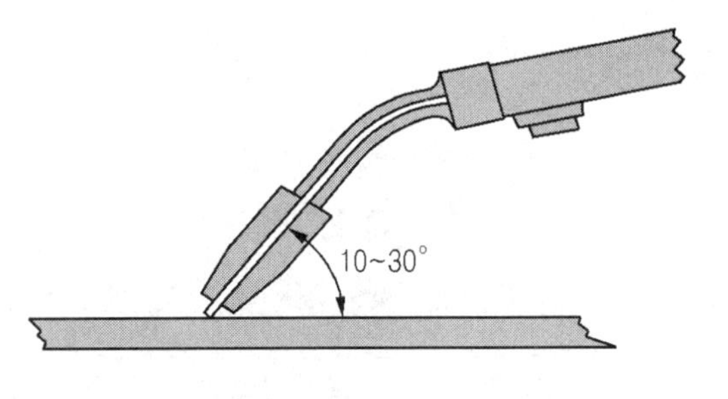

토치의 각도

토치 운반의 좋고 나쁨이 안정된 아크를 발생시켜, 깨끗하고 튼튼한 용접 비드를 만든다. 두꺼운 것은 V형의 홈이 필요하다.

② 토치의 각도에 따른 용접 비드

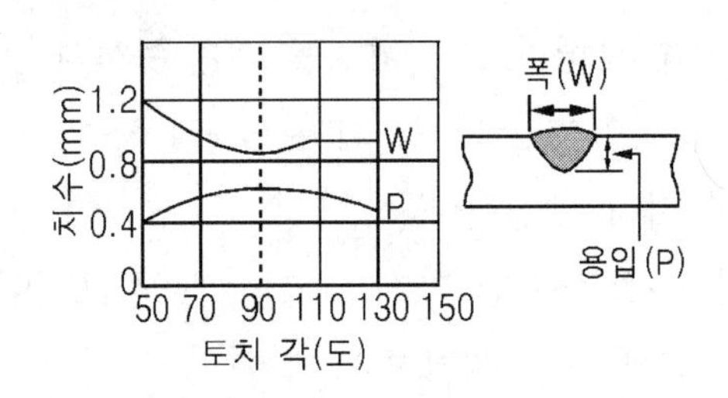

토치의 각도에 따른 용접 비드

③ 용접 방향

용접방향에는 전진법과 후진법이 있다. 용접의 진행은 일반적으로 전진법(Pushing)이 많이 쓰이나, 때에 따라 후진법(Pulling)을 이용하는 경우도 있다.

또한, 수직자세 용접에서 상진법(Upward) 외에 하진법(Downward)을 때때로 이용하는 것이 특징이다.

운봉법은 직선 비이드의 경우와 위이빙 비드(Weaving Bead)가 있으며, 중요한 것은 작업 조건에 맞는 토치(Torch)의 작업각과 용접의 진행 속도를 유지하는 일이다.

④ 전진법과 후진법의 용접 특성

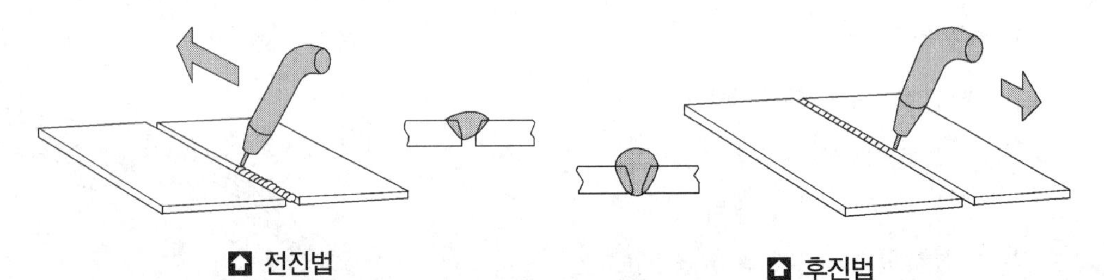

전진법

후진법

전 진 법	후 진 법
용접선이 잘 보이므로 운봉을 정확하게 할 수 있다.	용접선이 노즐에 가려서 운봉을 정확하게하기가 어렵다.
비드 높이가 낮고 평탄한 비드가 형성된다.	비드 높이가 약간 높고 폭이 좁은 비드를 얻을 수 있다.
스패터가 비교적 많으며 진행 방향쪽으로 흩어진다.	스패터의 발생이 전진법보다 적다.
용착 금속이 아크보다 앞서기 쉬워 용입이 얕아진다.	용융금속이 앞으로 나가지 않으므로 깊은 용입을 얻을 수가 있다.
	비드 형상이 잘 보이기 때문에 비드 폭, 높이 등을 억제하기 쉽다.

(5) 용접 속도

다음 그림은 용접속도와 비드의 형태를 보이고 있다. 속도가 빠르면 비드 폭이 감소하며, 언더컷이 발생하기 쉽다. 반대로 용입이 깊고 오버랩이 발생하기 쉽다.

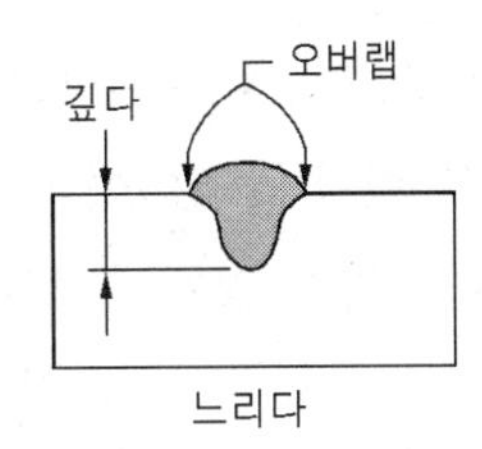

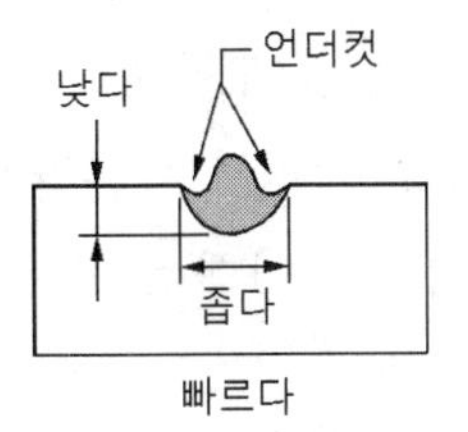

용접 속도

11 용접기의 사용법

① 토치 노즐의 청소

노즐에 이물질(스패터)이 부착되어 있으면 실드 가스의 흐름이 부족하므로, 용접 결과가 좋을 리 없고, 와이어가 부드럽게 송급되지 않는 원인이 될 수 있다.

항상 작업 전에는 노즐의 상태를 점검하고 이물질을 제거한다. 그리고 이물질 부착 방지제를 도포하면, 이물질의 부착 방지가 용이하다.

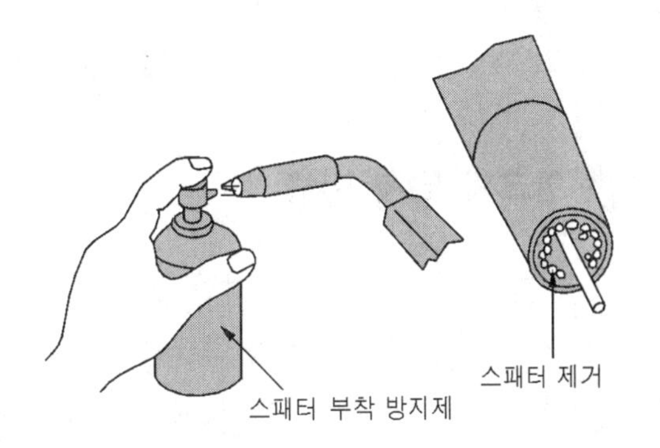

토치 노즐의 청소

② 콘택트 팁의 점검

노즐을 풀고 콘택트 팁의 고정 상태를 점검 한다.잘 고정되어 있지 않으면 통전성이 저하되고 아크의 발생이 불안정해지기 쉽다. 만약, 팁의 구멍이 마모되어 원을 이루지 않

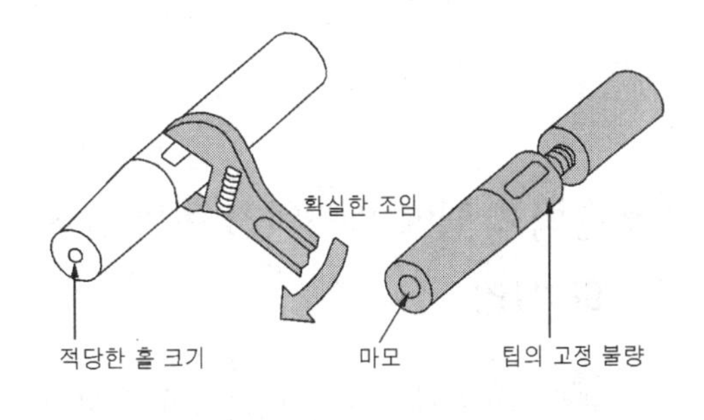

콘택트 팁의 점검

으면 아크의 발생이 불안정해지기 때문에 새로운 팁으로 교환한다.

③ 와이어의 처리

와이어의 끝이 녹아서 구슬 모양으로 된 경우와 필요 이상의 와이어가 나와 있는 경우는 아크가 발생하기 쉽다. 그러므로 와이어 끝을 컷팅 플라이어를 사용하여 적당한 길이로 절단한다. 이때 와이어를 아래로 하여 주위로 튀지 않게 주의한다.

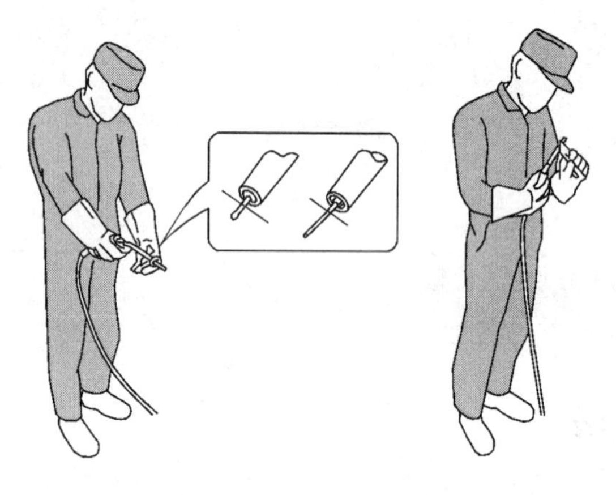

옳은 방법과 틀린 방법

④ 아크의 발생 방법

노즐과 모재와의 거리를 약간 짧게 해서, 스위치를 작동하면, 실드 가스가 공급됨과 동시에 와이어가 송급 되고, 와이어가 모재에 접촉하면 아크가 발생한다. 아크가 발생한 후 에는 노즐과 모재 간의 거리를 적당한 거리로 여유를 두고 용접작업을 계속한다.

아크 발생 방법

⑤ 콘택트 팁에 와이어가 녹아 붙은 경우의 처리

콘택트 팁에 와이어의 스패터가 녹아 붙은 경우는 노즐을 풀고, 줄을 사용해 스패터를 제거한다.

12 용접 작업의 종류

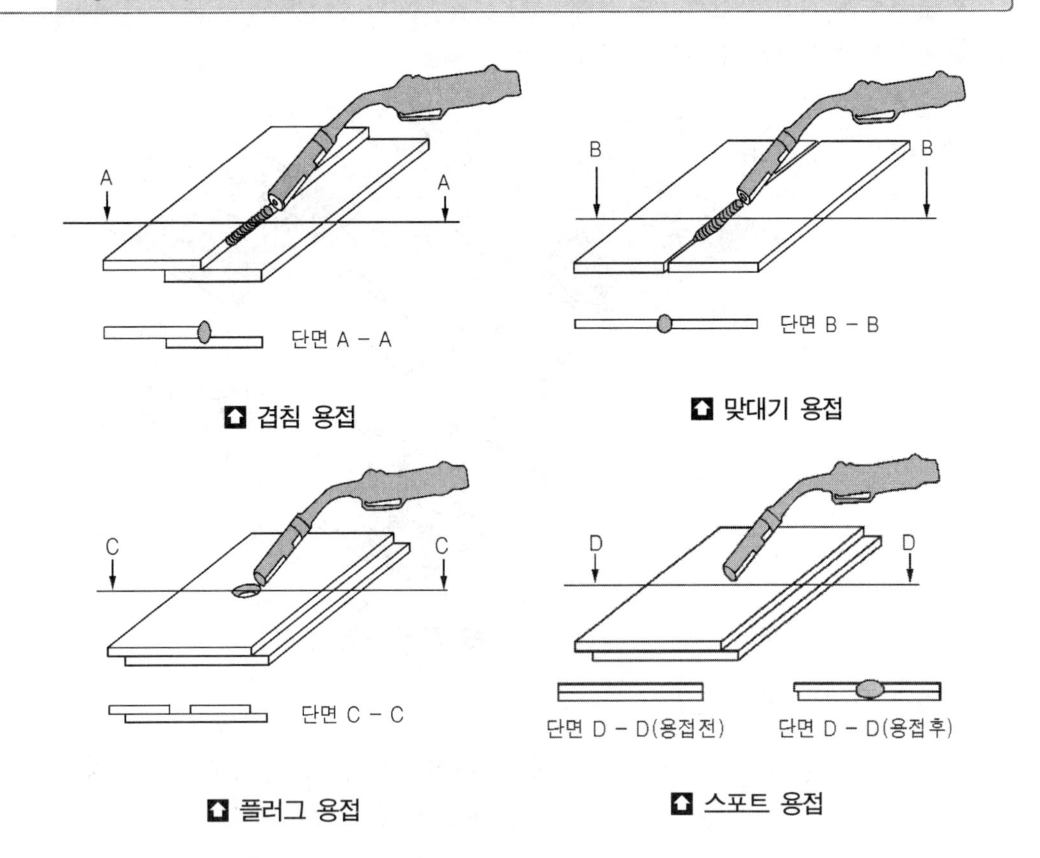

겹침 용접 / 맞대기 용접 / 플러그 용접 / 스포트 용접

❶ 플러그 용접

(1) 플러그 용접 부위의 방청

MIG 플러그 용접 작업 전 신품패널과 보디 측 패널에 용접용 방청제를 도포한다.

플러그 용접은 패널 교환 작업 시에 차체 구조상 스폿 용접기를 사용할 수 없는 곳에 사용된다. 탄산가스 용접에 있어서 대부분의 작업은 플러그 용접으로 이루어진다.

플러그 용접

다음 그림은 플러그 용접의 순서를 보여주고 있다.

ⓐ 용접부에 일정한 간격으로 홀을 낸다.

ⓑ 부품을 확실하게 고정을 한다.

ⓒ 홀을 메운다.

ⓓ 용접을 종료한다.

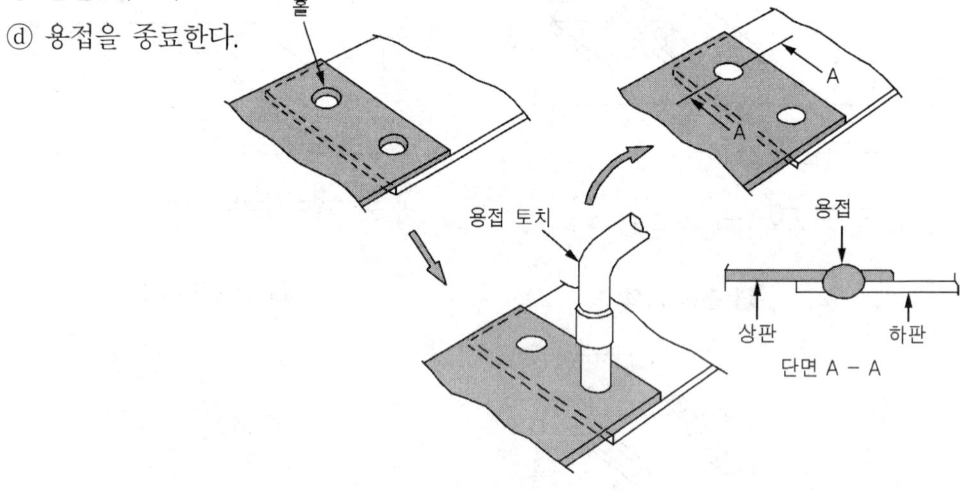

플러그 용접 순서

(2) 플러그 용접용 홀의 크기

패널에 홀을 뚫을 때는 홀 펀치와 드릴을 사용한다. 홀의 크기는 충분한 용접강도를 확보할 수 있도록 판원(패널의 두께)에 따라서 홀의 크기를 조정한다.

판원과 홀의 크기의 관계는 아래의 치수를 기준으로 한다.

① **판원 1.0mm 미만** : 홀의 크기 5 ~ 6mm

② **판원 1.0 ~ 1.6mm** : 홀의 크기 6 ~ 8mm

(3) 패널의 밀착과 고정

패널은 바이스 플라이어로 고정하고, 변형이 있는 패널은 해머로 수정 후 확실하게 밀착시킨다. 패널과 패널의 사이가 벌어진 상태에서 용접을 하게 되면 위의 패널은 구멍이 넓어지고 아래의 패널은 용접이 불충해지기 쉽기 때문에 주의를 해야 한다.

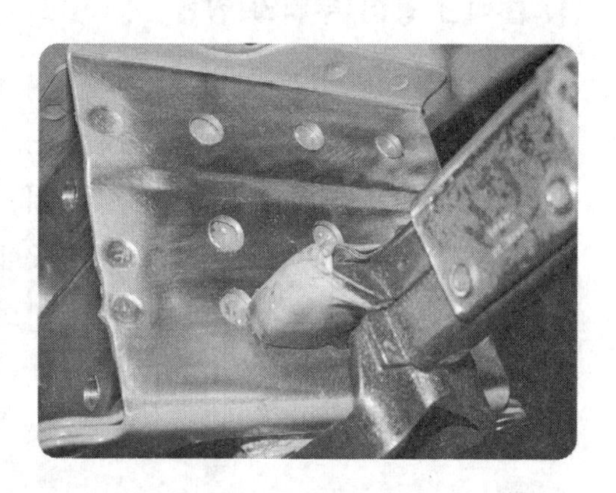

패널의 밀착과 고정

만약, 모재에 도막, 부식 및 기름이 남아 있

는 경우 용접 불량의 원인이 될 수 있으므로 용접부 주위의 도막, 부식 및 기름 등은 샌더 와 와이어 브러시 등으로 제거해 준다.

(4) 토치의 각도

토치는 패널에 대해서 직각에 가깝게 세운다.

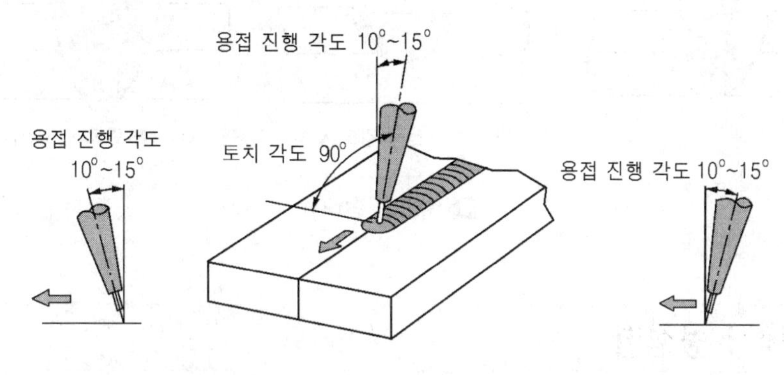

토치 각도 및 용접 진행 각도

(5) 용 접

5㎜ 정도 홀의 경우, 와이어는 홀의 중심을 향하고, 토치를 움직이지 않고 용접한다. 홀의 크기가 큰 경우는, 홀의 주위를 따라 토치를 천천히 움직여 홀을 메운다.

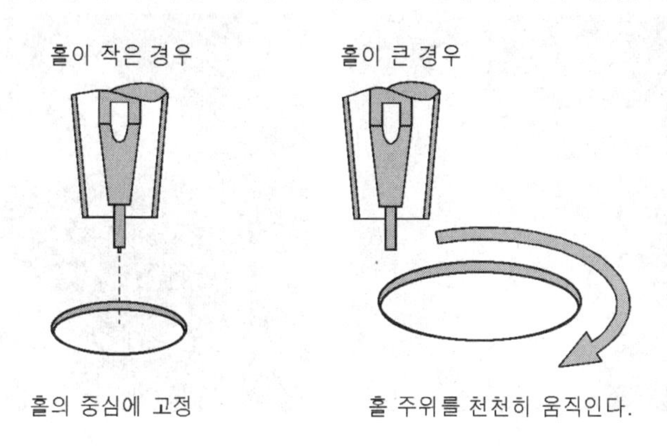

플러그 용접

(6) 와이어의 선택

와이어는 일반적으로 0.6 ~0.8mm정도를 사용하는 경우가 많고, 외판 패널의 판원이 1.0mm 이하에는 와이어의 지름이 0.6mm, 판원이 1.2mm 이상의 강도를 요구하는 부분인 사이드 멤버 등은 와이어의 지름이 0.8㎜를 사용한다.

(7) 비드 형태에 따른 용접의 평가

오른쪽 그림은 플러그 용접의 비드 형태 보다 용접 상태를 판단하기 위한 방법을 그림으로 나타내고 있다. 좋은 비드 형태는 표면이 완만하고, 비교적 평평한 상태를 가진다.

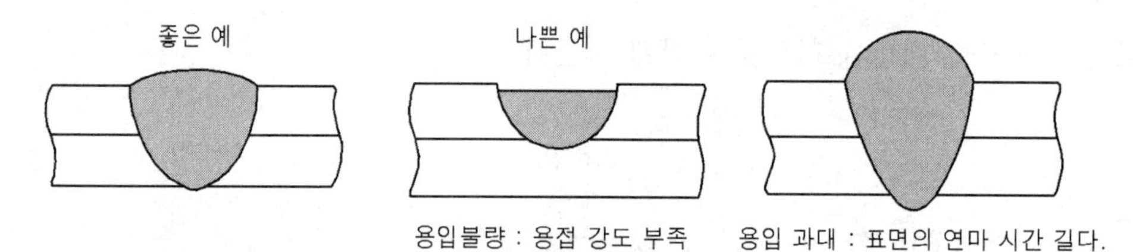

비드의 형태

13 맞대기 용접법

맞대기 용접은 2장의 패널을 맞대고, 그 부분을 용접하는 용접법이다. 맞대기 용접을 하는 작업은 부품을 부분적으로 교환하는 작업에 사용된다.

플러그 용접법에 비해서 사용 횟수가 적고, 숙련도를 요한다.

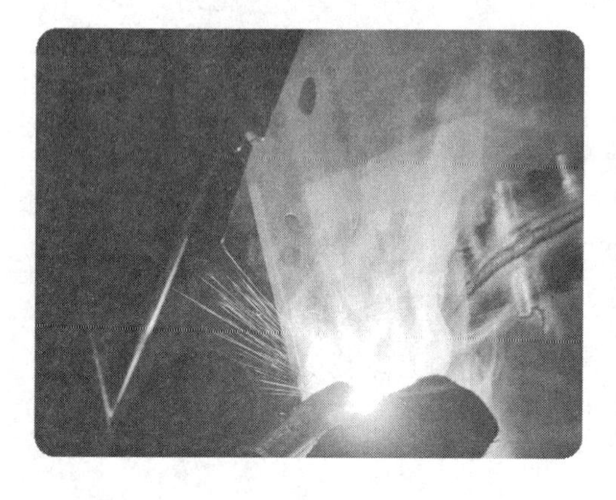

맞대기 용접 진행

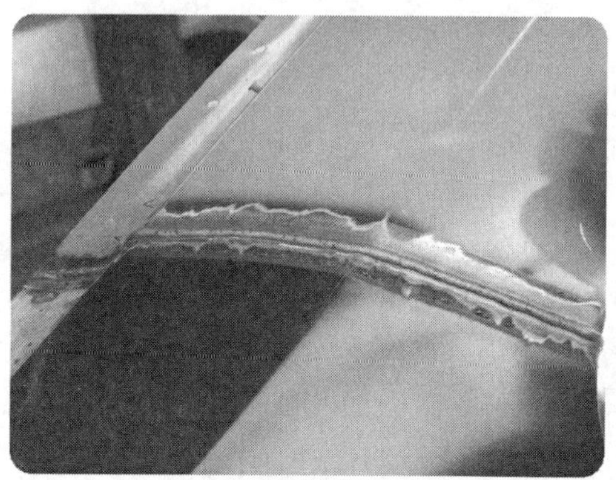

맞대기 용접 완료

① 가접

가접은 맞대기 용접할 부분의 형태 보존과 용접 시 열 변형을 방지하기 위해 용접부에 점 모양으로 여러 개의 용접을 하는 것을 말한다. 가접의 간격은 판원 및 프레스 라인의 형태에 따라 다소 차이가 있지만 일반적으로 15 ~ 30㎜정도이다. 프레스라인이 있는 경우는 프레스라인의 단차 조정을 한 후에 가접한다.

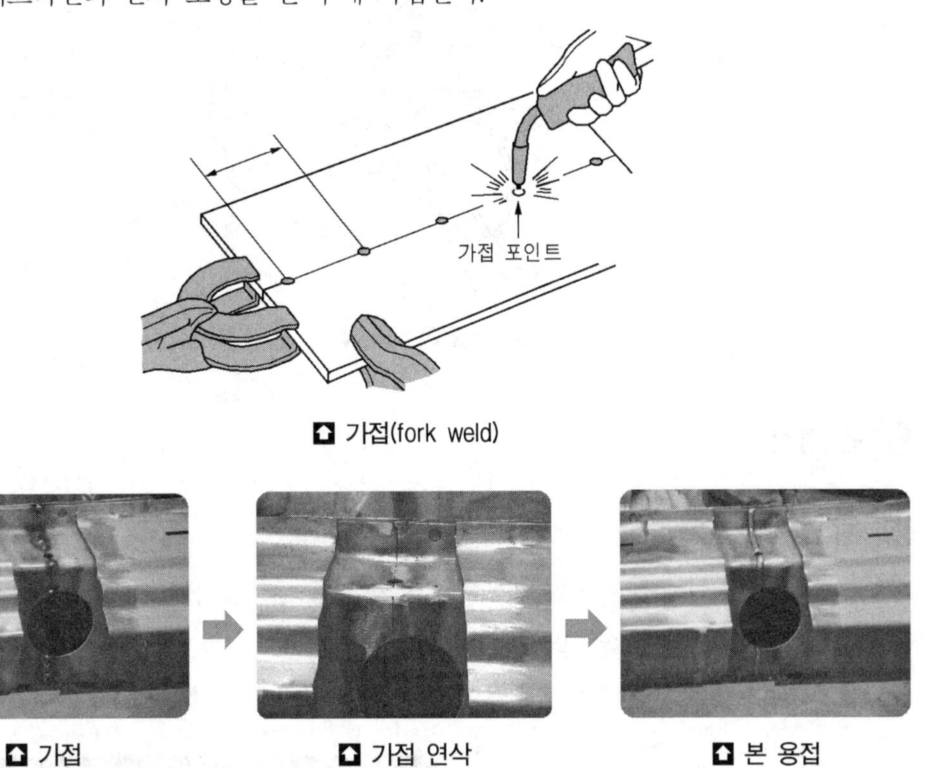

가접(fork weld)

가접 / 가접 연삭 / 본 용접

① 가접 전에 맞대기 부분의 사이를 일정한 간격으로 유지함과 동시에 가접도 확실하게 용접하는 것이 중요하다.

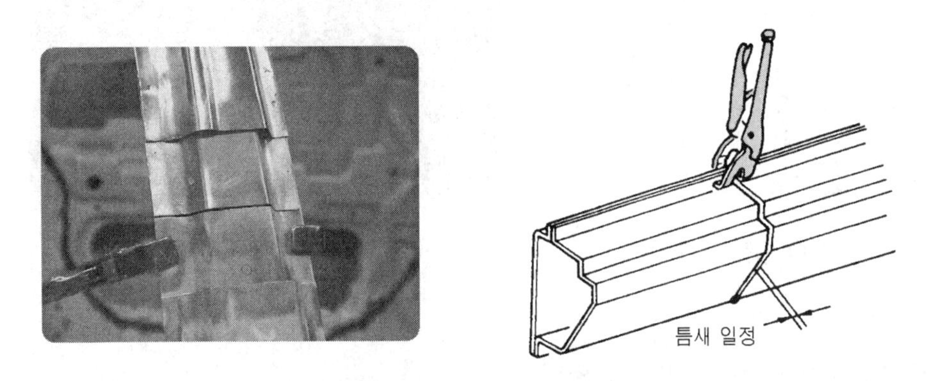

패널과 패널 틈새 일정

② 어스를 부착하는 위치는 용접하는 장소 가까운 곳을 택하고, 그 부분의 도막과 부

식된 면은 확실히 제거한다.

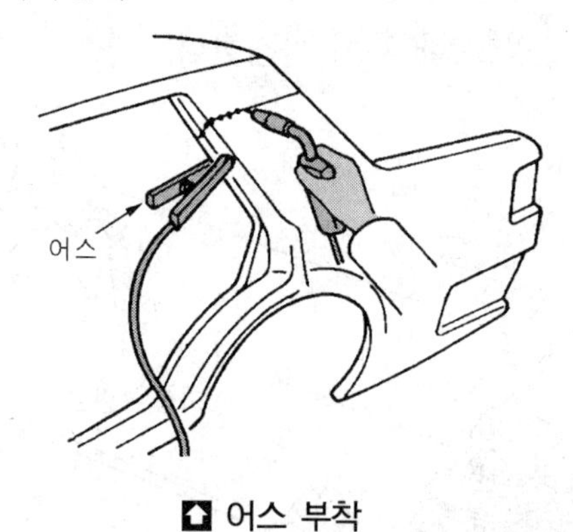

어스 부착

2 본 용접

(1) 용접 자세

용접 시 토치를 확실히 지탱하고, 용접선을 잘 보고 정확한 위치를 따라 토치를 움직이지 않게 안정된 자세를 유지한다. 만약, 용접 중에 토치의 각도를 변화 시키려면, 일정한 속도로 움직이는 것이 안정된 비드를 만들기 위한 중요한 요소이다.

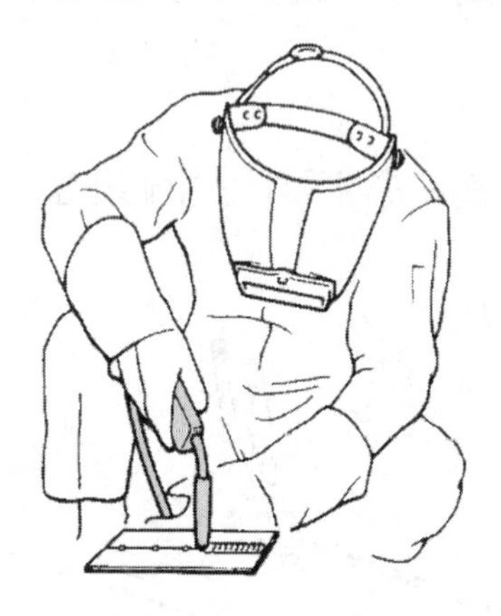

용접 자세

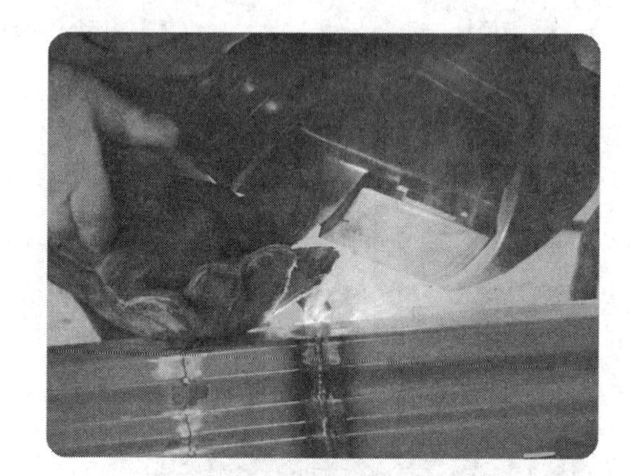

토치의 각도 변화

(2) 토치의 이동 속도와 비드의 형태

아래 그림은 토치의 이동 속도에 따른 비드의 형태를 보여주고 있다. 토치의 이동 속도가 늦으면 강판이 녹아서 흘러내리는 경우가 발생하고, 빠른 경우에는 용입이 낮고, 충분한 용접 강도를 얻지 못한다.

비드 형태

적정한 상태

빠름 - 용입 부족

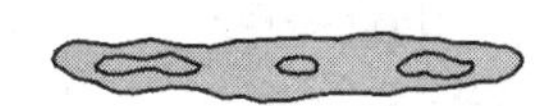

느림 - 녹아서 흘러내림

(3) 용접 순서

패널의 끝에서부터 용접하게 되면 모재에 열이 집중되어 비틀림이 발생되기 쉽다. 이 때문에, 용접시에는 모재에 가하는 열을 분산하는 용접 순서가 필요하다.

다음 그림은 용접 순서의 예를 보여주고 있다.

① **좋은 예** : 가접 후 패널의 온도가 가장 낮은 곳을 골라서 용접한다. 판원이 얇은 패널인 만큼 변형되기 쉽다.

② **나쁜 예** : 끝 부분부터 용접하면 용접 열이 집중되어 변형이 발생하기 쉽다.

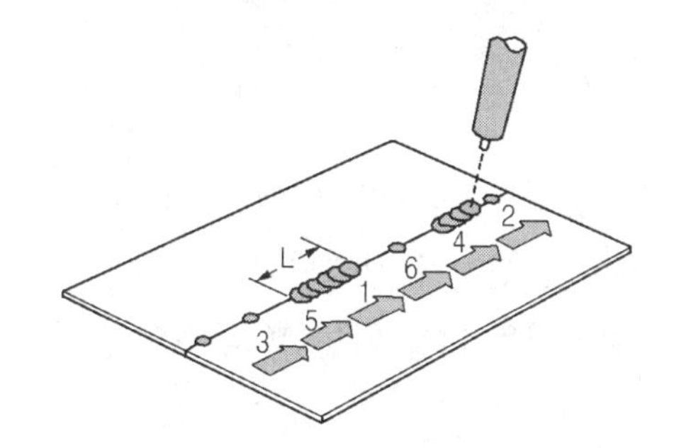

용접 순서 : 좋은 예

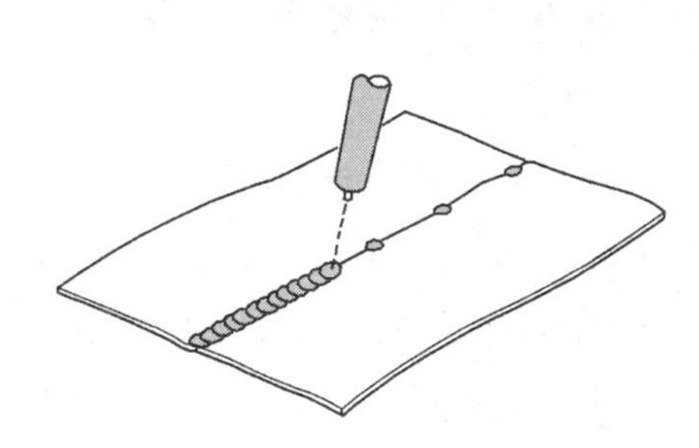

용접 순서 : 나쁜 예

(4) 박판 패널의 맞대기 용접법

외판 패널처럼 얇은 패널을 연속해서 용접하면 녹아서 흘러내림으로 인해서 패널의 맞대는 부분이 넓어지는 우려가 높다. 이 때문에 박판 용접에는 다음과 같은 방법이 사용되고 있다.

① **단속 용접** : 녹아 흘러내림을 방지하기 위해 토치 스위치의 조작에서「ON」, 「OFF」를 교대로 반복하는 단속용접을 한다. 용접 방향은 비드가 잘 보이고, 겨냥하기 쉬운 후진법이 용이하다.

② **단속 용접의 리듬과 비드의 연결 위치** : 용접 시간의 길이, 단속 시간의 길이 및 비드의 연결 위치의 차이에 의해 발생하는 비드의 형태와 용입의 관계는 다음 그림에 나타나 있다. 양호한 비드를 만들기 위해서는 위치와 용접 시간의 리듬이 Point이다.

③ **비드를 만드는 위치**

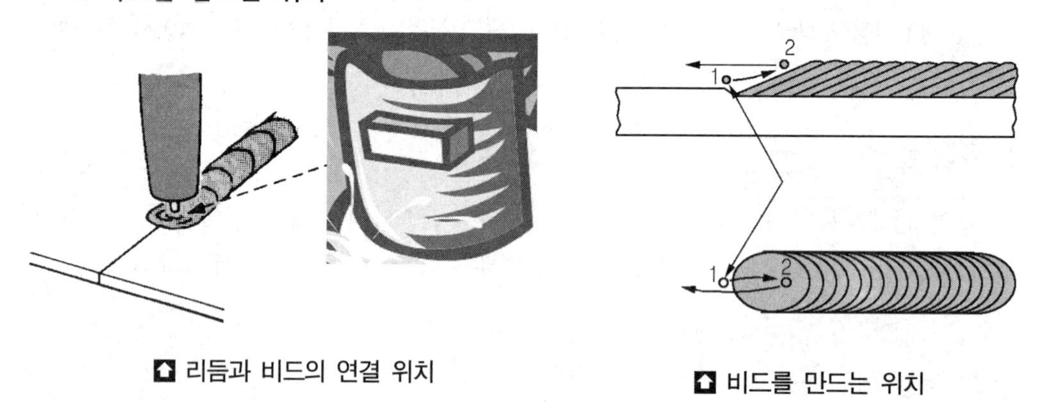

리듬과 비드의 연결 위치

비드를 만드는 위치

14 용접기의 작동과 조정

장비 설치가 끝나면 용접와이어(Electrode Wire)를 장착하며, 이때 우선하여 와이어 규격(Wire Size)에 맞는 팁(Contact Tube or Tip)및 롤러가 장치되어 있는지를 점검한다. 가스(Gas)가 흐르고 입력 전원이 규정대로 공급되는 가를 확인 후 다음의 순서로 용접기를 작동시킨다.

① 토치(Torch or Gun)까지 와이어를 운반하기 위해 토치 스위치(Torch Switch)를 눌러 와이어가 팁 외부까지 나오게 한다.

② 유량계(Flowmeter)를 조절하여 작업 조건에 맞는 가스의 유출량(약 12 ℓ/min 정도)을 맞춘다. 이 때 가스 용기(Bombe)의 밸브(Valve)를 갑작스럽게 열어 레귤레이터(Regulator)에 무리한 힘이 걸리지 않도록 할 것.

③ 전압 조정 핸들(Valtage Control Handweel)을 돌려 작업 조건의 적정치에 가까운 전압(Valtage)을 조정한다.

④ 와이어 송급기(Wire Feed Unit)에 부착된 와이어 송급 속도 조절기(Wire Feed Control Knob)로 돌려 와이어 공급 속도를 조정한다. 이때 속도는 주어진 와이어 규격(Wire Size)에 대한 용접 전류와 비례하기 때문에 함께 용접 전류치를 조정하는 것이 된다.

⑤ 용접기(Power Source)에 부착된 유도전류 조정기(Inductance Adjustment)로 전류의 증가율을 조절한다.

⑥ 본 용접의 작업조건(두께, 재질 등)과 같은 시험편에 시험 용접하여 용접 상태를 관찰한 후 아크(Arc) 전압과 와이어 송급 속도 및 가스 유량 등을 정확히 재조정한다.

15 아크 전압과 아크 길이

❶ 아크 전압과 아크 길이

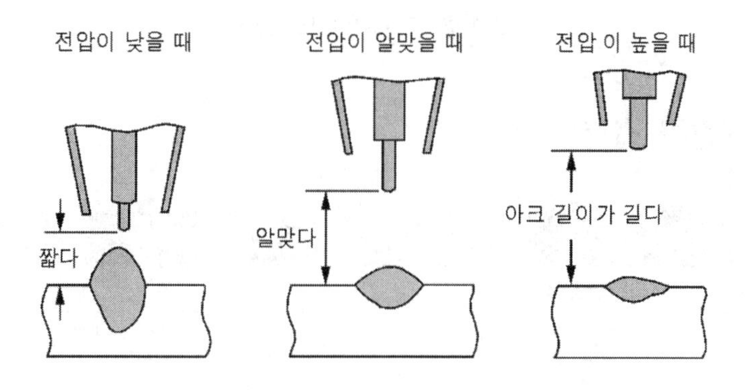

아크 전압과 길이

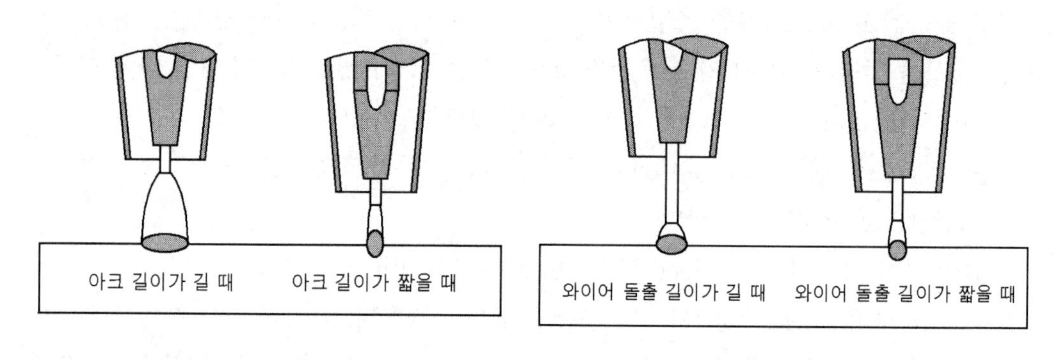

아크 전압과 아크 길이

와이어 돌출 길이

2 용접속도와 비드 단면

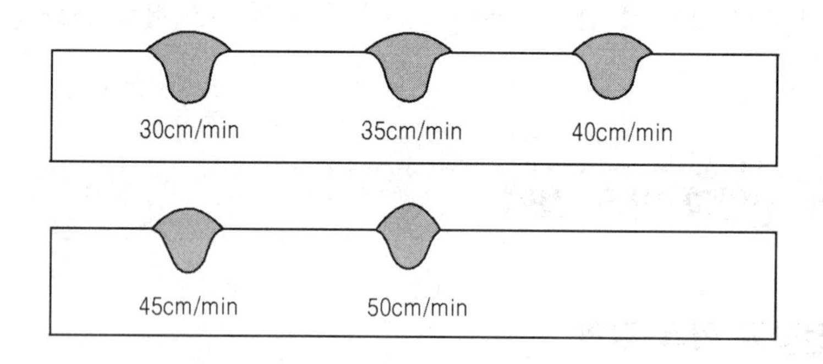

용접 속도와 비드 단면

3 팁과 모재간의 거리

와이어 지름(mm)	팁과 모재간 거리(mm)
0.9 ~ 1.0	10 ~ 15
1.2	15 ~ 20
1.6	25 ~ 30

16 용적 이행 방식

용적이행이란 소모성 전극을 이용한 아크 용접에서 와이어로부터 금속이 용융되어 모재로 이동하는 현상을 말하며, 넓게는 용적의 이행 뿐만 아니라 스패터 등과 같은 불필요한 이행까지도 포함한다.

용적 이행은 용접법과 용접조건에 따라 여러 가지 형태로 나타난다. 이 여러 가지 형태들은 단순한 이행형태도 있지만, 어떤 경우는 아주 복잡한 형태로 나타난다. 즉, 두 가지의 이행 형태가 빠른 속도로 연속해서 일어나는 경우, 또는 두 가지 이행 형태의 중간형이 나타나는 경우 등이 있다. 이러한 용접 이행을 지배하는 힘은 중력, 장력, 표면 장력, 전자기력, 플라즈마 기류, 금속의 기화에 의한 반발력 등으로 생각할 수 있다.

용적 이행을 크게 분류하면 단락이행, 입상이행, 스프레이 이행 등의 세 가지로 구분할 수 있다. 이러한 용적 형태는 아크 전압, 용접 전류, 와이어의 재질, 와이어의 돌출 길이, 보호가스의 종류 등에 따라서 크게 영향을 받는다.

① 단락 이행(Short Circuiting Transfer)

단락 이행(Short Circuiting Transfer)은 탄산가스 아크 용접, 아크 용접, MIG용접 등 어느 것의 경우에도 비교적 소전류(약 200A 이하)로 용접하는 경우에 발생한다. 단락 아크 용접은 보통의 상태보다 우선 아크 길이를 짧게 하여 와이어와 모재를 단락(Short) 시킨다. 전극이 단락되면 용접 전원의 특성 때문에 아크를 발생하고 있는 순간 보다 큰 단락 전류가 흐르게 되고, 이 단락 전류에 의하여 전기자 적 수축력이 커져서 와이어 끝을 끊어 버리는 힘이 생긴다. 한편 단락된 와이어 끝은 지금까지 아크의 고온 상태에 놓여 있었으므로 거의 액체 상태로 되어서 이 부분은 전기자 적 수축력에 의하여 조여 잘려지며 다시 아크가 발생된다.

(1) 단락 이행(1)

단락 이행

(2) 단락 이행시 비드 현상

단락 이행시 비드 형상

(3) 단락 이행(2)

단락 이행은 1/100초 라는 짧은 시간에 일어나므로 눈으로 관찰 할 수 없으며, 안정된 단락 이행 용접을 하기 위해서는 0.8 ~ 1.2㎜의 가는 지름의 와이어를 사용하고 1초에 50 ~ 130회 정도의 단락을 일으킬 수 있도록 아크 길이를 짧게 함과 동시에 적절한 특성을 가진 용접 전원을 사용하여야 한다.

모재에 대한 열입과 용입이 낮기 때문에 박판이나 백 비드 용접에 많이 사용된다. 100Amp 이하의 소 전류에서도 안정된 용접을 할 수 있다.

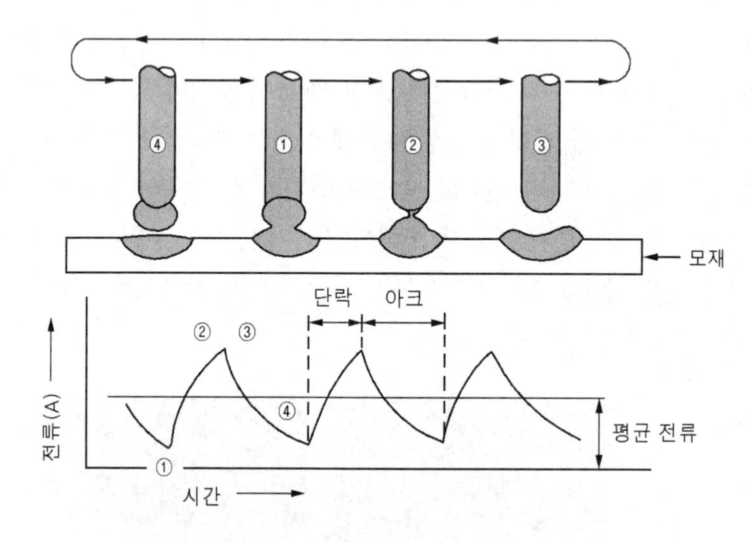

단락 이행

(4) 단락 이행 용접

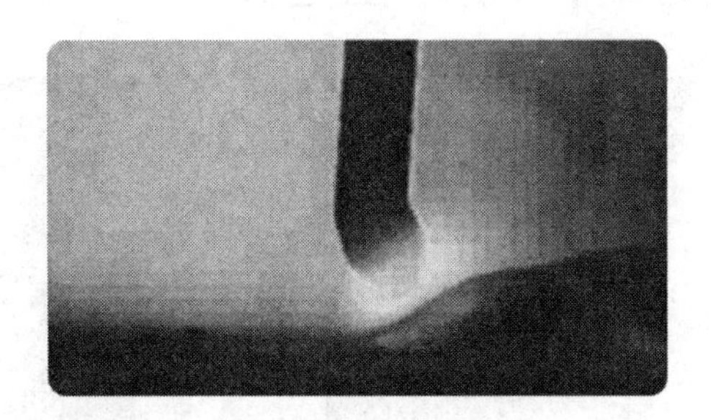

단락 이행 용접

2 스프레이(분무형) 이행(Spray Transfer)

스프레이 이행(Spray Transfer)은 아르곤(Ar) 보호가스 분위기에서 MIG용접 시, 전류값이 높을 때 많이 나타나는 이행 형태로서 와이어에 대한 전류가 어느 값(임계전류) 이상이 되면 용적은 아주 작은 상태로 이행하여 아크 주변에 고속의 기류(플라즈마 전류)가 생기는 것 같이 된다. 이 상태를 스프레이 아크(Spray arc)라 하고, 이 기류에 의해서 용적이 소립으로 되어 이행한다. 이러한 스프레이 이행은 스패터의 발생이 적으며 용입이 깊고 깨끗한 파형의 비드 외관이 얻어진다. 즉, 단락 이행에 비해서 스프레이 이행은 훨씬 높은 전압과 전류를 필요로 하며 대개는 와이어(Wire)의 지름보다 작은 용융금속 방울이 아크를 타고 나가 모재에 용착되는 것이다.

대부분의 금속재료를 용접할 수는 있으나 높은 아크 에너지로 인해 이 방법은 박판 용접이나 또는 수직 및 위보기 자세의 용접보다 아래 보기 및 수평자세에 적합하며 거의 모든 금속 즉, 알루미늄, 티타늄, 마그네슘 같은 비철금속 및 각종 합금, 합금강 용접에 광범위하게 이용된다.

(1) 스프레이 이행

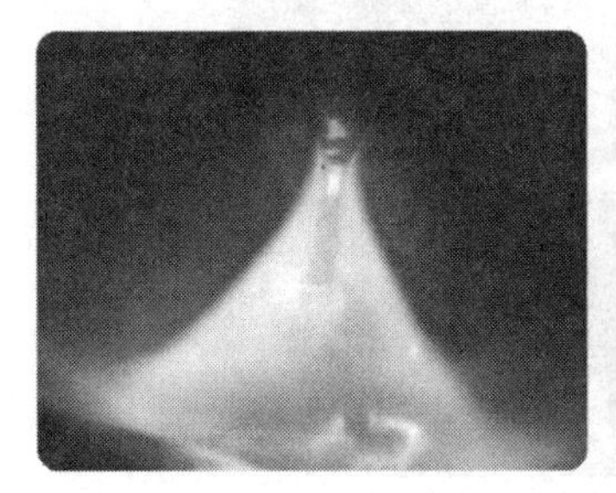

스프레이 이행(1)

스프레이 이행(2)

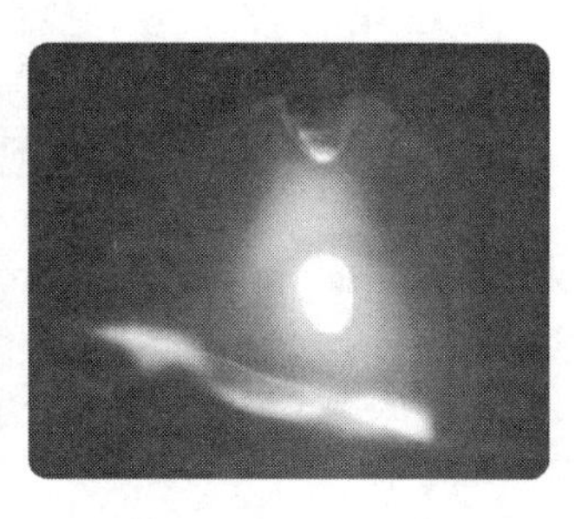

스프레이 이행(3)

(2) 스프레이 용접과 스프레이 이행시 비드 단면

스프레이 용접

스프레이 이행시 비드 단면

③ 펄스이행(Pulsed Transfer)

스프레이 전류보다는 낮은 전류를 이용하여 스프레이 이행 속도를 감소시킨 것으로 1초당 펄스의 수는 일반적으로 약 60~120회이다.

펄스형 용접은 스프레이형 아크와 단락형 아크 전원을 효과적으로 이용한 것으로 전류의 높은 펄스(맥동) 작용을 안정된 기지전류에 가해주면 그 평균 전류는 상당히 내려가서 펄스 중간에 금속의 융사(Spray)현상을 일으킨다.

기지전류는 전극을 용융상태로 유지시키고 펄스(Pulse)전류는 전극 끝으로부터 용융금속을 떼어내어 용융금속 방울을 모재 쪽으로 가속시킨다. 이와 같은 현상을 일으키기 위해서는 아르곤(Ar)가스로 보호해 주는 동시에 맥동(Pulse)의 전원을 이용하여야 한다.

(1) 펄스 이행

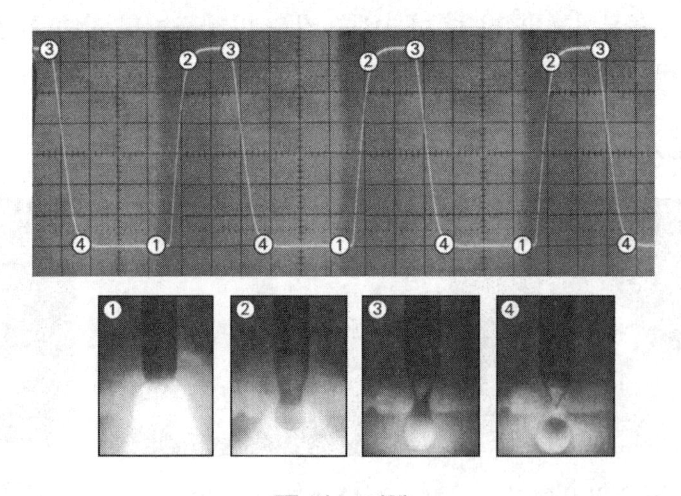

펄스 이행

(2) 펄스 용접

펄스 용접

17 보 수

용접 품질을 확보하기 위해서는 정기적으로 용접기를 점검, 보수하여 최상의 상태를 유지하고 고장 방지에 힘 쓸 필요가 있다.

(1) 용접 전원

6개월에 1회 정도는 내부를 청소한다. 수분과 먼지가 축적되어 절연성이 떨어지고, 정류기의 냉각 능력이 저하된다.

청소할 때에는 케이블과 콘센트 부의 접촉 불량이 있을 수 있으므로 주의한다.

(2) 와이어의 공급장치

공급 롤러, 가압 롤러, 와이어 가이드의 와이어 통과부는 청소와 함께 알맞게 조정한다.

(3) 토치 부

노즐과 콘택트 팁은 스패터에 의해 소손되기 쉽다. 콘택트 팁의 구멍이 변형되어 있으면 아크가 불안정할 뿐만 아니라 비드가 일정하지 않고, 스파크 발생의 원인이 되므로 교환해야 한다. 그러므로 노즐과 콘택트 팁은 예비품을 준비한다.

18 용접 안전

1 건강의 영향

(1) 폐

폐는 생명의 필수적인 요소이지만 당연하게 생각하거나 무시하기도 하고 혹사당하기도 한다. 우리는 숨을 쉬지 않고는 몇 분밖에 살 수 없는데도 불구하고 폐보다는 위장에 대해 더 많은 관심을 가지고 있다.

폐는 폐포라고 불리는 수 억 개의 작은 공기 주머니로 구성된 스펀지 형태의 기관이다. 숨을 들이쉬면 코를 통해 공기가 들어와 습기를 얻게 되고 따뜻하게 데워진다. 콧속에 있는 털은 폐를 보호하기 위해서 공기 속에 있는 먼지를 걸러 낸다. 또한 먼지는 코와 목의 점막에서 잡히게 된다.

코를 통해 들어온 공기는 목과 인후, 후두를 거쳐 기관으로 들어온다. 기관은 계속 갈라져 기관지, 세 기관지가 되고 폐포에 도달할 때까지 점점 작게 갈라진다.

폐포에서 외부로부터 들어온 산소가 혈관으로 운반되고 이산화탄소와 같이 몸에서 생성된 노폐물은 호기를 통해 밖으로 배출된다. 폐포에는 혈관으로부터 폐 속의 공기를 분리하는 두개의 세포층이 있다. 폐포 하나하나는 미세하지만 전체 표면적은 테니스코드 정도의 면적만큼 넓다. 물론 숨을 쉴 때 산소 이외의 다른 물질도 폐를 통해 혈관으로 들어간다. 바로 이러한 이유 때문에 작업장에 있는 공기 중 유해 물질이 몸속으로 들어가는 가장 중요한 유입 경로가 된다.

불행히도 코는 코를 통해 들어오는 모든 공기를 정화시킬 수 없다. 입자크기가 크고 눈에 보이는 입자는 코에서 걸러지지만 눈에 보이지 않는 작은 입자는 폐 깊숙이 도달해서 건강장해를 일으킬 수 있다. 그러므로 용접작업 중에는 흄이 발생되지 않는 것이 아니라 단지 흄이나 연기는 입자가 너무 작아 볼 수 없다. 즉 저 농도에서 노출되었다고 할지라도 축적 효과가 있기 때문에 간과해서는 안된다.

신선한 공기가 있는 곳에 있으면, 폐는 자체적으로 폐에 들어간 수많은 작은 입자를 제거한다. 입자는 호흡기로 이동되어 제거되거나 위로 들어가 소화되며 일부는 폐포를 통해 혈관으로 들어간다. 그러나 폐의 정화작용에는 한계가 있다. 산소를 받아들이는 능력의 감소와 같은 중대하고 영구적인 손상이 올수도 있고 어떤 유해인자에 반복적으로 노출되었을 때 간혹 암을 유발시킬 수 있다. 그러나 안전한 작업습관을 유지한다면 용접작업시 들어 마시는 흄은 폐의 정화작용으로 충분히 관리될 수 있다.

(2) 신장

신장은 두개가 있으며 허리 윗부분과 등 가까이에 위치하고 있다. 신장은 몸에서 형성된 노폐물을 제거하는 가장 중요한 역할을 한다. 혈액은 신장으로 규칙적으로 순환되면서 노폐물과 남아도는 물을 걸러낸다. 그리고 생성된 노폐물은 소변으로 배출된다.

용접 흄에 의한 금속의 대부분은 폐포에서 축적되거나 위장에서 소화되는데 어떤 경우에는 혈관으로 들어갈 수 있다. 일단 금속이 혈관으로 들어가면 일차적으로 신장에서 금속을 제거한다. 그러나 어떤 독성물질에 과도하게 노출되면 신장은 손상을 입게 되어 몸속에서 생성된 노폐물을 제거하는 능력이 저하된다.

(3) 눈

시력은 가장 소중한 감각중 하나이다. 대다수 사람들은 보면서 정보를 얻는다. 책을 읽는 것, 차를 운전하는 것, 석양을 바라보는 것, 여러분의 아들과 딸이 첫발을 내딛는 모습을 보는 것은 모두 눈을 통해 이루어지는 경험이다. 용접근로자에게는 건강한 눈과 좋은 시력을 유지하는 것이 필수적이다. 눈은 뇌에 대한 TV카메라와 같다. 빛을 전기적 자극으로 변환시켜 뇌에 전달한다. "카메라" 는 외부가 투명한 젤리 같은 액체로 덮여진 단단하면서도 유연한 볼(Ball) 모양이다. 눈 앞쪽 공막부분에는 각막이라 불리는 투명한 창이 있다. 창을 통해 눈 속으로 빛이 들어간다. 또한 각막은 눈 안쪽을 보호하는 역할도 한다. 각막 위에는 결막이라는 얇은 막이 있어 눈을 더 보호하게 된다. 각막 바로 뒤에는 카메라를 조작하는 것처럼 빛을 모으고 초점을 맞추는 곳이 있다.

눈의 앞쪽에서 가장 분명한 곳이 홍채이다. 홍채는 눈의 색깔을 결정하는 것으로 파란 눈, 갈색 눈으로 보이게 하는 기능이 있다. 이곳의 얇은 막은 눈으로 들어오는 빛의 양을 조절한다. 홍채 중앙에는 동공이 있고 빛을 받아들이기 위해 열리는 부분이다. 또한 홍채는 동공의 크기를 조절하는데 어두운 곳에서는 동공을 확대시키고 밝은 곳에서는 축소시켜 눈을 보호한다. 홍채 뒤에는 상이 망막에 맺히도록 초점을 조절하는 수정체가 있다. 망막은 안구의 가장 안쪽 뒤에 있으며 빛과 물체의 형상을 전기적 자극으로 전환시켜 뇌로 보낸다. 눈꺼풀과 눈꺼풀 아래쪽에 있는 눈물샘에서 생성되는 눈물은 눈을 씻거나 닦아 주는 효과 때문에 먼지와 작은 입자로부터 눈을 보호하는 기능을 한다. 눈의 깜박거림 또한 날아다니는 먼지와 물질로부터 눈을 보호한다.

그렇지만 이러한 보호 작용은 완벽하지 않다. 좋은 시력을 유지하기 위해서는 눈의 모든 구조가 적절히 제 기능을 발휘해야 한다. 눈의 한 부분이 손상되면 다른 부위의 기능이 유지된다 하더라도 시력이 저하된다. 또한 눈은 신체의 다른 부위처럼 그렇게 빨리 치유되지 않는다. 만약 눈이 각막 뒤로 관통하는 손상을 입게 되면 심한 흔적이 남고 종종 영구적인 시력 손실을 일으킬 수 있다.

2 유해인자

(1) 흄과 가스

① 흄

모든 용접작업은 흄을 발생시킨다. 흄은 용가재나 와이어가 녹을 때 공기 중에 생성되는 아주 작은 입자로 구성되어 있다. 만약 전극이 피복되어 있으면 흄 속에는 플럭스가 녹거나 타면서 형성되는 물질도 포함될 수 있다. 연기가 발생되는 것을 보는 것과는 상관없이 용접을 할 때에는 금속 흄이 발생된다. 공기 중에서 볼 수 있는 것만으로 흄의 양을 판단해서는 안 된다. 어떤 입자는 너무 작아 육안으로 볼 수 없으며 고농도에 노출되면 대부분 폐에 손상을 줄 수 있다.

흄과 가스

우리나라에서는 흄에 대한 노출수준을 관리하기 위해 용접 흄의 허용기준을 산화철을 포함한 총 분진 10mg/m^3 을 노출기준으로 설정하였다.

미국은 미국 산업위생 전문가 협의회(ACGIH)에서 총 흄량과 각각의 금속에 대한 허용기준을 설정하고 있다.

독성물질을 포함하지 않는 총 흄의 허용농도는 5mg/m^3 으로 설정했다.

일반적으로 금속의 허용농도가 낮게 설정되는 것은 카드뮴과 같이 소량이라도 독성을 일으키거나 크롬처럼 암을 일으키는 물질들과 관계가 있기 때문에 흄 속에 들어 있는 허용농도는 총 흄 기준보다 훨씬 낮게 설정되어 있다.

흄 속의 금속은 전극이나 와이어의 금속과 같은 성분일 것이다.

탄소강에 사용되는 용접봉은 산화철이 포함된 흄을 발생시키고 스테인리스강은 산화철뿐만 아니라 니켈과 크롬을 포함한 흄을 발생시킨다. 그러므로 용가제를 구성하는 금속성분을 알면 노출되는 금속을 알 수 있다. 실드 아크용접에서 사용되는 용접봉은 특히 불소나 구리와 같은 흄을 발생시킬 수 있다.

② 노출에 대한 주의사항

그라인딩은 용접 흄과 아주 비슷한 금속분진을 발생시킨다. 이러한 금속분진은 흄이 폐에 영향을 주는 것과 똑같은 영향을 준다. 그러므로 용접흄으로부터 신체를 보호하기 위한 조치가 그라인딩 작업에도 그대로 적용된다. 모재에 페인트, 도금, 기타 부식 방지제와 테프론과 같이 표면처리가 된 경우에는 이러한 성분도 흄의 한 부분이 된다. 도금표면에 아연이 있는 경우 대부분의 작업자들에게 금속열이라고 알려진 증상이 발생할 수 있다. 또한 금속표면에 코팅된 테프론에 열을 가하면 금속열과 비슷한 중합체 흄열이 발생된다. 또한 기존에 작업이 진행된 관이나 모재금속에 흡수된 화학물질에 의해 흄이 발생할 수도 있다.

이러한 화학물질은 모재금속에 가해진 열에 의하여 가열되어 흄으로 일부가 발생된다. 흄과 증기의 일부는 매우 자극적이고 독성을 가질 수도 있다. 그러므로 흄의 성분은 용접종류에 따라 달라질 수 있다.

예를 들면 기존에 납 화합물이 포함된 탱크에서 용접을 할 때는 특별한 주의가 필요하다.

③ 가스

가스는 모든 용접작업에서 발생한다. 오존, 질소산화물, 일산화탄소 등은 가장 대표적인 예다. 이러한 가스는 대기오염과도 관련이 있다. 일산화탄소는 코팅된 전극 또는 플럭스가 타거나 분해될 때나 실드가스로 이산화탄소가 사용된 경우 발생된다.

일산화탄소는 조정장애와 의식혼동 등 중추신경계 장해가 일어나기 때문에 근로자의 건강상 문제가 된다. 오존과 질소산화물은 전기 아크에서 발생되는 자외선으로부터 생성된다. 오존은 두통, 흉통, 코와 목의 갈증 등의 증상이 나타난다. 질소산화물은 눈, 코, 목에 매우 자극적이며 기침과 흉통을 유발시킨다. 오존과 질소산화물은 장기적으로 폐에 영향을 준다. 일반적으로 가스아크용접과 가스텅스텐 아크용접은 실드 아크용접보다 오존과 질소산화물을 훨씬 많이 발생시킨다.

용접 종류는 모재금속에 따라 발생되는 흄과 가스의 종류 및 발생량은 다르지만 용접작업에 따른 건강상 잠재적인 유해성은 거의 유사하다.

(2) 노출

실드 아크용접(SMAW)은 많은 양의 흄을 발생시키지만 카드뮴과 같이 독성이 높은 금속은 거의 포함되어 있지 않다. 즉 오존이나 질소산화물이 거의 발생되지 않지만 일산화탄소는 환기가 잘 안 되는 밀폐공간에서 축적된다. 가스아크용접과 가스텅스텐 아크용접에서는 총 흄의 발생은 적고 주로 오존과 질소산화물이 발생한다. 가스텅스텐 아크용접은 니켈, 크롬이 함유된 스테인리스 강과 합금에 많이 사용되는 용접방법이다. 이때 발생되는 흄은 매우 유해하기 때문에 허용농도가 낮게 설정되어 있다.

아크가우징에서 발생되는 흄의 구성성분은 절단되는 금속의 종류와 관련이 있지만 사용되는 전극 때문에 상당한 양의 구리를 포함하고 있다. 또한 고농도의 이산화탄소가 발생되며 밀폐공간에서는 축적이 일어날 수 있다.

플라즈마 아크절단은 많은 양의 오존과 질소산화물을 발생시킨다.

대부분의 경우 용접에서 발생되는 유해물질의 농도는 정상적인 작업이 진행되는 동안에는 허용농도를 초과하지 않는다. 그렇지만 항상 예외가 있다는 것을 염두에 두어야 한다.

(3) 유해광선(자외선, 가시광선, 적외선)

용가재 금속을 녹이기 위해 열을 가하는 전기아크는 강렬하고 선명한 빛을 발생시킨다. 이 빛은 가시광선, 자외선, 적외선의 세 종류로 구분하며, 이들은 모두 태양광선으로서 피부와 눈에 비슷한 영향을 미친다.

유해 광선

소리를 높이와 시끄러움으로 표시하듯 빛은 색과 강도로 나타낸다. 빛의 색깔은 소리의 높이와 비슷하다. 빛의 파장에 따라 색깔이 달라지고 빛은 보통 여러 파장으로 구성되어 있다. 그래서 그림자는 여러 형태로 생길 수 있으며 수많은 색을 띨 수 있다.

소리의 높이가 너무 높거나 낮을 때에는 인간이 들을 수 없는 것처럼 빛도 마찬가지로 파장이 너무 길거나 짧으면 볼 수 없다.

가시광선은 망막에서 감지 할 수 있는 파장을 말하고 자외선은 가시광선보다 파장이 짧은 빛을 말하며 가시광선보다 긴 파장을 적외선이라고 한다. 자외선과 적외선은 볼 수 없지만 여전히 눈과 피부에 영향을 준다. 빛의 강도는 소리의 시끄러움과 같다. 빛의 강도나 밝기는 눈에 손상을 주는데 이때 빛의 파장은 중요한 역할을 한다.

태양광선 또는 용접 시 발생하는 자외선은 피부를 빨갛게 만들거나 화상을 입힌다. 반복적인 노출 후에는 썬텐이라는 자기 방어력이 생겨 이후 노출에 의한 화상은 예방될 것이다. 그렇지만 썬텐은 햇볕에서 일하거나 즐기는 사람들에게서 나타나는 피부암을 예방하지는 못할 것이다.

강렬한 가시광선은 눈의 피로를 유발하며 적외선은 보통 열로서 느낀다. 적외선이 피부화상을 일으키기 전에 먼저 열을 느낄 수 있다. 또한 적외선은 눈에 영향을 준다. 때로는 열에 대한 느낌 없이 눈에 손상을 줄 수도 있다. 특수한 경우에는 적외선은 눈의 수정체에서 발생되는 백내장과 관련이 있다.

용접장소에서 완전하게 빛을 차단하고 색이 있는 안경을 착용함으로써 유해광선으로부터 작업자를 보호할 수 있어야 한다. 그렇지만 잠재적인 노출의 영향은 급성 영향 없이 만성적으로 축적되어 나타날 수 있음을 기억해야 한다. 그래서 가급적 모든 노출을 줄이도록 노력해야 한다.

각 용접작업별 안면 보호 장비의 차광번호 적용의 예

차광번호	8	9	10	11	12	13	14
아크용접							
MAG							
MIG							
MIG(CO_2)							

(4) 소음

지나친 소음은 영구적인 청력손실은 가져온다. 용접과 관련된 소음의 유해성에 대하여 알아볼 필요가 있다. 우리나라 소음의 노출기준(8시간 가중평균치)은 90 dB(A)이다.

아크 가우징은 약 115 dB(A)정도의 소음을 발생시킨다. 8시간 가중 평균치를 초과할 수 있음을 쉽게 짐작할 수 있다.

가장 소음을 많이 발생시키는 작업은 아크가우징과 플라즈마 아크절단이다.

디젤과 가솔린을 사용하는 용접기계는 중요한 소음원이 되기도 한다.

용접기계 한대의 소음수준은 약 95dB(A)이다. 두 대가 나란히 놓여 있다면 소음수준은 98dB(A)가 될 것이다. 그라인딩 작업에서는 약 100dB(A)의 소음이 발생된다. 귀를 보호하기 위해서는 작업 중 발생되는 소음수준을 알아야 하고 주위에서 작동되고 있는 기계들에 의한 소음수준도 알아야 한다.

③ 안전한 작업 습관

이미 우리는 앞에서 용접작업과 관련된 건강장해를 살펴보았다. 잠재적인 건장장해에 대해 인식하는 것은 중요하며 작업자뿐만 아니라, 옆 동료들을 건강위험으로부터 최소화하기 위해 필요하다.

이러한 대책은 쉽게 이용될 수 있고 직면할 수 있는 위험사항에 대한 조치내용에 관한 계획을 세우는 것이 필요하다.

(1) 환기

용접흄과 가스의 노출을 관리하기 위해서는 환기시설과 올바른 작업습관이 유지되어야 한다.

① 가능하면 용접부위로부터 머리(호흡영역)를 멀리한다

용접후드는 흄으로부터 작업자를 보호할 수 있다. 그렇지만 작업자의 작업위치에 따라 달라질 수 있지만 후드가 흄을 흡인하더라도, 흄이 작업자의 호흡기 위치에 쌓이는 상황이 환기가 잘 안 되는 밀집지역에서 발생할 수 있다.

② 항상 국소배기 장치를 사용하라

작업자 뿐 만아니라 주위작업자도 보호하기 위해서 고정된 국소배기장치가 작업영역에 미치지 못하는 경우에는 이동식 배기장치가 필요하다.

이동식 배기장치

③ 자연적인 공기의 흐름을 잘 이용한다

자연환기에 의존할 때에는 작업자의 몸이 공기의 흐름을 가로막는 것을 방지하기 위하여 공기 흐름방향을 작업자와 용접작업 위치 사이에 두고 작업해야 한다.

④ 작업의 위치에 따라 항상 이러한 작업습관을 유지할 수 없는 경우에는 호흡보호구를 착용해야 한다

(2) 호흡 보호구

호흡보호구는 아래 표에 제시되어 있다. 호흡보호구는 작업방식과 환기시설에 따라 선택한다.

다음과 같이 호흡 보호구가 사용된다.

① 반면식 공기공급 호흡 보호구 ② 전면식 공기공급 호흡 보호구
③ 일회용 호흡 보호구 ④ 이동식 공기공급 호흡 보호구

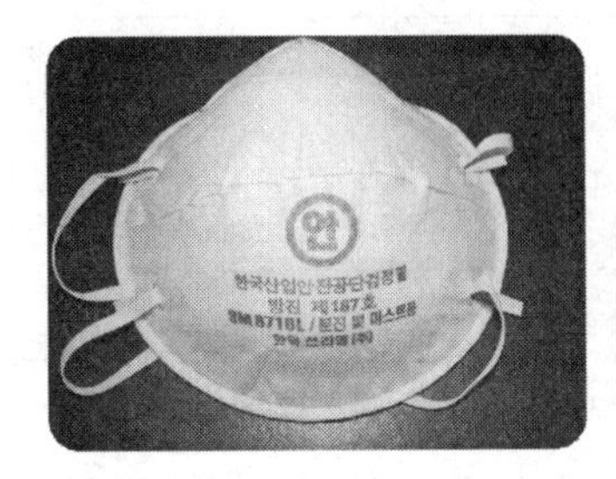

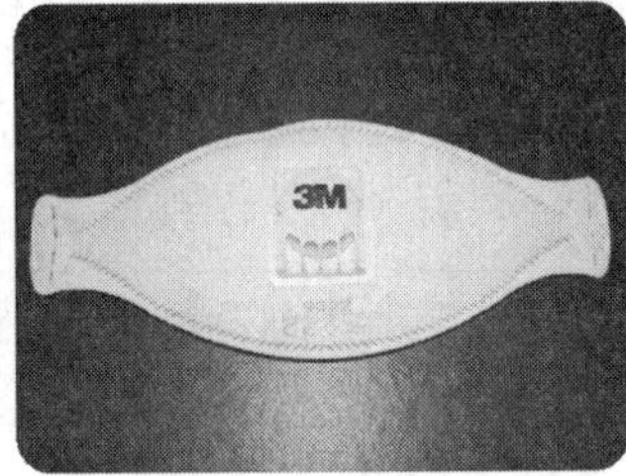

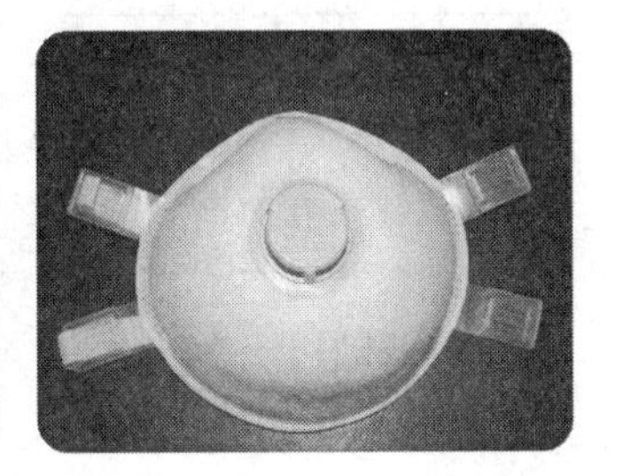

호흡 보호구

일회용 호흡 보호구는 가볍지만 저농도의 특정 흄과 분진에만 사용된다.

마스크는 사용하기 전에 얼굴에 꼭 맞는지 시험을 한 후 착용한다.

동력을 이용한 공기정화식 호흡 보호구는 도관에서 이루어지는 간단한 용접에 이용된다. 그러나 일회용 호흡 보호구는 독성가스에 대해 전혀 보호를 할 수 없으므로 사용할 때 주의해야 한다.

반면식과 전면식 공기공급 호흡 보호구는 장착하는데 시간이 많이 소요되지만 아주 효과적으로 작업자를 보호할 수 있다.

모든 종류의 용접에 이 호흡 보호구가 권장된다.

항상 사용 전에 사용방법을 숙지하고 잘 맞는지 착용상태를 점검해야 한다.

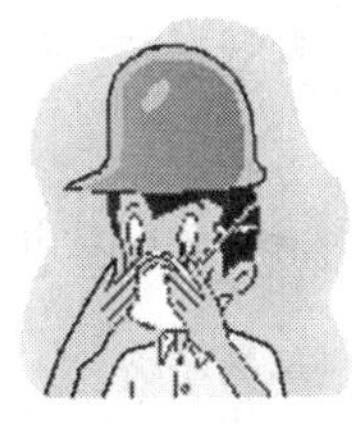

용접종류에 따라 권장되는 호흡보호구					
구 분		옥내용접(Shop Welding)		옥외용접(Field Welding)	
		환기양호 : 국소배기가 흄과 가스를 제거하기위해 사용됨	**환기불량** : 국소배기가 물리적, 공정상 제한으로 사용할 수 없음	**환기양호**: 개방공간에서 용접불꽃 차단이 양호하거나 도관 내 공기흐름이 잘 됨.	**환기불량** : 용접불꽃 차단이나 도관 내 공기 흐름이 나쁨
실드 아크 용접	탄소강	필요 없음	흄 마스크	도금된 모재금속을 제외하고 필요 없음	흄 마스크
	다른 합금	필요 없음	흄 마스크	도금된 모재금속을 제외하고 필요 없음	흄 마스크
아크절단, 가우징		권장되지 않음		개방된 지역을 제외하고 흄 마스크 착용	공기공급식 호흡보호구 착용, 보조자도 흄 마스크 착용
산소-아세틸렌 절단		필요 없음	도금된 모재금속을 제외하고 필요 없음		공기공급식 호흡보호구 착용
플라즈마 절단		모든 작업장에서 공기공급식 호흡 보호구를 착용해야 함			
가스아크 용접		필요없음	공기공급식 호흡보후구	필요없음	공기공급식 호흡보호구
가스 텅스텐 아크용접		필요없음	공기공급식 호흡보후구	필요없음	공기공급식 호흡보호구

A : 일반적인 기준

- 용접불꽃 차단 : 최소 2면 개방, 흄 축적이 없음, 용접작업자 1인
- 도관내 : 작업자로부터 흄을 제거하기 위해 바람이 공급됨. 용접작업자 1인, 공기흐름을 방해하는 큰 구조물이나 장벽이 없음

B : 예

- 모든 면이 폐쇄된 곳에서 용접불꽃 차단.
- 다른 높이에서 일하는 용접작업자들이 있는 관내작업
- 흄이 축적되는 모습이 관찰됨
- 출입문으로 들어오는 공기가 작업공간의 일부분만 순환됨

(3) 용접의 종류에 따른 주요 관리 유해인자

유해인자	용접의 종류					
	피복아크 용접		티그 용접	마그/미그 용접	플라즈마 용접	가스 용접
	일반	저수소계 용접봉				
금속 흄	중-대	중 - 대	소-중	중-대	대	소-중
불화물	소	대	소	소	소	소
오존	소	소	중	대	대	소
이산화탄소	소	소	중	중	대	대
일산화탄소	소	소	소	소-대	소	종-대
염소계 탄화수소 분해산물	소	소	중	중-대	대	소
방 사 선	중	중	중-대	중-대	대	소
소 음	소	소	소	소	대	중

(4) 용접종류에 따른 흄 발생량

공 정	흄 발생량(g/min)
플러스 코어 아크 용접	0.2 ~ 1.2
피복 아크 용접	1.0 ~ 3.5
가스 용접(철)	0.1 ~ 0.5
미그 용접	0.1 ~ 1.5

(5) 용접 작업의 상식

① **용접 흄 발생량은 용접전류와 전압이 증가에 따라 증가한다** : 현장에서 생산성을 이유로 전류와 전압을 세게 하고 용접을 하는데 이는 용접 흄의 발생량도 증가시킨다는 것을 명심한다.

② **흄 입자의 크기는 매우 작아서 우리 폐까지 들어오기가 아주 쉽다** : 그만큼 건강 영향을 주기가 쉽다.

③ **흄은 모재에서 발생되기보다는 용가재(용접봉이나 용접와이어)에서 유래하는 것이 많다** : 문헌에 의하면 약 85% 의 흄이 용가재에서 기인하고 나머지 15 %정도가 모재에서 기인하는 것이다.

④ **페인팅 또는 도금된 강에 용접을 하면 예기치 못했던 다양한 유해인자가 발생된다** : 페인트는 가능하면 그라인더나 적절한 방법으로 벗겨내고 용접을 한다. 구리나 아연으로 도금된 표면에 용접할 때는 작업 환경 측정시 구리나 아연도 측정해야 한다.

⑤ **염소가 함유된 유기용제를 사용하는 곳에서 용접을 하면 매우 위험하다** : 화재의 위험성뿐만 아니라 치명적인 유독성 가스인 포스겐이 생성된다.

⑥ **개인적인 작업습관도 매우 중요하다** : 용접 흄은 발생단계에서 매우 잘 보이는 연기처럼 발생하므로 머리와 코의 위치가 이 연기로부터 떨어지도록 작업하는 습관을 가진다.

19 용접 불량의 원인과 대책

용접불량	불량의 형태	주 원 인
용접부에 핀 홀이 많이 생긴다.	핀홀 / 핀 홀	• 와이어의 불량(실리콘, 망간의 함유부족) • 가스실드의 불량(유량부족, 가스가 너무 냉각, 노즐의 막힘, 바람으로 불어냄) • 가스의 불량(음료용 탄산가스를 사용함)
언 더 컷		• 토치 전송이 빠르다. • 토치 전송속도에 비해 전류 부족 • 토치 각도가 누워있다.
오 버 랩		• 전류가 낮다. • 토치 전송이 너무 늦다.
용입 부족		• 용접전류가 낮다. • 와이어 이송 불량 • 전극 돌출이 크다. • 개선이 너무 좁다. 각도가 작다. • 루트면(갭)이 좁다.
스패터의 다량발생		• 용접면의 더러움(그리스, 도료, 녹 등) • 아크의 길이가 길다. • 토치를 지나치게 세웠다. • 용접 전류가 높다.

용접불량	불량의 형태	주 원 인
비드의 형상 불량		• 전극와이어의 돌출과다 • 와이어의 담금질 과다 • 토치의 전송속도가 너무 높다. • 전류가 전압에 대해 높다.
녹아 흘러 내림		• 용접 전류가 높다. • 패널의 간격이 너무 넓다.

요점정리

- 정속도 송급 방식이란?

  와이어 송급 속도를 한번 조정하면 일정한 속도로 송급 되는 방식을 말하며, 용접 전류는 와이어 송급 속도와 관계없이 와이어 돌출 길이에 따라 변화하여 아크 길이를 제어하는 방식이다.

- MAG : Metal Active Gas : CO_2 Gas

  MIG : Metal Inert Gas : Ar Gas, He Gas, CO_2 와 Ar 혼합가스

- CO_2 가스의 특징

  ① 대기 중에서 기체로 존재하며 비중은 1.53으로 공기보다 무겁다.

  ② 무색, 무취, 무미인 가스이나 공기 중의 농도가 높아지면 눈, 코, 입 등에 자극을 느끼게 된다. CO_2 가스는 상온에서 쉽게 액화하므로 저장, 운반이 용이하며 가격이 비교적 저렴하다.

  ③ 용기에 충전된 액화상태의 CO_2 가스는 용기 상부에서는 기체로 존재하며 그 전체 중량은 완전 충전했을 때 용기의 약 10% 정도가 기체 가스이다.

- 전원 : 직류 정전압 특성 및 상승 특성

- 와이어 송급 방식 : 푸시(Push)식, 풀(Pull)식, 푸시 - 풀식

- CO_2 가스 농도에 따른 영향

  ⓐ 3 ~ 4% : 두통, ⓑ 15% 이상 : 위험, ⓒ 30% 이상 : 치명적

2 스폿 용접

1 스폿 용접(spot)의 특징

모노코크 보디가 보급되어 있는 현재, 보디 패널의 수리에는 아주 높은 용접 기술이 필요하다. 모노코크 보디는 엔진, 서스펜션 등의 중요 부분이 모두 프레스 성형된 박판의 맞춤구조의 패널에 장착되어 도로로부터의 모든 충격을 받아 낼 수 있는 역할을 가지고 있기 때문이다.

자동차 메이커에서는 보디 패널의 재료로 연강판(0.8 ~ 1.2㎜)을 사용하고 있으며 이것을 여러 가지 형상으로 프레스 성형하고, 또 리브를 넣거나 보강재로서 겹침 구조로 하여 이들을 용접 결합해서 일체구조 보디를 형성하고 있다.

보디의 강도를 유지하고 높은 강성을 유지하기 위해서는 각 패널이 결합하는데 있어서 여러 가지 연구가 되어 있으며, 이들의 용접에는 대부분이 저항 스폿 용접이 사용되고 있다.

그 이유는 첫째, 보디 패널과 같은 박판 결합에 가장 튼튼하고 신뢰성이 높은 방법이며, 둘째, 변형이 거의 일어나지 않으며, 셋째, 용접부에 균열이나 내부 응력 발생이 없다.

예를 들면, 가스 용접이나 아크 용접을 하면 불필요한 패널의 변형 수정, 연삭작업 등을 함으로써 강도도 충분하지 않고 재료도 낭비임은 물론 작업시간 또한 많이 걸리므로 비경제적인 것이라고 할 수 있다. 가스 용접이나 아크 용접과 비교해 볼 때 가스나 아크 용접봉이 또한 필요 없다. 볼트나 리벳 고정과 비교해도 드릴에 의한 구멍뚫기, 나사 죄기 등의 번거로움이 없다. 이와 같이 다른 결합 방법과 비교해 현저히 원가가 절감된다.

스폿 용접은 모재의 기계적 성질을 거의 변화시키지 않는다. 즉, 모든 스폿 용접개소는 강도, 경도, 가소성, 탄력성 등이 변화하지 않고 모재와 동등한 상태를 유지할 수 있다.

스폿 용접의 주된 결점은 용접 결과를 판정하는 좋은 비파괴 검사법이 없다는 것이며 외부에서 육안점검으로는 용접부의 양부를 특히 알 수 없다. 따라서 본 용접 전에는 반드시 시험 용접이 필요하다.

(1) 스폿 용접의 특징

① 국부적 가열에 의해 변형이 거의 없다.
② 용접 시간이 짧고, 작업 능률이 높다.
③ 샌딩 작업이 필요 없다.
④ 박판(0.7 ~ 1.2㎜)용접에 적합하다.
⑤ 패널이 밀착된 상태이므로 부식 발생이 적다.
⑥ 작업자의 기능에 좌우되는 일이 거의 없다.
⑦ 강도가 보장되지 않는다(강도의 확인이 어렵다).
⑧ 큰 전류를 필요로 하므로 용접기 본체가 무겁다.
⑨ 용접 후 접합상태를 외부에서 판단하기 곤란하다.

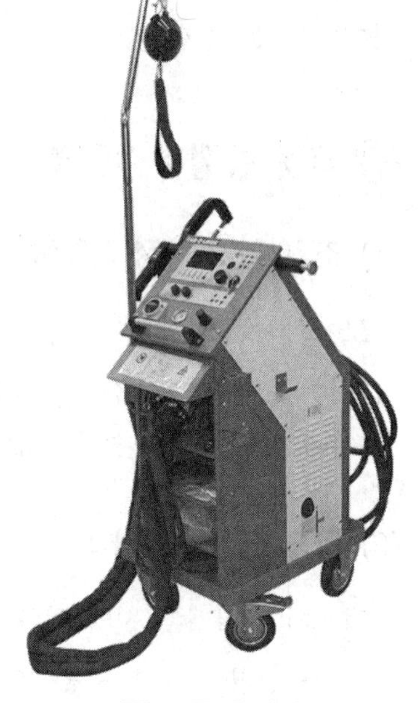

스폿 용접기

2 스폿 용접기의 구조

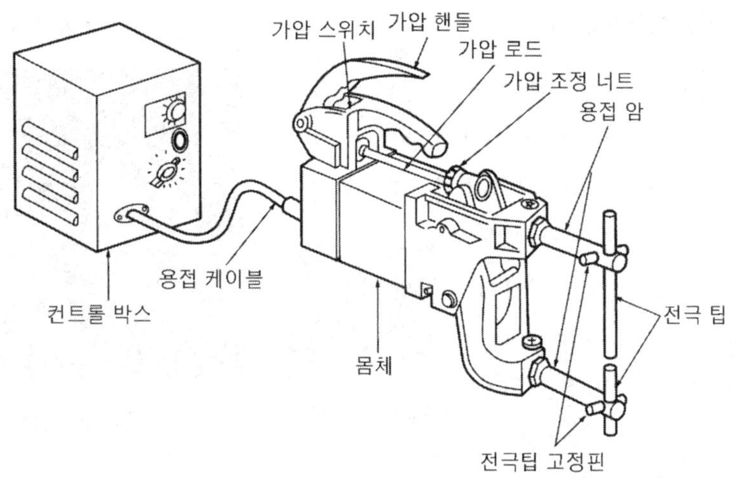

스폿 용접기의 구조

3 스폿 용접의 원리

스폿 용접은 압접법의 일종이며, 용접의 원리는 용접할 모재를 두께에 따라 전극 팁을 교환하여 사용하고, 큰 전류가 흐를 때 발생하는 열에 의해 금속이 용융되고, 이때 가압하여 금속을 접합한다.

❶ 스폿 용접의 3단계

(1) 초기 가압 공정(가압력)

모재의 용접부에 큰 전류가 흐르게 하기 위해 전극 팁을 가압해 밀착시킨다. 가압력이 부족하면 통전 시에 스파크가 발생해 용접 불량의 원인이 된다.

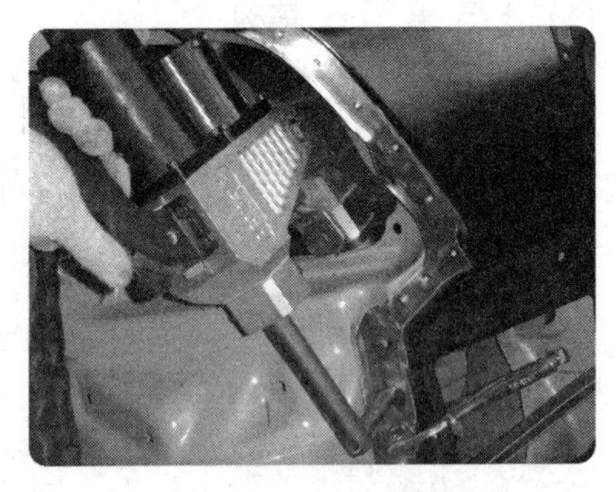

초기 가압 조정

(2) 통전 공정(통전융합)

적절히 가압하고 전극 팁에 큰 전류를 흐르게 하면 모재가 발열하면서 용융이 시작된다. 이때 두 장의 모재는 작은 용입부터 점차 큰 용입으로 성장한다. 이 상태에서 가압을 계속하면 두 장의 모재가 접합된다.

통전 조정

(3) 가압 보존공정(냉각고착)

통전이 종료되고, 용융면이 자연히 냉각 되면서 수축과 응고가 된다. 용융부가 가압에 의해 조직이 치밀해져 강도가 높아진다. 따라서 통전과 동시에 가압을 정지하면, 패널이 움직이게 되고, 용융부의 갈라짐이 생기게 되므로 용접 불량의 원인이 된다.

실 작업에서는, 이 가압 보존공정을 생략하기 쉽지만 충분한 시간을 두는 것이 바람직하다.

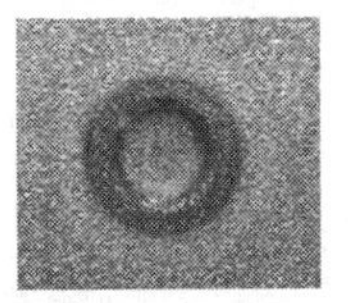

너깃 현상

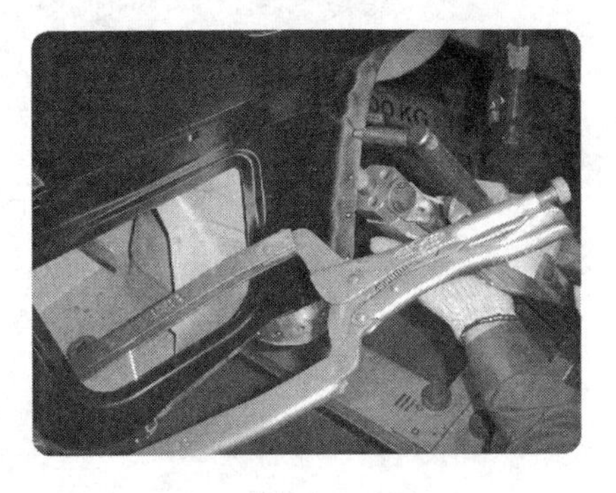

가압 보전 공정

4 스폿 용접의 3대 조건

스폿 용접 시에 정상적인 용접강도를 얻기 위해서는 많은 요소가 있지만 그 중 **가압력**, **용접전류**, **통전시간**은 용접 결과에 주는 영향이 크다.

위의 조건을 스폿 용접의 3대 조건이라 한다.

(1) 가압력

① **목 적**

㉠ 스파크가 발생하지 않게 전극 팁으로부터 모재에 전류를 공급한다.

㉡ 용접 후에도 가압을 계속함으로서 조직이 치밀해지고 강도를 높게 한다.

② **용접 결함**

㉠ 전류는 일정하고 압력이 클 때 : 너겟이 작고, 가압력으로 인한 팁에 눌린 흔적이 강하게 남는다.

㉡ 전류는 일정하고 압력이 적을 때 : 스파크가 발생하고 구멍이 생길 가능성이 높다.

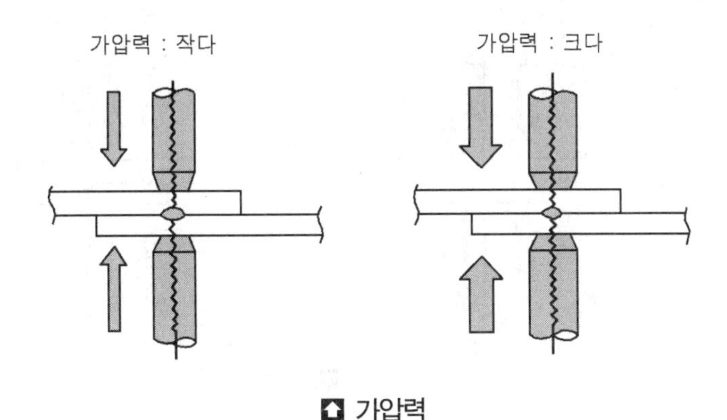

가압력

(2) 용접 전류

① **목 적**

㉠ 모재에 전류를 흘려서 금속을 녹이고 접합하기 쉬운 상태로 만든다.

② **용접 결함**

㉠ 가압력이 일정하고 전류가 크면 : 패널이 과열되어 과용융 되면 구멍이 생길

우려가 있다.

㉡ 가압력이 일정하고 전류가 약하면 : 모재가 잘 녹지 않아 용입이 불량하다.

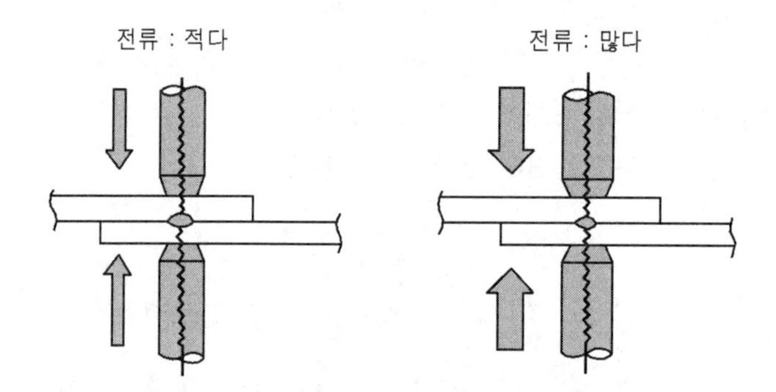

용접 전류

(3) **통전 시간**

① **목 적**

㉠ 모재를 충분히 용융하고, 알맞은 너겟을 형성한다. 용접부에서 발생하는 열량은 통전시간과 비례하여 증대하고, 너겟도 커진다.

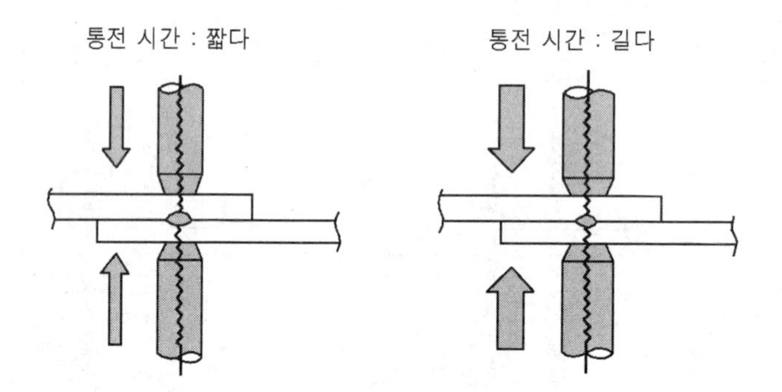

통전 시간

② **용접 결함**

㉠ 통전 시간이 길면 : 패널이 과열되어 과용융 되면 구멍이 생길 우려가 있다.

㉡ 통전 시간이 짧으면 : 모재가 잘 녹지 않아 용입이 불량하다.

③ **너겟이 작은 이유**

일정한 팁 끝 면적에 가압력이 크면 모재의 접촉 저항이 떨어지므로 발열량이 감소하고 용융부가 용융되는 온도까지 올라가지 못하므로 접합이 부족하고 너겟이 작아진다.

5 용접기의 조정

자동차 메이커에서는 앞의 3대 조건을 충분히 갖추고 있는 용접기를 가지고 있지만, 차체수리 작업에 사용하는 용접기는 일반적으로 전류와 가압력은 작고, 전류값의 조정은 잘 되지 않는 것이 현실이다. 그렇기 때문에 용접 강도의 확보는 가압력 및 통전시간의 조정에 의해 이루어진다.

지금부터 설명하는 항목은 차체수리 작업에서 스폿 용접기를 사용하기 위한 기본적인 작업 방법이다.

❶ 건 암의 선택

건 암은 용접 개소에 맞는 모양을 선택하여 설치하는 것이 중요하다. 다음의 그림은 암의 형태에 따른 주사용 예이다.

건 암의 선택

❷ 전극 팁의 정형

전극 팁의 끝은 전류를 흐르게 하기 위한 출입구가 된다. 전류가 통과하는 팁의 끝 부분이 너무 크거나, 작아도 너겟이 작게 형성된다. 또 팁의 끝이 타서 더러워지고 저항이 많아지면 충분한 전류가 흐르지 못하므로 용접 불량의 원인이 된다.

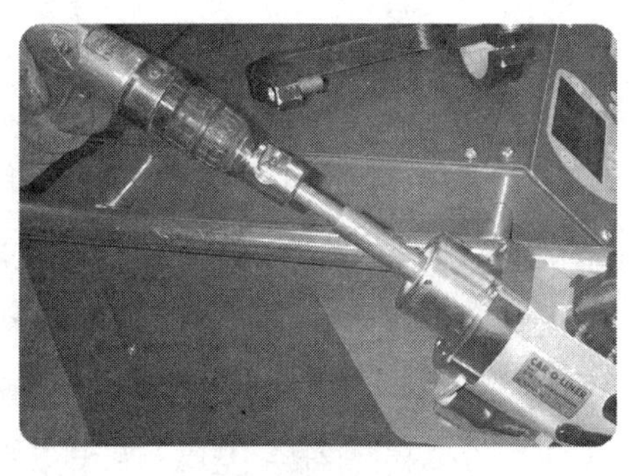

전극 팁의 정형

알맞은 용접 강도를 확보하였어도, 작업 전 및 작업 중 팁의 형태에 유의하고 팁 끝이 마모되면 수정이 필요하다. 통상 팁의 정형에는 팁 수정기를 사용한다. 팁 끝은 대략 4 ~ 5㎜정도로 정형한다.

③ 상하 팁의 직경 설정

위에서도 언급하였듯이 팁의 직경은 5㎜정도로 상하 평행하게 연마한다.

① **팁의 직경이 좁을 경우** : 너겟(nugget)이 작아 접합강도가 저하

② **팁의 직경이 넓을 경우** : 전류의 밀도가 낮아 용융 불량의 원인이 됨

③ 필요에 따라 한쪽의 전극 팁은 타원형(R5)으로 연삭해서 사용하면 효과적이다

④ 스폿 용접기의 세팅

스폿 용접기를 사용할 때에는 다음 3가지가 중요하다.

① **용접하려는 판의 두께**

② **용접하고자 하는 부분의 형상**(클램프 암 및 팁의 적합성 여부)

③ **용접 부분의 형상**(가능한 깨끗이 닦여진 상태가 좋다. 즉, 스케일, 녹, 먼지, 도료의 찌꺼기 등은 깨끗이 제거한다.)

⑤ 팁의 직경 및 각도

전극부의 팁 직경은 용접하려는 판 두께에 따라 정해진다. 아래 그림에서 보듯이 팁 직경은 용접하려는 판 두께의 2배에 3㎜를 더하거나 뺀 것이 된다.

전극 팁의 각도는 그림과 같이 90~120° 가 가장 적당하다. 만약, 전극부가 각도보다 더 뾰족할 때는 용접 전류의 흐름은 저하 하고 가압력이 너무 집중 되므로 용접부에 깊은 자국을 남기게 되고, 반대로 너무 평평한 큰 지름의 전극 팁에서는 보다 큰 용접 전류를

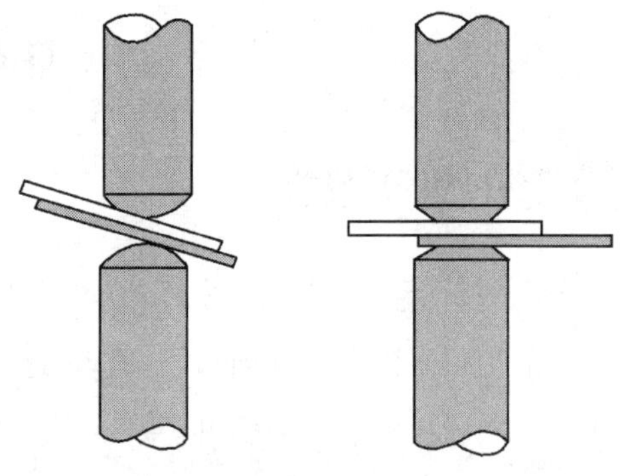

(a) 팁 끝이 둥글 경우 (b) 팁 끝이 적당할 경우

팁의 직경

필요로 하게 된다. 따라서 전극 팁이 마모되어 둥글게 되거나 버섯형으로 된 경우에는 팁 커터 등을 이용하여 바르게 팁의 직경과 각도로 수정해 주어야 한다. 보다 좋은 용접 결과를 얻기 위해서는 자주 연마 수정할 필요가 있다.

6 용접 부분의 형상

필요이상으로 긴 암은 용접기의 중량을 증가하게 하고 기계적으로나 전기적으로나 그 성능을 저하시킨다.

건 암과 전극의 선택은 용접하려고 하는 부분에 적합하고 가능한 짧은 것을 사용하고 건에 장착할 때에는 다음 사항에 주의한다.

① 상하의 암은 평행하게 장착한다.

② 전극을 바르게 상하 정렬 시킨다.

③ 전극 팁의 접촉면을 완전히 평행하게 다듬질 한다.

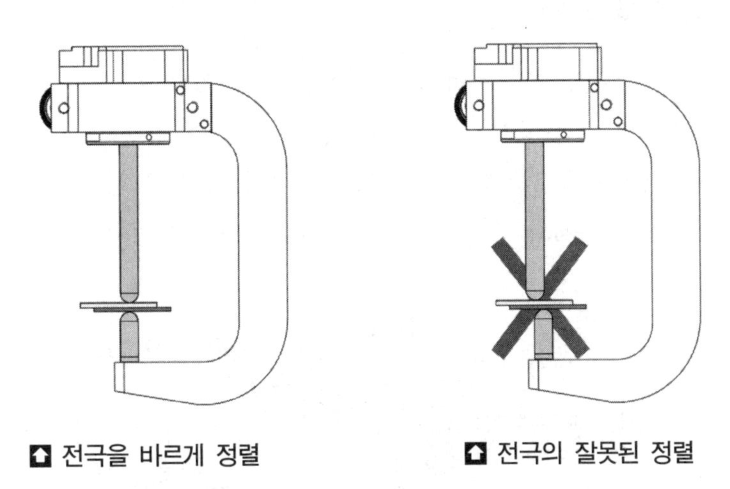

전극을 바르게 정렬 　　 전극의 잘못된 정렬

❶ 전극 팁 및 암의 정렬

위에서도 언급하였듯이 상하의 전극 팁은 패널(모재)을 잡은 형태에서 일직선이 되도록 한다. 조정이 불량한 상태에서는 가압력과 전류에 영향을 줌으로 용접 불량의 원인이 된다.

2 수동 가압식의 가압력 및 통전시간의 조정

가압력과 전류의 조정 값은 각 기종에 따라 다르므로, 사용하는 용접기의 취급 설명서에 따른다. 실 작업에서는 테스트 시편으로 파괴검사를 한다.

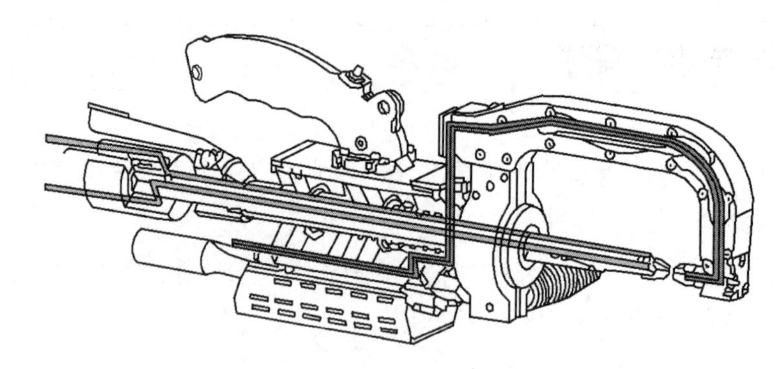

가압력과 전류의 조정

3 공기 가압식 용접 건

공기압에 의해 가압을 항상 일정하게 유지함으로써 균일한 용접이 가능하다. 수동식에 비해 조작이 간단하고 취급이 용이하다.

공기 가압식은 가압을 공기압으로 함으로 수동식에 비해 큰 압력이 발생함과 동시에 항상 일정한 가압력이 유지되며, 용접강도가 높고, 균일한 용접이 된다.

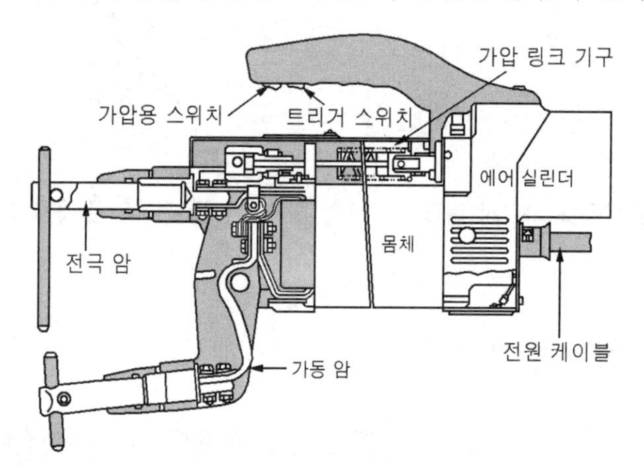

공기 가압식 용접 건

7 모재의 조건

① 도막, 부식, 이물질 제거

용접면의 표면 및 모재의 표면에 도막, 부식, 이물질이 있으면, 이 상태에서는 통전 불량이 생기고, 충분한 용접결과를 얻지 못한다.

용접면의 부착물은 확실히 제거하고, 모재간의 접촉은 확실하게 한다.

★ 신품의 표면은 전착도장이 되어 있으며, 통전성이 좋지 않으므로, 용접면의 도막은 확실히 제거한다.

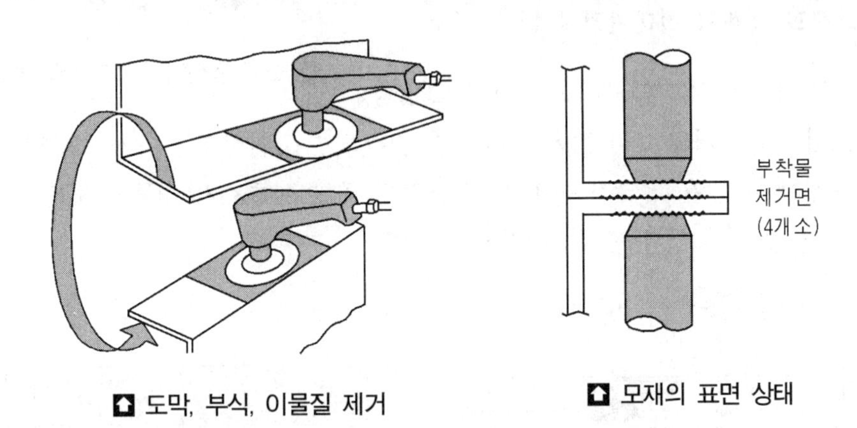

도막, 부식, 이물질 제거

모재의 표면 상태

② 변형의 수정

용접면 사이에 간격이 있으면, 가압하여도 모재 간 접촉 불량을 일으켜 전 류가 흐르지 않는다. 만약, 용접 되어도 접촉 면적이 적기 때문에 충분한 용접 강도를 얻지 못한다. 용접면에 변형이 있는 경우에는 반드시 수정을 해야 하고, 바이스 플라이어 등으로 고정한 후 용접 작업을 하는 것이 좋다.

③ 용접면의 방청처리

용접할 면은 도막을 제거하고 난 후에 부식이 발생하기 쉽다. 방청처리 면적은 도막을 제거한 곳 보다 넓게 도포한다. 방청제로는 스폿 용접시 통전성을 가진 스폿용 실런트를 사용한다.

도포면

용접면의 방청처리

8 스폿 용접의 위치

스폿 용접의 위치는 다음과 같다.

① 접합부의 중앙

② 같은 거리(피치)

③ **최소 스폿 거리** : 판원의 15~30배

④ **가장자리에서의 최소거리** : 판원의 6~8배

⑤ **너겟과 너겟의 최소거리** : 20~25mm

⑥ **너겟과 너겟의 최대거리** : 40~45mm

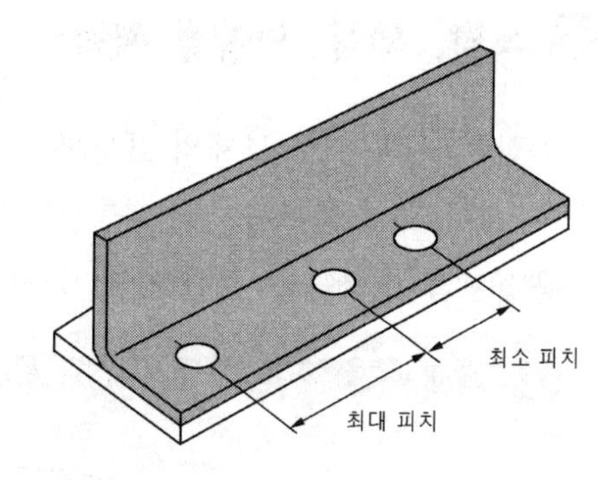

스폿 용접의 최소거리와 최대거리

스폿 용접 점 간의 거리를 최소화하면 강도는 증가한다. 그러나 최소거리 보다 짧은 거리로 용접이 되면 접합강도는 증가하지 않는다. 그 이유는, 용접할 때 많은 전류가 이미 먼저 용접한 곳으로 흐르기 때문에 충분한 너겟이 형성 되지 않는다. 이 전류를 무효전류라고 한다.

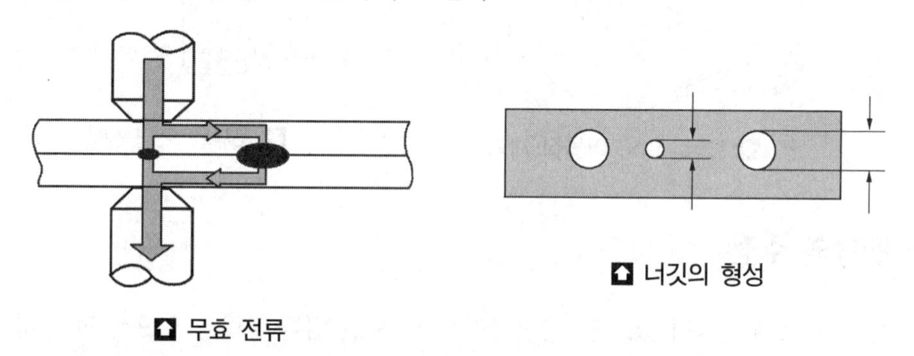

무효 전류

너깃의 형성

⑦ **용접 순서**

용접순서는 일반적으로 다음 그림과 같다

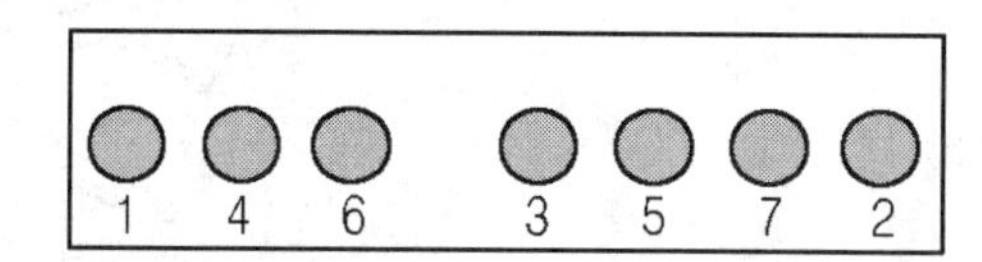

⑧ **연속적인 용접 작업은 하지 않는다**

연속적인 용접 작업을 계속하게 되면 전극 팁이 달아오른다. 이 상태에서의 작업은 팁의 마모를 초래하고, 저항이 증가하며, 충분한 전류 값을 얻지 못한다. 그리고 정류기가 과열되어 전류 저하를 가지고 오며, 용접 강도의 저하로 이어진다.

9 용접부의 검사

스폿 용접의 검사 방법은 **외관 검사**, **파괴 검사**, **비파괴 검사**가 있다. 아래에서 이야기하는 검사 방법은 현장에서 폐자재를 사용한 간단한 검사 방법이다.

(1) 파괴 검사

파괴 검사는 작업을 실시하기 전에 용접할 모재와 같은 재료로 용접한 후 그림과 같이 화살표 방향으로 힘을 가하여 떼어낸 형태를 확인한다.

일반적으로 시편에 홀이 생기면 상태가 양호하고, 홀이 없는 경우는 용접 조건을 재조정하여 다시 시험한다.

파괴 검사

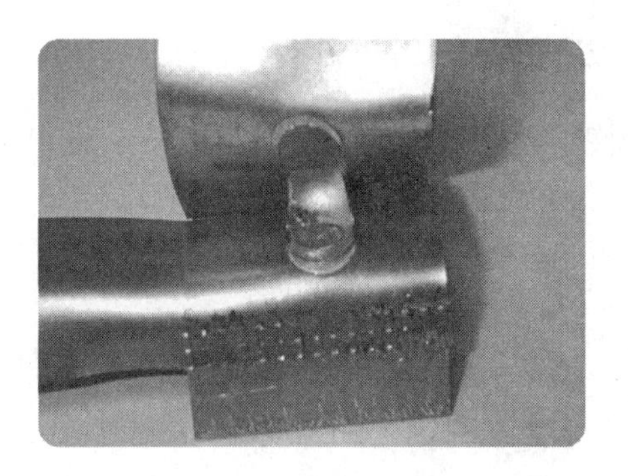

홀의 형성

(2) 시험 용접

시험 용접은 반드시 동일 재질과 두께의 시험편을 준비하여 시험용접 후, 본 용접을 실시해야 하며, 시험 용접된 시편을 탈거한 후 재료의 두께에 따라서 다르게 나타날 수도 있지만 일반적으로 탈거 된 시편 한쪽의 구멍 직경이 3mm 이상 되어야 한다.

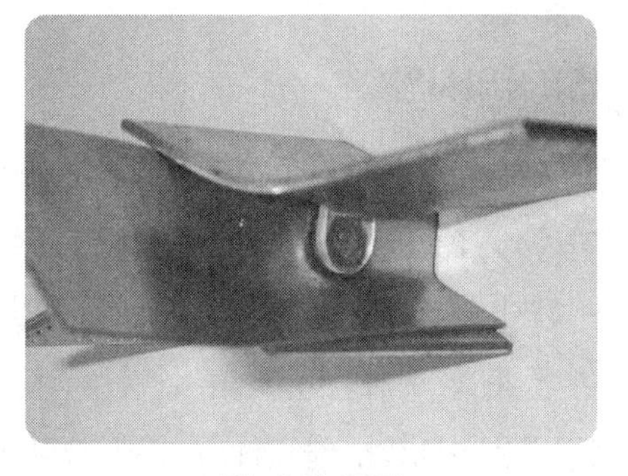

홀의 직경

(3) 비파괴 검사

이 방법은 용접 종료 후 부품의 용접 상태를 오른쪽 그림처럼 정을 이용해서 용접개소의 중간에 정을 삽입한 상태에서 생기는 용접부의 현상을 보고 검사한다.

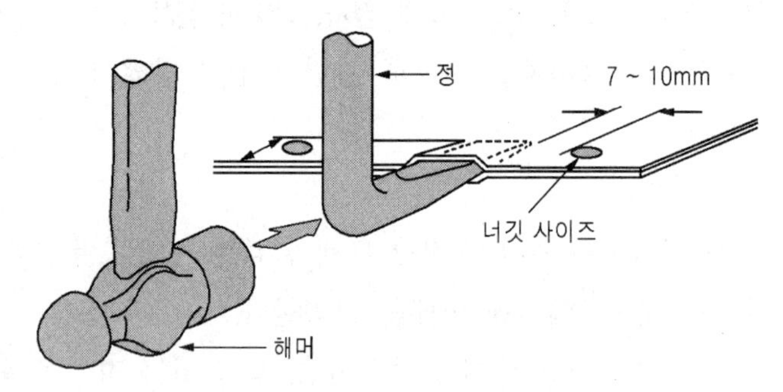

비파괴 검사

(4) 외관 검사

외관 검사는 시각과 촉각에 의한 검사이다. 촉각에 의한 검사에서는 필히 장갑을 착용해야 한다.

외관검사를 하는 방법은

① 눈으로 갈라짐과 홀이 있는지 확인한다.

② 용접 부위에 칩이 있는지 확인한다(필히 장갑을 착용해야한다.).

③ 용접된 패널면 중앙에 너겟이 위치해 있는지 확인한다.

④ 같은 간격으로 용접이 되었는지 확인한다.

⑤ 메이커 타점의 1.2 ~ 1.3배 정도로 용접이 되었는지 확인한다.

(5) 유의사항

보수과정에서 스폿 용접을 할 때에 메이커 타점의 1.2~1.3배의 규정은 정하는 바에 따라서 조금은 달라질 수 있기 때문에 이것이 정확하다 라고 이야기 하지 못한다.

하지만 1.2 ~ 1.3배 정도로 해주었을 때 가장 보편적으로 신차 출고시의 강도와 비슷한 강도를 유지한다 라는 설명을 하는 것이지 정확하게 이렇게 규정대로 해주어야 한다는 것은 아니다. 재료의 두께에 따라 또는 정해진 부품의 위치에 따라 용접을 다르게 해주어야 하는 부분이 있기 때문에 참고적으로 이해해 주길 바란다. 용접 개소를 많이 해주면 해 줄수록 강도면에서 더욱 더 유리하겠지만 너무 많은 용접 개소는 오히려 역효과를 가져올 수도 있다는 점에서 볼 때 1.2~1.3배가 적당한 용접개소가 될 수도 있을 것이다.

스폿 용접 타점 수를 신차의 몇% 정도 해주어야 하는가 하는 질문에는 10~20% 또는 20~30%정도 해주는 것이 바람직하다고 나와 있는 견해가 많다.)

앞에서 잠시 언급했듯이 타점 수도 물론 중요하지만 용접 시에 특히 주의할 점은 타점의 간격이다. 이 간격이 너무 좁으면 충분한 강도로 용접이 되지 않는다. 1mm판의 간격은 20~25mm가 강도상 필요한 최저 간격이다. 판 두께가 보다 두꺼워지면 간격은 더 크게 잡아야 한다. 이유는 간격이 아주 좁은 경우 용접 전류는 용접부를 녹이는 열이 되지 않고 앞의 스폿 용접부로 빠져 나와 단락 분류해 버리기 때문이다.(그림 ⓐ, ⓑ)

또한, 판의 플랜지 부위를 붙이는 [가장자리 붙이기]에 주의하여야 한다.

만약. 너겟의 중심이 판의 끝에 걸리게 되면 용접 부분에서 용융금속이 비산하여 구멍이 뚫리거나 대단히 얇은 너겟이 형성되어 접합강도가 떨어지게 된다.(그림 ⓒ) 맞대는 부분의 단 붙이기를 할 때는 적어도 스폿 팁 직경만큼의 길이를 띄운 후 용접 작업을 해야 한다.

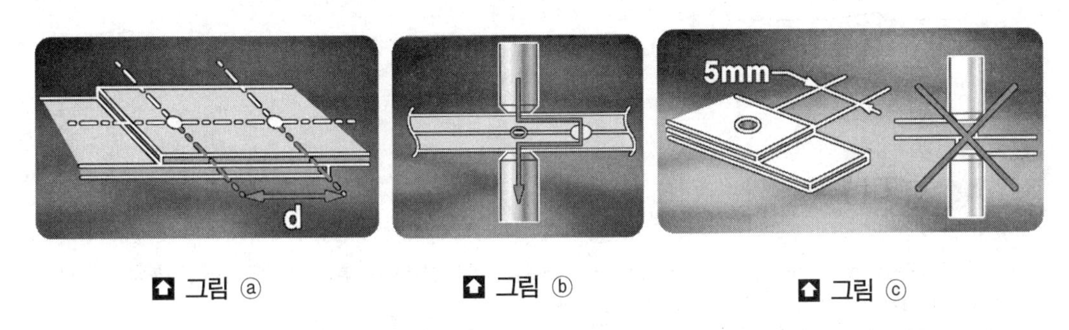

그림 ⓐ　　그림 ⓑ　　그림 ⓒ

10 용접 불량의 원인과 대책

용접 불량 현상	원 인	대 책
표면칩	• 가압력 부족 • 전류 과대 • 용접면이 지저분함	• 가압 조정너트의 가압력을 올린다. • 전류조정 다이얼을 돌린다. • 용접 면의 이물질 제거
중간칩		

용접 불량 현상	원 인	대 책
변형	• 가압력의 과대 • 전극 팁의 끝이 좁다. • 전류 과대 • 통전시간 과대	• 압력 수정너트의 가압력을 낮춘다. • 팁 끝을 알맞게 연마한다. • 전류 수정 다이얼을 낮춘다. • 통전시간을 줄인다.
핀홀	• 전류 과대 • 가압력 부족 • 통전시간의 과대	• 전류조정 다이얼을 낮춘다. • 가압력을 올린다. • 통전시간을 줄인다.
열과대 변색	• 전류 과대 • 통전시간 과대	• 전류를 낮춘다. • 통전시간을 줄인다.
팁의 변형	• 건 암이 부적합하다. • 전극 팁의 부족 • 팁 끝의 형태 변형	• 건 암 및 전극 팁의 정렬 • 팁 끝의 정형

TIP

- 저항용접(Resistance Welding)은 용접하려고 하는 재료를 서로 접촉시켜 놓고 이것에 전류를 통하면 저항열로 접합면의 온도가 높아졌을 때 가압하여 용접한다.
  이 때 저항열은 주울(Joule)의 법칙에 의해서 계산한다.

  ※ 주울의 법칙 : $Q = 0.24I^2\ RT$
  (Q : 저항열, R : 저항, I : 전류(A), T : 통전시간(sec)

- 저항용접
  ※ 겹침 용접 : 점용접 / 프로젝션 용접 / 심용접
  ※ 맞대기 용접 : 업셋 용접 / 플래시 용접 / 퍼커션 용접
- 전기저항 스폿 용접의 3대 요소 : 가압력, 용접 전류, 통전 시간
- 스폿 용접의 주된 결점은 용접 결과를 판정하는 좋은 비파괴 검사법이 없다는 것이며, 외부에서 육안 점검으로는 용접부의 양부를 특히 알 수 없다. 따라서, 자동차 보디 수리에 사용하는 스폿 용접기는 매우 신뢰도가 높은 것이 요구되며, 본 용접 전에는 반드시 시험 용접이 필요하다.
- 시편 2매를 스폿(spot) 용접 후 용접된 시편을 탈거 했을 때 스폿 용접 되었던 부위에 3mm 이상의 구멍(홀)이 뚫려야 한다.

3 알루미늄 패널 용접

1 일반 사항

자동차에 사용되는 비철 재료들을 살펴보면 1970대와 80년대에는 플라스틱 사용에 의한 소재의 변화를 시도하였으며, 1980년대에 들어서 알루미늄의 사용량이 서서히 증가하여1990년대에 들어 혼다(NSX), 1994년 아우디(A8)모델의 100% 알루미늄을 사용한 차체가 등장 하는 한편, 1994년을 기점으로 부품의 구조 변화 및 부품 조달비용의 절감에 의한 상대적으로 고가인 플라스틱에 대한 수요가 상대적으로 감소하였다.

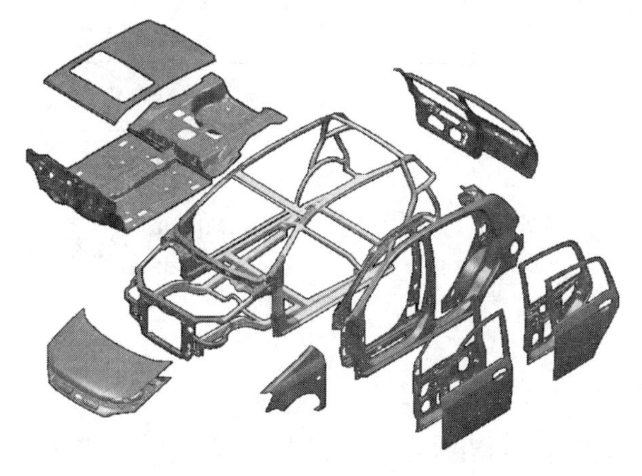

이러한 알루미늄 차량의 손상된 차량의 수리하는 과정에서 발생되는 용접작업은 일반적인 스틸 패널 용접과는 상당부분 다른 모습을 나타내고 있다.

(1) 특 징

일반적인 스틸 패널의 경우에는 탄산가스를 보호가스로 하는 MAG(metal active arc shield gas welding)용접을 주로 실시하였으나, 알루미늄 패널의 용접의 경우에는 강에 비해 낮지만, 비열, 용융 잠열이 크고, 더욱이 열 전도성이 좋기 때문에 높은 열로 신속히 가열할 필요가 있다. 또한 알루미늄 패널은 자체적으로 산화피막을 형성하고 있기 때문에 산화 피막을 제거하기 위해서는 아르곤 가스를 이용한 MIG(metal inert arc shield gas welding)청정작용이나, 플럭스 처리가 필요하다. 열에 의한 변형 즉 열 변형이 일반 스틸 패널과 비교하면 2배 가까이 발생하기가 쉽다.

(2) 알루미늄 합금패널과 일반스틸 패널의 용접에 의한 영향

성 질	알루미늄	강	영 향
용융온도(℃)	560~640	600×2.5	알루미늄 합금은 적열현상을 보이기 전에 녹기 때문에 가열 온도의 판정이 어렵다.
잠열(cal/g)	93	93×0.7	용접에 필요한 열량이 많고, 더욱이 급속히 가열하여야 한다.
비열(cal/g/℃)	0.22	0.22×0.5	
전 용해열(cal/g)	256	256×1.2	
열전도율(℃)	0.28	0.28×0.57	
탄성계수(kgf/㎟)	7000	7000×3	변형을 일으키기가 쉽고, 깨어지기 쉽다.
선 팽창계수(10-6)	23.8	23.8×0.5	
전도율 (%)	30	30×0.52	강에 비해 고 전류가 필요하다.
산화 피막	Al_2O_3	Fe_2O_3	알루미늄 합금의 산화 피막은 용융점이 2020 ℃로 높다. 이러한 산화피막을 제거하기 위해서는 플렉스 또는 아르곤 용접의 청정작용이 아니면 안 된다.

(3) 용접봉의 선택

알루미늄 합금 패널의 용접작업에서 용접봉의 선택기준이 무엇보다 중요하다. 일반 스틸 패널과 달리 알루미늄 합금 패널 용접작업에서는 용접봉의 선택이 구분 되어진다.

모재별 용접봉 선택기준

모 재		적용 용접봉
1000계	A1050, A1100	모재와 동일한 용접봉 사용
2000계	A2014, A2017	기본적으로A2319를 사용, 경우에 따라 A4043 사용
3000계	A3003, A3203	기본적으로 A1100, A1200을 사용, 경우에 따라 A4043 사용
5000계	A5052, A5652, A5454	기본적으로 A5356을 사용, 경우에 따라 A5556, A5183 등을 사용
	A5154,A5254	기본적으로 A5654 사용, 경우에 따라 A5356, A5183 등을 사용
	A5083	기본적으로 A5183, A5356 등을 사용
6000계	A6N01 ,A6063	기본적으로 A4143, A5556 등을 사용
7000계	A7N01	기본적으로 A5356, A5183 등을 사용

2 알루미늄 합금 패널 용접

알루미늄 용접의 어려움은 다음과 같이 재료 그 자체의 성질에 의한 것이 많고 각각의 문제에 의한 충분한 주의와 대응이 필요하다.

(1) 주의사항

① 융점이 적열온도 이하이기 때문에 모재의 가열상태 및 용융온도를 파악하기 어렵다.

※ 일반적으로 용융상태 확인은 모재 표면의 동요와 밝기로 알아내지만, 가열상태에서는 특수한 재료를 사용하여 표면온도를 측정한다.

② 열 전도성이 좋기 때문에 용접 개시 부 근처의 국부가열이 어렵고, 모재의 용융을 일정하게 유지하는 것이 어렵다.

※ 용접 개시부에서의 예열과 모재의 용융상태에 맞춘 이송속도 조정이 필요하다. 용융상태의 전반적인 개선책으로는 펄스제어 용접법의 이용이 효과적이다.

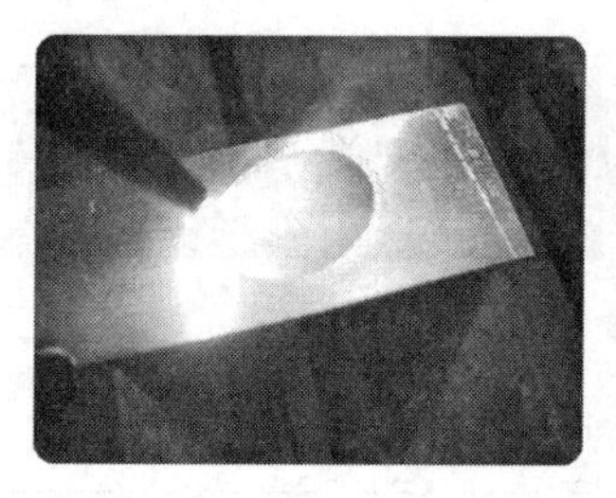

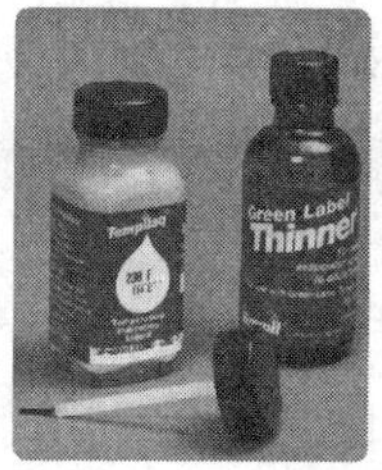

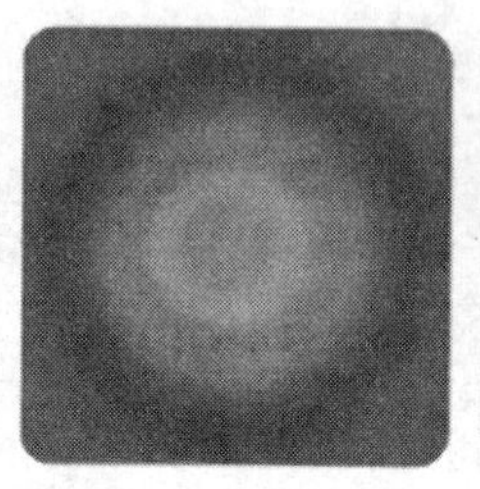

특수 도료를 활용한 패널 온도의 변화

③ 재료 표면에 강하게 교 융점의 산화막을 형성하기 때문에 용접 시 산화막을 제거할 필요가 있다.

※ **용접작업 전에 와이어브러시 또는 화학약품을 이용하여 산화막을 제거할 필요가 있다.**

④ 용접부위에 기공이 발생하기 쉽다

※ **용접부위의 탈지처리(크리닝)가 필요하다.**

⑤ 용접부위에 균열이 발생하기 쉽다.

※ **균열에 관해서는 우선 모재와 용접봉을 적절히 선택, 조합해 쓰는 것이 중요하다.**

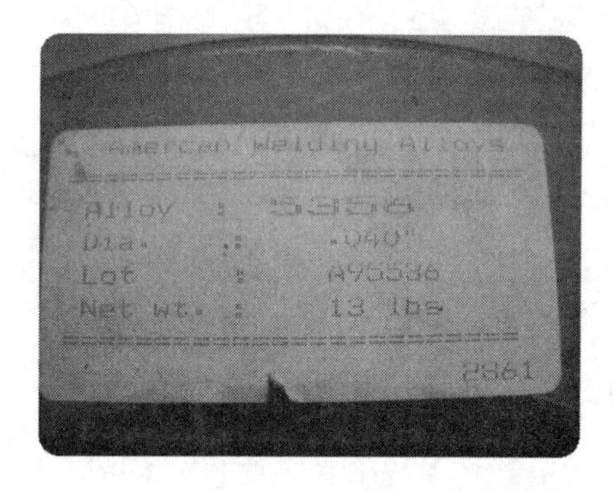

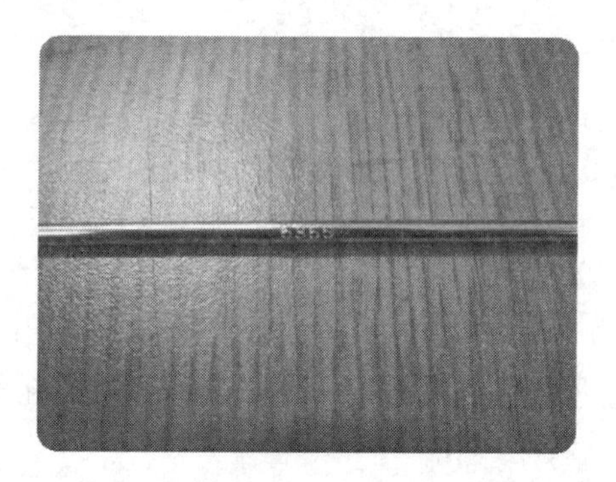

용접봉 선택 기준의 예 : 5356번 용접봉의 경우

TIP

- 알루미늄 합금 패널 용접 시 알루미늄 합금 계열별 적용 용접봉을 사용 하여야 한다.
- 알루미늄 합금 패널 용접작업 시 알루미늄 합금 패널에 존재하는 산화피막을 제거 하여야 한다.
- 알루미늄 합금 패널 용접 작업 시 일반 MAG용접과 달리 육안으로 확인이 어렵고, 용접 후 변형과 기공 또는 균열이 발생빈도가 높으므로 각별한 주의를 요구한다.

3 알루미늄 합금 패널 용접(MIG용접)

① 일반 사항

미그(MIG)용접(Metal Inert Gas shield arc Welding)의 머리글자를 딴 것으로 불활성가스용접이라고도 하며, 불활성가스를 활용하여 용융금속으로 보호하고 용가재인 전극와이어를 연속적으로 보내면서 아크를 발생시키는 방법으로 용극식 또는 소모식 불활성가스 아크용접법이라고도 한다.

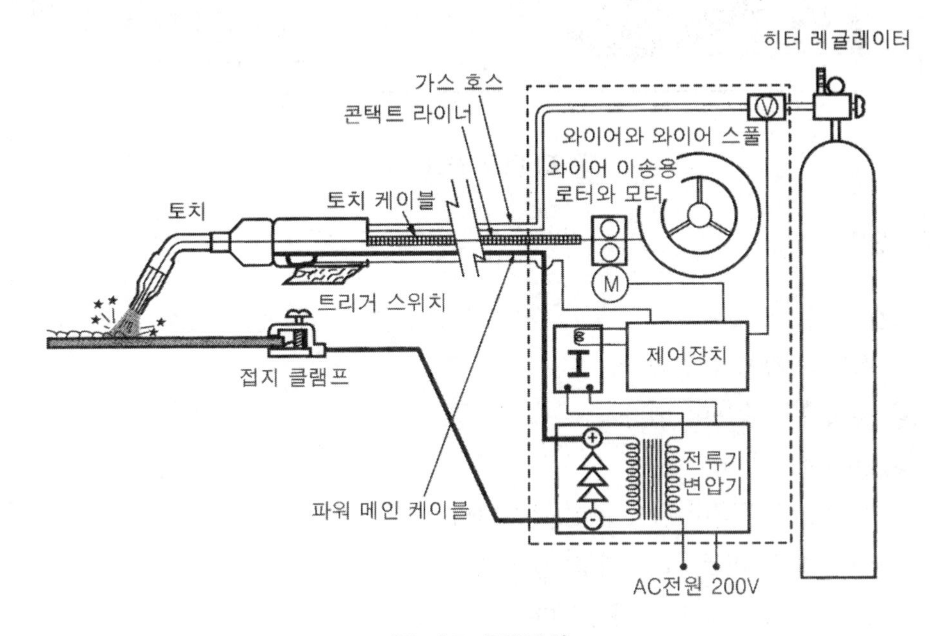

미그 용접장치

(1) 원 리

미그(MIG) 용접은 연속적으로 공급되는 용가재(용접와이어)와 모재 사이에서 발생되는 아크열(5,000~10,000℃)을 이용하여 용접하는 방법으로 아크의 높은 열은 연속적으로 공급되는 용가재(용접와이어)를 용융하여 융착 금속으로 이루어지고, 보호가스는 노즐을 통해 분사되어 아크 주위를 보호함으로써 대기의 침입을 막아 아크중의 융착 금속이 산화나 질화 현상을 일으키지 않고 우수한 용착금속을 얻을 수 있다.

불활성가스로서는 아르곤(Ar)과 헬륨(He) 등을 주로 사용하지만, 용접성을 향상시키기 위해 혼합가스를 사용하는 경우가 많다. 특히 알루미늄, 동합금 용접에서는 혼합가스를 사용함으로서 용접결함을 최소화시킬 수 있으며 작업효율의 상승을 얻을 수 있다.

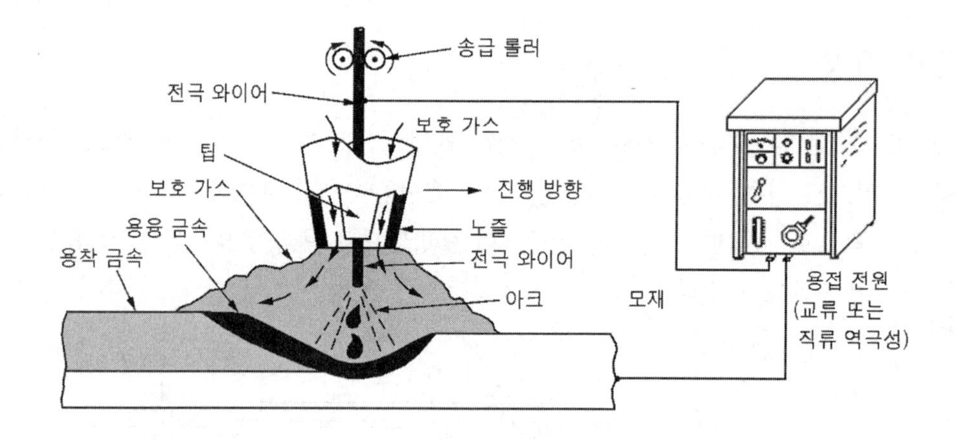

미그 용접

(2) 장 · 단점

① 장점

㉮ 용입의 깊이가 깊다.

㉯ 용접기능 습득이 쉽다.

㉰ 용접속도가 빠르다.

㉱ 용접부의 품질이 균일하고, 우수하다.

㉲ 열에 의한 비틀림(열 변형)이 적다.

㉳ 모든 자세의 용접이 가능하다

㉴ 마그(CO_2) 용접과 비교시 스패터 발생이 적고. 비교적 깨끗한 비드를 얻을 수 있다.

㉵ 청정작용에 의한 산화막이 강한 금속 또는 산화물이 생기기 쉬운 금속도 쉽게 용접할 수 있다.

② 단점

㉮ 실드 가스의 가격이 비교적 고가이다.

㉯ 박판 용접(3mm 이하)에는 적용이 어렵다.

㉰ 바람의 영향을 받기가 쉽다. 따라서 방풍대책이 필요하다.

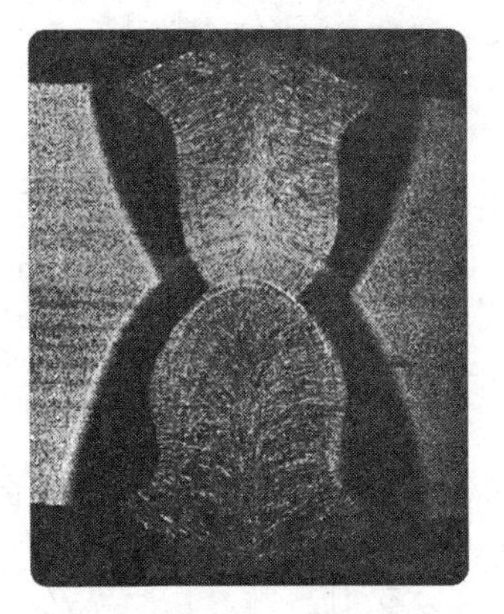

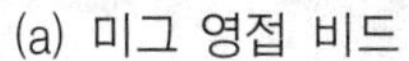

(a) 미그 영접 비드

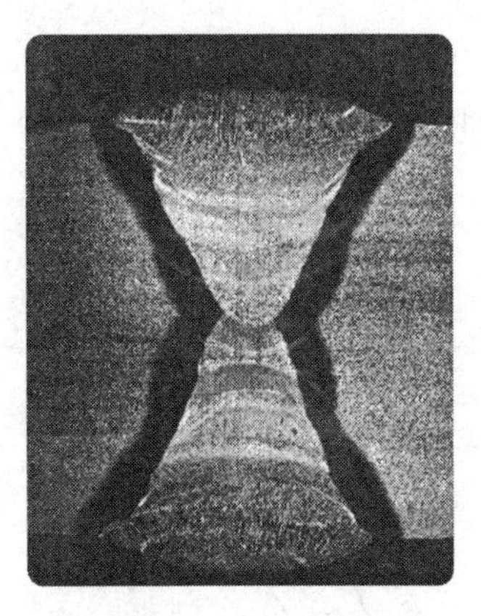

(b) 마그 용접 비드

미그(MIG) 용접과 마그(CO_2) 용접과의 비드 용입 비교

(3) 아크 특성

미그(MIG) 용접은 일반적으로 직류 역극성을 이용한다. 아르곤 가스에서 발생된 아크는 중심부위은 가늘고 긴 백열의 원추부가 있으며, 그 주위에 미광부가 있고, 그 외측에는 차거운 아르곤 가스가 발광하고 있는 부분이 있으며, 그 속을 통해서 와이어의 용융방울이 고속도로 용융풀로 투사된다. 중심부위를 둘러싼 미광부는 주로 아르곤 가스의 발광에 의한 것이며, 기스 이온은 전극(+)에서 모재 표면에 충돌하여 비철금속에 대해서는 표면 산화막의 크리닝 작용을 한다. 이것은 알루미늄 용접에 있어서 중요한 특성이다.

2 미그(MIG) 용접의 기본 사항

(1) 용접전류

용접 전류는 비드 현상 및 용입의 깊이, 작업성, 용접능률 그리고 용착금속의 기계적 성질에 큰 영향을 미치므로 용접 작업시 대상 부위에 따라 적절한 값을 설정하여야 한다.

미그(MIG) 용접에서의 용접 전류는 와이어의 이송속도에 의해 결정되므로 와이어 송급 속도가 변화하면, 이에 따라 용접 전류도 변화한다.

낮은 전류에서는 와이어 공급 속도와 전류값은 거의 직선관계를 유지하나, 얇은 와이어(세경 와이어)에 대하여 큰 전류를 흘리면 와이어 돌출부의 저항 발열로 인한 와이어 송급 속도는 급격히 증가한다.

용접전류와 비드 폭, 용입 깊이의 관계는 용접전류의 증대에 따라 비드 폭, 용입 깊이도 같이 증가한다.

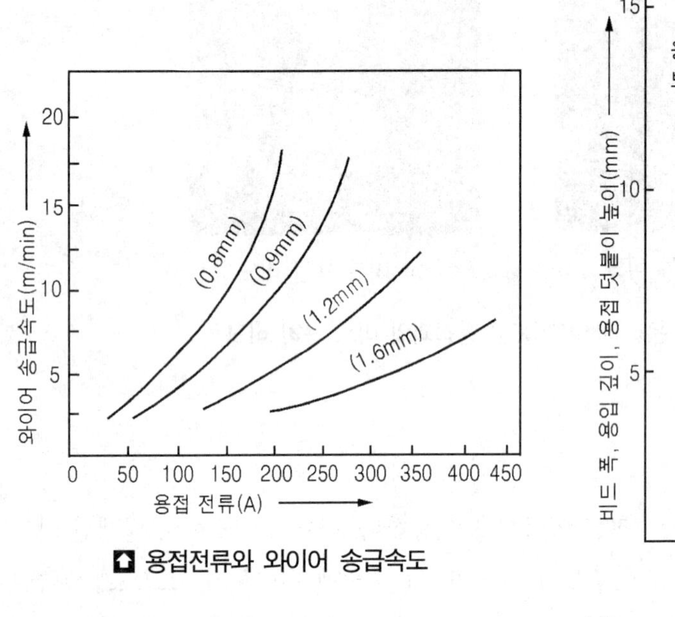

용접전류와 와이어 송급속도

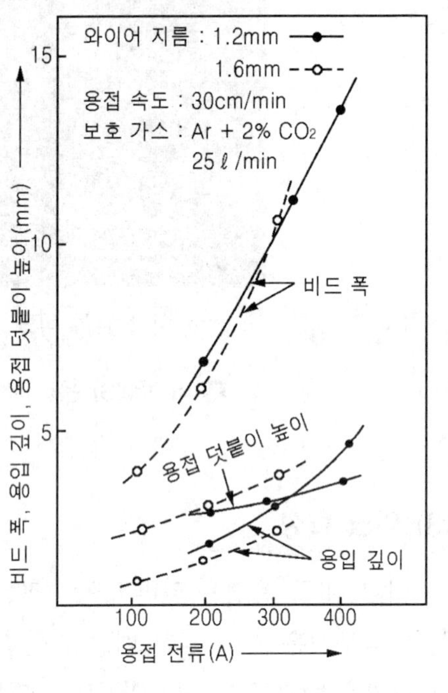

용접전류와 비드 폭

(2) 아크 전압(아크 길이)

아크 전압은 아크의 안전성과 스패터 발생 그리고 용접비드 현상 등에 영향을 미치므로 적정한 값으로 설정을 하여야 한다.

일반적으로 아크 전압이 낮을 경우 아크의 길이가 짧게 되어 용입이 깊고 비드 폭이 좁은 볼록한 비드의 형상으로 나타난다. 또한 아크의 길이가 너무 짧으면, 와이어가 모재에 단락(번백 현상)하여 용접이 불가능하게 된다. 반대로 아크의 전압이 높으면, 아크의 길이가 길게 되어 용입이 얕고, 넓게 평탄한 비드 형상이 된다. 또한, 아크의 길이가 너무 길면 스패터 발생이 많고 합금 성분의 산화 요소가 심하게 되어 용접부위의 성능에 악 영향을 초래하게 된다.

특히, 단락이행 용접에서는 아크 전압이 너무 높으면 단락 횟수가 감소하여 용접성에 악 영향을 미치므로 주의 하여야 한다. 또한 아크의 전압이 너무 낮으면 와이어가 모재에 들러붙어 아크 유지가 곤란하게 되므로 적정전압을 유지하는 것이 중요하다.

보호가스의 성분에 따라서도 아크전압과 아크의 길이에 영향을 주므로 주의하여야 한다. 대체로 용접전류가 증가함에 따라서 아크 전압도 올라간다.

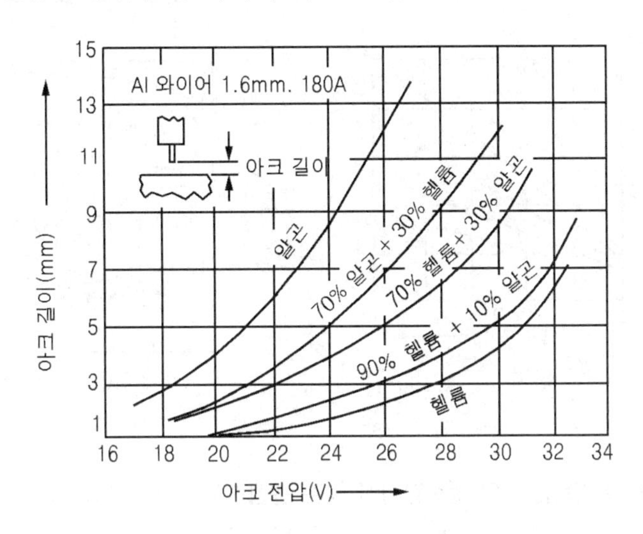

아크 전압과 아크 길이

(3) 와이어의 돌출길이

와이어의 돌출길이란 콘택트 팁에서부터 모재까지의 거리로 아크의 길이를 뺀 와이어의 길이이다.

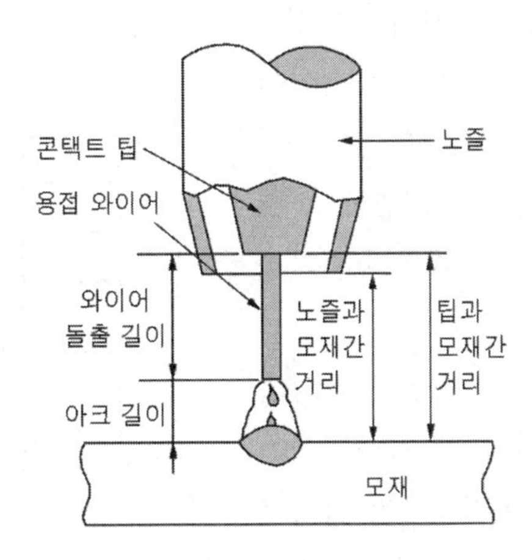

와이어 돌출길이

용접봉의 도출길이에 따른 비드 현상의 관계를 나타낸 것으로 비드 및 비드 높이는 돌출길이가 길어짐에 따라 같이 증가하나, 용입은 감소한다.

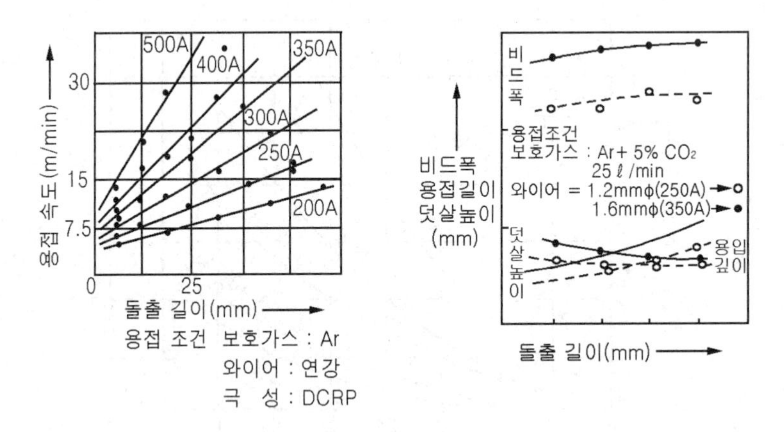

와이어(용접봉)의 돌출길이에 따른 용접속도와 비드 형상과의 관계

(4) 용융속도

용융속도는 매분 용융되는 와이어의 길이를 무게로 표시한다. 금속 일부는 스패터에 의해 소멸되고 나머지가 모재에 용착 되나, 미그(MIG) 용접에서의 용착 효율은 약 98%에 달하므로 용융속도가 곧 용착 속도라 할 수 있다.

용융속도는 대략 전류에 비례하여 증가하나, 동일 전류치에 대하여도 와이어의 크기에 따라 달라지게 된다. 일반적으로 가는 와이어(세경와이어)일수록 용융속도가 빠르며, 탄소강에서는 순도 100%의 아르곤 가스에 산소 1% 정도 혼합하면 용융속도가 현저히 증가한다.

직류 정극성에서는 용융속도가 역극성의 경우보다 약 2배 정도 크지만, 큰 용융방울이 불연속적으로 용융풀에 떨어짐으로써 아크가 불안정하게 되나, 아르곤 가스 중에 1~5%의 산소를 혼합하면 아크는 역극성과 같이 조용하고 안정화 되어진다.

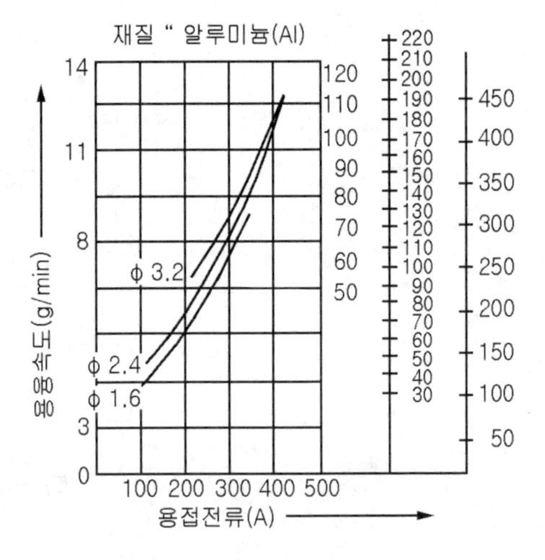

용접전류와 용융속도 관계

③ 용접기의 구성 및 취급 방법

(1) 제어장치

제어장치의 기능으로는 보호가스 제어와 용접 전류 제어로 구분되어진다. 현장에서 많이 사용하는 반자동 용접기에는 토치 스위치에 의해 원격으로 제어 될 수 있으며, 토치 스위치를 누르는 즉시 전자밸브를 작동시켜 보호 가스의 개폐와 전자 개폐기에 의해 전류가 전극 와이어로 통전 되는 동시에 와이어 송급 장치의 롤러로부터 와이어가 송급되어 아크를 발생시킨다.

제어장치의 모든 기능은 기본적으로 시한장치에 의해 제어된다. 즉, 용접작업을 실시하기 위해 토치의 스위치를 누르는 순간부터 제어 기능이 완전히 멈추는 시점까지 용접전류의 전압을 순간적 또는 수초 간 고저의 변화를 주거나 와이어 송급 속도와 가스가 흐르는 량을 조절하여, 시작점과 크레이터부에 용접 결함을 방지하는 기능을 갖고 있다

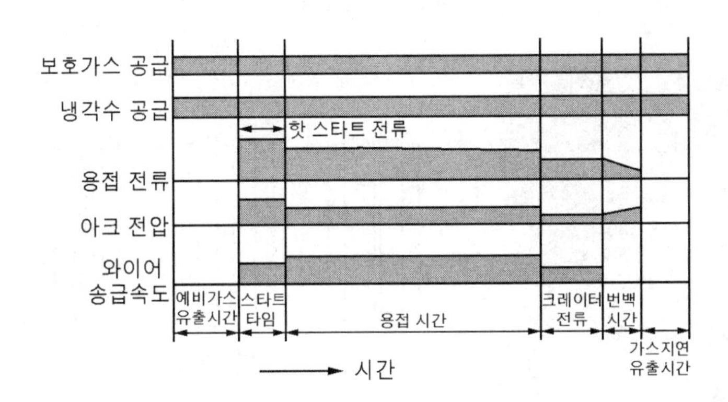

◘ 미그(MIG) 용접기의 제어 모습

① **예비가스 유출 시간**(Prefiow time) : 예비가스 유출 시간이란 아크가 발생되기 전 보호가스를 흐르게 하여 아크 발생시작점을 보호하기 위한 기능이다.

② **가스 지연 유출시간**(post flow time) : 용접작업이 완료 후 약 0 ~ 25초 동안 계속 가스가 흘러나와 크레이터 부위에 산화를 방지하는 기능이다.

③ **스타트 시간** : 아크가 발생되는 순간 용접 전류와 전압을 크게 하여 아크 발생과 모재의 융합을 돕는 핫 스타트 기능과 와이어 송급 속도를 아크가 발생되기 전 천천히 송급시켜 아크 발생시 와이어가 튀는 것을 방지하는 슬로우 - 다운 기능이 있다.

④ **크레이터 충전시간** : 크레이터가 움푹 패어지는 현상을 막기 위하여 용접이 끝나는 지점에서 토치 스위치를 다시 누르면 용접전류와 전압이 낮아져 쉽게 크레이터 전류와 전압치는 임의로 조절할 수 있도록 되어 있다.

⑤ **번 백 시간**(burn back time) : 크레이터 처리 기능에 의해 낮아진 전류가 서서히 줄어들면서 아크가 끊어지는 기능으로 이 지점이외에 용접부위가 녹아내리는 것을 방지한다.

(2) 와이어 송급 기구

와이어 송급 기구는 송급 모터, 송급 롤러, 감속장치, 와이어 가이드 등으로 구성되어 있다.

송급 롤러의 형상은 V형, U형, 롤렛트형, 기어형 등이 있으며, 이러한 형상은 와이어와 직접 접촉하며, 마찰력에 의해 와이어에 미는 힘을 부여하는 것으로 와이어의 종류에 지름에 따라 여러 가지 형태의 송급 롤러가 사용된다.

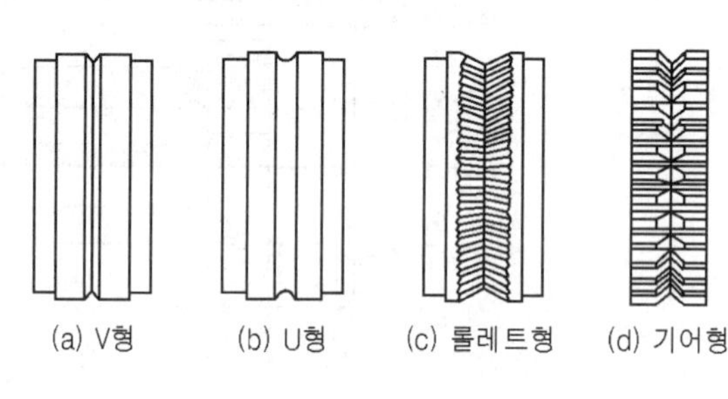

⬆ 송급 롤러의 형상

송급 롤러의 선택은 사용하는 용접봉(와이어)의 재질이나 굵기에 따라 결정이 된다. 보통 V형의 롤러의 경우에는 2.4mm 이하의 단단한 용접봉에 적용되며, 굵은 용접봉(2.4mm 이상) 또는 와이어의 표면에 손상을 주어서는 안 되는 용접봉의 경우에는 U형을 사용한다. 기어형의 송급 롤러는 가압을 세게 할 수 없는 3.2mm 이상의 연한 용접봉, 또는 플럭스가 내장 되어진 용접봉에 사용된다.

롤러의 가압방식은 2개의 롤러만 사용하여 가압시키는 2단식, 전 · 후 각각 2개씩 롤러를 이용하는 4단식이 있다. 2단식과 4단식은 각각의 장 · 단점이 있지만 4단식은 2단식에 비해 미는 힘이 강하고 송급이 정확하며, 이송 중에 와이어가 미끄러지는 슬립 현상과 와이어가 구부러져 송급이 되지 않는 현상을 막을 수 있다.

송급장치

(3) 압력 조정기와 유량계

고압용기의 아르곤 가스는 압력 조정기에 의해 1.5kg/㎠ 정도로 감압하여 사용하는데 압력 조정기는 압력변동이 적은 2단식이 보통으로 사용되고 있다. 유량계는 아르곤가스 압력과 볼의 중량과 평형을 원리로 해서 유량을 측정하므로 만약 경사지게 하면 정확한 범위의 확인이 불가능하기 때문에 반드시 수직으로 세워서 사용하여야 한다.

유량계는 유량 조절을 위한 니들 밸브가 있어 유량계의 눈금을 보면서 가스 유량을 조절하도록 설계되어 있다.

압력 조정기와 유량계

❹ 용접 방법

(1) 아크 발생

미그(MIG) 용접방법은 일반적인 CO_2 용접과 비슷하며, 토치의 작동은 사용하는 재료에 의해 달라진다. 보통의 미그(MIG) 용접기는 토치를 모재에 가까이 한 후 스위치를 누르면 보호가스가 방출이 되면서 용접봉도 방출이 된다. 이때 용접봉에는 아크가 발생 되기전(모재에 접촉되기 전)에는 느린 속도로 송급이 되나, 아크가 발생되면 순간적으로 와이어 공급 속도가 정상화 된다. 이러한 기능을 **슬로우 다운**(slow down)기능이라 한다.

(2) 토치의 각도

토치의 기본적인 각도는 일반적인 CO_2 용접과 비슷하며, 맞대기 용접에서는 토치의 진행각도를 5~10° 정도로 유지하며, 작업각은 90° 직각을 유지한다. 만약 필렛 용접 시에는 진행각을 5~10° 정도로 유지하며, 작업각은 45° 를 유지하면서 노즐을 모재와 일정한 간격을 유지하면서 용접작업을 진행한다.

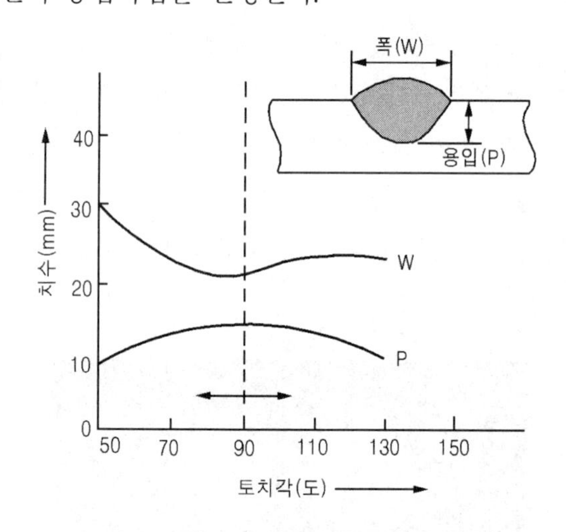

토치의 각도에 따른 비드의 변화

토치의 진행방법에 따라 전진법과 후진법이 있으며, 후진법은 용접 진행 방향으로 토치를 기울여 용접하는 방법이며, 전진법은 이와 반대의 개념이다. 주로 박판 용접에는 전진법이 유리하며, 후판 및 필렛 용접은 후진법이 유리하다. 폭이 넓은 비드가 필요하면 위빙을 하면서 진행을 한다. 위빙 방법에는 원을 그리면서 나가는 0자형과 반달모양을 그리는 반달법 또는 톱날모양을 지그재그법이 있다.

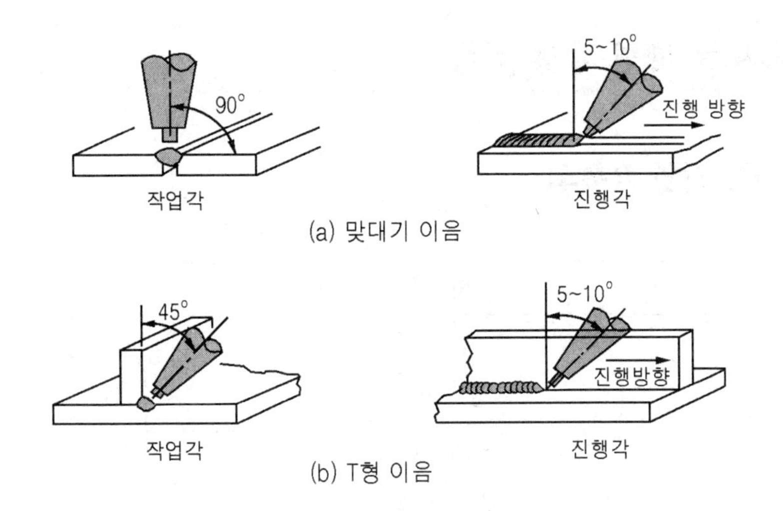

토치의 진행각 및 작업각.

5 용접시 주의사항

미그(MIG) 용접에서는 세경 와이어를 사용하며 고 전류로 용접하기 때문에, 와이어의 용융량이 많아져 융합불량과 용착금속이 과대하게 붙을 수 있다. 따라서 와이어의 용융속도에 맞는 속도로 용접을 하여야 하며, 용접자세도 역시 주의를 세심한 주의를 필요로 한다. 용접자세는 토치를 왼손으로 지지하며, 토치 전체를 일정한 상태로 잡아주면서 잡아당기듯이 용접을 하면 용접성도 좋고, 양호한 용접결과가 나오기가 쉽다.

콘택트 팁으로부터 나타나는 용접봉의 길이와 아크 길이를 지나치게 길게 하면, 실드 효과가 나빠짐은 물론 언더컷 등의 불량도 발생되기가 쉽다. 따라서 용접 조건의 설정에 있어서 너무 전압을 높게 설정하지 않도록 주의 하여야 하며, 용접 작업 중 와이어의 돌출길이가 25mm를 넘지 않도록 하는 주의가 필요하다.

TIP

- 미그(MIG) 및 메그(MAG) 용접은 보호가스의 종류(활동성, 비활동성)에 따라 명칭이 변화하며, 용접작업의 방법은 유사하다.
- 알루미늄 합금 패널의 용접방법은 보호가스를 아르곤 가스를 사용하는 MIG용접을 하여야 한다.
- 미그 용접은 용입이 깊고, 용접방법의 습득이 쉬우며, 용접부위의 품질이 우수하나, 가스의 가격이 비교적 고가이며, 박판용접에서는 비교적 적용하기가 어려우며, 바람의 영향을 받기가 쉬워 방풍대책을 필요로 한다.
- 알루미늄 용접의 이행형태는 일반 MAG용접에서는 단락이행의 형태를 보이나, MIG용접에서는 아르곤 가스의 고온을 이용하는 스프레이 이행의 형태가 일반적인 용접 이행형태이다.

4 알루미늄 패널 수정 실습

1 패널 수정 작업 흐름도

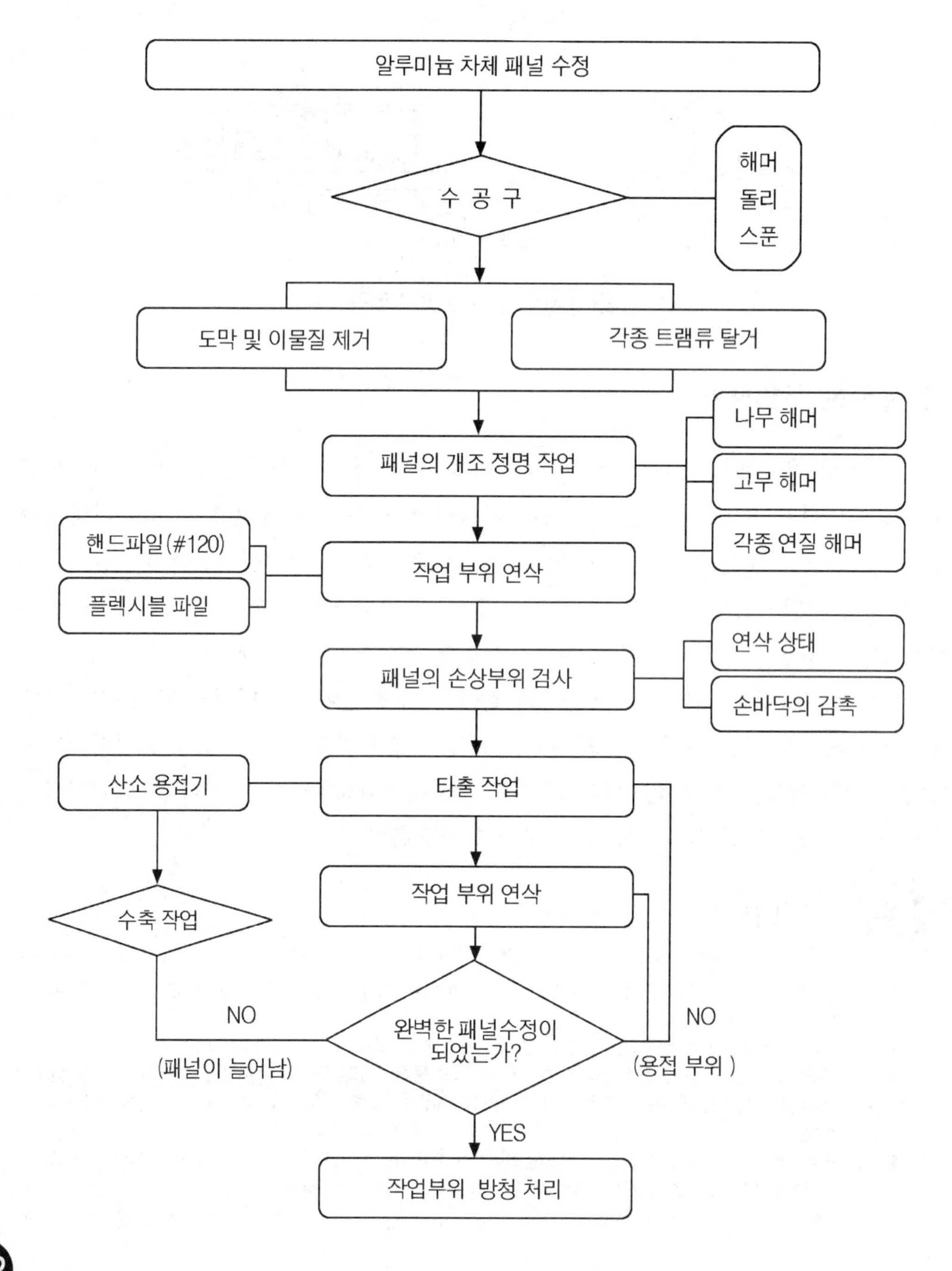

❷ 실습 준비 사항

① 알루미늄 차체 패널
② 알루미늄 시편(1t×300×150)
③ 일반(스틸) 시편(1t×300×150)
④ 작업대
⑤ 와이어 브러쉬
⑥ 핸드 파일
⑦ 알루미늄 해머
⑧ 고무 해머
⑨ 돌리 블록
⑩ 일반(스틸)해머
⑪ 가스 토치
⑫ 샌드 페이퍼 (#320, #120, #100)
⑬ 롤록 디스크 샌더
⑭ 롤록 부직포 (적색)
⑮ 열 감지용 페인트 또는 크레용
⑯ 냉각수(패널 수축용)
⑰ 클리너(패널 수축용 타월)

❸ 실습 방법

(1) 초기손상

지급된 시편(스틸 패널과 알루미늄 패널)에 동일한 현상으로 손상을 준다. 이때 너무 무리하게 손상을 주면 수정 작업시 어려움이 따르므로 손상은 조금만 준다.

(2) 수정방법

손상된 시편(알루미늄 패널, 일반 스틸 패널)을 주어진 수공구(해머, 돌리) 등을 이용하여 수정 작업을 실시한다.

이때 주의하여 확인할 사항으로는

① 초기 수정 시 가열수정에 따른 차이
② 해머링 시 발생되는 늘어남, 휨
③ 힘의 강, 약 조절

작업 시 발생되는 살펴보면서 두 금속과의 차이점들을 면밀히 살펴봐야 한다.

(3) 수축작업

시편의 변형 여부와 관련 서로 다른 두 금속(알루미늄, 스틸)이 두 금속을 서로 가열하여 패널이 가열 변화하는 현상을 살핀다.

알루미늄 패널은 가열을 하여도 일반 스틸 패널과 같이 적열 현상이 발생되지 않으며, 열전도율이 스틸보다 약 2배정도 빨리 전파가 되며, 또한 열 변형도 역시 2배정도 넓게 전도가 되어 진다. 이에 따라 냉각속도 역시 2배 정도 빨리 냉각이 된다.

수축작업 시 패널에 열감지용 크레용 또는 페인트를 도포 후 가열온도에 따른 패널이 변화하는 모양을 파악하면 실 작업에서 발생 되는 문제들을 방지할 수 있다.

(4) 연마작업

알루미늄 패널과 일반 스틸 패널과 비중을 살펴보면 일반 스틸 패널보다 약 1/3 정도 밖에 안 된다. 그러므로 연마제의 선택에 따라 패널수정 작업 후 차체패널에 치명면적인 간도 부족현상을 초래할 수 있다.

일반적으로 스틸의 경우에는 #50~80번을 시용하는 것이 시간과 연마력이 우수하며, 알루미늄 패널의 경우에는 초기 손상분석에서는 핸드 파일에 약 #320번 연마제를 사용한 후, 점차 중간수정에서는 #100~120번 연마제를 사용하는 것이 우수하다.

그리고 플렉시블 파일을 사용할 경우에는 가급적 연마 작업 시 힘을 가하여 작업할 경우에도 심각한 강도 부족현상 및 구멍 뚫림 현상이 초래될 수 있으므로 주의를 하여야 한다. 또한 마무리에서는 롤록 디스크 샌더에 부직포(적색)를 활용하여 패널 표면을 다듬어 준다.

4 장비, 공구

번호	명 칭	사 진	용 도	기 타
1	핸드 파일 #320 ~ #120		초기 패널 연마용 손상분석 작업	집진포를 포함하고 있으므로 연마 시 이물질 발생 최소화.
2	플렉시블 파일		중간 수정 및 마무리 연마용	8목과 12목 2종류가 있다.

번호	명 칭	사 진	용 도	기 타
3	롤록 디스크 샌더	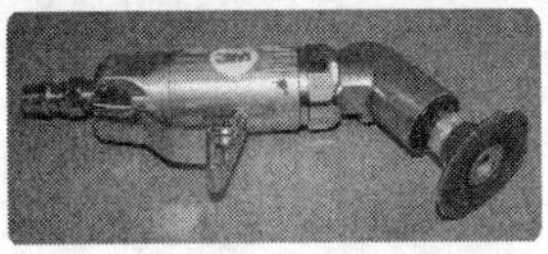	마무리 연마용	2" 와 3" 사용 (패드교환) 10번,11번을 삽입 후 사용
4	나무 해머	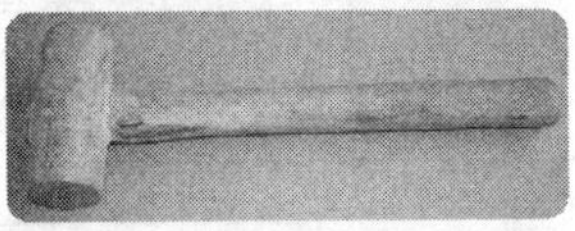	초기 패널 수정용	무리한 충격에 파손 주의
5	알루미늄 해머		중간 수정용 돌출부위 다듬질용	과도한 충격에 손상 주의
6	우레탄 해머	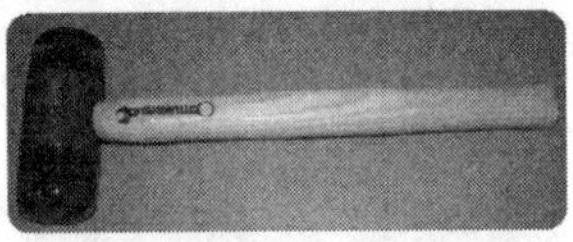	중간 수정용 돌출부위 다듬질용	과도한 충격에 파손 주위
7	고무 해머	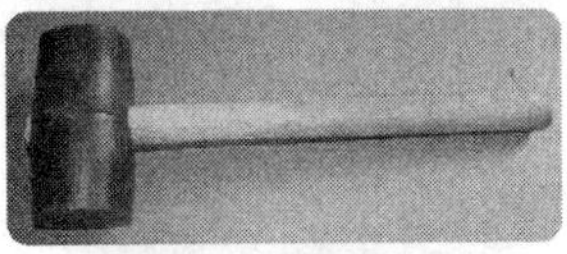	초기 수정 및 마무리 수정용	과도한 충격에 파손 주위
8	표준형 돌리		좁은 공간에 적합	
9	곡 구형 돌리		좁은 공간에 적합	
10	부직포 CRS (갈색)		마무리 연마 패널 면 다듬용	사용 중 연마면의 이물질 정도 확인.
11	부직포 MED (적색)		마무리 연마 패널 면을 정밀하게다듬질이 필요할 경우.	사용 중 연마면의 이물질 정도 확인.
12	보디 스푼류	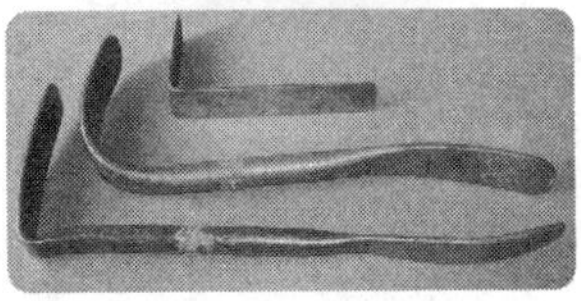	돌리가 들어가지 않은 공간에 사용	

5 알루미늄 패널 용접(MIG용접) 흐름도

① 알루미늄 패널 용접 흐름도

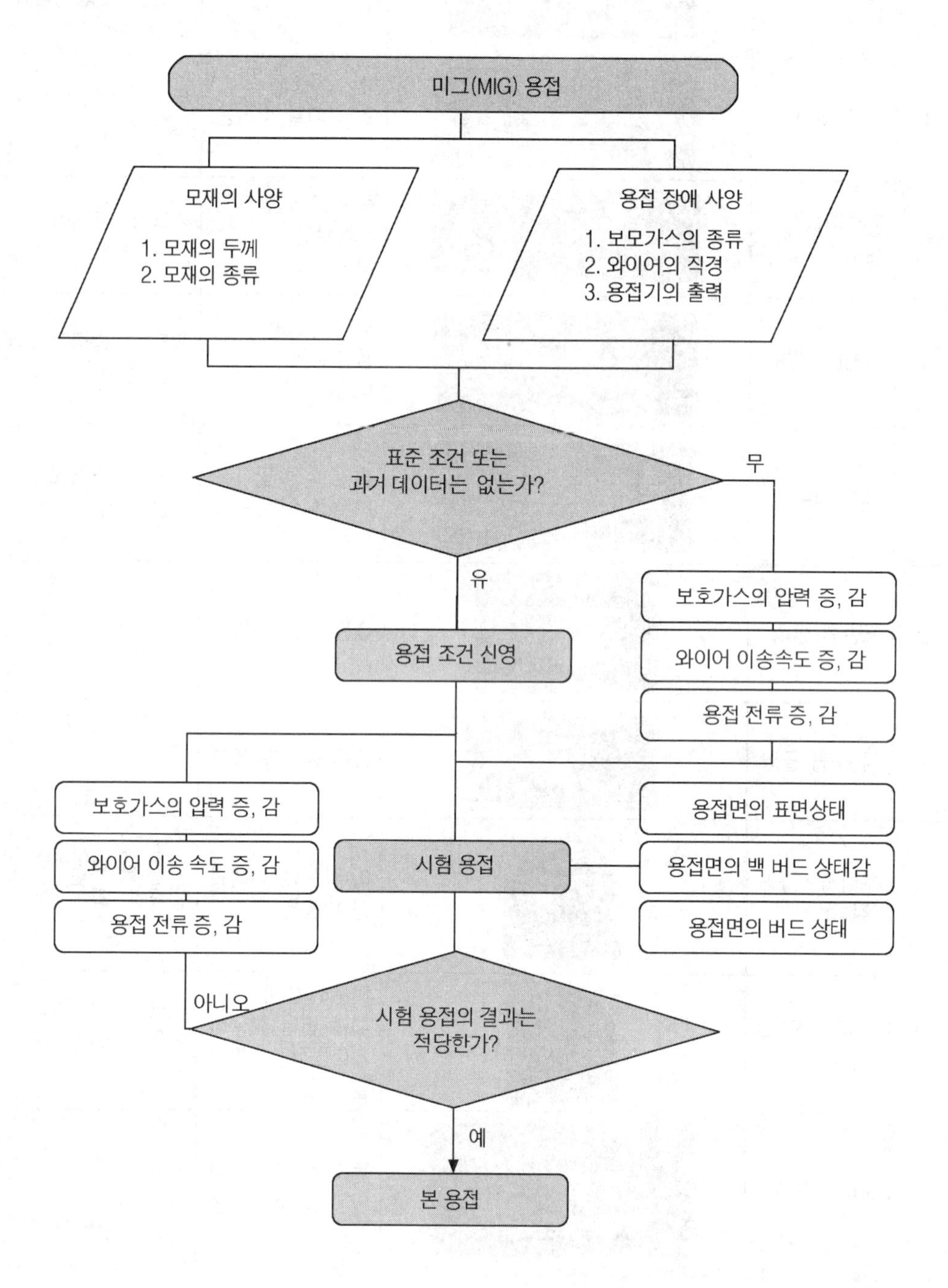

❷ 실습 준비 사항

① 알루미늄 차체 패널
② 알루미늄 시편 (1t×300×150)
③ 작업대
④ 와이어 브러쉬
⑤ 핸드 파일
⑥ 돌리 블록
⑦ 일반(스틸)해머
⑧ 용접기
⑨ 아르곤가스
⑩ 롤록 디스크 샌더
⑪ 바이스 그립

❸ 실습 준비

(1) 모재의 청소

알루미늄 합금 패널에서는 모재의 클리닝 작업에 주의해야 한다. 재료 표면에 형성되어 있는 산화피막이나, 이물질 등을 충분히 제거하지 않으면 용접부위에 결함이 생긴다.

모재의 클리닝 방법으로는 화학적인 방법과 기계적인 방법이 있다. 본 용접작업에서는 기계적인 방법으로 한다. 즉 와이어 브러시 등을 이용하여 모재의 표면에 형성 되어있는 산화피막을 제거한다.

(2) 와이어 및 보호가스

알루미늄 합금 용접에서는 와이어 즉 용접봉의 선택에 따라 용접 후 불량의 원인이 된다. 모재의 계열별로 적절한 용접봉인지를 확인한다. 또한 보호가스의 유량 및 호스의 연결부위의 벌어짐 등의 이상 유무를 확인한다. 항상 보호가스를 활용하는 용접기기 등은 보호가스의 연결부위의 이상 유무를 비눗물 등을 이용하여 확인한다.

또한 확인순서는 보호가스의 **용기 → 유량 게이지 → 제어장치 → 용접 토치**의 순서로 직접 확인한 후 용접작업을 실시한다.

(3) 용접기기의 준비

미그(MIG) 용접기는 일반적인 마그(CO_2) 용접기기와 구조적으로는 동일하다. 그러나 마그(CO_2) 용접에 비해 아크열을 강하게 받으므로 수냉식 토치를 활용하는 경우가 많다.

또한 송급 장치의 롤러는 사용하는 와이어의 재질 및 굵기에 맞는 것을 선택하고, 장비를 작동시켜 원활히 와이어가 송급 되는지를 확인 하여야 한다.

(4) 보호구 및 작업 환경

미그(MIG) 용접에서 발생되는 광선은 강렬하여 결막염이나, 피부에 염증을 일으킬 위험이 있으며, 피복아크 용접에 비해 약 20~40배 정도 강하다. 따라서 차광도가 높은 차광유리를 사용하여야 한다.

보통 미그(MIG) 용접에서는 12번 정도가 적당하다. 또한 미그(MIG) 용접의 자외선은 극히 강하여 피복 아크 용접보다 1m가 넘는 거리에서도 공기 중의 산소가 오존(O_3)로 바뀌진다. 용접 중에 발생하는 유해요소(오존, 이산화질소)나 금속의 분진 등의 피해를 막기 위해서는 환기시설을 필히 가동하여야 한다.

4 용접방법

미그(MIG) 용접방법은 MAG(CO_2)용접의 경우와 비슷하며 토치의 조작은 재료에 따라서 약간의 변화는 있다.

(1) 아크의 발생

보통의 미그(MIG)용접기는 토치를 모재에 가깝게 한 후 토치의 스위치를 누르면 가스가 공급되는 즉시 와이어가 송급된다. 이때, 와이어는 아크가 발생되기 전에는 느린 속도로 송급이 되나, 아크가 발생되는 순간부터 정상적인 속도로 송급된다(슬로우 - 다운 기능이라 한다.).

아크를 발생시키는 방법은 와이어를 콘택트 팁 선단에서 약 10mm정도 돌출시킨 상태에서 노즐은 모재에서 약 15mm 정도 띄운 다음 토치 스위치를 누른다. 일단 아크가 발생되면 모재와 노즐과의 거리를 약 10~15mm정도로 일정하게 유지한다.

용접을 끝낼 때는 토치의 스위치를 재차 누르면 크레이터 전류와 전압으로 낮아져 있는 비드 면을 완전히 메운 후 작업을 종료한다.

(2) 토치의 조작

토치의 기본조작은 MAG(CO_2) 용접과 동일하다. 토치의 각도를 약 10~15° 정도의 진행 각을 유지하고 토치를 모재와 일정하게 거리를 유지하면서 용접작업을 진행한다. 이와 같이 용접작업을 실시하면 아크와 용융지를 쉽게 볼 수 있고, 알루미늄 용접작업의 크리닝 작용이 양호하게 되고, 비드 역시 양호한 비드를 만들 수 있다.

모재의 두께에 따라 박판은 전진법을 실시하고, 또한 중·후판의 경우에는 후진법을 적용한다.

4 가스 용접

1 가스 용접의 개요

연료인 가스와 공기 또는 산소의 연소에 의한 열을 이용하여 금속을 용융 접합(溶融接合)하는 방법으로 **가스용접**, 혹은 **프레임(flame)용접**이라 한다. 이들의 가스는 용접 토치 안에서 혼합되어 소요의 불꽃으로 되기 위한 조정을 받으며, 이러한 가스용접에 사용되는 가스는 아세틸렌과 산소를 혼합한 가스가 가장 많이 사용되므로 가스 용접을 **산소 - 아세틸렌 가스 용접**이라고도 한다.

산소 - 아세틸렌 가스용접은 두꺼운 철판도 용접할 수 있으나 너무 두꺼운 경우는 그 속도가 느리고 높은 예열이 필요하다. 가장 알맞은 용접은 철판이나 파이프 용접으로 알려져 있는데 이상적인 판 두께는 3 ~ 6mm로 알려져 있다.

현재의 자동차 강판은 0.7 ~ 1.0mm 범위가 대부분이기 때문에 산소 아세틸렌용접의 경우는 주변의 강판을 변형시키기 쉽고 또한 산소와의 화학반응 때문에 용접으로 인한 부식이 발생되기 쉬운 치명적인 결점을 가지고 있다. 즉 옛날과 같이 자동차가 주로 강력한 프레임구조로 되어 있었을 때는 이러한 결점이 그다지 문제가 되지 않을 수 있었으나 현재와 같이 프레임이 따로 없는 모노코크 형식에서는 치명적인 약점이라고 할 수 있는 것이다. 따라서 차체수리에 있어서 이상적인 용접으로 적용할 수 있는 부위는 거의 없다고 해도 과언이 아니다.

그럼에도 불구하고 일반적으로는 절단을 비롯하여 대단히 광범위한 이용도를 가지고 있으며 장치나 기구도 간편해서 이동하는데 편리하다. 그러나 차체수리에 있어서의 산소 아세틸렌 용접기는 단순히 가열, 절단, 도막이나 언더 코팅의 제거 등에 이용되고 있다.

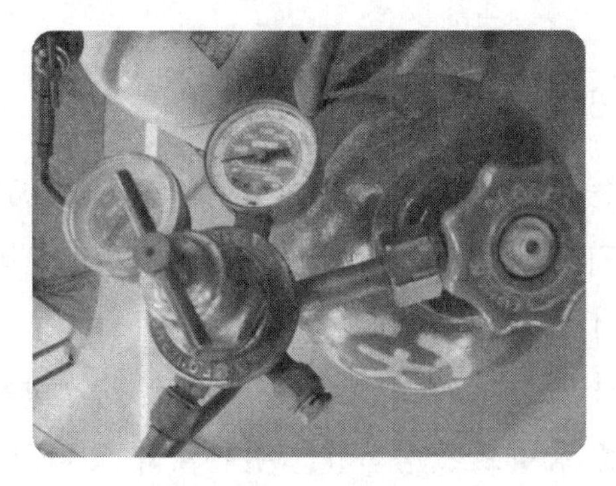

산소용기와 레귤레이터

아세틸렌 용기와 레귤레이터

위의 그림은 산소 아세틸렌 용접의 용접 장치를 보여주며, 산소 용기와 아세틸렌 용기의 압력조정기(壓力調整器)에서 각각 적당한 압력으로 조정을 받은 산소와 아세틸렌 가스가 오른나사로 연결된 흑색이나 녹색의 가스호스를 통하는 산소와 왼나사로 연결된 적색 호스를 통하는 아세틸렌 가스가 용접 토치에서 용접에 필요한 이론적인 혼합비(混合比) 1 : 1인 표준 불꽃을 만들어 용가재(溶加材)를 용융시켜 용접을 하는 것이다.

가스 용접은 가열 조절(加熱調節)이 자유롭고 조작 방법이 간단하며, 운반이 편리하고 시설비가 싸며 얇은 판, 파이프, 비철 합금 등의 용접에 적당하고 자외선의 유해 광선이 발생되지 않는 장점이 있다.

2 용해 아세틸렌

① 용해 아세틸렌 용기의 구조

용해 아세틸렌은 강제 인발 실린더 내에 규조토, 목탄, 석면 등과 같은 다공질(多孔質)의 물질을 넣어서 이것에 아세톤을 흡수시키어 아세틸렌을 충전하면 아세톤에 용해되어 저장하게 된다. 보통 15℃ 15기압이 되도록 아세틸렌(C_2H_2)을 충전하고 실린더의 밸브를 조절하여 압력을 늦추어 주면 아세틸렌은 자유로이 소요의 압력을 가지고 나오게 된다. 실린더 병은 「내용적(內容積)이 15ℓ, 30ℓ, 50ℓ가 있으며, 철판의 두께는 4.5mm,

지름은 310mm로 병의 내압시험(耐壓試驗)은 90기압으로 한다. 용해된 아세틸렌의 양은 50ℓ의 용기에서는 아세톤이 21ℓ가 포화 흡수(飽和吸收)되어 있어 15℃, 15기압에서는 아세톤 1ℓ에 아세틸렌 324ℓ가 용해되므로 아세톤 21ℓ가 들어있는 50ℓ 용기에는 아세틸렌을 약 6800ℓ 용해시킬 수 있다.

$$21\ell \times 324 = 6{,}804 \fallingdotseq 6{,}800\ell$$

이때 용기 속에 들어간 아세틸렌의 무게는 910ℓ가 1kg이 되므로 6800 ÷ 910 = 7.5kg이 된다. 보통 용접용으로는 30ℓ의 용기를 사용하고 아세틸렌을 5kg 충전(充塡)하므로 가스의 용적은 5 × 910 = 4550ℓ로서 약 4,500ℓ가 된다.」

용기 내의 아세틸렌 가스 압력은 온도에 따라 크게 변하므로 아세틸렌의 충전량은 압력만으로는 판단할 수 없다. 따라서 용기의 총 중량으로 충전량을 판단할 수 있다. 이 때 아세틸렌의 충전 중량을 계산하는 방법은 다음과 같다.

아세틸렌의 충전중량 = 용기의 총 중량(W_1) - 충전 전의 용기 중량(W_2)

여기서, 충전 전의 용기 중량은 용기의 위 부분에 각인(刻印)이 되어 있다.

또한, 아세틸렌의 사용량이나 남아 있는 양은 압력 조정기(壓力調整器)로서 알 수 있고, 중량으로도 알 수 있다.

$Q = (W_1 - W_2)\ 910\ell$ (Q는 남아있는 아세틸렌 양이다)

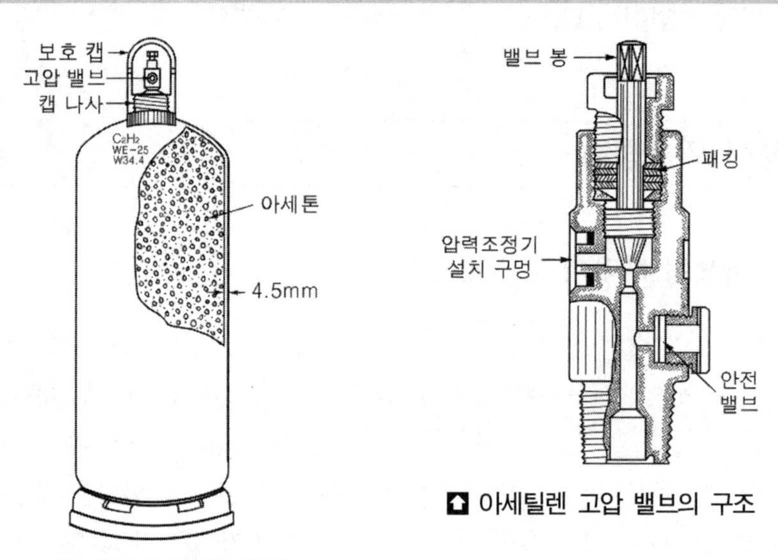

용해 아세틸렌 용기

아세틸렌 고압 밸브의 구조

❷ 아세틸렌의 위험성

아세틸렌은 탄화수소 중에서 가장 불완전한 가스이므로, 특히 위험성을 내포하고 있어 충분한 주의를 하여야 한다.

(1) 온도의 영향

아세틸렌은 공기 중에서 가열하여 406 ~ 408℃ 부근에 도달하면 자연 발화(自然發火)를 하고 505 ~ 515℃가 되면 폭발이 일어난다.

(2) 압력의 영향

1기압 이하에서는 폭발의 위험은 없으나 2기압 이상으로 압축하면 분해 폭발을 일으키는 수가 있다. 불순물을 포함하고 있는 경우에는 위험성이 현저하여 1.5기압으로 압축하면 충격, 가열 등의 자극을 받아서 분해 폭발한다. 따라서 아세틸렌 발생기(發生器)에서는 1.3기압 이상의 가스를 발생시켜서는 안 된다.

(3) 외력의 영향

아세틸렌은 충격, 마찰, 진동 등에 의하여 폭발하는 일이 있다. 특히 압력이 높을수록 위험성은 크다.

(4) 혼합가스의 위험성

아세틸렌이 공기, 또는 산소와 혼합된 경우에 불꽃 또는 불티 등으로 착화(着火)되어 폭발한다. 아세틸렌의 폭발 사고는 거의가 이 혼합가스에 의한 것이므로 혼합 가스가 되지 않도록 하거나, 사용할 경우에는 혼합가스를 배제한 후에 사용해야 한다. 특히 아세틸렌 10 ~ 15%와 산소 80 ~ 90%가 혼합되면 가장 위험성이 크다.

(5) 화합물의 영향

아세틸렌이 구리(Cu), 은(Ag), 수은(Hg)과 접촉되어 화합물, 즉 아세틸렌 구리, 아세틸렌 은, 아세틸렌 수은 등은 건조상태의 120℃ 부근에서 맹렬한 폭발성을 가지게 되므로 아세틸렌 용기 및 배관을 만드는 경우 구리 및 구리 합금(구리 함유량 62% 이상의 합금)을 사용하면 안 된다. 특히 이들의 폭발성 화합물은 습기, 녹, 암모니아가 있는 곳에서 생성되기가 아주 쉽다.

(6) 아세틸렌 실린더 밸브(cylinder valve)

용기(溶器) 밸브는 용기 위에 붙어있는 것으로 아세틸렌을 용기 밖으로 유출시키는 부분이다. 재료는 아세틸렌과 화합되어 아세틸렌 구리가 되는 것을 막기 위해서 동합금(銅合金)으로 만들지 않고 강철제로 만들어 졌으며, 용기 밸브의 구조는 산소용(酸素用)과 대체로 동일하다.

(7) 용해 아세틸렌의 취급 주의

용해 아세틸렌의 취급에는 특히 다음과 같은 사항에 주의하여야 한다.

① 아세틸렌 용기는 반드시 똑바로 세워서 사용한다. 만약, 옆으로 놓이게 되면 아세톤이 아세틸렌 가스와 같이 분출하게 된다.

② 용기에 충격이나 타격을 주지 않도록 한다. 용기의 두께는 4.5mm로서 얇은 재료로 되어있다.

③ 화기(火氣)에 가깝거나 온도가 높은 장소에는 두지 말 것

④ 아세틸렌 가스가 새는 것은 폭발의 위험이 있으므로 충분히 주의를 하고 누출 검사는 비눗물과 같은 거품을 이용한다.

⑤ 용기 밸브를 열 때는 전용 핸들로 1/4 ~ 1/2 회전만 시키고 핸들을 보호 캡에 끼워 놓은 상태로 두어야 한다.

⑥ 용기의 가용(可溶) 안전밸브는 70℃ 에서 녹게 되므로 끓는 물을 붓거나 증기를 씌우거나 난로 가까이 두지 말아야 한다.

⑦ 용해 아세틸렌을 사용한 후는 반드시 약간의 잔류압 0.1kg/㎠ 정도를 남겨서 밸브를 안전하게 닫고 밸브 보호 캡을 덮어야 한다.

⑧ 용해 아세틸렌을 사용하는 경우에는 반드시 소화기를 설치하여야 한다.

3 산 소

산소 가스(O_2)는 공기 중에 약 21%가 존재하므로 린데(Linde) 법으로 액체 공기의 분류에 의해 제조 하든가 물의 전기 분해로 제조한다. 산소는 무색, 무취, 무미의 기체로 1 ℓ의 중량은 0℃ 1기압에서 1.429g 이고 공기 보다 약간 무거우며 비중이 1.105의 기체이다. 산소는 그 자신은 연소하지 않으나 아세틸렌 가스와 화합 하여 아세틸렌의 연소를 도와주는 것이다.

❶ 산소 용기

산소는 보통 산소병 혹은 산소 실린더라고 하는 고압 용기에 35℃에서 150 기압의 고압으로 압축되어 가득 차 있으며, 산소 용기의 크기는 내용적 33.7 ℓ, 40.7 ℓ, 46.7 ℓ가 가장 많이 사용되고 있다. 이것은 보통 충전된 산소를 대기 중에서 환산한 호칭 용적으로 5000 ℓ, 6000 ℓ, 7000 ℓ 등으로 부르고 있다.

(1) 산소 용기의 구조

산소 용기는 본체, 밸브, 캡의 3부분으로 되어 있고 이음매가 없는 강철재로 만드는데 반드시 3년마다 검사를 받아야 한다. 용기 밑 부분의 형상은 볼록형, 스커어트형(skirt type), 오목형이 있는데 일반적으로 오목형이 많이 사용되고 있다. 또, 용기의 위쪽에는 밸브가 설치될 수 있는 구조로 되어 있다.

① 용기 제조자의 명칭 또는 그 상호
② 충전 가스의 명칭
③ 용기 제작자의 용기 기호 및 제조 번호
④ 내용적(ℓ)
⑤ 제조 년. 월. 일
⑥ 내압 시험 압력(숫자만)
⑦ 최고 충전 압력
⑧ 용기 중량(밸브 및 캡을 포함하지 않음)

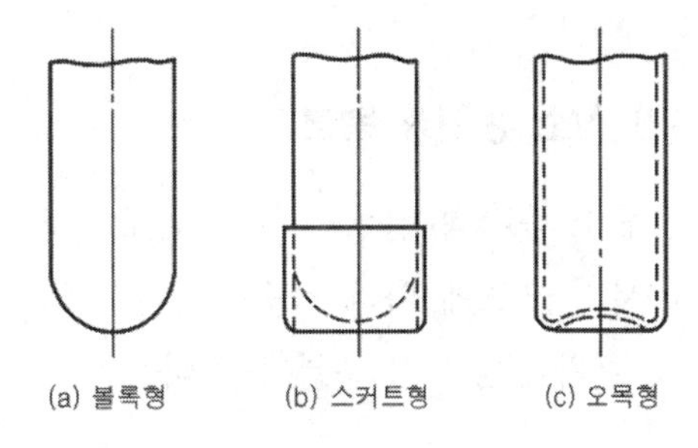

▣ 용기 밑 부분의 형상

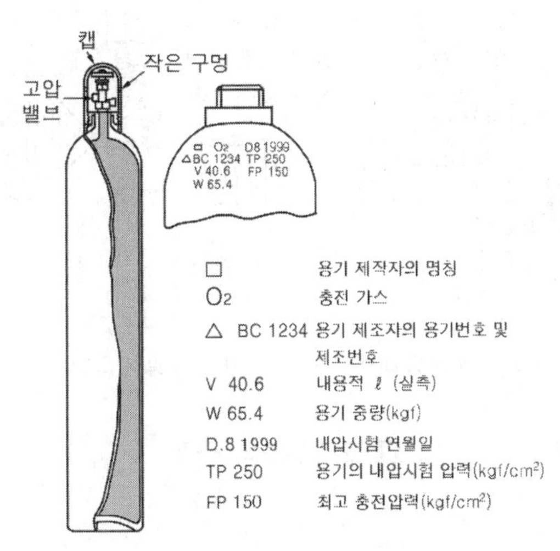

▣ 산소 용기의 구조

충전가스 용기의 색별

가스의 명칭	용기 색상	가스 충전구멍에 있는 나사의 좌우
산 소	녹 색	우
수 소	주황색	좌
탄산가스	청 색	우
염 소	갈 색	우
암모니아	백 색	우
아세틸렌	황 색	좌
프 로 판	회 색	좌
아 르 곤	회 색	우

(2) 산소 용기용 밸브

산소 용기의 밸브는 황동 단조품이 쓰이고 있으며, 가스 방출구에 조정기를 설치하는 나사의 구조에 따라 프랑스식과 독일식의 2가지로 나눈다.

그 밖에 2 ~ 3 종류가 있다.

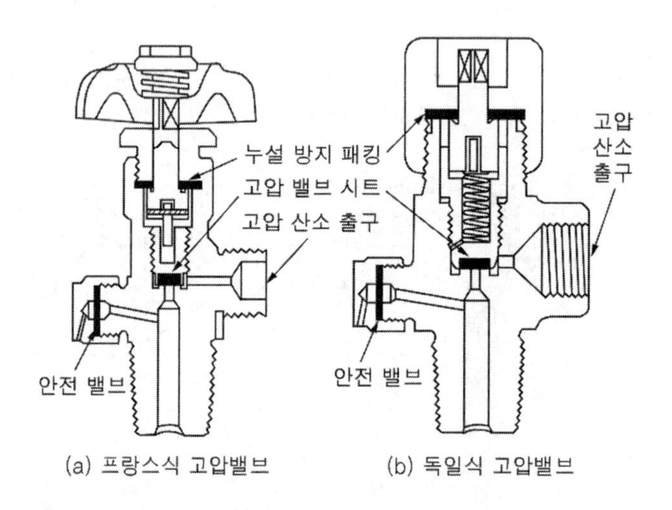

고압 밸브의 구조

❷ 산소 용기의 취급 주의

산소 용기 속의 산소 가스는 고압으로 되어 있으므로 취급에 있어 다음과 같은 주의를 하는 것이 좋다.

① 운반, 기타 취급에 있어서 타격, 충격을 주거나 넘어뜨리면 용기가 파열되어 폭발을 일으키면서 막대한 재해를 가져올 우려가 있으므로 조심성 있게 다루어야 한다.

② 산소는 지연성(支燃性) 가스 이므로 다른 가스와 어떤 비율로 혼합된 것에 점화하면 급격한 연소를 일으킬 위험이 있다. 그러므로 다른 가연성 가스와 함께 저장을 해서는 안 되며, 또 사용 중 산소의 누설에 특히 주의하지 않으면 안된다.

③ 기름 등이 용기 밸브나 조정기 등에 부착되지 않도록 할 것.

④ 용기를 이동할 때에는 반드시 밸브를 잠글 것.

⑤ 산소를 사용한 후 용기가 비었을 때는 반드시 밸브를 잠가 둘 것.

⑥ 용기는 항상 40℃ 이하를 유지하여야 하므로 직사광선, 또는 화기가 있는 고온 장소에 두고 작업하거나 방치하지 않도록 할 것. 용기 내의 산소 압력은 아래와 같이 온도 변화에 따라 변하기 때문이다.

압력과 온도와의 관계

온도(℃)	−5	0	5	10	20	30	35	40
지시압력 (kg/cm^2)	130	133	133.5	137.5	142.7	147.5	150	152.4

⑦ 용기 내의 압력이 너무 상승되지 않도록(170kg/㎠ 이상) 할 것.

만일 압력이 너무 상승되면 밸브의 안전판이 파괴되어 안전밸브로 산소가 분출되어 나가게 되므로, 이런 경우에는 다음과 같은 조치를 해야 한다.

㉮ 분출구를 안전한 방향으로 돌릴 것

㉯ 분출이 끝나면 안전밸브의 불량(不良)을 기재하여 충전소로 산소용기를 보낸다.

⑧ 산소 분출 중에는 손을 분출구에 대어서는 안 된다.

⑨ 추운 겨울에 산소 밸브가 얼어서 산소의 분출이 나쁘거나 나오지 않는 경우에 화기(火氣)를 사용해서는 안 되며, 더운 물, 증기 등으로 가열하여 녹일 것.

⑩ 밸브의 개폐(開閉)를 조용히 할 것

⑪ 산소의 누설을 조사할 때에는 비눗물과 같은 거품을 사용하며, 절대로 화기를 사용해서는 안된다.

4 압력 조정기

① 압력 조정기의 원리

산소 용기와 아세틸렌 용기 내의 압력은 고압 이므로 실제로 작업을 할 때는 이에 필요한 압력으로 감압(減壓)하여야 한다. 보통 작업을 할 때에는 산소 3~4 kg/㎠ 이하 아세틸렌 0.1~0.2 kg/㎠ 정도로 한다. 이와 같이 용기내의 높은 압력 가스를 임의의 압력으로 감압하면 용기내의 압력은 변화할지라도 조정된 압력은 일정하게 필요한 양을 공급할 수 있게 하는 역할을 하는 것이 감압 조정기(reducing valve) 혹은 압력 조정기(pressure regulator) 이다.

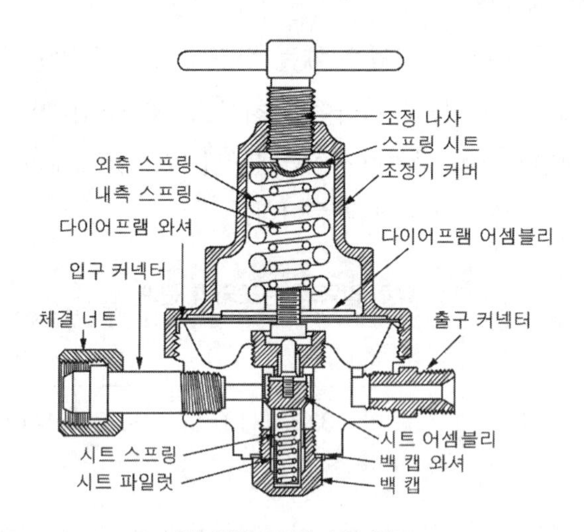

⬆ 압력 조정기의 구조

압력 조정기의 구조와 동작을 살펴보면 (a), (b), (c)와 같다.

(a) 실린더의 용기 밸브를 열면 실린더 속에 있는 가스는 고압 가스 입구를 따라 고압실(1차측 기밀실)로 들어가면 가스압력이 고압계에 작용하여 실린더(용기)내의 압력을 나타낸다. 이 때 가스 압력과 밸브 스프링의 힘에 의해 가스는 저압실(2차측 기밀실)로 유입되지 못한다.

(b) 조정 핸들을 오른쪽으로 돌리면 눌리는 힘은 조정 스프링을 통하여 다이어프램을 거쳐 압력조정밸브를 누르므로 밸브가 열린다. 이때 가스는 고압실에서 저압실로 들어온다. 저압실은 고압실 보다 크므로 가스는 팽창하여 압력이 낮아진 것이 저압계에 작용하여 사용압력을 나타낸다.

(c) 저압실에 들어온 가스는 다이어프램 면을 누르므로 조정 스프링은 압축 되고 조정 밸브는 닫히게 되어 원 상태로 되며, 가스의 유입은 정지되어 저압실의 압력은 조정스프링의 세기(장력)에 해당하는 압력으로 설정된다.

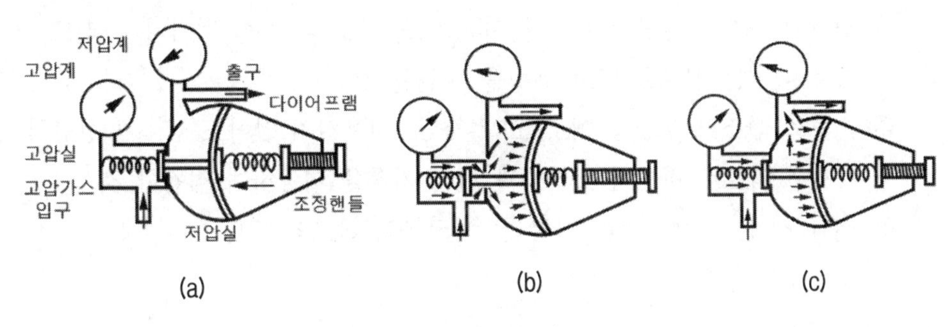

산소 압력 조정기의 작동

용접 토치의 출구 밸브를 열어 가스를 사용하면 저압실의 압력은 저하되어 다시 조정 스프링의 힘에 의해 조정 밸브를 밀어 열리게 되므로 고압실에서 저압실로 가스가 들어온다. 이상의 동작으로 저압실의 압력은 조정 스프링의 장력에 해당하는 압력(조정압력)으로 평형(平衡)을 유지하면서 흘러 들어오게 된다.

❷ 압력 조정기의 취급방법

압력 조정기는 다음과 같은 것을 요구한다.

① 동작이 예민할 것
② 조정 압력은 용기 내의 가스량이 변화 하여도 항상 일정 할 것
③ 조정 압력된 방출압력의 차이가 작을 것
④ 빙결(氷結)되지 않을 것
⑤ 가스의 방출량이 많아도 유량이 안정되어 있는 것이 필요하다.

❸ 압력 조정기의 취급상 주의

조정기는 전부 고압 용기 배관에 설치되어 있으므로 세심한 주의를 하지 않으면 고장을 일으켜 취급할 때에 인체에 위험을 일으키는 경우가 있다. 그러므로 가스의 성질, 조정기의 구조 등을 잘 익혀 취급하지 않으면 안된다.

① 산소 용기에 조정기를 설치할 때에는 반드시 밸브를 가볍게 2, 3회 열어서 압력 조정기 설치구에 있는 먼지를 떨어내고 설치할 것

② 압력 조정기 설치구, 나사부나 조정기의 각 부분에 그리스(grease)나 기름 등을 사용하지 말 것

③ 조정기를 견고하게 설치한 다음, 조정 핸들을 풀고 밸브를 조용히 열 것

④ 산소의 누설이 있을 때에는 즉시 밸브를 닫고 다시 죌 것이며, 그래도 산소가 누설될 때에는 밸브를 닫고 패킹을 교환할 것

⑤ 소량의 산소가 누설 되어도 고압이므로 사용하지 않아도 산소가 상당히 많이 없어지게 되므로 반드시 비눗물과 같은 거품을 이용하여 점검할 것.

⑥ 취급 시에 기름이 묻은 장갑 등을 사용해서는 안 된다.

5 용접 토치와 팁

용접 토치는 산소와 아세틸렌을 혼합실에서 혼합하여 팁(tip)에서 분출 연소하여 용접을 하게 하는 것이다.

용접 토치에는 아세틸렌 압력에 의하여 저압식(低壓式)과 중압식(中壓式)이 있으며, 구조에 따라서 KS 규격에 A형은 니들 밸브(needle valve)를 가지고 있지 않은 것(독일식 토치)과 B형은 니들 밸브를 가지고 있는 것(프랑스식 토치)으로 분류하고, 이것에는 대, 중, 소형과 피스톨형(pistol type)이 있다.

❶ 저압식 토치

(1) 니들 밸브를 가지고 있는 토치(B형)

B형 토치는 아세틸렌 발생기의 압력 0.07 kg/㎠ 이하와 용해 아세틸렌의 압력 0.2kg/㎠이하일 때에 많이 사용되는 것으로 토치의 구조는 그림과 같이 인젝터 노즐(injector nozzle)과 니들 밸브를 가지고 있으며, 인젝터의 중심에서 산소를 분출 시켜 노즐의 주위에서 아세틸렌을 흡수하여 혼합실에서 두 가지 가스를 혼합하도록 되어 있다. 산소 조정 니들 밸브는 팁의 크기에 따라서 산소 유량을 조절할 수

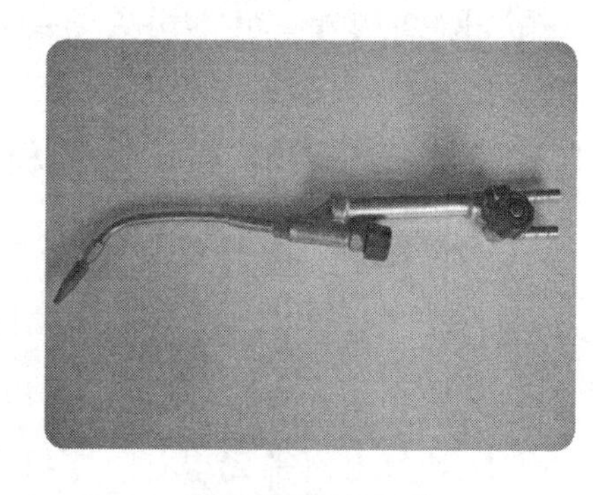

가변압식 토치

있으므로 가변압식(可變壓式)토치라고도 한다.

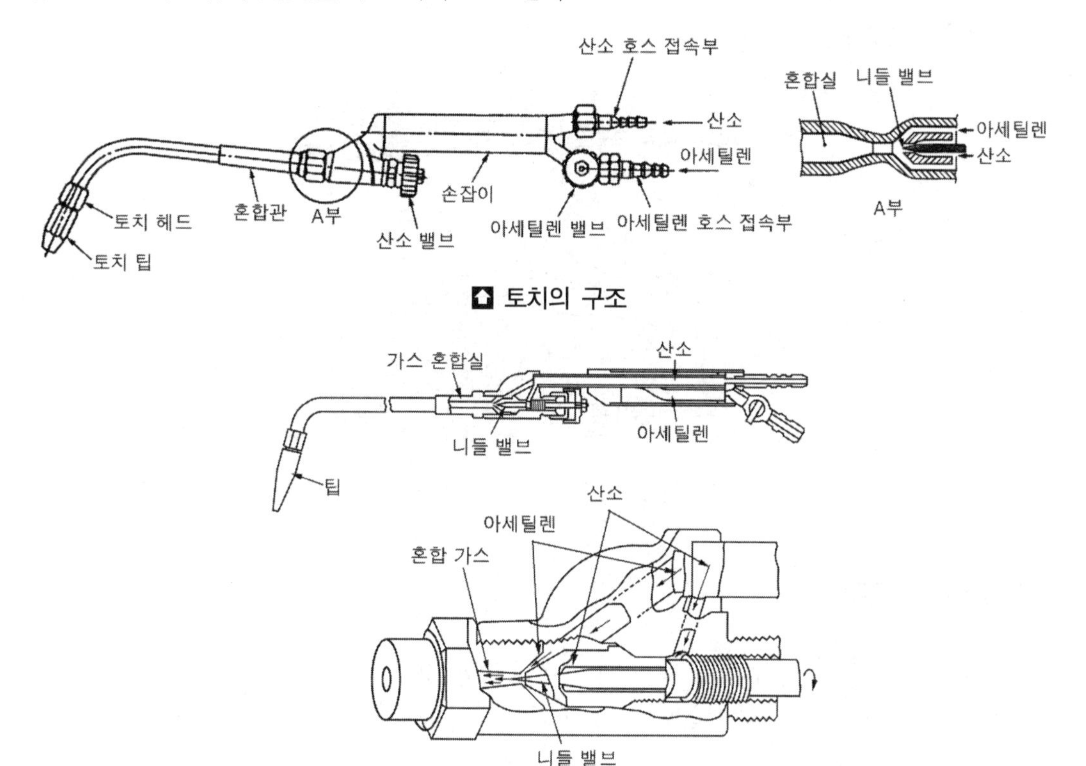

토치의 구조

B형 토치 인젝터 부분의 단면

(2) 니들 밸브를 가지고 있지 않은 토치(A형)

아세틸렌 발생기 혹은 용해 아세틸렌의 압력 0.2kg/㎠ 이하인 C_2H_2를 산소의 압력 1~5 kg/㎠로 분출되는 인젝터 속에서 흡인(吸引)시켜, 2가지 가스가 혼합할 수 있는 구조를 가지고 있는 것으로 아래의 그림과 같다.

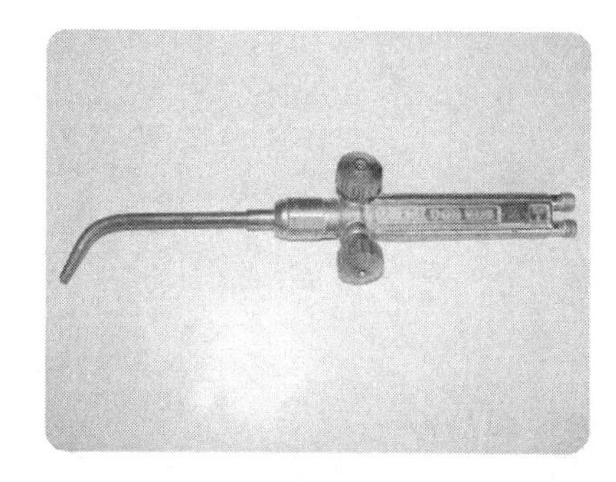

불변압식 토치

이 토치의 가스 혼합 비율을 변화 하려면 산소 조정기를 가감하여 산소압을 변화하여 분출 속도를 변화하도록 하는 것이다. 이 토치는 인젝터의 구멍이 일정하고 인젝터의 혼합실과 팁이 하나로 되어 있으며, 이것을 거위 목(goose neck)형 팁이라 한다. 따라서 가스의 혼합량을 변화하려면 인젝터의 크기를 변화하여야 하므로 많은 수의 거위 목형 팁이 필요하게 된다. 그러므로 자유로운 불꽃의 조정을 할 수 없어서 불변압식 토치라고도 한다.

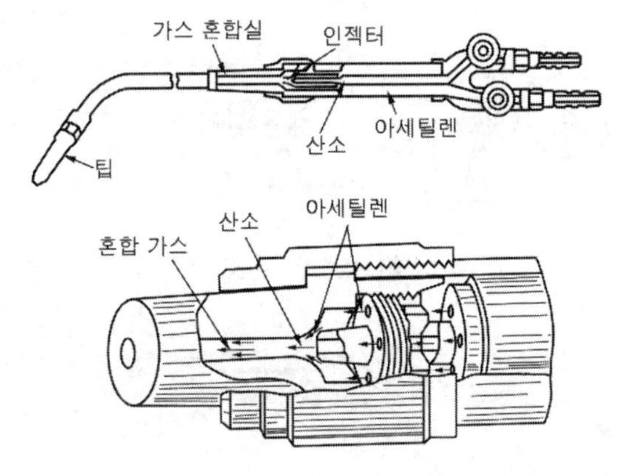

저압 불변압식 토치의 인젝터 단면

② 중압식 토치

아세틸렌의 사용 압력이 0.07 ~ 1.3 kg/㎠ 정도의 것을 사용하는 토치로서, 산소에 의해 아세틸렌의 흡인력이 전혀 없는 것과 약간 있는 것이 있다. 앞의 것을 등압식 토치라 하고, 뒤의 것을 세미 인젝터식 토치라고 한다.

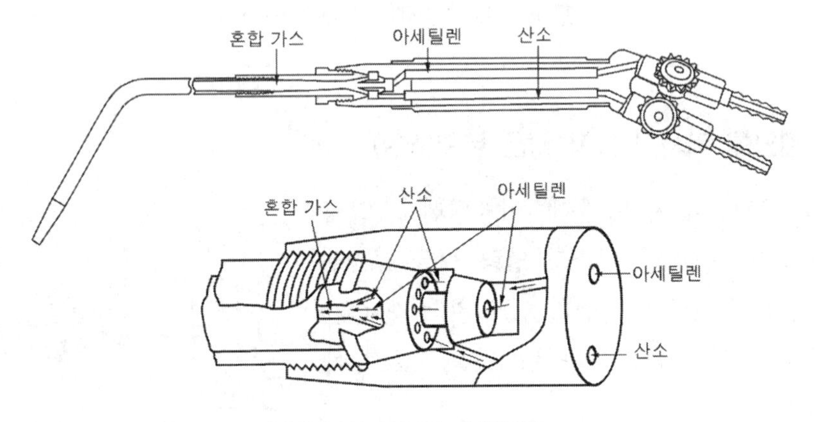

중압식 토치의 혼합장치

③ 팁(tip)

토치의 선단에 팁이 있다. 이것은 일반적으로 번호로 표시하고 있다.

독일식 토치의 팁의 번호는 연강판의 용접 가능한 두께를 표시하는데, 가령 10번은 10mm의 연강판이 용접 가능한 것을 보여주고 있다.

독일식 A형 팁의 번호별 일람

형식	팁 번호	산소 압력(kg/㎠)	아세틸렌 압력(kg/㎠)	모재 두께(mm)
A1호	1	1.0	0.1	1 ~ 1.5
	2	1.0	0.1	1.5 ~ 2
	3	1.0	0.1	2 ~ 4
	4	1.5	0.1	4 ~ 6
	5	1.5	0.15	6 ~ 8
A2호	10	2.0	0.15	8 ~ 12
	13	2.0	0.15	12 ~ 15
	16	2.5	0.2	15 ~ 18
	20	2.5	0.2	18 ~ 22
	25	2.5	0.2	22 ~ 25
A3호	30	3.0	0.2	25 이상
	40	3.0	0.2	25 이상
	50	3.0	0.2	25 이상

프랑스식 토치는 산소 분출구에 니들 밸브(needle valve)를 가지고 있으며, 산소 분출구의 크기를 팁에 맞추어서 어느 정도 조절할 수 있게 되어 있다. 더구나 산소 분출구가 토치에 설치되어 있으므로, 팁이 소형 경량으로 작업하기가 쉽다.

프랑스식 팁의 번호는 팁에서 불꽃으로 되어 유출되는 아세틸렌의 유량(ℓ/h)을 표시하고 있으며, 가령 연강판의 용접 가능한 판 두께는 팁 번호의 1/100에 해당하므로, 1000번은 10mm의 연강판을 용접할 수 있다.

저압식 용접 토치의 팁은 KS 규격으로 규정되어 있으며 아래와 같다.

독일식 B형 팁의 번호별 일람

형식	팁 번호	산소 압력(kg/㎠)	아세틸렌 압력(kg/㎠)	모재 두께(mm)
B0호	50	1.0	0.1	0.5 ~ 1.5
	70	1.0	0.1	1 ~ 1.5
	100	1.0	0.1	1 ~ 1.5
	140	1.0	0.1	1.5 ~ 2
	200	1.0	0.1	1.5 ~ 2
B1호	250	1.0	0.1	3 ~ 5
	315	1.5	0.1	3 ~ 5
	400	1.5	0.1	5 ~ 7
	500	1.5	0.15	5 ~ 7
	630	1.5	0.15	7 ~ 10
B2호	1200	2.0	0.15	9 ~ 13
	1500	2.5	0.15	12 ~ 20
	2000	2.5	0.2	12 ~ 20

※ B형 팁의 번호는 1시간에 소비하는 아세틸렌의 양을 ℓ로 표시한다.

④ 토치 취급상의 주의

① 소중히 다루어야 한다.

② 팁을 모래나 먼지 위에 놓지 말 것.

③ 불이 붙어있는 토치를 함부로 방치하지 말 것이며, 또한 산소 용기나 아세틸렌 용기 등에 가까이 하지 말 것.

④ 토치를 사용 전에 완전한가를 조사하고 역화, 기타의 원인을 일으키지 않도록 청소할 것.

⑤ 작업 중 불꽃이 붙어있는 상태에서 토치로 절단한 모재(母材)를 두들겨 떨어뜨리거나 모재를 끌거나 밀어 당기지 않도록 할 것.

⑥ 토치의 각 밸브는 정밀하고, 또 가스의 누설이 없도록 되어 있으므로 거칠게 취급하면 밸브에서 가스가 새어 예상하지 않은 부상을 당하므로 비눗물 등의 거품을 이용 가스의 누설이 없는가를 확인한 후 사용할 것.

⑦ 토치를 함부로 분해하지 말 것.

⑧ 토치 사용 중 바직바직 하는 소리가 날 때는 팁이 과열되어 팁 내의 혼합가스가 폭발하고 있으므로, 산소만 다소 분출 시키면서 토치를 물속에 넣어 냉각시킨 후 물을 제거하여 다시 사용할 것.

⑨ 작업 중 팁에 용융된 금속이 달라붙어 구멍이 가늘게 되든가, 오물이 부착해서 불꽃이 구부러져 작업의 계속이 곤란한 경우가 있다. 이때는 불을 끄고 산소만 다소 분출 시키면서 유연한 구리나 황동으로 만든 바늘로 팁 구멍의 오물을 없앨 것.

⑩ 팁을 바꿀 때에는 반드시 양쪽 밸브를 잘 잠그고 할 것.

⑪ 팁을 끼울 때에는 가스가 새지 않도록 단단히 죄어 끼울 것.

⑫ 토치에 기름, 그리스 등을 바르지 말 것.

⑬ 토치를 점화할 때 아세틸렌 밸브는 점화에 필요한 양을 충분히 분출 시키면서 점화하며, 점화한 후는 서서히 산소를 내보내어 표준 불꽃으로 만든다.

⑭ 토치의 불꽃을 끌 때에는 한꺼번에 밸브를 닫지 말고, 아세틸렌과 산소의 밸브를 서서히 닫아서 불꽃이 작아지면 아세틸렌 밸브를 먼저 닫은 다음에 산소 밸브를 닫는다.

⑮ 작업 중에 역류, 역화, 인화 등을 일으킬 염려가 있으므로 충분한 주의를 할 것.

6 토치 불꽃

1 불꽃 온도의 형상

아세틸렌과 산소가 1 : 1로 연소 하였을 때가 가장 온도가 높아지는데 약 3,200℃에 달한다. 이런 온도라면 옆의 그림처럼 불꽃 안쪽의 암청색 불의 불꽃 부분이다. 아세틸렌과 산소와의 혼합비를 바꾼 경우 아래의 그림처럼 불꽃의 상태가 분명히 달라지므로 불꽃의 상태로 혼합 상태를 확인할 수 있다.

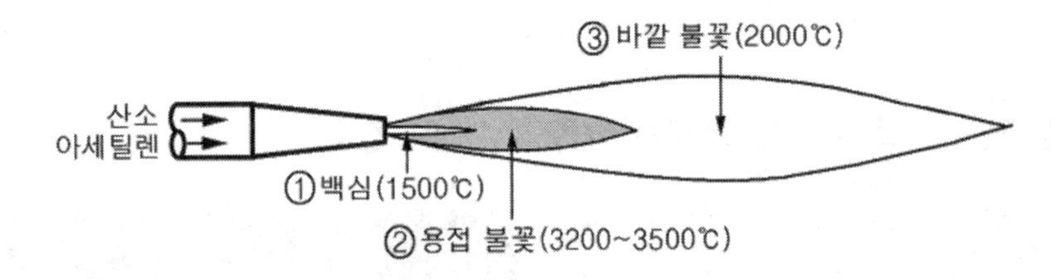

산소-아세틸렌 불꽃의 구성

(1) 탄화 불꽃(아세틸렌이 많은 경우)

상태에서는 아세틸렌 가스가 완전히 다 타지 않고 불완전 연소로 검은 그을음이 날 때에는 산소 부족이거나 또는 아세틸렌의 과잉이다. 토치에 점화하여 아세틸렌 밸브를 열어주면 연기가 많은 황색의 불꽃이 발생 하면서 속 불꽃이 보인다. 불꽃 자체는 크고 대단하게 보이지만 불완전 연소로 열량이 작기 때문에 용접에는 부적당하다. 산소 밸브를 서서히 열어 공급을 증가하면 불꽃은 점점 축소되지만 여전히 보통 불꽃의 크기로 되돌아가지 않고 내부의 하얀 불은 점점 밝아지고 빛나기 시작한다. 이때 산소의 공급을 중지하고 그대로 유지한다.

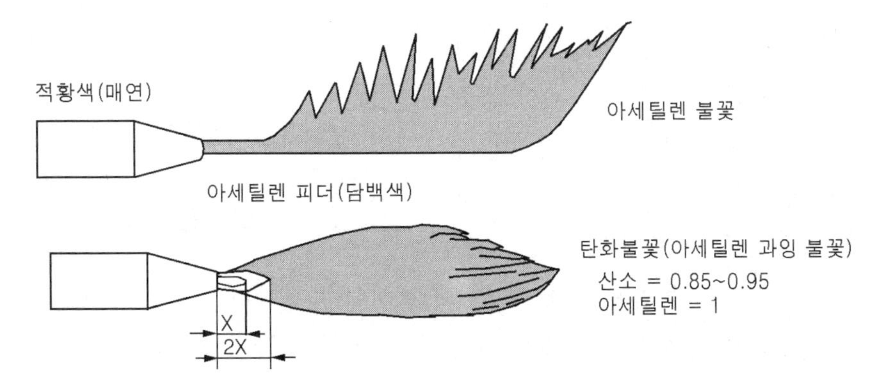

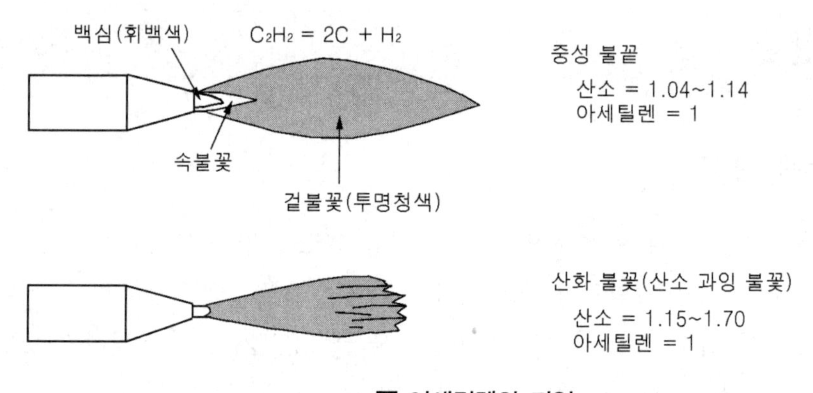

아세틸렌의 과잉

(2) 중성 불꽃(표준 불꽃, 산소와 아세틸렌이 1:1인 경우)

산소의 공급이 탄화 상태 불꽃의 혼합비를 넘어서 더 보내주면 불꽃의 길이는 수축되고 중심의 하얀 원뿔은 둥글게 빛난다. 이 상태에서 산소와 아세틸렌의 혼합비는 거의 같으며 완전 연소가 된다. 아세틸렌에서 나오는 카본은 전부 연소하여 최대의 발생 열을 얻을 수 있다. 이 상태를 중성 불꽃(또는 표준 불꽃)이라 하며 가장 일반적인 용접에 많이 쓰인다. 이것은 재질에 산화 또는 탄화도 일으키지 않고 연강, 마그네슘, 강의 용접에 적합하다.

중성 불꽃

(3) 과산화 불꽃(산소 공급이 많은 경우)

중성 불꽃 상태에서 다시 산소 밸브를 더 열어서 산소의 공급을 많이 하면 과산화 불꽃을 만든다. 이때에 내부의 불꽃은 더 짧아지며 불꽃의 색은 암자색이 된다. 연소상태는 좀 불안정하게 되며 히스테리 모양을 나타내게 된다. 과산화 불꽃은 용해 메탈이 감소하여 용접 중에 많은 스파크를 발생한다. 따라서 이 불꽃은 보통 용접인 황동, 청동, 실론, 구리 합금에 쓰인다.

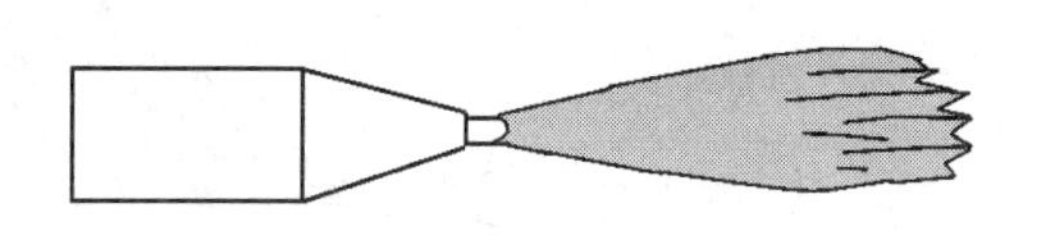

과산화 불꽃

(4) 불꽃의 조절과 가스 압력

보다 좋은 용접용 불꽃의 조절을 용접 토치로 보내는 데는 가스 압력에도 영향이 있다. 만약 가스 압력이 아세틸렌 산소 모두 너무 강하면 불꽃이 거칠어지고 취급하기 어려우며 중성불꽃이라도 특히 보디 외판과 같은 박판 용접에는 쓸 수 없다. 압력이 너무 높으면 철판의 모서리를 녹여 버린다. 또한 반대로 두 가지 가스가 너무 낮을 때에는 백 화이어(back fire)를 일으키는 결과를 초래한다.

7 가스용접의 작업방법

① 용접 자세

전진법(forward welding)으로서의 토치 운반은 용접 결과가 불완전한 접합이 된다. 완전한 접합은 후진 법이며, 용접 자세에는 여러 가지가 있다.

① **수평자세(아래보기 자세)** : 평평한 표면을 위로부터 용접하는 경우
② **수직자세(서서보기 자세)** : 직립 또는 수직면의 용접
③ **오버헤드(위보기 자세)** : 수평 표면을 쳐다보고 용접

(1) 전진 용접법

이 기술은 강철재 플랜지의 끝단용접 및 비스듬히 절단한 강판 용접(두께 3cm 까지)과 같은 두께 4cm 정도의 용접에 많이 사용된다. 이외에도 주철 및 비철금속류에도 사용되는 경우가 있다.

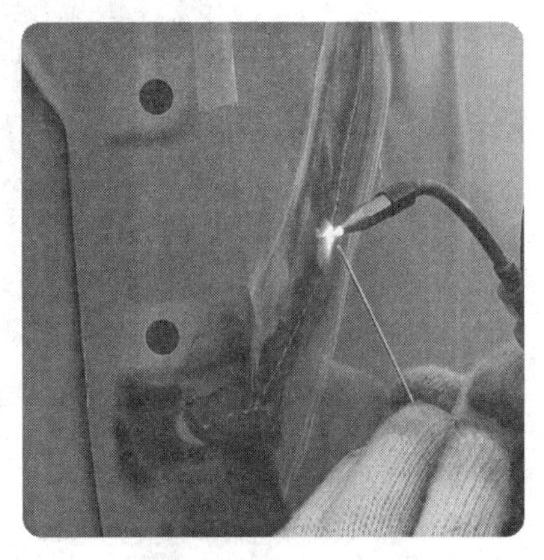
전진법(좌진 용접)

용접은 판이 접합되는 우측으로부터 시작하여 왼쪽으로 용접선을 따라 약간 직각 방향으로 움직여 양쪽 가장자리(edge)를 똑같이 녹인다. 용접 토치는 똑바로 이음면을 따라 진행한다. 용접 토치의 가로 움직임을 최소로 억제한다. 전진 용접의 이점은 빠르다는데 있으며 용접이 진행됨에 따라 불꽃이

예열 효과를 가지므로 용해 금속을 쉽게 제어할 수 있으며 용입이 비교적 잘 된다.

① 특 징

비교적 넓고 섬세한 비드를 형성하며 적은 양의 용적이행이 진행됨.

② 작업 진행

- 토치는 용접 진행 방향의 형성되는 용융지에 따라 반원형의 위빙이 이루어진다. 모재 개선면의 끝 부분을 완전히 용융시켜 완전한 용접이 이루어지도록 한다.
- 비교적 큰 홈의 접합 용접 시 에는 토치와 상대적으로 용융이 중단됨이 없이 용접봉의 운봉이 필요하다.

(2) 후진법과 전 자세 후진 용접

후진 용접은 강판 3/16인치(약 4.7mm)이상에 적합하다. 그리고 두께가 4.8 ~ 8mm 정도 까지는 용접 홈이 불필요하다. 강판의 두께가 8mm 이상이 되면 30° 의 각도를 유지한다. (양쪽에서 60° 의 V홈을 만든다.) 용접은 좌측으로부터 오른쪽으로 움직이며 그 뒤를 용접봉이 따른다. 이때에 용접봉은 원운동을 그리며 앞으로 전진하고 토치는 똑바로 이음매를 따라 일직선으로 움직인다. 이 방법은 전진 용접보다 빠르고 가스 소비량도 적게 든다. 그리고 용접 홈도 작게 할 수 있고 용접봉의 운봉 속도가 느리며 또 변형도 별로 생기지 않는 장점이 있다.

후진법(우진 용접)

① 특 징

- 비교적 좁고 높은 비드를 형성하며 큰 용적의 이행이 진행된다.
- 불꽃 방향이 용융지(moltem pool)를 유지하여 점착의 발생을 유지한다.
- 불꽃이 용접의 근원에 직접 닿아 가장자리를 녹여 구멍을 판다. 이것이 후진 용

접의 장점이다.
- 판 두께가 8mm 까지는 용접 홈 형성이 필요치 않다.

② **작업 진행**
- 토치는 위빙 없이 개선면의 중심부 즉 용접부를 따라 직선 이동하며, 다만 용융지에 대한 불꽃의 적절한 조절을 위해 약간 움직일 수 있다.
- 용접봉은 용융지 안쪽에서 반원형의 운봉이 이루어지며 용융지 상단 1/3정도의 위치에서 접촉이 이루어진다.
- 토치 중심 불꽃의 끝은 모재 두께의 상단 1/3 정도에 위치하게 된다.
- 4mm 두께 이상의 경우 개선 각은 약 60 ~ 70° 정도이다.

8 가스 용접시 발생되는 이상 현상의 원인 및 대책

현 상	원 인	대 책
작업시 폭음 (산소가 아세틸렌 구멍으로 빨려 드는 현상)	• 팁의 과열 • 팁의 막힘 • 가스 압력 조정 불량 • 팁과 융착 금속의 접촉	• 산소밸브를 열어서 팁을 수냉시킨다. • 팁의 청소 • 가스 압력 조정
역 화 (불꽃이 토치내로 흡입되는 현상)	• 팁의 막힘, 오염 • 산소압력의 부족 • 팁의 과열 • 팁 홀의 과대 • 작업 중 불꽃의 역행	• 산소밸브를 열어서 팁을 수냉시킨다. • 팁의 청소 • 산소 가스 압력 조정 • 팁의 교환
불꽃 끝 날개가 작다	• 호수 내 수분 응축 • 아세틸렌의 공급 부족	• 호수 내 수분 제거 • 아세틸렌 압력 조절
불꽃 끝 날개가 크다	• 산소 압력의 과다 • 팁의 막힘	• 팁의 청소 • 산소 압력 조절
점화시의 폭음	• 아세틸렌가스 부족 • 혼합 가스의 불안정 • 팁 홀의 과대 • 팁의 오염	• 가스 압력 조정 • 팁의 교환 • 팁의 청소

9 각종 금속의 용접 방법

연강판	연강판을 용접할 때는 항상 중성 불꽃을 사용하며 플럭스는 사용하지 않는다.
탄소강	플럭스는 반드시 사용하여야 하며 불꽃은 중성 불꽃을 사용한다. 용접종료 후의 용접부의 냉각은 서서히 하는데, 급랭하면 아주 여리게 된다.
구리합금	용접봉 선택이 중요하며, 반드시 합금에 적합한 용접봉을 사용한다. 처음에는 용접부에 예열을 한 후 용접작업으로 들어간다.
스테인리스 강	용접봉 선택이 중요하며, 반드시 합금에 적합한 용접봉을 사용한다. 처음에는 용접부에 예열을 한 후 용접작업으로 들어간다.
알루미늄	순 알루미늄패널 또는 양쪽을 도장한 알루미늄 시트에서는 플럭스를 사용하게 되는데 뜨겁게 가열된 용접봉에 플럭스 피복을 입혀서 사용한다. 용접 전에 오일이나 그리스를 제거하고 용접면은 와이어 브러쉬로 알루미늄 원 상태의 바탕으로 만들어 준다. 불꽃은 중성 또는 극히 조밀한 탄화불꽃을 이용하고 전진 용접으로 연강판 보다 빠른 속도로 용접한다. 용접 후 플럭스를 제거하기 세정작업을 반드시 하여야 한다. 플럭스가 남이 있으면 판의 표면을 손상시키기 때문이다.
알루미늄 주물	알루미늄 합금용 용접봉과 플럭스 및 실리콘이 필요하다. 예열을 충분히 하여 용접부에 용접 메탈을 녹여서 용융지를 만든다. 용접 후 급랭은 피한다.

TIP

- 아세틸렌의 폭발성
  ① 406~408℃ : 자연 발화 ② 505~515℃ : 폭발 위험 ③ 780℃ 이상 : 자연 폭발
- 산소 용기의 최고 충전 압력(FP)은 보통 35℃에서 150기압으로 한다.
- 산소 용기의 크기는 산소를 대기 중에서 환산한 용적으로 나타내며 보통 5000ℓ, 6000ℓ, 7000ℓ 의 3 종류가 있다.
- 팁의 능력
  ① 독일식 : 용접할 수 있는 강판의 두께(㎜)를 기준으로 팁의 번호를 표시
  (예) 1번 팁 : 연강판 두께 1㎜, 2번 팁 : 연강판 두께 2㎜
  ② 프랑스식 : 표준 불꽃으로 용접할 때 1시간당 소비되는 아세틸렌의 양ℓ 을 팁번호로 나타냄.
  (예) 100번 팁 : 아세틸렌 가스 소비량 100ℓ
- 역류, 역화, 인화
  ① 역류 : 팁 끝이 막히어 산소가 아세틸렌 쪽으로 흘러 들어가는 현상
  ② 역화 : 불꽃이 토치의 팁 끝에서 순간적으로 폭음을 내며 들어갔다 나오거나 꺼지는 현상
  ③ 인화 : 불꽃이 혼합실까지 들어가는 현상

10 가스 절단

① 산소 - 아세틸렌 절단 토치의 구조

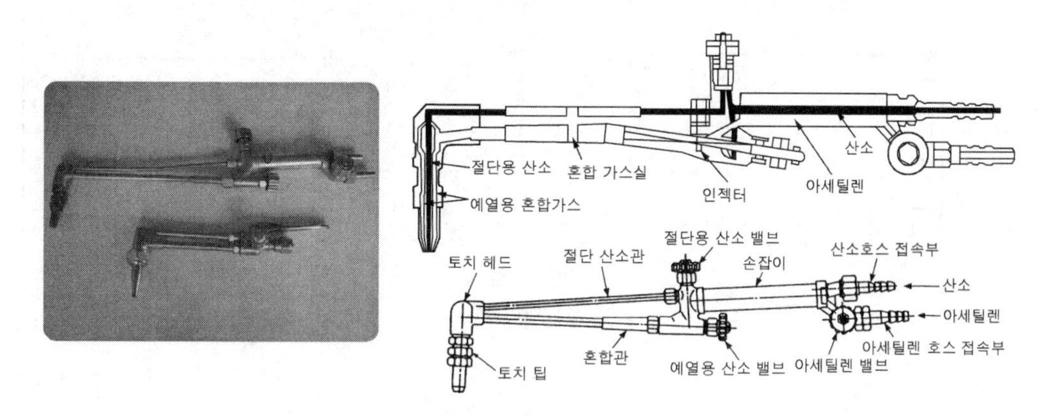

산소-아세틸렌 절단 토치

② 산소 - 아세틸렌 절단(Oxy - Acetylene Gas Cutting)

강의 가스 절단은 산소절단(Oxy - Acetylene Cutting)이라고도 말하며, 산소(O_2)와 철(Fe)과의 화학반응을 이용하여 일정온도 이상 예열(800 ~ 1000℃) 된 부분에 높은 순도의 산소(O_2)를 분출 시키면 강한 산화 작용을 일으켜 철이 연소하여 산화철(FeO)이 되고 산화철의 용융점은 모재인 강보다 낮으므로 산소의 분출력에 의하여 불려 나가게 되고 산화되는 열화학반응에 의하여 발열이 수반되어 이 현상의 반복으로 절단 작업이 이루어지게 되므로 이를 만족시키기 위해서는 필히 다음의 조건을 갖추어야 한다.

① 모재의 산화 연소하는 온도가 그 금속의용융점 보다 낮을 것.
② 생성된 금속 산화물의 용융 온도는 모재의 용융온도 보다 낮을 것.
③ 생성된 산화물은 유동성이 좋아야 하고, 그것이 산소압력에 의해 잘 밀려 나가야 할 것.
④ 금속의 화합물 중에는 연소되지 않는 물질(불연성 물질)이 적을 것.

그러나 주철은 연소 온도나 산화물과 용융철(녹은 금속)의 융합된 슬래그의 용융온도가 주철의 용융점 보다 높고 흑연(Graphite)이 들어있어 연속적인 방해물 이므로 절단이 곤란하며 스테인리스 강이나 구리, 알루미늄 및 그 합금은 산화물이 모재 보다 용융점이 높고 산화물이 내화물 이므로 이것이 표면에 덥혀 산소와의 반응을 방해하게 된다. 이의 절단을 위해서는 특수절단방법 내지는 산화물을 제거하는 용제를 사용하여야 한다.

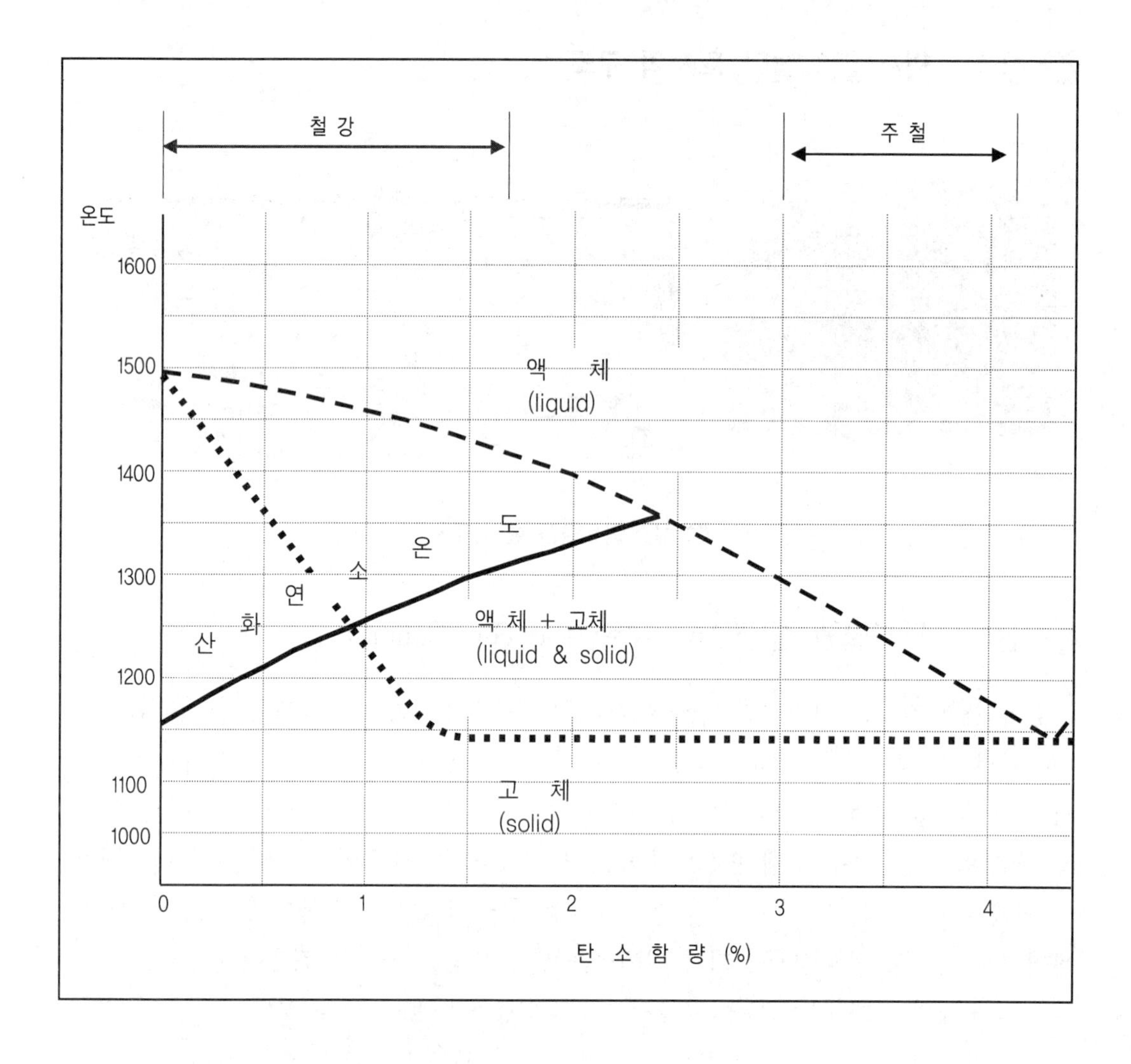

③ 절단 작업에 영향을 미치는 요소

가스 절단면의 좋고 나쁨도 절단 효율과 절단면의 모양을 가지고 판단하게 되는데 이에 영향을 미치는 요소로서 절단 모재와 재질에 맞는 팁(Tip)의 크기, 산소 압력, 모재의 예열, 절단 진행속도, 예열불꽃의 세기, 팁의 거리 및 절단재의 표면상태 등이며 특히 절단 산소의 순도 또한 효율에 큰 영향을 가지게 된다. (99.5% 순도의 산소에 비하여, 96% 순도의 산소는 약 2배의 소비량을 가져오게 된다.)

이상적인 절단면은 절단면의 위 가장자리가 둥글게 되지 않고 각도가 잘 져야하며 면이 평편하고 직선으로서 절단면 아래쪽에 붙어 있는 슬래그가 쉽게 제거될 수 있어야 하며, 양호한 절단 작업을 위해서는 무엇보다도 작업자의 숙련된 높은 기능을 필요로 하지만 이에 앞서 절단작업에 결함이 발생되는 원인을 정확히 파악할 수 있어야 하겠다.

예를 들어 팁의 간격 및 일정한 절단속도 유지 등의 기타 조건이 이루어진 경우, 절단 산소 압력을 높이는 것이 양호한 절단면을 얻는 것으로도 생각할 수 있으나, 이는 너무 높은 경우 산소의 분류가 흩어져서 절단면에 요철이 생기게 되는 것으로서 다음의 도표에 나타난 몇 가지 기본이 되는 결함과 원인은 필히 작업자 자신이 숙지하여야 한다. (표 참조)

4 절단면의 이상 현상의 원인

	이상적인 절단면	
	위 모서리 부분이 비교적 무디고 절단면 아래 부분이 거칠게 패인 부분이 생기게 된다.	절단 속도가 너무 느림
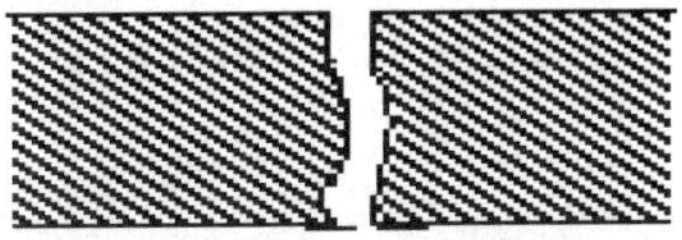	드래그 라인이 절단면 아래 부분에서 지나치게 구부러져 나타나며 절단면이 고르지 못하다.	절단속도가 너무 빠름
	위 모서리 부분이 녹아서 둥글게 되어 진다.	예열 불꽃이 모재에 너무 가깝다.
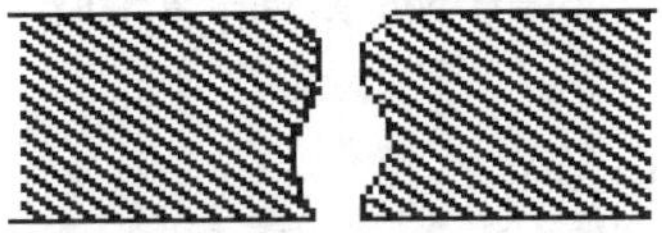	위 모서리 부분에 언더컷이 생기고, 절단면 중간 부분이 패인다.	절단 시 산소의 압력이 너무 높다.
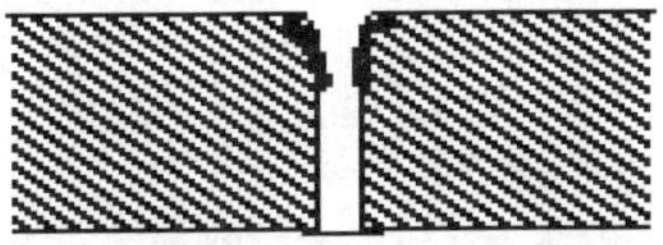	위 모서리 부분이 불규칙하게 녹아 있고, 모재판 밑에 많은 슬래그가 붙어 있다.	예열 불꽃이 너무 강하다.
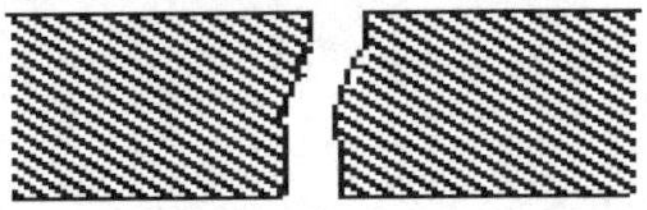	절단면이 불규칙하고 깨끗하지 못하며 절단홈이 한 쪽으로 치우치게 된다.	절단 팁이 깨끗하지 못하다.

5 절단면 부근의 성분 변화 및 균열 방지

가스 절단면에서 2mm정도 이내의 층에서는 합금원소의 변화가 일어난다. 탄소(C), 니켈(Ni), 구리(Cu) 등은 변질부에서 증가하는 경향이 크고 크롬(Cr),규소(Si) 등은 반대로 감소되며 또한 0.35% 이상의 탄소 함유량을 가진 강은 급냉 경화로 인한 균열이 발생되는 수가 있으며 이때 모재를 예열하여 완만한 냉각 속도로서 이를 방지할 수 있다.

탄소함유량	예 열 온 도 (℃)
0.035 ~0.5	100 ~ 200
0.5 ~ 0.9	200 ~ 350
0.9 ~ 1.3	350 ~ 400
1.3 이상	400 ~ 600

6 가스 절단부의 변형

가스 절단에 의해서 모재는 국부적으로 급열 급냉 처리를 받게 되어 모재의 변형이 일어나게 되므로 복잡한 모양의 절단에서는 이의 방지를 위해 절단순서, 절단 속도, 예열의 정도, 모재의 구속방법 등을 고려하여야 한다.

TIP

- 절단의 원리
  ① 가스 절단 : 주로 강 또는 저합금강의 절단에 널리 이용되며 강의 가스 절단은 산소 절단이라고도 한다.
  ② 아크 절단 : 전극과 모재 사이에 아크를 발생시켜 그 아크열로 모재를 용융 하여 절단하는 방법이다.
- 산소 절단법
  1) 예열 불꽃과 절단 산소
    ① 산소와 아세틸렌의 혼합비는 1.4 ~ 1.7 : 1일 때 불꽃의 온도가 가장 높다.
    ② 불꽃이 너무 세면 절단부 모서리가 녹으므로 절단 가능한 최소한의 세기로 하는 것이 좋다.
    ③ 고운 절단면을 얻기 위해 절단 산소 압력을 3kg/㎠ 정도로 한다.
  2) 절단 속도
    ① 절단 속도에 영향을 미치는 요소
      - 산소의 순도 및 압력 - 팁의 모양 - 모재의 온도
- 토치의 각도 및 팁 거리
  ① 팁 끝과 강판의 거리 : 백심의 끝에서 1.5 ~ 2.0mm 정도
  ② 예열할 때는 팁을 약간 경사지게, 절단할 때는 직각으로 세운다.

7 가스 절단 토치

절단 토치는 예열용 아세틸렌 압력을 기준으로 0.07kgf/cm^2 미만의 저압식과 0.07 kgf /cm^2 이상의 중압식으로 분류하며, 저압식 절단 토치의 구조는 산소와 아세틸렌을 혼합하여 예열용 가스를 만드는 부분과 절단용 산소만을 분출시키는 부분으로 구성되어 있다.

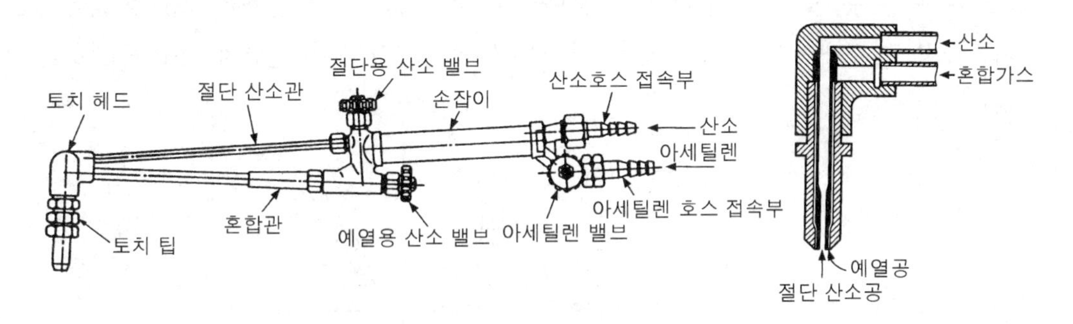

절단 토치의 구조

(1) 동심형(프랑스식) 절단 토치

토치 끝에 설치되어 있는 한 개의 팁에 2종류의 가스 통로가 2중으로 되어 있으며, 동심형의 구멍으로부터 분출하는 형식으로 전후, 좌우로 곡선을 자유롭게 절단할 수 있다.

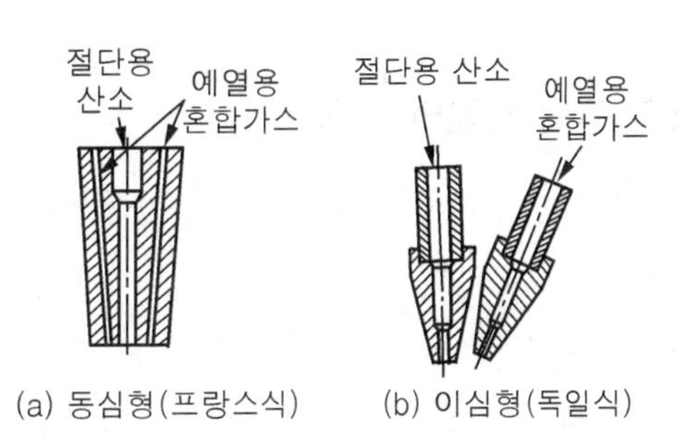

절단 토치 팁의 형식

(2) 이심형(독일식) 절단 토치

토치 끝 부분에 예열용 토치 팁과 절단용 산소의 분출 팁으로 분리되어 있으며, 절단면이 매끄럽고 예열용 팁이 설치되어 있는 방향으로만 절단이 가능하기 때문에 직선 절단이나 큰 곡선 절단에 능률적이지만 작은 곡선 등의 절단은 곤란하다.

8 가스 절단 방법

(1) 절단 토치를 잡는 방법

절단 토치는 오른손으로 토치의 손잡이 부분을 잡고 인지를 펴서 가볍게 예열 산소 밸브 위에 위치시키며, 왼손으로는 절단용 산소 밸브를 자유롭게 개폐할 수 있도록 가볍게 잡는다. 팁 끝은 절단하고자 하는 모재와의 거리를 불꽃의 백심 끝에서 1.5~2.5mm 정도 되도록 하고 모재와의 각도는 직선 절단의 경우에는 90°, 홈 절단의 경우는 60° 를 유지한다.

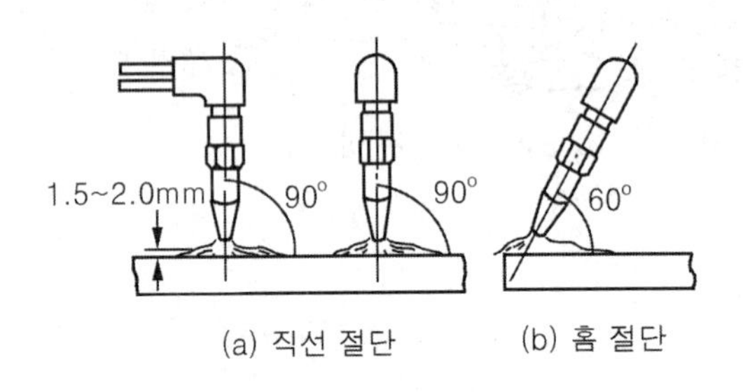

절단 팁과 모재와의 간극 및 각도

(2) 절단 불꽃의 조정

압력 조정기를 이용하여 산소와 아세틸렌을 소정의 압력으로 조정하고 토치에서 아세틸렌 밸브를 열고 산소 라이터를 이용하여 점화한 후 산소 밸브를 서서히 열어 중성 불꽃(예열 불꽃)으로 조정한다. 모재를 절단할 때 절단용 산소를 분출시키면 아세틸렌이 흡인되어 중성 불꽃에서 탄화 불꽃이 되므로 예열 불꽃은 약간의 산소 과잉 불꽃으로 조정하는 것이 좋다.

(3) 절단 속도

절단 속도는 보통 절단 토치의 이동 속도와 같은 것으로서 절단용 산소가 연속적으로 모재 두께의 전체를 뚫고 들어갈 만큼 빠른 것이 가장 좋지만 조금이라도 토치의 이동 속도가 빠르면 모재의 절단은 중단된다.

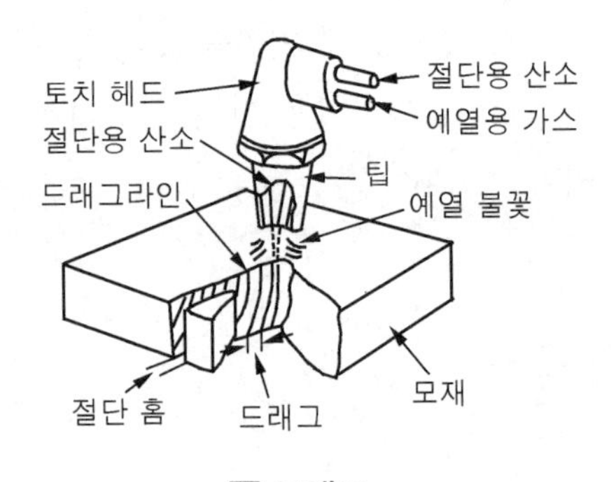

드래그

일정한 속도로 절단을 할 때 절단 홈의 밑으로

갈수록 슬래그의 방해, 산소의 오염, 절단 산소의 속도 저하 등에 의해 산화 작용과 절단이 느려져 절단면을 보면 거의 일정한 간격으로 평행한 곡선(드래그 선)이 나타난다.

(4) 절단 실습 요령

모재의 표면에 백묵[또는 석필(石筆)]을 이용하여 여러 개의 수평선을 긋고 이 선을 따라서 절단한다. 절단 토치의 불꽃을 중성 불꽃으로 조정하여 절단선 한 끝을 예열하여 표면이 용융되기 시작할 직전에 절단용 산소를 분출시켜 구멍이 뚫리기 시작하면 토치의 이동을 시작한다. 이 때 모재의 팁과 모재와의 거리 및 절단 속도를 일정하게 유지시키는 것이 필요하다.

11 아크 용접

❶ 피복 아크 용접

(1) 아크 용접의 원리

피복 아크 용접은 복제(플럭스)를 바른 용접봉(금속봉 또는 탄소봉)과 모재와의 사이에 직류 또는 교류 전압을 인가하여 발생하는 아크(arc) 열을 이용하여 모재의 일부분을 용융시킴과 동시에 용접봉을 첨가하여 접합시키는 작업을 말한다.

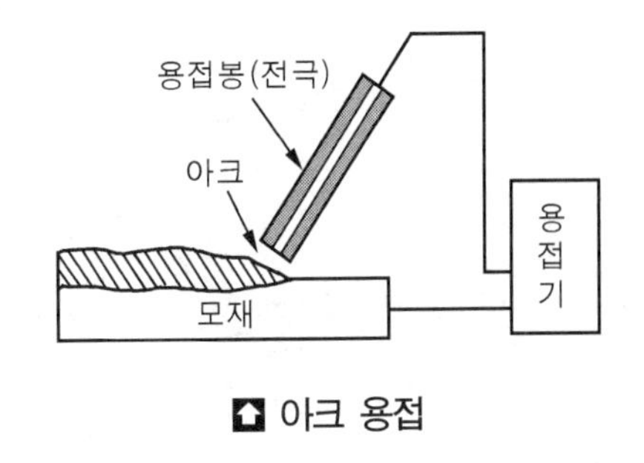

아크 용접

(2) 아크 용접의 전원

아크 용접에서 이용되고 있는 전원은 교류와 직류 전류가 모두 사용되고 있으며, 아크를 발생시키는 전압은 교류의 경우 75~135V이고 직류의 경우는 50~80V이다. 아크가 발생된 후에 아크를 지속시키는데 필요한 전압은 20~30V이며, 아크를 발생시키는데 소비된 전력의 60%는 금속의 용융, 25%는 금속의 증발, 15%는 방산 열로서 소비된다.

1) 교류 전원

교류는 전류의 방향이 1초 동안에 60회 바뀌므로 ⊕극과 ⊖극도 동일한 횟수만큼 바뀌므로 용접봉과 모재에서 발생되는 열량이 각각 50%로 같지만 아크의 안정성이 없기 때문에 아크의 발생이 정지됨이 없이 계속 유지시키기 위하여 피복 용접봉을 사용하여야 한다. 피복 용접봉은 고온으로 가열되면 피복제에서 이온을 발생시키기 때문에 이온에 의해서 아크의 발생을 돕는 작용을 하여 안정된 아크를 발생시킨다.

2) 직류 전원

직류는 전류의 크기와 방향이 일정한 것으로 전류는 ⊕극에서 ⊖극으로 흐르므로 ⊕극에서 발생하는 열량이 60~70%이고 음극에서 발생하는 열량이 30~40% 발생한다. 따라서 직류 용접기를 사용하여 용접하는 경우에는 모재의 두께에 따라 ⊕극을 어느 쪽에 연결할 것인지 결정하여야 한다.

① **정극성**(DCSP ; direct current straight polarity) : 정극성 용접은 모재에 ⊕극을, 용접봉에 ⊖극을 연결하여 용접하는 방식으로 모재 쪽의 용융 속도가 빠르고 용접봉의 용융 속도가 느리기 때문에 용융이 깊어 일반적으로 두꺼운 판의 용접에 많이 사용된다.

② **역극성**(DCRP ; direct current reverse polarity) : 역극성 용접은 모재에 ⊖극을, 용접봉에 ⊕극을 연결하여 용접하는 방식으로 용접봉의 용융 속도가 빠른 관계로 용입이 얕아 얇은 판, 주철, 고탄소강, 합금강, 비철 금속의 용접에 사용된다.

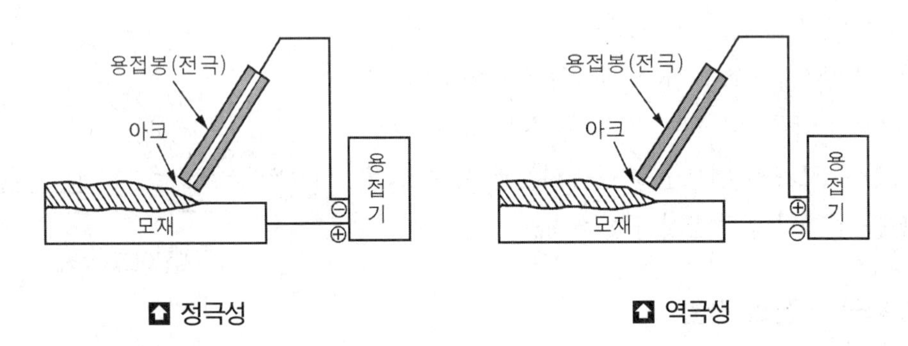

정극성　　역극성

(3) 피복 아크 용접의 특징

① 용접에 직접 이용되는 열효율이 높다.
② 가스 용접에 비하여 용접부의 변형이 적고 기계적 강도가 양호하다.
③ 열의 집중이 양호하여 효율적인 용접을 할 수 있다.
④ 폭발의 위험성이 없다.

⑤ 감전의 위험성이 있다.

⑥ 가스 용접에 비하여 유해 광선의 발생이 많다.

2 아크 용접기

아크 용접기는 용접기, 전원 개폐기, 1차쪽 배선, 2차쪽 배선, 용접봉 홀더 및 자동 전격 방지장치 등으로 구성되어 있다. 용접기의 전원에는 교류와 직류가 있으며, 사용조건 및 사용목적에 의해서 선택한다.

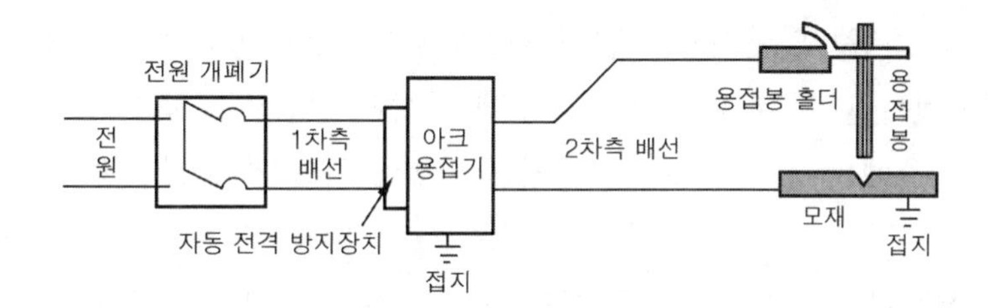

용접기의 구성과 접속

교류 용접기와 직류 용접기의 특징

항 목	교류 아크 용접기	직류 아크 용접기
전기 충격의 위험	크다	적다
아크의 안전성	약간 떨어진다	양호하다
극성의 선택	불가능하다	가능하다(정극성, 역극성)
자기(磁氣)쏠림 현상	그다지 일어나지 않는다	일어나기 쉽다
필요한 배전 설비의 크기	크다	작다
구조	간단하다	복잡하다
정비	간단하다	약간 복잡하다
가격	싸다	비싸다

(1) 직류 아크 용접기

직류 아크 용접기는 아크가 안정되어 있으며, 모재의 재질이나 모재의 두께에 따라 극성을 바꾸어서 용접할 수 있다. 그 종류는 다음과 같다.

① **전동 발전식** : 3상 교류 전동기에 의해서 직류 발전기를 구동시켜 발전되는 전류

를 이용하여 용접하는 것으로써 현재는 별로 사용하지 않는다.

② **엔진 구동식** : 전동기 대신 가솔린 엔진이나 디젤 엔진 등으로 발전기를 구동시켜 직류 전류를 얻는 방식이며, 전원의 설비가 없는 장소나 이동 공사 등에서 사용한다.

③ **정류식** : 셀렌이나 실리콘을 이용하여 교류를 직류로 정류하는 방식으로 현재 많이 사용된다. 소음도 적고 정비가 용이하며, 무부하 손실이 적은 장점이 있으나 교류 용접기 보다 가격이 비싸다.

(2) 교류 아크 용접기

교류 아크 용접기는 일반적으로 많이 사용되고 있으며, 용접장치 본체의 주요부분을 차지하는 변압기는 입력 전원을 아크 용접에 적합한 전압으로 조정하여 전류를 높이는 역할을 한다. 종류에는 용접 전류를 조정하는 방법에 따라 가동 철심형과 가동 코일형 등이 있다.

① **가동 철심형** : 가동 철심형은 가장 많이 사용되고 있는 용접기이며, 그림에 나타낸 것과 같이 1차 코일과 2차 코일 중간에 가동 철심을 설치하고 이것을 앞·뒤로 이동함에 따라 출력을 조정한다. 가동 철심 M_3가 그림 a의 위치에 있을 경우 용접 전류는 최소가 되고, 그림 c의 위치에 있을 경우 용접 전류가 최대가 되며, 그림 b의 위치에 있을 경우가 중간이 된다. 이 형식은 핸들을 회전시켜 가동 철심을 이동시키므로 미세한 전류의 조정이 가능하다.

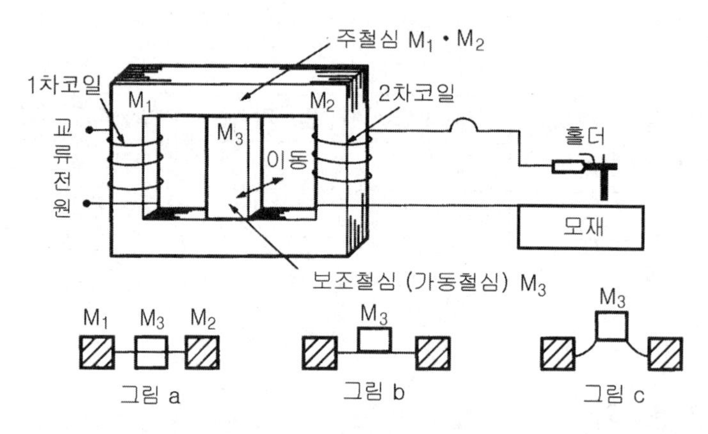

가동 철심형 용접기의 구조

② **가동 코일형** : 가동 코일형은 그림에 나타낸 것과 같이 1차 코일과 2차 코일이 동일 철심에 감겨져 있으며, 2차 코일을 고정하고 1차 코일을 이동시킨다. 1차 코일

이 2차 코일에 접근하면 리액턴스가 감소하므로 출력은 커지고, 반대로 멀어지면 출력이 작아진다. 이 형식은 비교적 아크가 안정되어 있다. 이외에 가포화 리액터형이나 탭 변환형이라고 불리는 것도 있다.

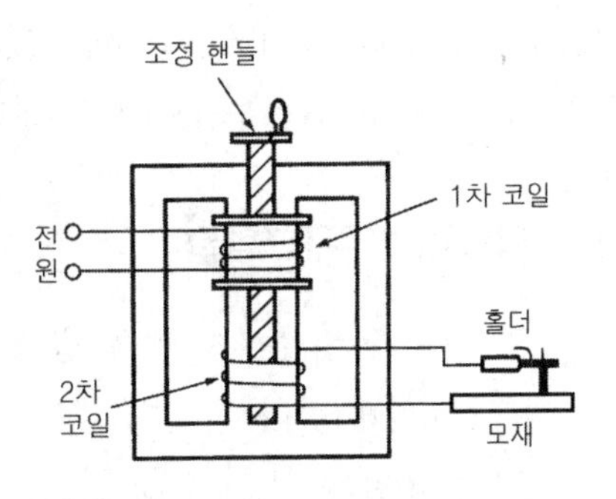

가동 코일형 용접기의 구조

(3) 용접봉 홀더(전극 홀더)

용접봉 홀더는 그림에 나타낸 형식이 일반적으로 사용되고 있으며, 용접봉의 철심을 물고 용접 전류를 용접봉에 전달하면서 모재의 용접 및 운봉을 하는 기구로서 기계적으로 강하고 내열성이 큰 구조로 되어 있다. 또한 손잡이 부분은 절연이 되어 있다.

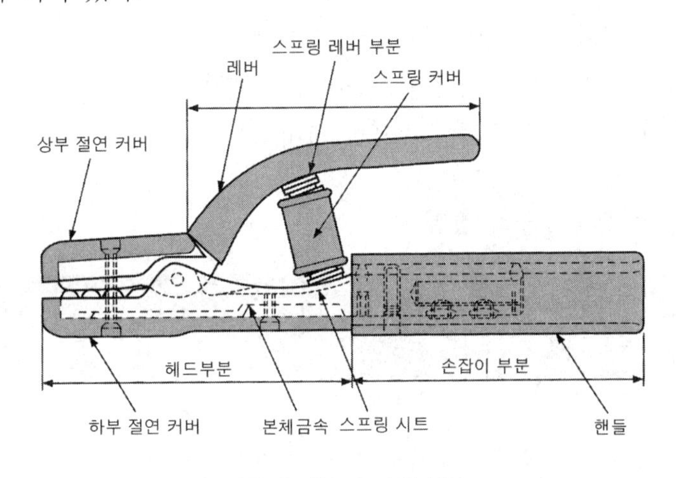

용접봉 홀더의 구조

3 피복 아크 용접봉

피복 아크 용접봉은 아크를 안정시키기 위하여 심선에 비금속의 피복제를 입힌 것을 사용한다. 피복제는 아크 열에 의하여 아크를 안정시키고 피복제의 연소에 의한 가스 또는 슬래그는 대기중의 산소 및 질소와의 접촉을 차단하여 용융금속의 산화 및 질화를 방지하는 역할을 한다.

(1) 심선

용접봉의 심선은 불순물 함유량이 적은 것이 필요하며, 심선의 지름은 1.0mm, 1.4mm,

2.0mm, 2.6mm, 3.2mm, 4.0mm, 5.0mm, 6.0mm, 7.0mm, 8.0mm의 10종이 있으나 일반적으로 3.2mm~6.0mm가 많이 사용되고 있다.

(2) 피복제의 주요 역할

① 가스를 발생시켜 아크 발생 및 유지를 쉽게 한다.
② 용융점이 낮은 슬래그로 되어 용융 금속을 보호한다.
③ 용융 금속의 냉각 속도와 응고를 지연시킨다.

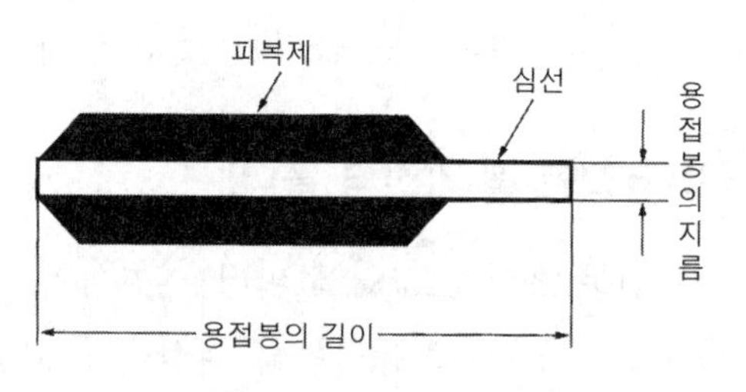

⬆ 피복 용접봉의 구조

④ 용접 금속의 탈산 정련 및 합금 원소를 첨가한다.
⑤ 전기 절연 작용을 하며, 모든 자세의 용접을 가능케 한다.
⑥ 모재 표면의 산화물을 제거하여 고운 비드를 만든다.
⑦ 슬래그의 제거가 쉽고 용적을 미세화 하며, 용착 효율을 높인다.

(3) 연강용 피복 아크 용접봉의 종류

종류 용접자세 전원	주성분	특성 및 용도
알루미나이트계 (Ilmenite type) E4301 F, V, O, H AC 또는 DC(±)	알루미나이트 (TiO_2 · FeO)를 약 30% 이상 포함	• 가격 저렴 • 작업성 및 용접성이 우수 • 25mm 이상 후판 용접도 가능 • 수직·위보기 자세에서 작업성이 우수하며 전 자세 용접이 가능하다. • 일반구조물의 중요 강도 부재, 조선, 철도, 차량, 각종 압력 용기 등에 사용
라임티타니아 계 (Lime – titania type) E4303 F, V, O, H AC 또는 DC(±)	산화티탄 (TiO_2) 약 30% 이상과 석회석 ($CaCO_3$)이 주성분	• 작업성은 고산화 티탄계, 기계적 성질은 일미나이트계와 비슷 • 사용 전류는 고산화 티탄계 용접봉보다 약간 높은 전류를 사용 • 비드가 아름다워 선박의 내부 구조물, 기계, 차량, 일반 구조물 등 사용 • 피복제의 계통으로는 산화티탄과 염기성 산화물이 다량으로 함유된 슬랙 생성식

종류 용접자세 전원	주성분	특성 및 용도
고 셀룰로스계 E4311 F, V, O, H AC 또는 DC(±)	가스 발생제인 셀룰로스를 20 ~ 30% 정도 포함	• 아크는 스프레이 형상으로 용입이 크고 비교적 빠른 용융 속도 • 슬랙이 적으므로 비드 표면이 거칠고 스팩터가 많은 것이 결점 • 아연 도금 강판이나 저합금강에도 사용되고 저장 탱크, 배관 공사 등에 사용 • 피복량이 얇고, 슬랙이 적어 수직 상·하진 및 위보기 용접에서 우수한 작업성 • 사용 전류는 슬랙 실드계 용접봉에 비해 10 ~ 15% 낮게 사용되고 사용 전에 70 ~ 100℃에서 30분 ~ 1시간 건조
고산화 티탄계 E4313 F, V, O, H AC 또는 DC(±)	산화티탄 (TiO_2)을 약 35% 정도 포함	• 용도로는 일반 경 구조물, 경자동차 박 강판 표면 용접에 적합 • 기계적 성질에 있어서는 연신율이 낮고, 항복점이 높으므로 용접 시공에 있어서 특별히 유의 • 아크는 안정되며 스팩터가 적고 슬랙의 박리성도 대단히 좋아 비드의 겉모양이 고우며 재 아크 발생이 잘 되어 작업성이 우수 • 1층 용접에 의한 용착 금속은 X선 검사에 비교적 양호한 결과를 가져오나 다층 용접에 있어서는 만족할 만한 결과를 가져오지 못하고, 고온 균열(hot crack)을 일으키기 쉬운 결점
저수소계 E4316 F, V, O, H AC 또는 DC(±)	석회석 ($CaCO_3$)이나 형석 (CaF_2)을 주성분	• 용착 금속 중의 수소량이 다른 용접봉에 비해서 1/10 정도로 현저하게 적은, 우수한 특성 • 피복제는 습기를 흡수하기 쉽기 때문에 사용하기 전에 300 ~ 350℃ 정도로 1 ~ 2시간 정도 건조시켜 사용 • 아크가 약간 불안하고 용접 속도가 느리며 용접 시점에서 기공이 생기기 쉬우므로 후진(back step)법을 선택하여 문제를 해결하는 경우도 있음 • 용접성은 다른 연강봉보다 우수하기 때문에 중요 강도 부재, 고압 용기, 후판 중 구조물, 탄소 당량이 높은 기계 구조용 강, 구속이 큰 용접, 유황 함유량이 높은 강 등의 용접에 결함 없이 양호한 용접부가 얻어짐
철분 산화 티탄계 E4324 F, H AC 또는 DC(±)	고산화 티탄계 용접봉(E4313)의 피복제에 약 50% 정도의 철분 첨가	• 작업성이 좋고 스팩터가 적으나 용입이 얕다. • 아래 보기 자세와 수평 필릿 자세의 전용 용접봉 • 보통 저 탄소강의 용접에 사용되지만, 저 합금강이나 중·고 탄소강의 용접에도 사용
철분 저수소계 E4326 F, H AC 또는 DC(±)	저수소계 용접봉(E4316)의 피복제에 30 ~ 50% 정도의 철분 첨가	• 용착 속도가 크고 작업 능률이 좋다. • 아래 보기 및 수평 필릿 용접 자세에만 사용 • 용착 금속의 기계적 성질이 양호하고, 슬랙의 박리성이 저수소계보다 좋음
철분 산화철계 E4327 F, H F에서는 AC 또는 DC(±) H에서는 AC 또는 DC(-)	산화철에 철분을 30 ~ 45%첨가하여 만든 것으로 규산염을 다량 함유	• 산성 슬랙이 생성 • 비드 표면이 곱고 슬랙의 박리성이 좋음 • 아래 보기 및 수평 필릿 용접에 많이 사용 • 아크는 스프레이형이고 스팩터가 적으며, 용입도 철분산화티탄계(E4324) 보다 깊음
특수계	특별히 규정하고 있지 않음	

TIP

- 용접자세
  F(flat) : 하향, V(vertical) : 수직, H(horizontal) : 수평,
  OH(over head) :위 보기 자세 용접을 나타내며, 전류의 종류 DC(±)는 용접봉의 극성을 나타낸 것임
- 용접봉 기호의 의미 : E 43 △ □
  E : 전기 용접봉(electrode)의 첫 글자
  43 : 용착 금속의 최저 인장강도(kgf/mm²)
  △ : 용접자세(0, 1 : 전자세, 2 : 아래보기 및 수평 필릿 용접, 3 : 아래보기 자세,
  4 : 전자세 또는 특정 자세 용접)
  □ : 피복제의 종류

(4) 피복 아크 용접봉의 보관 및 선택

피복제는 습기를 잘 흡수하는 성질이 있으며, 피복제에 습기가 있으면 용접부에 기포 및 균열이 발생되기 때문에 보관을 잘 하여야 한다. 건조 방법 및 검사 방법은 다음과 같다.

① 피복 용접봉은 건조기를 이용하여 2~3분 동안 항상 건조시켜 놓고 용접 작업 직전에 꺼내어 사용할 것.

② 재 건조를 시키는 경우 70~100℃의 온도에서 30분~1시간 정도 건조시켜야 하며, 저수소계 용접봉의 경우 300~350℃의 온도에서 30분~1시간 정도 건조시켜야 한다.

③ 편심이 3% 이상이면 한쪽 부분으로만 아크가 발생되므로 피복 용접봉을 선택하는 경우에는 피복제가 균일하게 입혀졌는가 검사한다.

4 아크 용접 작업

(1) 준비

① 용접봉의 전원측과 모재의 용접측 코드를 확실하게 접속한다.

② 모재의 두께, 용접의 종류 및 용접자세에 따라 용접봉을 선택하고 용접 전류값을 결정한다. 용접 전류가 과대하면 스패터(spatter)의 발생이 많고 용융 속도가 빠르며, 언더컷이 발생되기 쉽고 용접 전류가 약할 경우에는 용입의 불량과 오버랩이 발생되기 쉽다.

③ 접지와 접촉하는 모재의 부분에는 기름, 피막 및 녹을 제거한다.

(2) 아크의 발생 및 차단

① 아크의 발생

용접봉을 수직으로 유지하면서 그 끝으로 모재의 표면을 가볍게 문질러 통전시키며, 아크를 발생시킨다. 즉 아크 발생 위치를 정한 다음 용접봉 끝을 모재 면에서 10mm 정도가 되도록 가까이 대고 헬멧이나 핸드 실드로 얼굴을 보호함과 동시에 용접봉을 순간적으로 모재 면에 접촉시켰다가 3~4mm 정도 떼면 아크가 발생된다.

아크의 발생에는 찍기법과 긁기법이 있으며, 직류 아크 용접에서는 찍기법을 이용하고 교류 아크 용접에서는 긁기법을 이용한다.

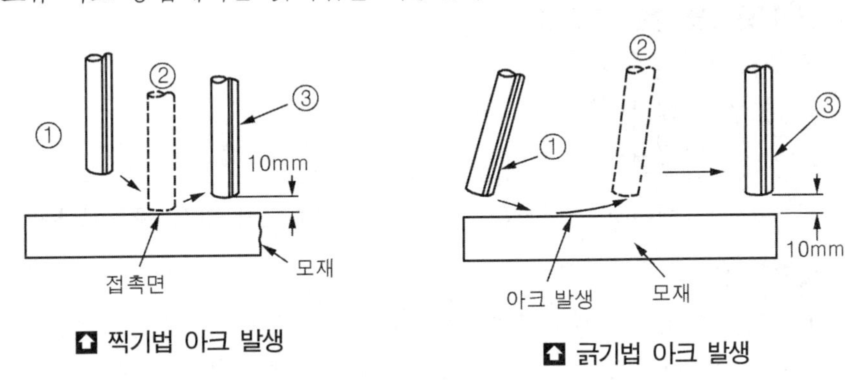

찍기법 아크 발생 / 긁기법 아크 발생

② 아크의 전압과 아크의 길이

아크의 전압은 아크의 길이에 비례하는데 일반적으로 아크의 길이는 약 3mm 정도이며, 2.6mm 이하의 용접봉은 심선의 지름과 거의 같은 아크 길이로 한다. 따라서 양호한 용접이 이루어지도록 하기 위해서는 짧은 아크를 사용하여 하며, 아크 길이가 적당할 경우에는 작은 입자의 스패터가 발생된다.

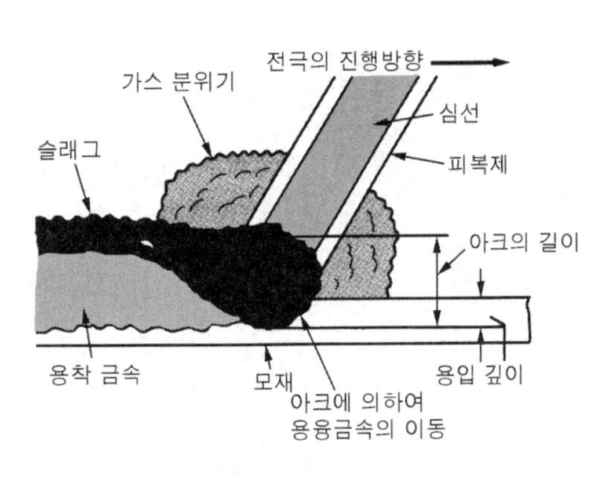

아크의 길이

아크의 길이가 너무 길면 아크가 불안정하고 용융 금속이 산화 또는 질화되기 쉬우며, 열의 집중이 부족하여 용입의 불량 및 스패터의 발생이 많아지게 된다. 또한 아크의 길이가 너무 짧으면 용접봉과 모제가 단락되어 용접이 이루어지지 않는다.

③ **아크를 차단하는 방법**

운봉 속도를 늦추면서 아크를 약간 짧게 하고 끌어당기면서 용접봉을 위로 들어올린다. 이때 용접의 정지 지점에서 크레이터를 채운 다음 용접봉을 신속하게 들어 올린다.

(3) 전기 충격

교류 아크 용접기에서는 1차쪽 전압은 200~220V, 2차 무부하 전압이 80~90V이다. 전기 충격을 받는 원인과 그 예방대책은 다음과 같다.

① **전기 충격을 받는 주원인**

- 용접기의 절연 불량
- 코드의 절연 불량
- 용접봉 홀더의 절연 불량
- 좁은 장소에서의 작업이나 비가 내린 뒤 습기가 많은 장소에서의 작업

② **예방대책**

- 용접기의 접지를 확실하게 하고 용접봉 홀더와 코드를 점검한다.
- 장갑, 안전화, 작업 및 핸드 실드 등의 보호구를 착용한다.
- 젖은 장갑을 끼고 용접봉 홀더를 잡거나 용접봉을 교환하지 않는다.
- 전기 충격 방지가 부착된 용접기를 사용한다.

(4) 자동 전기 충격 방지 장치

자동 전기 충격 방지장치는 그림에 내타낸 것과 같은 것이며, 아크를 차단한 후 최대 1.5초 이내에 용접봉과 피용접물 사이의 전압을 자동적으로 25V이하로 낮추며, 아크가 발생할 때만 소정의 전압이 공급되도록 제어하는 것이다.

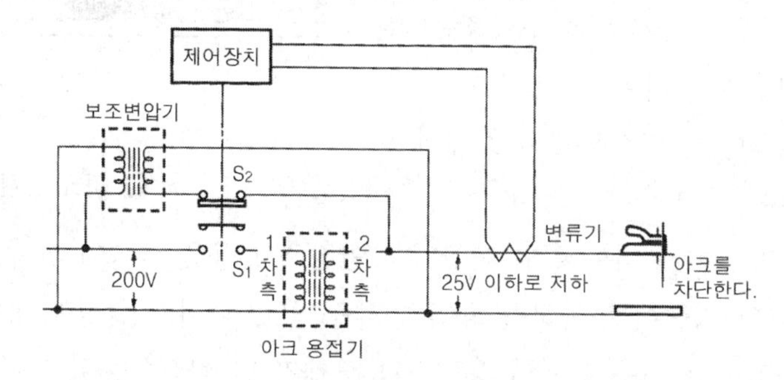

자동 전기 충격 방지장치의 개요

(5) 보호 장비

아크의 빛은 가시광선, 적외선 및 자외선 등의 강한 광선을 발생하므로 똑바로 쳐다보면 결막염이나 각막염 등을 일으키며, 이들의 광선이나 용접의 스패터(spatter)가 피부에 닿으면 화상을 입는다. 이러한 재해를 방지하기 위하여 그림에 나타낸 것과 같은 보호구를 착용하여야 한다.

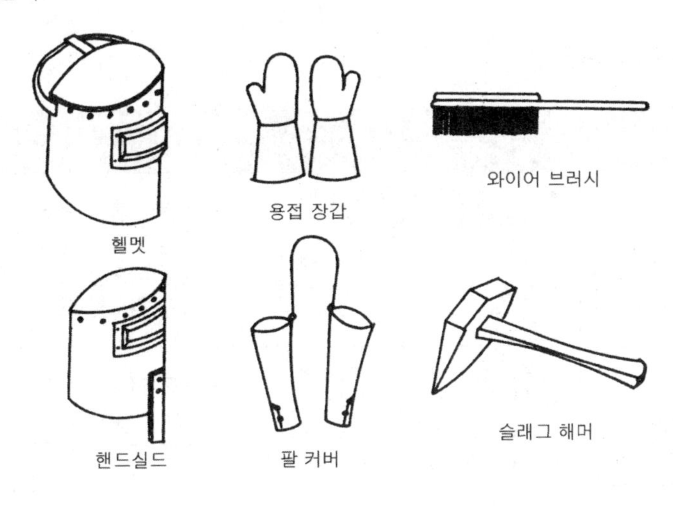

보호구 및 공구

(6) 용접기구 점검 및 용접 전류 조정

① 용접 기구의 점검

용접기의 전원을 ON시키기 전에 다음 사항을 점검하여야 한다.

- 용접기에 전원이 잘 연결되었는지 점검한다.
- 케이블에 손상된 부분은 없는지 점검하고 접속부의 나사가 잘 죄어져 있는지 점검한다.
- 용접기 케이스에 접지선이 연결되어 있는지 점검한다.
- 용접봉 홀더에 파손된 부분은 없는지 점검한다.
- 작업장 주위의 작업을 위한 요소를 점검한다.

② 용접 전류의 조정

용접 기구를 점검하여 이상이 없으면 전원 스위치를 ON시키고 용접 전류를 조정한다. 적정한 용접 전류는 모재의 두께, 용접봉의 지름. 용접 자세 등에 따라서 알맞은 전류를 선택하는 것이 중요하며, 전류의 밀도는 용접봉 단면적 1mm^2 에 대하여 10~13A 정도로 선정하는 것이 좋다.

적정 전류보다 많으면 언더컷, 블로 홀 등이 발생되고 비드의 파형이 거칠어지며, 전류가 적으면 용착 금속에 슬래그가 섞임, 용입 불량 등이 생기기 때문에 적정 전류 값은 용접봉 제조자가 정한 값으로 하는 것이 좋다.

(7) 아크 용접부의 결함

결함의 종류	원 인	대 책
언더컷 (언더컷, 언더컷)	• 용접 전류가 너무 높을 때 • 부적당한 용접봉 사용시 • 용접 속도가 너무 빠를 때 • 용접봉의 유지 각도가 부적당할 때	• 용접 전류를 낮춤 • 조건에 맞는 용접봉 종류와 직경 선택 • 용접 속도를 느리게 함 • 유지 각도를 재조정함
오버랩 (오버랩, 오버랩)	• 용접 전류가 너무 낮을 때 • 부적당한 용접봉 사용시 • 용접 속도가 너무 늦을 때 • 용접봉의 유지 각도가 부적당할 때	• 용접 전류를 높임 • 조건에 맞는 용접봉 종류와 직경 선택 • 용접 속도를 빠르게 함 • 유지 각도를 재조정함
용입 부족 (용입불량)	• 용접 전류가 낮을 때 • 용접 속도가 빠를 때 • 용접홈의 각도가 좁을 때 • 부적합한 용접봉 사용시	• 슬랙 피복성을 해치지 않은 범위에서 전류 높임 • 용접 속도를 느리게 함 • 이음 홈의 각도, 루트 간격을 크게 하고 루트면의 치수를 적게 함 • 용입이 깊은 용접봉을 선택함
균열	• 이음의 강성이 너무 클 때 • 부적당한 용접봉 사용 할 때 • 모재의 탄소, 망간 등의 합금 원소 함량이 많을 때 • 모재의 유황 함량이 많을 때 • 전류가 높거나 속도가 빠를 때	• 예열, 후열 시공 • 저수소계 용접봉 사용과 건조 관리 • 적절한 속도로 운봉 • 용접 금속 중의 불순물 성분을 저하 • 용접 조건의 선택에 의해 비드 단면 형상을 조정
기공	• 수소 또는 일산화탄소 과잉 • 용접부의 급속한 응고 • 모재 가운데 유황함유량 과대 • 기름 페인트 등이 모재에 묻어 있을 때 • 아크 길이, 전류 조작의 부적당 • 용접 속도가 너무 빠를 때	• 저수소계 용접봉 등으로 용접봉을 교환 • 위빙을 하여 열량을 높이거나 예열 • 이음의 표면을 깨끗이 청소 • 정해진 전류 범위 안에서 약간 긴 아크를 사용하거나 용접법을 조절 • 적당한 전류를 사용 • 용접 속도를 늦춤

결함의 종류	원 인	대 책
슬랙 혼입	• 이음의 설계가 부적당 할 때 • 봉의 각도가 부적당 할 때 • 전류가 낮을 때 • 슬랙 융점이 높은 봉을 사용 할 때 • 용접 속도가 너무 느려 슬랙이 선행할 때 • 전층의 슬랙 제거가 불완전 할 때	• 루트 간격을 넓혀 용접 조작을 쉽게 하고, 아크 길이 또는 조작을 적당히 함 • 봉 각도를 조절함 • 전류를 높임 • 용접부를 예열하고. 슬랙 융점이 낮은 것을 선택 • 용접 전류를 약간 높이고 용접 속도를 조절하여 슬랙의 선행을 막음 • 전층 비드의 슬랙을 깨끗이 제거할 것
스패터 스패터 용입	• 전류가 높을 때 • 건조되지 않은 용접봉 사용 시 • 아크 길이가 너무 길 때 • 봉각도가 부적당 할 때	• 적정 전류를 사용 • 봉을 충분히 건조하여 사용 • 아크 길이를 조절 • 봉각도를 조절
용락	• 이음의 형상이 부적당 할 때 • 용접 전류가 너무 높을 때 • 아크 길이가 길 때 • 용접 속도가 너무 느릴 때 • 모재가 과열되었을 때	• 루트 면을 크게 하고 루트 간격을 조절 • 용접 전류를 조절 • 아크 길이를 조절 • 열량이 너무 커지지 않도록 용접 속도를 조절
선상 조직	• 용착 금속의 냉각 속도가 빠를 때	• 용착 금속을 서냉한다. • 모재의 재질에 맞는 용접봉을 선택한다.
피트	• 모재에 탄소, 망간, 황 등의 함유량이 많을 때 • 습기, 녹, 페인트가 있을 때 • 용착 금속의 냉각 속도가 빠를 때	• 저수소계 용접봉 등 재질에 맞는 용접봉을 선택한다. • 이음부를 청소하고 봉을 건조시킨다. • 예열을 한다.

▶ 가스 용접 흐름도

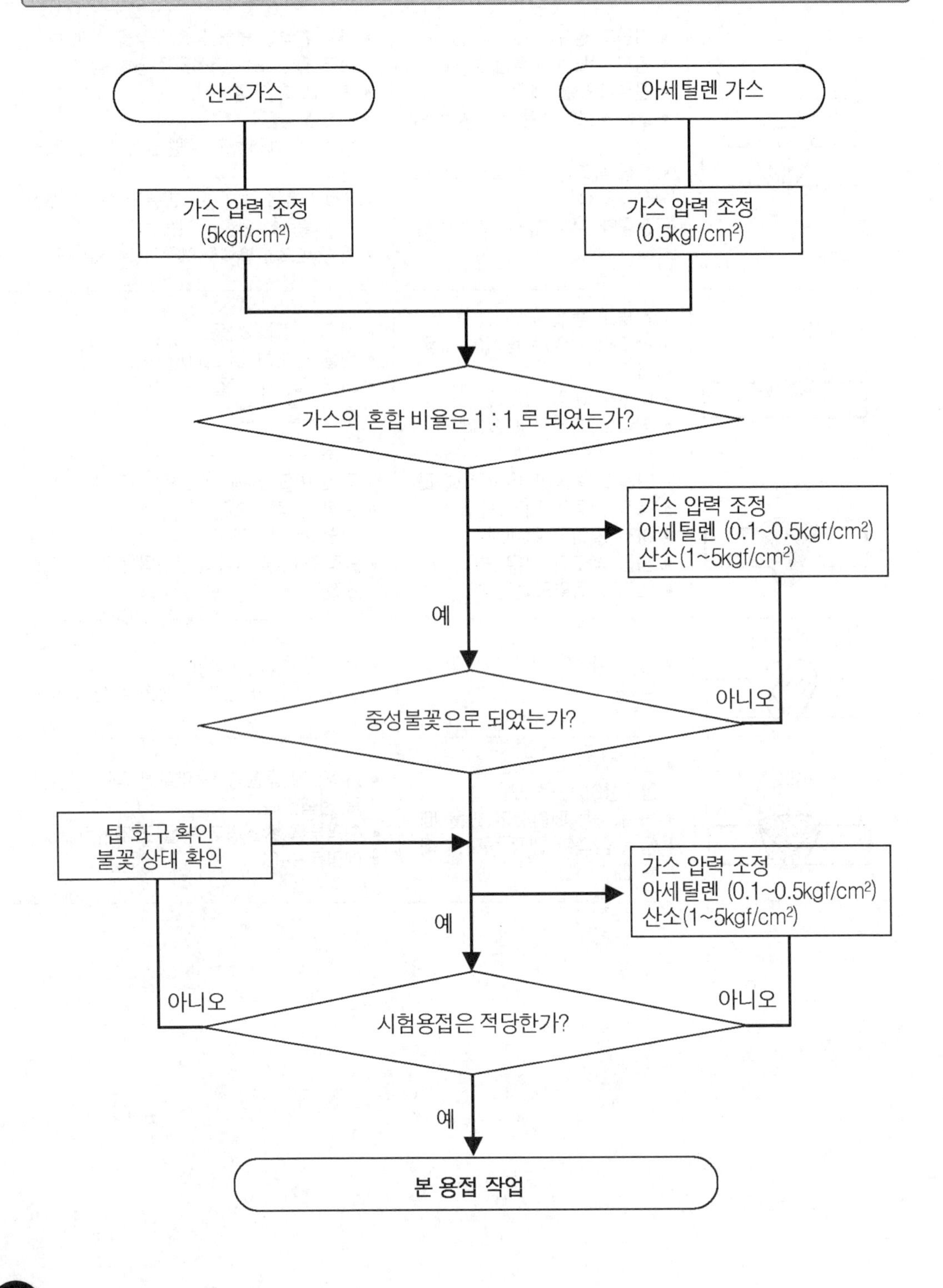

산소가스
아세틸렌 가스
가스 압력 조정
(5kgf/cm2)
가스 압력 조정
(0.5kgf/cm2)
가스의 혼합 비율은 1 : 1 로 되었는가?
가스 압력 조정
아세틸렌 (0.1~0.5kgf/cm2)
산소(1~5kgf/cm2)
예
아니오
중성불꽃으로 되었는가?
팁 화구 확인
불꽃 상태 확인
가스 압력 조정
아세틸렌 (0.1~0.5kgf/cm2)
산소(1~5kgf/cm2)
예
아니오
시험용접은 적당한가?
아니오
예
본 용접 작업

▶ 가스 용접에 필요한 각종 장비 · 공구

❶ 용접용 각종 공구

용접용 공구에는 다음과 같이 여러 가지가 있다.

① 작업대　　② 용접 지그
③ 바이스　　④ 클램프
⑤ 용접봉　　⑥ 슬래그 해머
⑦ 와이어 브러쉬　　⑧ 토치 라이터
⑨ 차광 안경　　⑩ 팁 바늘
⑪ 작업모자　　⑫ 용접용 마스크

(1) 차광 안경의 규격

가스 용접 중 불 꽃의 유해한 적외선과 자외선의 피해를 방지하기 위해서 차광안경을 사용하는데, 차광능력은 차광번호에 의하여 등급이 결정된다.

보통 안경 형태의 것을 쓰고 작업을 할 때 측면 광선을 받게 되며 측면 시일드(SIDE SHIELD)가 붙어 있는 아이 컵 형의 것을 사용하여야 하고 차광도 번호가 큰 필터인 차광도 번호 10 이상을 사용 할 때 차광도 번호보다 작은 번호의 것을 2장 겹쳐서 차광도 번호가 해당하도록 만들어 사용하는 것이 좋다.

> N을 한 장의 차광도라 하고 n-1, n-2를 2장의 차광도라 하면
> N = (n-1 + n-2) -1 로 된다.

❷ 용접 실습

(1) 용접 준비

산소 아세틸렌 용접을 하려면 산소와 아세틸렌을 봄베 또는 가스 발생기, 조정 밸브(감압 밸브), 고무호스, 용접 토치, 보호안경, 앞치마, 장갑, 브러쉬, 작은 해머, 점화 용구 등을 준비하여야 한다.

또 연습은 내화벽돌을 나란히 늘어놓은 작업대와 같이 준비해 두는 것이 좋다.

※ 점화 준비

① 고압 밸브의 먼지 등을 털어내고 깨끗하게 한다.

산소와 아세틸렌 봄베가 넘어지지 않도록 고정시킨다. 산소와 아세틸렌 봄베의 고압 밸브를 재빠르게 열어 노즐의 먼지를 불어서 날려 버리고 깨끗한 천으로 고정 시트를 닦는다.

② 압력 조정기를 장치한다.

아세틸렌 압력조정기는 아세틸렌 봄베에, 산소 압력조정기는 산소 봄베에 각각 누설하지 않도록 단단히 조여 붙인다.

③ 압력조정기에 가스호스를 접촉시킨다.

황색 호스는 아세틸렌 압력 조정기에 녹색은 산소 조정기에 연결시킨다.

④ 용접 토치에 호스를 접속한다.

⑤ 가스 누설을 점검한다.

비눗물로 모든 연결부위를 발라서 가스 누설의 유무를 점검한다.

⑥ 산소 및 아세틸렌의 압력을 조정한다.

먼저 산소와 아세틸렌 조정기가 닫혀져 있는가를 확인하고 봄베의 고압밸브를 천천히 연다. 이 경우 조정기의 바로 앞에 서 있지 않도록 한다. 이 경우 아세틸렌 고압밸브는 1회전 이상 돌리지 않는다. 또 고압밸브 개폐 핸들은 그대로 고압 밸브에 달아 두는 것이 좋다.

⑦ 점화의 조작

토치의 아세틸렌 밸브를 연 다음 산소 밸브를 조금 열고 소양의 혼합하여 점화 라이터 또는 화약심지 등으로 불을 켠다. 성냥이나 라이터 등으로 불을 켜면 위험하다.

⑧ 화염의 조정

토치에 불을 켠 다음 산소밸브를 서서히 열어 산소를 증가 시키면 날개 모양의 긴 백열 화염이 차차 짧아진다. 이때의 화염이 없어져 말끔히 된 불꽃심이 청백색의 바깥 쪽 불꽃으로 둘러싸인 때가 중성 화염이다. 그리고 산소를 많게 하고 불꽃심이 차차 짧아져 바깥쪽 불꽃이 어두워질 때의 화염이 산화 화염이다.

산소 아세틸렌 화염을 조절하려면 불꽃의 색과 불꽃심의 길이를 보면서 확인한다.

1. 공중에서 아세틸렌을 연소 했을 때(약 850℃)
   - 붉은 빛을 띤 날개 모양의 화염
2. 약간 아세틸렌 과잉 화염(약 3,200℃)
   - 중성화염에 가까운 불꽃이나 용착 철에 침탄이 행하여진다.
3. 중성화염 (약 3,300℃)
   - 용융철이 깨끗하여 똑똑히 보인다. 산화도 침탄도 없다.
4. 중성화염 (약 3,500℃)
   - 철의 기포 발생과 불꽃이 많고 용착 철이 산화 된다

(2) 용접 작업 후 처리 과정

① 토치의 아세틸렌 밸브를 닫는다.

② 토치의 산소 밸브를 닫는다.

③ 아세틸렌 봄베의 고압밸브를 닫는다.

④ 산소봄베의 고압 밸브를 닫는다.

⑤ 토치의 아세틸렌 밸브를 열고 압력 조정기, 호스 및 토치 내의 잔류 가스를 방출 시켜서 밸브를 닫는다.

⑥ 토치의 산소밸브를 열고 압력 조정기, 호스 및 토치 내의 잔류 가스를 방출 시켜서 밸브를 닫는다.

⑦ 역화는 산소 또는 아세틸렌 호스 중에서 혼합가스가 있기 때문에 일어난다. 앞에서 설명한 순서로 끝나면 아세틸렌이 산소 호스에 파고 들어가지 않으면 또 산소도 아세틸렌 호스에 들어가지 않는다.

③ 실습 과제 평가

1. 용접작업에 필요한 안전사항을 숙지하고, 작업 중에 시행하였는가?

2. 비드 외관이 일정한 폭(5~6mm), 높이(1mm 이내)가 일정하게 되어 있는가?

3. 백 비드가 충분히 발생 되었는가?

4. 비드 외관에서 언더 컷 형상의 발생이 없는가?

5. 비드 외관에서 오버랩 현상의 발생이 없는가?

6. 비드 외관에서 용입 부족 현상의 발생이 없는가?

7. 비드 외관에서 기공 현상의 발생이 없는가?

8. 비드 외관에서 탄화 또는 산화 현상이 없는가?

가접 용접 형상

▶ 용어 정리

- **가접**(tack welding): 본 용접을 실시하기 전에 정한 위치에 용접작업을 원활히 실시하기 위해 임시로 패널을 유지하기 위한 용접
- **갭 용접**(gap welding) : 가장자리와 가장자리 사이에 틈을 만들어 이를 메우는 용접 방법
- **필렛 용접**(fillet welding) : 두장의 판이 직각(T) 또는 어느 각도를 이루는 용접
- **맞대기 용접**(butt welding) : 서로 떨어진 두장의 판을 약 1mm 정도의 틈새를 유지하여, 그 틈새를 메우는 용접법
- **가스 용접**(gas welding) : 가스 불꽃의 열을 이용한 용접 방법
- **겹침 용접**(lap welding) : 두 장의 패널을 일부를 겹쳐 패널의 표면과 표면을 필렛 용접 하는 용접 방법
- **균열**(crack) : 용접된 모재에 금이 가서 생기는 결함
- **기공**(blow-hole) : 용접된 모재에 공기(가스)에 의해 생기는 구멍
- **드래그**(Drag) : 가스 절단이 일정한 속도로 진행될 때 모재 절단 홈의 하부에 가까울수록 ,슬래그의 방해, 산소의 오염, 산소의 속도 저하 등으로 인하여 산화작용, 즉 절단 속도가 늦어져 일정한 간격의 평행곡선으로 나타나는 드래그 라인(Drag Line)에서 처음과 마지막 양끝의 드래그 길이(Drag Length)는 주로 절단속도와 산소 소비량 등에 의하여 변화된다. 산소 압력을 증가 시키거나 절단속도를 줄이므로 이의 길이는 감소될 수 있고, 경제적인 측면에서 본다면 절단이 가능한 범위 내에서 드래그 길이가 긴 편이 좋다고 말할 수 있겠으나, 실제 작업에 있어 이의 적정값은 절단 모재 두께의 약 10%의 정도가 이상적이다.
- **루트**(root) : 패널과 패널이 맞닿는 부분의 공간
- **비드**(bead) : 용접봉이 세로 방향으로 길게 녹아 모재 표면에 퇴적된 형상
- **산화**(oxidation) : 용접과정에 있어서 철 또는 비철 금속 원소가 대기 중의 산소와 반응이 일어나는 현상
- **서멀디스터 밴스**(thermal-destabance) : 용융역의 경계(그 부분의 모재는 녹아있지 않지만 열 때문에 분자 구조가 침해되어 있다)
- **수직 용접**(vertical position) : 용접선이 대략 수직인 이음을 옆에서 용접하는 형태
- **수평 용접**(horizontal position) : 용접선이 대략 수평적인 이음을 양쪽에서 용접하는 형태
- **슬랙**(slag welding) : 용착 부위에 나타난 비금속 물질
- **아래보기 용접**(flat position) : 용접선이 대략 수평적인 이음을 위쪽을 보며 용접하는 형태
- **언더 컷**(under-cut) : 비드 양 측면을 따라 모재가 패어지고, 용착 금속이 채워지지 않은 채 남아있는 공간

- **역류**(contra flow) : 용접 토치는 토치의 인젝터의 작용으로 산소 기류의 압력에 의하여 흡인되는 구조로 되어 있으나, 혹시 팁의 끝이 막히게 되면 산소가 아세틸렌 도관(導管) 내에 들어가 수봉식 안정기로 들어간다. 만일, 안전기(安全器)가 불안전하면 산소가 아세틸렌 발생기에 들어가 폭발을 일으키게 된다. 이것을 역류(逆流)라 한다. 그러나 용해 아세틸렌에서는 안전기를 사용하지 않아도 된다.
- **역화**(back fire) : 역화는 토치의 취급이 잘못될 때 순간적으로 불꽃이 토치의 팁 끝에서 '빵빵', 또는 '탁탁' 소리를 내며 불길이 기어들어갔다가 곧 정상이 되든가, 또는 완전히 불길이 꺼지는 현상을 말한다. 역화(逆火)의 원인은 작업 물에 팁의 끝이 닿았을 때, 팁의 끝이 과열 되었을 때, 가스 압력이 적당하지 않을 때, 팁의 죔이 완전하지 않았을 때 일어난다.
- **예열**(preheating) : 용접 또는 절단 작업에 앞서 모재에 열을 가하는 것
- **오버랩**(over-lap) : 융착 금속이 비이드 면 상단, 또는 모재에 녹아 있지 못하고 겹친 듯이 보이는 부분
- **용가재**(filler metal) : 용착부을 만들기 위해 녹여서 첨가하는 금속
- **용융속도** : 단위 시간에 녹아가는 용접봉의 무게 또는 길이
- **용융역**(fusion zone) : 통상 용접봉을 사용하여 모재가 녹아 붙은 부분
- **용융지**(metal pool) : 용접시 열에 의해 용융된 모재 부분이 오목하게 들어간 곳
- **용입**(penetration) : 골 모양으로 생긴 용접의 깊이
- **용적**(droplet) : 열에 의해 용접봉이 녹아 물방울처럼 떨어지는 현상
- **용접길이**(weld length) : 중단되지 않은 용접의 출발점 및 크레이터를 제외한 부분의 길이
- **용접봉**(welding rod) : 선 모양 또는 봉 모양의 용가재
- **용접부**(weld zone) : 용접 금속 및 그 근처를 포함한 부분의 총칭
- **용접선**(weld line) : 용접의 방향을 표시하는 선
- **용접면**(fusion face) : 용접부의 표면 (모재가 녹은 부분)
- **용접성**(weldability) : 모재의 재질이 용접에 적합 한가 또는 적합하지 않은가의 정도.
- **융착금속**(deposited metal) : 용접작업에 의하여 용가재로부터 모재에 융착한 금속
- **위빙**(weaving): 용접봉을 용접 방향에 대하여 옆으로 이리저리 움직이며 용접하는 용접 방법
- **인화**(flash back) : 인화(引火)는 불꽃이 혼합실까지 밀려들어오는 것으로 이것이 다시 불안전한 안전기(安全器)를 지나 발생기에 까지 인화되어 폭발을 일으켜 부상자를 낼 정도의 큰 사고를 일으키는 일까지 있다. 인화가 일어나면 곧 토치의 산소 밸브를 닫은 다음에 아세틸렌 밸브를 닫아 혼합실 내의 불을 끄는 것이 중요하다. 이어 조정기(調整器)의 밸브를 닫고 인화의 원인을 검토한 다음에 다시 점화하여야 한다. 인화의 원인으로 생각되는 것은 팁의 과열, 팁 끝의 막힘, 팁 조임의 불충분, 각 기구의 연결 불량, 먼지의 부착, 가스 압력의 부적당, 호스의 비틀림 등이 있다.
- **크레이터**(crater) : 온도에 의해 비이드 끝이 오목하게 패인 곳

- **펑크션**(function) : 용융역과 서멀디스터밴스부의 접합부
- **플러그 용접**(plug welding) : 접합하는 부재의 한 쪽에 구멍을 뚫어, 구멍을 매워 용접하는 작업 방법

◆ **박 상 윤** (現) 상계직업전문학교 E-mail : syp1219@hanmail.net

◆ **이 승 호** (現) 경기공업대학 자동차과

◆ **오 상 기** (現) 경기공업대학 자동차과

자동차차체수리 이론과 실무

정가 20,000원

2008년 2월 18일 초 판 발 행
2021년 1월 15일 제2판 4쇄발행

지 은 이 : 박상윤, 이승호, 오상기
발 행 인 : 김 길 현
발 행 처 : (주) 골든벨
등 록 : 제 1987-000018호

ⓒ 2008 *Golden Bell*

I S B N : 978-89-7971-775-4

㊃ 04316 서울특별시 용산구 245(원효로1가 53-1) 골든벨빌딩 5~6F
• TEL : 도서 주문 및 발송 02-713-4135 / 회계 경리 02-713-4137
내용 관련 문의 02-713-7452 / 해외 오퍼 및 광고 02-713-7453
• FAX_ 02-718-5510 • 홈페이지_ www.gbbook.co.kr • E-mail_ 7134135@ naver.com

※ 파본은 구입하신 서점에서 교환해 드립니다.

이 책에서 내용의 일부 또는 도해를 다음과 같은 행위자들이 사전 승인없이 인용할 경우에는 저작권법 제93조「손해배상청구권」에 적용 받습니다.

① 단순히 공부할 목적으로 부분 또는 전체를 복제하여 사용하는 학생 또는 복사업자
② 공공기관 및 사설교육기관(학원, 인정직업학교), 단체 등에서 영리를 목적으로 복제·배포하는 대표, 또는 당해 교육자
③ 디스크 복사 및 기타 정보 재생 시스템을 이용하여 사용하는 자